ALIVE IN CHRIST

VIVOS EN CRISTO

NIVEL D / LEVEL D

vivosencristo.osv.com / aliveinchrist.osv.com

La Vida Moral | The Moral Life

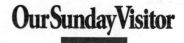

Our Sunday Visitor Curriculum Division
200 Noll Plaza, Huntington, Indiana 46750
1-800-348-2440

Vivos en Cristo Nivel D Student Book
ISBN: 978-1-61278-438-0
Item Number: CU5409

345678910 015016 22 21 20 19 18
Webcrafters, Inc., Madison, WI, USA; October2018; Job# 138688

Vista detallada **del contenido**

Contents at a Glance

© Our Sunday Visitor

Contents in Detail

Un año nuevo

♥ Oremos

Líder: Padre nuestro, por amor nos diste mandamientos para ayudarnos a honrarte y a vivir con los demás. Ayúdanos a seguir tus caminos y las enseñanzas de tu Hijo.

"Amor y lealtad son todos sus caminos, para el que guarda su alianza y sus mandatos". **Salmo 25, 10**

Todos: Gracias, Dios, por guiarnos y perdonarnos cuando nos apartamos de tus caminos.

✞ La Sagrada Escritura

Porque el amor de Dios por nosotros es inmenso y misericordioso, nos hizo revivir con Cristo cuando estábamos muertos por nuestras faltas: ¡han sido salvados por pura gracia!

Basado en Efesios 2, 4-5

? ¿Qué piensas?

- ¿Por qué necesitamos la misericordia de Dios?
- ¿Cómo nos invita Dios a vivir en relación con Él?

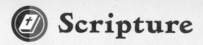

A New Year

♡ Let Us Pray

Leader: Our Father, out of love you gave us commands to help us honor you and live with others. Help us follow your ways and the teachings of your Son.

"All the paths of the LORD are mercy and truth toward those who honor his covenant and decrees." **Psalm 25:10**

All: Thank you, God, for leading us and forgiving us when we stray from your paths.

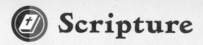

📖 Scripture

But because of his great love for us, God, who is rich in mercy, made us alive with Christ even when we were dead in transgressions—it is by grace you have been saved.
Based on Ephesians 2:4–5

? What Do You Wonder?

- Why do we need God's mercy?
- How does God invite us to be in relationship with him?

Mirando hacia adelante

¿Qué vamos a aprender este año?

Estás por comenzar la siguiente milla de tu viaje de fe, pero no viajas solo. Tu familia, tus amigos y toda la comunidad de la parroquia viajan contigo. Y también te acompaña la Palabra de Dios.

Este símbolo te indica que el relato o la lectura que sigue están tomados de la Biblia. En todas las lecciones le dedicarás tiempo a la Palabra de Dios en la Sagrada Escritura. A través de estos relatos, aprenderás más sobre el plan de Dios para todas las personas, a quienes Él creó a su imagen y semejanza. Te acercarás a Jesús mientras aprendes más acerca de su vida y de las enseñanzas de su Iglesia.

Comenzarás y terminarás cada lección con una oración. Cada vez que estás en grupo, tienes la oportunidad de dar gracias a Dios, de pedir su ayuda, de orar por las necesidades de los demás y de alabar a Dios por ser Dios. Dios Espíritu Santo te ayuda a orar.

Cantarás canciones para alabar a Dios y celebrar nuestra fe. Durante el año, explorarás los días festivos y los tiempos del año litúrgico, y conocerás a muchos Santos, los héroes de la Iglesia.

Cada capítulo tiene actividades para ayudarte a comprender mejor lo que se enseña. Puedes subrayar, encerrar en un círculo, escribir, emparejar y muchas cosas más.

Looking Ahead

What are we going to learn this year?

You are about to begin the next mile of your faith journey, but you do not travel alone. Your family, friends, and the whole parish community travel with you. And so does God's Word.

This symbol lets you know that the story or reading that follows is from the Bible. In every lesson you will spend time with God's Word in Scripture. Through these stories you will learn more about God's plan for all people, whom he created in his image and likeness. You will grow closer to Jesus as you learn more about his life and the teachings of his Church.

You will begin and end each lesson with a prayer. Each time you are together, you have the chance to thank God, ask his help, pray for the needs of others, and praise God for being God. God the Holy Spirit helps you pray.

You will sing songs to praise God and celebrate our faith. During the year, you'll explore the feasts and seasons of the Church year, and you will meet many Saints, heroes of the Church.

Every chapter has activities to help you better understand what's being taught. You may be underlining, circling, writing, matching, or more.

Palabras católicas

alianza promesa o acuerdo sagrado entre Dios y los seres humanos

⭐ Encierra en un círculo una cosa sobre la que quieres aprender más este año.

Vivir como discípulos de Jesús

Durante este año, aprenderás mucho sobre la **alianza** de Dios con su Pueblo y sobre las leyes que Él les dio para que viviera de acuerdo con la alianza. Las Palabras católicas importantes están **resaltadas** en amarillo para que les prestes atención y están definidas otra vez al costado de las páginas.

Verás cómo Jesús nos enseña a amar a Dios y a los demás siguiendo los Diez Mandamientos y viviendo las Bienaventuranzas. Los relatos de la Sagrada Escritura te recordarán que, sin importar lo que hagamos, Dios nos perdonará siempre si estamos verdaderamente arrepentidos y pedimos su perdón.

Todo lo que hagas en clase te ayudará a seguir el ejemplo de Jesús y a ser parte de la Iglesia.

En cada capítulo verás tres veces letras verdes como las que están abajo. Harás una pausa para pensar en tu fe y en las personas especiales de tu vida; para relacionar lo que haces en tu casa, con tus amigos y en la Iglesia; y para ver cómo vivir tu fe puede cambiar el mundo.

Comparte tu fe

Reflexiona Menciona algunas enseñanzas de Jesús que hayas oído con frecuencia.

_____

_____

_____

Comparte Habla con un compañero sobre por qué estas enseñanzas son importantes y quién te las enseñó.

Felices los que trabajan por la paz

Living as Jesus' Disciples

During this year, you'll be learning a lot about God's **covenant** with his People, and the laws he gave them to live by the covenant. Important Catholic Faith Words are **highlighted** in yellow to focus your attention and defined again on the sides of the pages.

You'll see how Jesus teaches us to love God and others by following the Ten Commandments and living the Beatitudes. Scripture stories will remind you that no matter what we do, God will always forgive us if we are truly sorry and ask his forgiveness.

All you do in class will help you follow Jesus' example and be part of the Church.

Three times a chapter you'll see green words like the ones below. You'll take a break to think about your faith and special people in your life; make connections to what you do at home, with friends, at Church; and see how living your faith can make a difference.

Catholic Faith Words

covenant a sacred promise or agreement between God and humans

Circle one thing you want to learn more about this year.

Share Your Faith

Reflect Name some teachings of Jesus that you've heard often.

_____

_____

_____

Share Talk with a partner about why these teachings are important and who taught them to you.

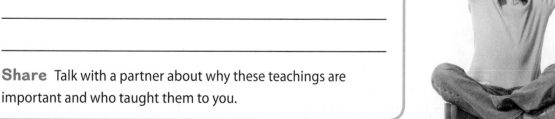

Blessed are the peacemakers

Palabras católicas

Sagrada Escritura otro nombre para la Biblia; la Sagrada Escritura es la Palabra de Dios inspirada por Él y escrita por los seres humanos

La Palabra de Dios

Otro nombre para la Biblia es **Sagrada Escritura**. Es la Palabra de Dios inspirada por Él y escrita por los seres humanos. Leemos la Sagrada Escritura y oramos con ella en familia, en las reuniones de la parroquia y en las clases de religión. Oímos lecturas de la Sagrada Escritura durante la Misa y los otros Sacramentos.

La Biblia católica tiene setenta y tres libros: cuarenta y seis en el Antiguo Testamento y veintisiete en el Nuevo Testamento.

El Antiguo Testamento

La primera parte de la Biblia trata acerca de la relación de Dios con el pueblo hebreo antes del nacimiento de Jesús. Incluye leyes, historias, mensajes de los profetas y relatos sobre la fidelidad y las acciones de Dios en la vida de su Pueblo.

Antes de la invención de la imprenta, la Biblia debía copiarse a mano. Muchas veces, cuando copiaban el texto, los monjes también iluminaban, o ilustraban, los pasajes de la Sagrada Escritura.

El Antiguo Testamento

El Pentateuco	Génesis, Éxodo, Levítico, Números, Deuteronomio
Los Libros Históricos	Josué, Jueces, Rut, 1 Samuel, 2 Samuel, 1 Reyes, 2 Reyes, 1 Crónicas, 2 Crónicas, Esdras, Nehemías, Tobías, Judit, Ester, 1 Macabeos, 2 Macabeos
Los Libros Sapienciales	Job, Salmos, Proverbios, Eclesiastés, Cantar de los Cantares, Sabiduría, Sirácides (Eclesiástico)
Los Libros Proféticos	Isaías, Jeremías, Lamentaciones, Baruc, Ezequiel, Daniel, Oseas, Joel, Amós, Abdías, Jonás, Miqueas, Nahúm, Habacuq, Sofonías, Ageo, Zacarías, Malaquías

God's Word

Another name for the Bible is **Sacred Scripture**. It is the inspired Word of God written by humans. We read and pray with Scripture with our families, during parish gatherings, and in religion classes. We hear readings from Scripture during Mass and the other Sacraments.

The Catholic Bible has seventy-three books—forty-six in the Old Testament and twenty-seven in the New Testament.

The Old Testament

The first part of the Bible is about God's relationship with the Hebrew people before Jesus was born. It includes laws, history, messages of the prophets, and stories of God's faithfulness and actions in the lives of his People.

© Our Sunday Visitor

Catholic Faith Words

Sacred Scripture another name for the Bible; Sacred Scripture is the inspired Word of God written by humans

The Old Testament	
The Pentateuch	Genesis, Exodus, Leviticus, Numbers, Deuteronomy
The Historical Books	Joshua, Judges, Ruth, 1 Samuel, 2 Samuel, 1 Kings, 2 Kings, 1 Chronicles, 2 Chronicles, Ezra, Nehemiah, Tobit, Judith, Esther, 1 Maccabees, 2 Maccabees
The Wisdom Books	Job, Psalms, Proverbs, Ecclesiastes, Song of Songs (Ecclesiasticus), Wisdom, Sirach
The Prophetic Books	Isaiah, Jeremiah, Lamentations, Baruch, Ezekiel, Daniel, Hosea, Joel, Amos, Obadiah, Jonah, Micah, Nahum, Habakkuk, Zephaniah, Haggai, Zechariah, Malachi

Before the invention of the printing press, the Bible had to be copied by hand. Many times when copying the text, monks would also illuminate, or illustrate, Scripture passages.

El Nuevo Testamento

La segunda parte de la Biblia habla del amor de Dios por las personas después de la venida de Jesús. Trata acerca de la vida y de las enseñanzas de Jesús, de sus seguidores y de la Iglesia primitiva.

El Nuevo Testamento	
Los Evangelios	Mateo, Marcos, Lucas, Juan
Hechos de los Apóstoles	
Cartas del Nuevo Testamento	Romanos, 1 Corintios, 2 Corintios, Gálatas, Efesios, Filipenses, Colosenses, 1 Tesalonicenses, 2 Tesalonicenses, 1 Timoteo, 2 Timoteo, Tito, Filemón, Hebreos, Santiago, 1 Pedro, 2 Pedro, 1 Juan, 2 Juan, 3 Juan, Judas
Apocalipsis	

Practica tu fe

Ubica pasajes de la Biblia Para practicar la forma de buscar un pasaje determinado de la Biblia, usa el ejemplo de Lucas 10, 25-28. Lucas es el título de un libro de la Biblia. El número del capítulo siempre aparece inmediatamente después del título del libro, por lo tanto, 10 es el número del capítulo. Los números 25-28 se refieren a los versículos. Con un compañero, busca este pasaje en la Biblia y comenta qué significa para ti. Escribe algunos de tus pensamientos aquí.

_____

_____

_____

The New Testament

The second part of the Bible tells of God's love for people after the coming of Jesus. It is about the life and teaching of Jesus, his followers, and the early Church.

The New Testament	
The Gospels	Matthew, Mark, Luke, John
The Acts of the Apostles	
The New Testament Letters	Romans, 1 Corinthians, 2 Corinthians, Galatians, Ephesians, Philippians, Colossians, 1 Thessalonians, 2 Thessalonians, 1 Timothy, 2 Timothy, Titus, Philemon, Hebrews, James, 1 Peter, 2 Peter, 1 John, 2 John, 3 John, Jude
Revelation	

Connect Your Faith

Locate Bible Passages To practice finding a particular Bible passage, use the example of Luke 10:25–28. Luke is the name of a book in the Bible. The chapter number always comes directly after the name of the book, so 10 is the chapter number. The numbers 25–28 refer to the verses. With a partner, find this passage in your Bible and discuss what this passage means to you. Write some of your thoughts here.

_____

_____

_____

Nuestra vida católica

Cada capítulo de tu libro tiene la sección Nuestra vida católica. Ella amplía lo que hay en el capítulo y se centra de manera especial en lo que significa ser católico. Los textos, las imágenes y las actividades te ayudan a comprender mejor cómo acercarte más a Jesús y a la Iglesia.

 Une las maneras de crecer como discípulos de la izquierda con las descripciones de la derecha.

Crecer como discípulos de Jesús

Conocer más sobre nuestra fe	Comprender y vivir las Bienaventuranzas y el Gran Mandamiento
Comprender los Sacramentos y participar en ellos	Participar en la vida misionera y comunitaria de tu parroquia
Vivir como Jesús nos pide que vivamos	Comprender y rezar oraciones de adoración, alabanza, gracias, petición e intercesión
Hablar con Dios y escucharlo en la oración	Mostrar el Evangelio por las decisiones que tomamos y cómo tratamos a los demás
Ser un miembro activo de la Iglesia	Celebrar la Eucaristía y participar en la Reconciliación
Ayudar a los demás a conocer a Jesús por medio de nuestras palabras y acciones	Aprender acerca del plan de Dios a través de la Sagrada Escritura y la Sagrada Tradición

Gente de fe

También se te presentará Gente de fe, mujeres y hombres santos que amaban mucho a Dios y que hicieron su obra en la Tierra. Ellos son reconocidos oficialmente por la Iglesia como Venerables, Beatos o Santos.

Vive tu fe

Describe cómo las personas pueden ser miembros activos de la Iglesia.

Menciona cómo tú puedes participar en tu parroquia.

Our Catholic Life

Each chapter in your book has an Our Catholic Life section. It builds on what's in the chapter and focuses in a special way on what it means to be Catholic. Words, images, and activities help us better understand how to grow closer to Jesus and the Church.

> Match the ways to grow as disciples on the left with the descriptions on the right.

Growing as Disciples of Jesus

Know more about our faith	Understand and live the Beatitudes and the Great Commandment
Understand and take part in the Sacraments	Participate in the mission and community life of your parish
Live as Jesus calls us to	Understand and pray in adoration, praise, thanksgiving, petition, and intercession
Talk and listen to God in prayer	Show the Gospel by the choices we make and way we treat others
Be an active member of the Church	Celebrate the Eucharist and participate in Reconciliation
Help others know Jesus through our words and actions	Learn about God's plan for us all through Sacred Scripture and Sacred Tradition

People of Faith

You will also be introduced to People of Faith, holy women and men who loved God very much and did his work on Earth. They are officially recognized by the Church as Venerables, Blesseds, or Saints.

Live Your Faith

Describe how people can be active members of the Church.

Name some ways you can take part in your parish activities.

♥ Oremos

Oremos juntos

Cada capítulo tiene una página de oraciones. A lo largo del año, hablarás con Dios y lo escucharás usando distintos tipos de oraciones. Puedes escuchar la lectura de la Palabra de Dios tomada de la Biblia, orar por las necesidades de los demás, pedir a los Santos que rueguen por nosotros y alabar a Dios Padre, Dios Hijo y Dios Espíritu Santo con palabras y canciones.

Reúnanse y comiencen con la Señal de la Cruz.

Líder: Bendito seas, Dios.

Todos: Bendito seas por siempre, Señor.

Líder: Oremos.

Inclinen la cabeza mientras el líder ora.

Todos: Amén.

Líder: Lectura del santo Evangelio según Lucas.

Lean Lucas 10, 25-28.

Palabra del Señor.

Todos: Gloria a ti, Señor Jesús.

 Canten "Estamos Vivos en Cristo"

Estamos vivos en Cristo
Estamos vivos en Cristo
Él es quien nos libró
Estamos vivos en Cristo
Estamos vivos en Cristo
Él se entregó por mí
Y nuestra vida es Él
Y nuestra vida es Él

© 2015, John Burland. Derechos reservados.

♥ Let Us Pray

Pray Together

Every chapter has a prayer page. Over the course of the year, you'll talk and listen to God using different prayer types. You may listen to God's Word, read from the Bible, pray for the needs of others, call on the Saints to pray for us, and praise God the Father, Son, and Holy Spirit in words and songs.

Gather and begin with the Sign of the Cross.

Leader: Blessed be God.

All: Blessed be God forever.

Leader: Let us pray.

Bow your heads as the leader prays.

All: Amen.

Leader: A reading from the holy Gospel according to Luke.

Read Luke 10:25–28.

The Gospel of the Lord.

All: Praise to you, Lord Jesus Christ.

 Sing "Alive in Christ"

We are Alive in Christ
We are Alive in Christ
He came to set us free
We are Alive in Christ
We are Alive in Christ
He gave his life for me
We are Alive in Christ
We are Alive in Christ

FAMILIA + FE

VIVIR Y APRENDER JUNTOS

SUS HIJOS APRENDIERON >>>

Esta página los anima a compartir su fe y a identificar las muchas maneras en que ustedes ya viven su fe en la vida diaria familiar.

En esta sección, hallarán un resumen de lo que su hijo ha aprendido en el capítulo.

La Sagrada Escritura

Esta sección les presenta la Sagrada Escritura inicial y les da una guía de otras lecturas.

Lo que creemos

La información en viñetas resalta los puntos principales de la doctrina en el Capítulo.

Gente de fe

Aquí conocen a la persona santa presentada en Gente de fe.

LOS NIÑOS DE ESTA EDAD >>>

Esta sección les da una idea de cómo es probable que su hijo pueda comprender los temas que se enseñan. Sugiere maneras en que ustedes pueden ayudar a su hijo a comprender, vivir y amar mejor su fe.

Cómo comprenden Típicamente, los niños de esta edad quieren ser independientes y es importante para ellos hacer cosas junto con sus compañeros. Sin embargo, apenas están comenzando a "salir de sí mismos". Algunos días parecerán mayores que la edad que tienen y otros días parecerán ser más pequeños. Acuérdense de ser pacientes con su hijo mientras experimenta con maneras nuevas de hablar o comportarse.

A esta edad, los niños habrán comenzado a internalizar y a expresar un código moral que está modelado por su familia, así como por la escuela y por la Iglesia. Pueden parecer demasiado preocupados por la justicia y los derechos. Las reglas y normas son la medida de lo que es correcto e incorrecto para ellos. A veces pueden parecer muy legalistas y críticos de sí mismos y los demás.

Ustedes pueden nutrir el sentido de moralidad católica de su hijo. Ofrézcanle oportunidades de elegir entre buenas decisiones, o la mejor de todas, no solo decisiones correctas o incorrectas. Ayúdenlo a ver cómo sus palabras y sus acciones pueden afectar a los demás.

CONSIDEREMOS ESTO >>>

Estas preguntas los invitan a reflexionar sobre su propia experiencia y a considerar cómo la Iglesia les habla durante su viaje de fe.

HABLEMOS >>>

- Aquí hallarán algunas preguntas prácticas que estimulan a conversar sobre el contenido de la lección, a compartir la fe y a hacer conexiones con su vida familiar.

- ¿Qué esperan aprender ustedes y su hijo sobre su fe este año?

OREMOS >>>

Esta sección invita a una oración familiar conectada con el ejemplo de nuestra Gente de fe.

Hombres y mujeres santos, ustedes son un modelo de fe, esperanza y caridad. Rueguen por nosotros mientras recorremos este año. Amén.

Visiten **vivosencristo.osv.com** para encontrar un glosario multimedia de Palabras católicas, lecturas dominicales, y recursos de Santos y tiempos festivos.

FAMILY+FAITH
LIVING AND LEARNING TOGETHER

YOUR CHILD LEARNED >>>

This page encourages you to share your faith and identify the many ways you already live the faith in daily family life.
In this section, you will find a summary of what your child has learned in the chapter.

Scripture

This introduces you to the opening Scripture, and provides direction for more reading.

Catholics Believe

• Bulleted information highlights the main points of doctrine of the Chapter.

People of Faith

Here you meet the holy person featured in People of Faith.

CHILDREN AT THIS AGE >>>

This section gives you a sense of how your child will likely be able to understand the topics taught. It suggests ways you can help your child better understand and live their faith.

How They Understand Children this age typically want to be independent, and doing things together with their peers is important to them. However, they are just beginning to "come out of themselves." Some days they will appear older than their years and other days they will seem younger. Remember to be patient with your child as he or she experiments with new ways of talking or behaving.

At this age children will have begun to internalize and express a moral code that is shaped in your family as well as in school and by the Church. They may seem very concerned about fairness and rights. Rules and regulations are the measure of right and wrong for them. At times they may appear legalistic and judgmental of themselves and others.

You can nurture your child's sense of Catholic morality. Give him or her opportunities to consider better or best choices, not just right or wrong choices. Help him or her see how their words and actions can affect others.

CONSIDER THIS >>>

These questions invite you to reflect on your own experience and consider how the Church speaks to you on your faith journey.

LET'S TALK >>>

Here you will find some practical questions that prompt discussion about the lesson's content, faith sharing, and making connections with your family life.

• What are you and your child looking forward to learning about your faith this year?

LET'S PRAY >>>

 Encourages family prayer connected to the example of our People of Faith.

Holy men and women, you model faith, hope, and love. Pray for us as we journey through this year. Amen.

For a multimedia glossary of Catholic Faith Words, Sunday readings, seasonal and Saint resources, and chapter activities go to **aliveinchrist.osv.com**.

Madre de los Dolores

💟 Oremos

Líder: Señor Dios: En momentos de duda, tristeza o dificultad, confiamos en Ti, como confió nuestra Madre María. Sabemos que estás con nosotros.

"Pero yo, Señor, confío en ti,
   yo dije: Tú eres mi Dios". **Salmo 31, 15**

Todos: Amén.

📖 La Sagrada Escritura

El padre y la madre del niño estaban asombrados por lo que se decía de él. Simeón los bendijo y le dijo a María: "Este niño traerá a la gente de Israel caída o resurrección. Será una señal a la que se opondrán, para que salgan a la luz los pensamientos íntimos de los hombres y, además, una espada te atravesará el alma." **Basado en Lucas 2, 33-35**

❓ ¿Qué piensas?

• ¿Cómo crees que se sintió María después de escuchar las palabras de Simeón?

• ¿Qué crees que María pensó que iba a suceder según la profecía de Simeón?

Sorrowful Mother

♥ Let Us Pray

Leader: Lord God,
In times of doubt, sadness and difficulty.
We trust in you, as our Mother Mary did.
We know you are with us.

"But I trust in you, LORD;
I say, 'You are my God.'" **Psalm 31:15**

All: Amen.

📖 Scripture

The child's father and mother were amazed at what was being said about him. Then Simeon blessed them and said to his mother Mary, "This child is destined for the falling and the rising of many in Israel, and to be a sign that will be opposed so that the inner thoughts of many will be revealed—and a sword will pierce your own soul too." **Based on Luke 2:33–35**

❓ What Do You Wonder?

- How do you think Mary felt after listening to Simeon's words?
- What do you think Mary thought was going to happen after Simeon's prophecy?

La escultura *La Piedad*, de Miguel Ángel, que se exhibe en la Basílica de San Pedro en la Ciudad del Vaticano, representa a María sosteniendo a Jesús cuando bajaron su cuerpo de la Cruz.

© Our Sunday Visitor

El Tiempo Ordinario

- La vida y el ministerio de Jesús son el centro del Tiempo Ordinario. María y los Santos también son recordados a lo largo del año.

- En el Tiempo Ordinario, el sacerdote se viste de verde, un signo de crecimiento y vida.

- El sacerdote viste de blanco en las festividades de María.

Tiempo Ordinario

La Iglesia honra a María en todos los tiempos. Las festividades de María suelen recordar los sucesos felices de su vida, como el día que celebramos su cumpleaños o su Asunción al Cielo. Pero el 15 de septiembre, durante el Tiempo Ordinario, la Iglesia honra a María como Nuestra Señora de los Dolores. Este día es un momento para recordar algunos de los sufrimientos de la vida de María.

María, nuestro modelo de fe

Hubo siete momentos especialmente tristes en la vida de María. Se llaman los siete dolores de María.

Tres de los dolores sucedieron durante la infancia de Jesús. El primero fue la profecía de Simeón de que la vida de Jesús llevaría tristeza a María. El siguiente fue el difícil viaje a Egipto para escapar del plan de Herodes de matar a Jesús. Más tarde, María se preocupó cuando Jesús se perdió y estaba enseñando en el Templo.

Michelangelo's sculpture *Pietà*, on display in St. Peter's Basilica in Vatican City, depicts Mary holding Jesus after his body had been taken down from the Cross.

Ordinary Time

The Church honors Mary in every season. The feast days of Mary often remember happy events in her life, such as the day we celebrate her birth or her Assumption into Heaven. But on September 15 during Ordinary Time, the Church honors Mary as Our Lady of Sorrows. This feast is a time to recall some of the sorrows in Mary's life.

Mary, Our Model of Faith

There were seven especially sad times in Mary's life. They are called the seven sorrows of Mary.

Three of the sorrows happened during Jesus' childhood. The first was Simeon's prophecy that Jesus' life would make Mary sad. Next was the difficult trip into Egypt to escape Herod's plan to kill Jesus. Later, Mary worried when Jesus was missing and teaching in the Temple.

Ordinary Time

- The life and ministry of Jesus are the focus of Ordinary Time. Mary and the Saints are also remembered throughout the year.

- In Ordinary Time, the priest wears green, a sign of growth and life.

- The priest wears white on Mary's feast days.

Los cuatro últimos dolores sucedieron al final de la vida de Jesús. María debió de estar triste cuando vio a Jesús cargando su Cruz y crucificado. Como cualquier otra madre, habrá sentido dolor cuando lo bajaron de la Cruz y lo enterraron en el sepulcro. Pero aun en tiempos difíciles y tristes, María siempre creyó en su Hijo. Actuó con valor y cuidó de los demás. María puede ser un modelo para ti también en los momentos tristes de tu vida.

Enumera los Siete Dolores de María.

➜ **¿Qué podemos hacer en los momentos difíciles?**

Compasión

María vio cuando su Hijo sufría y moría a manos de personas que no lo comprendían. Hoy también siente dolor alguien que ve que hieren a un ser querido. Pero de tu dolor puede nacer más cuidado y compasión por el sufrimiento de los demás. La compasión por los demás es más poderosa que el dolor. Oímos este mensaje en los Evangelios.

Actividad

Relaciona virtudes y acciones Une cada virtud con una acción que la desarrolla. Conversa con un amigo sobre la manera en que cada acción puede fortalecer la virtud.

Virtudes en desarrollo	
Virtudes	**Acciones**
arrepentimiento	defender a alguien a quien están acosando
pureza	evitar películas que no son apropiadas para ti
valor	ganar dinero y luego dárselo a los pobres
paciencia	decir que te arrepientes de haber lastimado a alguien
negación de sí mismo	ayudar a alguien más joven a aprender algo

The last four sorrows came at the end of Jesus' life. Mary must have been sad to see Jesus carrying his Cross and being crucified. As any mother would, she must have felt sorrow when he was taken down from the Cross and buried in the tomb. But in difficult and sad times, Mary always believed in her Son. She acted with courage and cared for others. Mary can be a model for you, too, in the sad times of your life.

➤ **What can we do when we have difficult times?**

Compassion

Mary watched as her Son suffered and died at the hands of those who did not understand him. Sorrow is still felt today whenever someone sees a loved one hurting. But from your sorrow can grow greater caring and compassion for the suffering of others. Compassion for others is more powerful than pain. We hear this message in the Gospels.

Number the Seven Sorrows of Mary.

Activity

Link Virtues and Actions Match each virtue with an action that will develop it. Talk with a friend about how each action could make the virtue stronger.

Developing Virtues

Virtues	Actions
repentance	standing up for someone who is being bullied
purity	avoiding movies that are not appropriate for you
courage	earning money and then giving it to the poor
patience	saying you are sorry for hurting someone
self-denial	helping a younger person learn something

Gente de fe

Capítulo	Persona	Festividad
1	Santa Kateri Tekakwitha	14 de julio
2	Santa Brígida de Suecia	23 de julio
3	San Raimundo de Peñafort	7 de enero
4	Santa Germana Cousin	15 de junio
5	Santo Domingo	8 de agosto
6	San Carlos Lwanga	3 de junio
7	San Yi Sung-hun	20 de septiembre
8	Santa Catalina Drexel	3 de marzo
9	Santa Mariana de Jesús, de Quito	26 de mayo
10	Beato Federico Ozanam	9 de septiembre
11	Santa Bernadette Soubirous	16 de abril
12	Santa María Magdalena Postel	16 de julio
13	San Luis Martin y Santa Celia María Martin	12 de julio
14	Santa Gianna Beretta Molla	28 de abril
15	Santa Juana de Arco	30 de mayo
16	San Juan Diego	9 de diciembre
17	Santa Margarita María de Alacoque	16 de octubre
18	Venerable Mateo Talbot	
19	Santa Margarita, Reina de Escocia	16 de noviembre
20	San Junípero Serra	1 de julio
21	San Martín de Porres	3 de noviembre

People of Faith

Chapter	Person	Feast Day
1	Saint Kateri Tekakwitha	July 14
2	Saint Bridget of Sweden	July 23
3	Saint Raymond of Peñafort	January 7
4	Saint Germaine Cousin	June 15
5	Saint Dominic	August 8
6	Saint Charles Lwanga	June 3
7	Saint Yi Sung-hun	September 20
8	Saint Katharine Drexel	March 3
9	Saint Mary Ann of Quito	May 26
10	Blessed Frédéric Ozanam	September 9
11	Saint Bernadette Soubirous	April 16
12	Saint Mary Magdalen Postel	July 16
13	Saint Louis Martin and Saint Marie-Azélie Martin	July 12
14	Saint Gianna Beretta Molla	April 28
15	Saint Joan of Arc	May 30
16	Saint Juan Diego	December 9
17	Saint Margaret Mary Alacoque	October 16
18	Venerable Matt Talbot	
19	Queen Saint Margaret of Scotland	November 16
20	Saint Junípero Serra	July 1
21	Saint Martin de Porres	November 3

♥ Oremos

Oración por la misericordia

Reúnanse y hagan juntos la Señal de la Cruz.

Líder: Bendito seas, Señor.

Todos: Bendito seas por siempre, Señor.

Canten juntos.

Líder: Cristo Jesús, Tú nos has dado a María como modelo de valor y paciencia. Mientras recordamos los dolores de María, expresamos dolor por nuestra falta de amor. Señor, ten piedad.

Todos: Señor, ten piedad.

Reflexión guiada

Siéntense en silencio delante de la cruz mientras el líder los guía en una reflexión sobre Nuestra Señora de los Dolores.

Líder: Oremos...

Todos: Amén.

¡Evangeliza!

Líder: Podemos ir en paz, con el espíritu de fe, esperanza y amor de María por su Hijo.

Todos: Demos gracias a Dios.

 Canten "Madre de la Iglesia"

♡ Let Us Pray

Prayer for Mercy

Gather and pray the Sign of the Cross together.

Leader: Blessed be God.

All: Blessed be God forever.

Sing together.

Leader: Christ Jesus, you have given us Mary as a model of courage and patience. As we remember Mary's sorrows, we express sorrow for our failure to love. Lord, have mercy.

All: Lord, have mercy.

Guided Reflection

Sit in silence before the cross as the leader leads you in a reflection on Our Lady of Sorrows.

Leader: Let us pray . . .

All: Amen.

Go Forth!

Leader: Let us go forth in Mary's spirit of faith, hope, and love for her Son.

All: Thanks be to God.

 Sing "Holy Mary"

HABLAMOS DEL TIEMPO ORDINARIO >>>

Todas las fiestas de María y los Santos ocurren durante el Año Litúrgico. El Tiempo Ordinario es el más largo de los tiempos de la Iglesia. Abarca treinta y tres o treinta y cuatro domingos. Se le llama Tiempo Ordinario porque todos los domingos están numerados en orden. El Tiempo Ordinario se divide en dos partes. La primera empieza desde el final del tiempo de Navidad hasta el Miércoles de Ceniza. La segunda empieza desde el final del tiempo de Pascua hasta el primer Domingo de Adviento, que comienza el ciclo siguiente, o el nuevo Año Litúrgico. Después de la Fiesta de la Santa Cruz, la Iglesia celebra la fiesta de Nuestra Señora de los Dolores, el 15 de septiembre. Esta fiesta nos invita a contemplar el sufrimiento que padeció María como Madre de Dios.

La Sagrada Escritura

 Lucas 2, 33-35 describe la presentación de Jesús en el Templo y la profecía de Simeón a María. ¿Cómo les ha ayudado su fe a superar algún sufrimiento?

AYUDEN A SUS HIJOS A COMPRENDER>>>

María

- Generalmente, a esta edad los niños comienzan a adoptar modelos de conducta. Pueden comenzar a ver a María como modelo de conducta para su propia vida espiritual.

- La mayoría de los niños de esta edad desarrollan un fuerte sentido de la justicia. Les resulta difícil comprender que a las personas buenas les suceden cosas malas. Esto puede llevar a muchas conversaciones sobre cómo manejar el sufrimiento y la injusticia como cristianos.

FIESTAS DEL TIEMPO >>>

Santa Madre Teodora Guerin
3 de octubre

La Santa Madre Teodora Guerin fue una mujer de muchos talentos. Nacida en Francia, aceptó la misión de viajar al territorio salvaje de Indiana. Allí enseñó, suministró medicamentos y fundó varios orfanatos y escuelas. Su grupo prosperó a pesar de los sentimientos anticatólicos y las dificultades en el Lejano Oeste americano. Fue canonizada en 2006.

ORACIÓN EN FAMILIA >>>

 Recen esta oración al reunirse para comer durante el mes de septiembre.

María Madre de los Dolores,

Rogamos por todos los que sabemos que sufren: nuestros familiares y amigos, y todas las personas en el mundo, especialmente aquellos que no tienen quien los ayude. Te pedimos que intercedas por ellos ante Dios para que les envíe lo que necesitan.

Amén.

Visiten **vivosencristo.osv.com** para encontrar un glosario multimedia de Palabras católicas, lecturas dominicales, y recursos de Santos y tiempos festivos.

© Our Sunday Visitor

FAMILY+FAITH
LIVING AND LEARNING TOGETHER

TALKING ABOUT ORDINARY TIME >>>

Feasts of Mary and the Saints occur throughout the Church Year. Ordinary Time is the longest of all the Church seasons. It occurs over thirty-three or thirty-four Sundays. It is called Ordinary Time because all the Sundays are numbered in order. Ordinary Time is divided into two parts. The first is from the end of the Christmas season until Ash Wednesday. The second is from the end of the Easter season until the first Sunday of Advent, which begins the next cycle, or a new liturgical year. Following the Feast of the Holy Cross, the Church celebrates the Feast of Our Lady of Sorrows on September 15. This feast invites us to contemplate the suffering that Mary endured as the Mother of God.

Scripture

 Luke 2:33–35 describes the presentation of Jesus in the Temple and Simeon's prophecy to Mary. How has your faith helped you deal with any suffering?

HELPING YOUR CHILD UNDERSTAND >>>
Mary

- Usually at this age, children begin to take on role models. They may begin to see Mary as a role model for their own spiritual life.

- Most children at this age develop a strong sense of fairness. It is difficult for them to grasp that bad things do happen to good people. This can lead to many discussions about how one handles suffering and injustice as a Christian.

FEASTS OF THE SEASON >>>
Saint Mother Theodore Guérin
October 3

Saint Mother Theodore Guérin was a woman of many talents. Born in France, she accepted an assignment to travel to the Indiana wilderness. She taught, administered medicines, and founded several orphanages and schools. Her group prospered despite anti-Catholic feelings and difficulties on the frontier. She was canonized in 2006.

FAMILY PRAYER >>>

Pray this prayer as you gather for mealtime throughout September.

Mary Mother of Sorrows,

We pray for all those we know who are suffering—our family members and friends, and all those throughout the world, especially for those who have no one to help them. We ask you to intercede for them before God that he will send them what they need.

Amen.

For a multimedia glossary of Catholic Faith Words, Sunday readings, seasonal and Saint resources, and chapter activities go to **aliveinchrist.osv.com**.

Prepararse para Jesús

❤ Oremos

Líder: Señor Dios, mientras nos preparamos para la fiesta
de Navidad, te damos gracias por el don de tu
Hijo, Emanuel, Dios con nosotros.

"Sí, grandes cosas ha hecho el Señor por nosotros,
rebosábamos de gozo". **Salmo 126, 3**

Todos: Amén.

📖 La Sagrada Escritura

"Al sexto mes el ángel Gabriel fue enviado por Dios a una
ciudad de Galilea, llamada Nazaret, a una joven virgen que
estaba comprometida en matrimonio con un hombre llamado
José, de la familia de David. La virgen se llamaba María. Llegó
el ángel hasta ella y le dijo: 'Alégrate, llena de gracia, el
Señor está contigo.' Pero el ángel le dijo: 'No temas, María,
porque has encontrado el favor de Dios. Concebirás en
tu seno y darás a luz un hijo, al que pondrás el nombre
de Jesús. Será grande y justamente será llamado Hijo
del Altísimo.'" **Lucas 1, 26-32a**

❓ ¿Qué piensas?

- ¿Cómo debes ser o qué debes hacer para estar lleno de gracia?

- ¿Qué cosas importantes ha hecho Dios por ti, por tu familia o por las personas que conoces?

Prepare for Jesus

❤ Let Us Pray

Leader: Lord God, as we prepare for the feast of Christmas. We thank you for the gift of your Son, Emmanuel, God with us.

"The LORD has done great things for us;
  Oh, how happy we were!" **Psalm 126:3**

All: Amen.

📖 Scripture

"In the sixth month, the angel Gabriel was sent from God to a town of Galilee called Nazareth, to a virgin betrothed to a man named Joseph, of the house of David, and the virgin's name was Mary. And coming to her, he said, 'Hail, favored one! The Lord is with you.' Then the angel said to her, 'Do not be afraid, Mary, for you have found favor with God. Behold, you will conceive in your womb and bear a son, and you shall name him Jesus. He will be great and will be called Son of the Most High . . .'" **Luke 1:26–32a**

❓ What Do You Wonder?

- What do you have to be or do to be favored?
- What great things has God done for you, your family, or people you know?

Cambiemos nuestro corazón

El Adviento es el primer tiempo del Año Litúrgico. Durante las cuatro semanas de Adviento, toda la Iglesia se prepara para celebrar la Segunda Venida de Jesús al mundo al final de los tiempos.

El Adviento es un tiempo para…

… preparar nuestro corazón, nuestro hogar y nuestro mundo para la venida de Jesús

… esperar a que la alegría de la Navidad y de la Palabra de Dios crezca en nosotros

… orar por un cambio en nuestro corazón, por el perdón de Dios y por los necesitados

El color del Adviento es el morado. El sacerdote usa vestiduras moradas. La decoración de la iglesia es morada.

Durante este tiempo, los católicos se preparan para Navidad reflexionando sobre el don de la Encarnación, cuando Dios envió a su Hijo único para que se convirtiera en uno de nosotros y en el Salvador de todas las personas.

➜ **¿De qué manera te prepararás para la venida de Jesús este año durante el Adviento?**

Change Our Hearts

Advent is the first season of the Church year. During the four weeks of Advent, the whole Church prepares to celebrate Jesus' Second Coming into the world at the end of time.

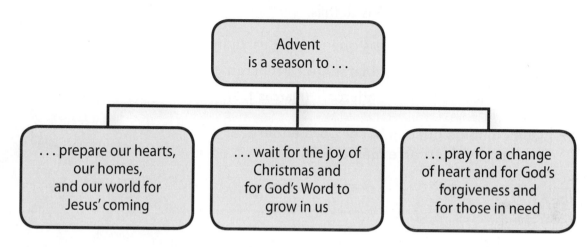

Advent
is a season to . . .

. . . prepare our hearts, our homes, and our world for Jesus' coming

. . . wait for the joy of Christmas and for God's Word to grow in us

. . . pray for a change of heart and for God's forgiveness and for those in need

Purple is the Advent color. The priest wears purple vestments. The church is decorated with purple decorations.

During this season, Catholics prepare for Christmas by reflecting on the gift of the Incarnation, when God sent his only Son to become one of us and to be the Savior of all people.

➤ **What is one way you will prepare for Jesus' coming during Advent this year?**

El camino del amor

Dedicar tiempo a la oración diaria ante la corona de Adviento con tu familia te da la oportunidad de reflexionar sobre el amor de Jesús. Algunos pequeños actos de sacrificio y penitencia pueden ayudarte a volver el corazón hacia Jesús y a mostrar más amor por los demás.

Juan les dijo a las personas que estaban esperando por el Mesías que tenían que cambiar. Dijo: "Preparen el camino del Señor, enderecen sus senderos." **(Marcos 1, 3)**.

➜ **¿Qué cambios puedes hacer para enderezar tu camino y acercarte más a Jesús?**

Actividad

Muestra tu amor En el espacio en blanco, haz una lista de acciones amorosas que puedes realizar por los miembros de tu familia. Puedes incluir leer un libro a tu hermano menor, bañar al perro, limpiar tu habitación sin quejarte o lavar los platos en lugar de otro. Crea un libro de cupones para darle a cada miembro de tu familia esta Navidad.

The Path of Love

Taking time for daily prayer before the Advent wreath with your family gives you time to reflect on Jesus' love. Small acts of sacrifice and penance can help you turn your heart toward Jesus and show greater love for others.

John told the people who were waiting for the Messiah that they would have to change. He said, "Prepare the way of the Lord, make straight his paths" (**Mark 1:3**).

➔ **What changes can you make to straighten your path and bring you closer to Jesus?**

Activity

Show Your Love In the space below, create a list of loving actions you can do for members of your family. You might include things like reading a book to a younger sibling, washing the dog, cleaning up your room without complaining, or taking someone else's turn doing the dishes. Create a coupon book to give to each member of your family this Christmas.

Celebremos el perdón

Esta es una oración penitencial. En una oración penitencial, pedimos la misericordia y el perdón amorosos de Dios.

 Oremos

Reúnanse y hagan juntos la Señal de la Cruz.

Líder: Nuestra ayuda está en el Nombre del Señor.

Todos: Que hizo el Cielo y la Tierra.

Líder: Oremos.

Inclinen la cabeza mientras el líder ora.

Todos: Amén.
Yo confieso ante Dios todopoderoso
    y ante vosotros, hermanos,
    que he pecado mucho
    de pensamiento, palabra, obra y omisión.

Golpéense suavemente el pecho con el puño cerrado.

Por mi culpa, por mi culpa, por mi gran culpa.
Por eso ruego a santa María, siempre Virgen,
    a los ángeles, a los santos
    y a vosotros, hermanos,
    que intercedáis por mí ante Dios,
    nuestro Señor.

Amén.

 Canten "Preparen el Camino"

Celebrate Forgiveness

This prayer is a penitential prayer. In a penitential prayer, we ask for God's loving mercy and forgiveness.

 Let Us Pray

Gather and pray the Sign of the Cross together.

Leader: Our help is in the name of the Lord.

All: Who made Heaven and Earth.

Leader: Let us pray.

Bow your heads as the leader prays.

All: Amen.
I confess to almighty God
and to you, my brothers and sisters,
that I have greatly sinned,
in my thoughts and in my words,
in what I have done and in what I have failed to do,

Gently strike your chest with a closed fist.

through my fault, through my fault,
through my most grievous fault;
therefore I ask blessed Mary ever-Virgin,
all the Angels and Saints,
and you, my brothers and sisters,
to pray for me to the Lord our God.

Amen.

 Sing "Through My Fault"

Escucha la Palabra de Dios

Líder: Lectura del santo Evangelio según Marcos.

Lean Marcos 1, 1-8.

Palabra del Señor.

Todos: Gloria a ti, Señor Jesús.

Oración ante la corona

Siéntate en silencio ante la corona y reflexiona sobre las maneras en que tratarás de cambiar tu corazón.

Líder: Señor, cambia nuestro corazón para prepararnos para tu venida. Acompáñanos mientras oramos.

Pónganse de pie, levanten las manos y recen el Padre Nuestro.

Líder: Démonos fraternalmente un saludo de paz como signo de nuestro deseo de cambiar nuestro corazón.

Intercambien todos el rito de la paz.

¡Evangeliza!

Líder: Podemos ir en paz a preparar el camino del Señor.

Todos: Demos gracias a Dios.

Listen to God's Word

Leader: A reading from the holy Gospel according to Mark.

Read Mark 1:1–8.

The Gospel of the Lord.

All: Praise to you, Lord Jesus Christ.

Prayer Before the Wreath

Sit before the wreath in silence and reflect on ways you will try to change your heart.

Leader: Lord, change our hearts to prepare for your coming. Be with us as we pray.

Stand, raise your hands, and pray the Lord's Prayer.

Leader: Let us offer one another a greeting of peace as a sign of our desire to change our hearts.

All exchange a sign of peace.

Go Forth!

Leader: Let us go forth to prepare the way of the Lord.

All: Thanks be to God.

FAMILIA + FE

HABLAMOS DEL ADVIENTO >>>

Las cuatro semanas de Adviento nos dan la oportunidad de reflexionar sobre cómo debemos cambiar nuestro corazón para acercarnos a Dios. Él envió a su Hijo único para que fuera uno de nosotros. Jesús el Mesías nos salvó del pecado y nos mostró la manera de vivir como hijos de su luz.

La Sagrada Escritura

 Lean **Lucas 1, 26-38**. Aprendemos sobre la invitación del ángel a María para que sea la Madre de Dios y escuchamos el "sí" incondicional de María. ¿Cómo los ha favorecido Dios en su vida?

AYUDEN A SUS HIJOS A COMPRENDER >>>

El Adviento

- Típicamente, a esta edad los niños disfrutan de las actividades en grupo y tienden a ser serviciales con los demás. Busquen una oportunidad de servir juntos en familia durante el Adviento.

- La mayoría de los niños de esta edad están en proceso de desarrollar su conciencia y comienzan a darse cuenta de las decisiones que toman que no son parte del plan de Dios para nuestra vida. Busquen oportunidades de alabarlos por sus buenas decisiones.

COSTUMBRES DE LA FAMILIA CATÓLICA >>>

Es importante conmemorar el tiempo de Adviento en familia. Estas son algunas cosas que pueden hacer junto con sus hijos durante las semanas antes de la Navidad para mantener su atención en la preparación de la venida de Cristo.

- Saquen tiempo para comentar cómo se preparan cuando un huésped especial viene a su casa para Navidad. Hablen de lo que pueden hacer los miembros de la familia durante el tiempo de Adviento para prepararse espiritualmente para la llegada de Jesús. ¿Qué pensamientos o actos necesitan "limpiar"?

- Escriban en un trozo de papel el nombre de cada miembro de la familia. Doblen esos papeles y colóquelos en un tazón. Durante la comida, pida a cada miembro de la familia que elija un nombre. Durante la siguiente semana, hagan en secreto algo especial por la persona que eligieron, como recoger sus juguetes, realizar una de sus tareas o tratar con amabilidad a esa persona.

ORACIÓN EN FAMILIA >>>

Rezar la Oración del Señor con lentitud y pensando en cada frase es una buena manera de comenzar el proceso de cambiar nuestro corazón. Antes o después de la cena, enciendan una vela de su corona de Adviento y recen juntos la Oración del Señor. Luego intercambien la Señal de la Paz. Amén.

Visiten **vivosencristo.osv.com** para encontrar un glosario multimedia de Palabras católicas, lecturas dominicales, y recursos de Santos y tiempos festivos.

FAMILY+FAITH
LIVING AND LEARNING TOGETHER

TALKING ABOUT ADVENT >>>

The four weeks of Advent give us a chance to reflect on ways we need to change our hearts to grow closer to God. He sent his only Son to become one of us. Jesus the Messiah saved us from sin and showed us the way to live as children of his light.

Scripture

 Read **Luke 1:26–38**. We hear about the angel's invitation to Mary to be the Mother of God, and we hear Mary's unconditional "yes." How has God shown favor in your life?

HELPING YOUR CHILD UNDERSTAND >>>

Advent

- Typically at this age, children enjoy group activities and are inclined to do service for others. Look for a service opportunity that your family can do together during Advent.

- Most children at this age are in the process of developing a conscience and are becoming more aware of choices they make that are not part of God's plan for our lives. Watch for opportunities to praise them for good choices.

CATHOLIC FAMILY CUSTOMS >>>

It is important to mark the season of Advent as a family. Here are some things you can do together with your children during the weeks before Christmas to keep the focus on preparing for the coming of Christ.

- Take time out for a discussion on how you prepare when a special guest is coming to your house for Christmas. Talk about what family members can do during the season of Advent to spiritually prepare for the coming of Jesus. What thoughts or actions need to be "cleaned up"?

- Write the name of each family member on a small piece of paper. Fold these papers and place them in a bowl. At mealtime, ask each family member to choose a name. For the next week, secretly do something extra for the person whose name you chose, such as putting away toys, taking on a chore, or treating the person kindly.

FAMILY PRAYER >>>

Praying the Lord's Prayer slowly and thinking about each phrase is a good way to start the process of changing one's heart. Before or after dinner, light a candle on your Advent wreath, and pray together the Lord's Prayer. Then exchange a Sign of Peace.

For a multimedia glossary of Catholic Faith Words, Sunday readings, seasonal and Saint resources, and chapter activities go to **aliveinchrist.osv.com**.

El don más grande de Dios

♥ Oremos

Líder: Dios fiel, nos amaste tanto que nos enviaste a tu Hijo único. Fortalécenos para compensar tu amor viviendo como sus fieles seguidores.

"El amor del Señor por siempre cantaré, tu fidelidad proclamaré de siglo en siglo".

Salmo 89, 2

Todos: Amén.

La Sagrada Escritura

Pero cuando vino a la Tierra la bondad de Jesús, nuestro Salvador, y su amor a los hombres, él nos salvó. Los seres humanos no hicimos nada para merecer la salvación. Dios envió a Jesús para salvarnos porque quiso hacerlo. Él nos salvó porque tuvo misericordia. Fuimos salvados por su gracia para que pudiéramos heredar la esperanza de la vida eterna. **Basado en Tito 3, 4-7**

? ¿Qué piensas?

- ¿Qué hace posible que una persona perdone una y otra vez?

- ¿Qué significa heredar cosas buenas?

God's Greatest Gift

♥ Let Us Pray

Leader: Faithful God, you loved us so much you sent us your only Son. Strengthen us to return your love by living as his faithful followers.

"I will sing of your mercy forever, LORD
     proclaim your faithfulness through all ages."
Psalm 89:2

All: Amen.

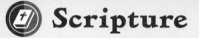 Scripture

But when the goodness and loving-kindness of Jesus our Savior came to Earth, he saved us. Humans did not do anything to deserve being saved. God sent Jesus to save us just because he wanted to. He saved us because he was merciful and forgiving. We were saved by his grace so we might inherit the hope of eternal life.   **Based on Titus 3:4–7**

❓ What Do You Wonder?

- What makes it possible that a person forgives over and over again?
- What does it mean to inherit good things?

Tiempo de Navidad

El tiempo litúrgico de Navidad comienza en la Vigilia de la Víspera de Navidad, el 24 de diciembre. La Navidad es un tiempo alegre y festivo. El sacerdote usa vestiduras blancas o doradas. Durante el tiempo de Navidad, se proclaman y se celebran el nacimiento y la infancia de Jesús.

La Solemnidad de la Epifanía se celebra en la mitad del tiempo de Navidad. Este tiempo termina en enero, con la Fiesta del Bautismo del Señor, después de la Epifanía.

Regalos preciosos

La palabra *Epifanía* significa "manifestación". En la Epifanía la Iglesia recuerda la visita de los tres Reyes Magos, con frecuencia llamados hombres sabios, al Niño Jesús.

Los Reyes Magos llegaron de tierras distantes, siguiendo una estrella brillante, para ver al Niño Jesús, honrarlo y darle gloria a Dios. La Epifanía celebra la creencia de que Jesús vino a la Tierra para salvar a todos.

Para honrar al Salvador y mostrarle reverencia, los Reyes Magos le llevaron regalos de oro, incienso y mirra.

➜ **¿Qué regalos de reverencia y adoración puedes ofrecerle a Jesús?**

El regalo del oro, un metal precioso, mostraba que los Reyes Magos creían que Jesús merecía el máximo honor.

El incienso, de aroma agradable, representaba la santidad de Jesús.

La mirra es un símbolo de protección y salvación. Este regalo era una señal de que Jesús moriría por la salvación de todas las personas.

The Season of Christmas

The Church's season of Christmas begins with the Christmas Eve Vigil on December 24. Christmas is a joyful and festive season. The priest wears white or gold vestments. During the Christmas season, Jesus' birth and childhood are proclaimed and celebrated.

The Feast of Epiphany comes in the middle of the Christmas season. The season ends in January with the Feast of the Baptism of the Lord, after Epiphany.

Precious Gifts

The word *Epiphany* means "showing forth." On Epiphany the Church remembers the visit of the three Magi, often called wise men, to the Infant Jesus.

The Magi came from distant lands, followed a bright star to find the Infant Jesus, honored him, and gave glory to God. Epiphany celebrates the belief that Jesus came to Earth to save everyone.

To honor the Savior and show him reverence, the Magi brought him gifts of gold, frankincense, and myrrh.

➜ **What gifts of reverence and worship can you offer Jesus?**

The gift of gold, a precious metal, showed that the Magi thought of Jesus as worthy of the highest honor.

Frankincense, an incense with a pleasing smell, represented the holiness of Jesus.

Myrrh is a symbol of preserving and saving. This gift was a sign that Jesus would die for the salvation of all people.

♡ **Oremos**

Celebremos a Jesús

Reúnanse y hagan juntos la Señal de la Cruz.

Líder: Bendito sea el nombre del Señor.

Todos: Ahora y siempre.

Canten juntos el estribillo.

Líder: Oremos.

Inclinen la cabeza mientras el líder ora.

Todos: Amén.

Escucha la Palabra de Dios

Lector: Lectura del santo Evangelio según Mateo.

Lean Mateo 2, 9-11.

Palabra del Señor.

Todos: Gloria a ti, Señor Jesús.

¡Evangeliza!

Líder: Podemos ir en paz a ofrecer los regalos de Navidad de paz, amor y alegría a todas las personas que encontramos.

 Todos: Canten "Cantemos, Cantemos"
Cantemos, cantemos,
cantemos a María,
ha nacido un Niño,
noche de alegría.

Letra y musica © Eugenio Ruiz. Derechos reservados. Con las debidas licencias.

♡ Let Us Pray

Celebrate Jesus

Gather and pray the Sign of the Cross together.

Leader: Blessed be the name of the Lord.

All: Now and forever.

Sing together the refrain.

Leader: Let us pray.

Bow your heads as the leader prays.

All: Amen.

Listen to God's Word

Reader: A reading from the holy Gospel according to Matthew.

Read Matthew 2:9–11.

The Gospel of the Lord.

All: Praise to you, Lord Jesus Christ.

Go Forth!

Leader: Let us go forth to bring the Christmas gifts of peace, love, and joy to all we meet.

 All: Sing "We Three Kings"
O star of wonder, star of light,
star with royal beauty bright;
westward leading, still proceeding,
guide us to thy perfect light.

HABLAMOS DE LA NAVIDAD >>>

Pueden celebrar con sus familiares el tiempo de Navidad en su hogar de muchas maneras. La Navidad es un tiempo festivo. Abarca desde la Vigilia de la Víspera de Navidad hasta la Fiesta del Bautismo del Señor en enero. En la cultura actual, es posible que se haya perdido el significado de la Navidad. La Solemnidad de la Epifanía en enero ayuda a dejar de prestarles atención a los regalos materiales para centrarla en el don que es Jesús. *Epifanía* significa "manifestación". La visita de los Reyes Magos durante Epifanía es un símbolo y una profecía de que Dios envió a Jesús para la salvación de todas las personas.

La Sagrada Escritura

Lean **Tito 3, 1-8**. Pablo le describe a Tito cómo debe vivir un cristiano mientras esperamos la segunda venida de Jesús. ¿Cómo se esfuerzan en vivir la vida cristiana que Pablo describe?

AYUDEN A SUS HIJOS A COMPRENDER >>>

Epifanía

- A la mayoría de los niños les encanta el drama de la Solemnidad de la Epifanía. El seguimiento de la estrella, la visita a Herodes, la presentación de las ofrendas y el regreso secreto de los Reyes Magos los cautiva.

- A los niños de esta edad generalmente les gusta aprender cómo otras culturas celebran la Epifanía. En familias con herencia española, los niños ponen paja o heno y agua debajo de la cama. Esto sirve de comida para los camellos de los Reyes. Durante la noche, los Reyes Magos cambian los alimentos por regalos.

- Muestren a su hijo el ejemplo de la municipalidad de Juana Díaz, en Puerto Rico, donde celebran un festival en honor de los Reyes Magos. Cientos de personas se visten como pastores para recibir a los Reyes Magos, quienes llevan trajes vistosos.

COSTUMBRES DE LA FAMILIA CATÓLICA >>>

Una manera de celebrar la Solemnidad de la Epifanía es marcar la entrada de la casa con las iniciales de los Tres Reyes Magos. Aunque los nombres de los Reyes Magos no se hallan en la Sagrada Escritura, nuestra tradición nos ha pasado: Gaspar, Melchor y Baltasar.

Obtengan un pedazo de tiza y reúnan a su familia alrededor de la puerta principal de su casa. Luego, recen: "Señor, bendice esta entrada y a todos los que entren por aquí. Ayúdanos a ser generosos y a darles la bienvenida a quienes crucen este umbral". Usen la tiza para marcar la entrada con las iniciales de los Reyes Magos (G, M, B). Esta tradición les recuerda a los miembros de la familia que deben llevar a Cristo a todos aquellos que encuentren.

ORACIÓN EN FAMILIA >>>

 No retiren el pesebre hasta el final del tiempo de Navidad. Cada domingo del tiempo de Navidad, antes de una comida, reúnanse en familia alrededor del pesebre. Enciendan una vela o una lámpara y canten uno de sus himnos navideños preferidos como su oración.

Visiten **vivosencristo.osv.com** para encontrar un glosario multimedia de Palabras católicas, lecturas dominicales, y recursos de Santos y tiempos festivos.

FAMILY+FAITH
LIVING AND LEARNING TOGETHER

TALKING ABOUT CHRISTMAS >>>

As a family, you can celebrate the season of Christmas in your home in many ways. The Christmas season is a festive one. It lasts from the Christmas Eve Vigil until the feast of the Baptism of the Lord in January. In today's culture, the meaning of Christmas may get lost. The Feast of Epiphany in January helps shift the focus from material gifts to the gift that is Jesus. *Epiphany* means "showing forth." The visit of the Magi on Epiphany is a symbol and a prophecy that God sent Jesus for the salvation of all peoples.

Scripture

 Read **Titus 3:1–8**. Paul describes to Titus how a Christian should live as we await Jesus' second coming. How do you try to live the Christian life that Paul describes?

HELPING YOUR CHILD UNDERSTAND >>>
Epiphany

- Most children love the drama of the Feast of Epiphany. The following of the star, the visit to Herod, the presentation of gifts, and the secret return of the Magi enthrall them.

- Children this age often enjoy learning how other cultures celebrate Epiphany. In families with Spanish heritage, children put hay or grass and water under their beds. This is meant to be food for the Magi's camels. During the night, the Magi exchange the food for presents.

- Give your child the example of the municipality of Juana Díaz, in Puerto Rico, which holds a festival to honor the Magi. Hundreds of people dress as shepherds to welcome the Magi, who are dressed in fancy costumes.

CATHOLIC FAMILY CUSTOMS >>>

One way to celebrate the Feast of Epiphany is by marking the home's doorway with the initials of the Magi. While the names of the Magi are not found in Scripture, our tradition has handed on the names: Caspar, Melchior, and Balthazar.

Obtain a piece of chalk and gather your family around the front door of your home. Then pray: "Lord, bless this doorway and all who enter here. Help us to be generous and welcoming to those who cross this threshold." Use the chalk to mark the doorway with the initials of the Magi (C, M, B). This tradition reminds family members to bring Christ to all whom they encounter.

FAMILY PRAYER >>>

Don't put away that manger scene until the end of the Christmas season. Each Sunday of the Christmas season, before a family meal, gather as a family around the scene. Light a candle or a lamp and sing a favorite family Christmas hymn as your prayer.

For a multimedia glossary of Catholic Faith Words, Sunday readings, seasonal and Saint resources, and chapter activities go to **aliveinchrist.osv.com**.

Tiempo de oración

♥ Oremos

Líder: Señor Dios, envía a tu Espíritu Santo para que nos ayude a abrir el corazón y ver qué necesitamos cambiar. Rogamos para que el Espíritu Santo nos muestre en qué podemos ser menos egoístas y parecernos más a tu Hijo.
Por Cristo, nuestro Señor.

"Caminaré en presencia del Señor
en la tierra de los vivos". **Salmo 116, 9**

Todos: Amén.

La Sagrada Escritura

"¿Qué más podemos decir? Si Dios está con nosotros, ¿quién estará contra nosotros? Si ni siquiera perdonó a su propio Hijo, sino que lo entregó por todos nosotros…

¿Acaso será Cristo, el que murió y, aún más, resucitó y está a la derecha de Dios intercediendo por nosotros?" **Romanos 8, 31-32. 34**

© Our Sunday Visitor

❓ ¿Qué piensas?

• ¿De qué maneras Dios está de tu lado?

• ¿Por qué Dios no siempre te da lo que le pides?

A Time To Pray

❤ Let Us Pray

Leader: Lord God, send your Holy Spirit to open our hearts to see what we need to change. We pray the Holy Spirit will show us where we can be less selfish and more like your Son. Through Christ, our Lord.

"I shall walk before the LORD
in the land of the living." **Psalm 116:9**

All: Amen.

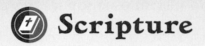 Scripture

"What then shall we say to this? If God is for us, who can be against us? He who did not spare his own Son but handed him over for us all …

It is Christ [Jesus] who died, rather, was raised, who also is at the right hand of God, who indeed intercedes for us." **Romans 8:31–32, 34**

❓ What Do You Wonder?

• In what ways is God on your side?

• Why doesn't God always give you what you ask for?

Un espíritu generoso

Los árboles y los sarmientos pueden crecer aunque nadie los cuide. Pero producen frutos demasiado pequeños o demasiado ácidos para ser agradables. Por eso es importante podarlos. *Podar* significa "cortar las ramas secas o enfermas" para que crezcan mejores frutos. Los árboles y los sarmientos también requieren mucha tierra, agua y luz solar.

Disciplina espiritual

Durante el Tiempo de Cuaresma, la Iglesia nos recuerda que es necesaria una buena poda para producir buenos frutos. Tú puedes producir buenos frutos renunciando a los malos hábitos y el egoísmo. Entonces, los buenos frutos del amor, la colaboración y el perdón pueden crecer en ti.

La oración, el ayuno y la limosna son las tres prácticas principales de la Cuaresma. Estas son las prácticas de los discípulos de Jesús. La oración es la base de toda la disciplina espiritual. Es como la tierra que necesita el árbol para crecer. Te da alimento espiritual y profundiza tu relación con Dios.

Cuaresma

- La Cuaresma es un tiempo de cuarenta días que el Pueblo de Dios reserva para reflexionar sobre nuestra relación con Dios y con los demás.

- El morado, el color litúrgico de la Cuaresma, nos recuerda que estamos llamados a cambiar. Es un signo de penitencia.

- Durante la Cuaresma, la Iglesia ayuna, ora y da limosnas.

➜ **¿Qué cosas buenas puedes producir si renuncias a los malos hábitos?**

An Unselfish Spirit

Trees and vines can grow wild when no one takes care of them. They produce fruit too small or too sour to enjoy. That is why it is important to prune trees and vines. Pruning means cutting off dead and unhealthy branches so that the best fruit can grow. Trees and vines also require plenty of soil, water, and sunlight.

Spiritual Discipline

During the Season of Lent, the Church reminds us that good pruning is needed to produce good fruit. You can produce good fruit by cutting away bad habits and selfishness. Then the good fruit of love, sharing, and forgiveness can grow in you.

Prayer, fasting, and almsgiving are the three principal practices of Lent. These are the practices of disciples of Jesus. Prayer is the foundation for all spiritual discipline. It is like the soil a tree needs to grow. It gives you spiritual nourishment and deepens your relationship with God.

➔ **What good can you produce if you cut away bad habits?**

Lent

- Lent is a forty-day season set aside for the People of God to reflect on our relationship with God and others.

- Purple, the liturgical color for Lent, reminds us we are called to change. It is a sign of penance.

- During Lent, the Church fasts, prays, and gives alms.

Crecer espiritualmente

Tu cuerpo crece todos los días. Crecer en espíritu es igualmente importante. Así como alimentas tu cuerpo, debes alimentar tu alma. La disciplina espiritual de la oración te fortalece para que evites el pecado y te prepares para la alegría de la Pascua.

Actividad

En buena tierra Alrededor del árbol, escribe una lista de dos o tres maneras en que puedes profundizar tu vida de oración durante la Cuaresma. Intenta una manera diferente en cada una de las seis semanas de Cuaresma.

Growing Spiritually

Your body is growing every day. Growing in spirit is equally important. Just as you feed your body, so must your soul be fed. The spiritual discipline of prayer strengthens you so that you can avoid sin and prepare for the joy of Easter.

Activity

On Good Soil Around the tree, list two or three ways you could try to deepen your life of prayer during Lent. Try a different way during each of the six weeks of Lent.

Celebremos la Cuaresma

En esta forma de oración, una celebración de la Palabra, escuchamos la Palabra de Dios y reflexionamos sobre ella.

Oremos

Reúnanse y hagan juntos la Señal de la Cruz.

Líder: Oh Señor, abre mis labios.

Todos: Para que mi boca proclame tu alabanza.

Líder: Oremos.

Levanten las manos mientras el líder ora.

Todos: Amén.

Escucha la Palabra de Dios

Líder: Lectura del santo Evangelio según Mateo.

Lean Mateo 6, 5-8.

Palabra del Señor.

Todos: Gloria a ti, Señor Jesús.

Dialoga

¿Por qué Jesús dice que es mejor orar en secreto? ¿Cómo te puede ayudar la oración a dar "buenos frutos"?

Celebrate Lent

In this prayer form, a celebration of the Word, you listen and reflect on God's Word.

 ## Let Us Pray

Gather and pray the Sign of the Cross together.

Leader: Oh Lord, open my lips.

All: That my mouth shall proclaim your praise.

Leader: Let us pray.

Raise your hands as the leader prays.

All: Amen.

Listen to God's Word

Leader: A reading from the holy Gospel according to Matthew.

Read Matthew 6:5–8.

The Gospel of the Lord.

All: Praise to you, Lord Jesus Christ.

Dialogue

Why does Jesus say that it is better to pray in secret? How can prayer help you to yield "good fruit"?

Arrodillémonos en silencio

Pide a Dios que te fortalezca para buscar su amor y ser fiel al Evangelio.

Todos: Canten "Límpiame, Señor"

Límpiame, Señor,
de todo lo que no es de ti;
lléname con tu amor.
Límpiame de toda culpa;
lávame de mis pecados.
Señor, purifica mi alma;
abre mi corazón.

Letra y música © 2001, Peggy Contreraz. Obra publicada por OCP. Derechos reservados.
Con las debidas licencias.

Oración de los Fieles

Líder: Dios no desea nuestra muerte, sino que nos alejemos de nuestros pecados y tengamos vida. Oremos para que no pequemos más.

Todos: Te rogamos, Señor.

¡Evangeliza!

Líder: Señor, haz que nuestra oración de Cuaresma nos fortalezca para dar buenos frutos.

Todos: Demos gracias a Dios.

Kneel in Silence

Ask God to strengthen you to turn toward his love and to be faithful to the Gospel.

 All: Sing "Ashes"

We rise again from ashes,

from the good we've failed to do.

We rise again from ashes,

to create ourselves anew.

If all our world is ashes,

then must our lives be true,

an offering of ashes, an offering to you.

Prayer of the Faithful

Leader: God does not desire our death, but rather that we should turn from our sins and have life. Let us pray that we may sin no more.

All: Lord, hear our prayer.

Go Forth!

Leader: Lord, may our Lenten prayer strengthen us so that we may bear good fruit.

All: Thanks be to God.

HABLAMOS DE LA CUARESMA >>>

La Cuaresma es un recorrido de cuarenta días que comienza el Miércoles de Ceniza. Recibir las cenizas en la frente marca la promesa de arrepentirnos o cambiar para acercarnos más a Dios y a la Iglesia. La Cuaresma es un tiempo de cambio interior. La mayoría de los adultos ha tenido experiencias de vida que los han estimulado a cambiar malos hábitos por hábitos desinteresados. La Cuaresma es un tiempo para cambiar los hábitos antiguos en preparación para la Pascua. La oración, el ayuno y la limosna, las tres prácticas de la Cuaresma, ayudan a las familias a crecer en Cristo.

La Sagrada Escritura

Lean **Romanos 8, 31** y reflexionen sobre sucesos familiares pasados que hayan evidenciado de que Dios está con ustedes. ¿Cómo puede su familia mostrar gratitud por la presencia de Dios entre ustedes?

AYUDEN A SUS HIJOS A COMPRENDER >>>

La Cuaresma

- La mayoría de los niños de esta edad comprenden que la Cuaresma es un tiempo de cambios, tanto del corazón como de la conducta, y son capaces de aplicar estos conceptos a sí mismos.

- Generalmente, los niños de esta edad son curiosos y se interesan por los hechos. A ellos les gustará buscar más información sobre la Cuaresma.

- Por lo común, a los niños les encantan los rituales y podrán involucrarse en las Estaciones de la Cruz, la práctica de recordar la Muerte de Jesús, que empieza con la condena de Pilatos y termina con la colocación del cuerpo inerte de Jesús en el sepulcro.

COSTUMBRES DE LA FAMILIA CATÓLICA >>>

La Cuaresma es tiempo de reflexionar en qué necesitamos cambiar. Como padres, pueden orientar a su hijo para que desarrolle la fortaleza espiritual ejercitando su disciplina espiritual.

- Dediquen un tiempo a la oración silenciosa para discernir en qué áreas su hijo puede necesitar mayor guía espiritual.

- Hablen con su hijo de acciones específicas que podría realizar para desarrollar su fortaleza espiritual.

- Hablen periódicamente con su hijo acerca de su progreso.

ORACIÓN EN FAMILIA >>>

 Dios de amor, a medida que recorremos este tiempo santo de la Cuaresma, acompáñanos, abre nuestro corazón. Ayúdanos a ver nuestra vida en profundidad, a través de la oración, el ayuno y la limosna. Ayúdanos a reconocer las necesidades de los demás y a responder a esas necesidades.

En el nombre de tu Hijo, Jesús, Amén.

Visiten **vivosencristo.osv.com** para encontrar un glosario multimedia de Palabras católicas, lecturas dominicales, y recursos de Santos y tiempos festivos.

FAMILY+FAITH
LIVING AND LEARNING TOGETHER

TALKING ABOUT LENT >>>

Lent is a forty-day journey that begins on Ash Wednesday. The receiving of ashes on one's forehead marks the promise to repent or change to grow closer to God and the Church. Lent is a time of inner change for us. Most adults have had some life experiences that have prompted a change of bad habits to habits of selflessness. Lent is a time to change old ways in preparation for Easter. Prayer, fasting, and almsgiving, the three Lenten practices, help families grow in Christ.

Scripture

Read **Romans 8:31** and reflect on past events in your family that have shown evidence that God is with you. How can your family show gratitude for God's being present for you?

HELPING YOUR CHILD UNDERSTAND >>>

Lent

- Most children at this age understand that Lent is a season for changes of both heart and behavior, and they are capable of applying these concepts to themselves.

- Usually children at this age are curious and interested in facts. They would enjoy looking up more information about Lent.

- Ordinarily, children of this age love ritual and will be able to fully engage in the Stations of the Cross, the practice of remembering Jesus' Death that begins with Pilate's condemnation and ends with placing Jesus' dead body in the tomb.

CATHOLIC FAMILY CUSTOMS >>>

Lent is a time to reflect on how we need to change. As a parent, you can guide your child to develop spiritual strength by exercising spiritual discipline.

- Spend some time in quiet prayer to discern areas where your child may need spiritual guidance.

- Talk with your child about specific actions that he or she might do to build up spiritual strength.

- Periodically talk with your child about his or her progress.

FAMILY PRAYER >>>

God of love, as we journey through this holy season of Lent, be with us, open our hearts. Help us to look deeply at our lives, through prayer, fasting, and almsgiving. Help us to recognize the needs of others and respond to those needs.

In the name of your Son, Jesus, Amen.

For a multimedia glossary of Catholic Faith Words, Sunday readings, seasonal and Saint resources, and chapter activities go to **aliveinchrist.osv.com**.

El Triduo Pascual

♥ Oremos

Líder: Señor, Dios, a veces hacemos cosas que no debemos hacer.

Nos arrepentimos. Envía a tu Espíritu Santo para que nos guíe para realizar acciones buenas y amorosas.

Por Cristo, nuestro Señor.

"El Señor Yavé está de mi parte, y por eso no me molestan las ofensas". **Isaías 50, 7a**

Todos: Amén.

La Sagrada Escritura

"...se rebajó a sí mismo haciéndose obediente hasta la muerte, y muerte en una cruz.
Por eso Dios lo engrandeció y le dio el Nombre que está sobre todo nombre..." **Filipenses 2, 8-9**

❓ ¿Qué piensas?

• ¿Por qué Jesús eligió ser obediente?

• ¿Qué ayuda a las personas a hacer lo correcto?

Triduum

❤ Let Us Pray

Leader: Lord, God, sometimes we do things we
should not do.
We are sorry. Send your Holy Spirit
to guide us to right and loving actions.
Through Christ, our Lord.

"The Lord GOD is my help,
therefore I am not disgraced." **Isaiah 50:7a**

All: Amen.

📖 Scripture

"He humbled himself,
becoming obedient to death,
even death on a cross.
Because of this, God greatly exalted him
and bestowed on him the name
that is above every name." **Philippians 2:8–9**

❓ What Do You Wonder?

- Why did Jesus choose to be obedient?
- What helps people do the right thing?

La Cruz

El Domingo de Ramos (de Pasión), con la procesión de las palmas y la lectura de la Pasión de Jesús, la Iglesia comienza la semana más sagrada del año. Recordamos todos los sucesos que condujeron a la Muerte y Resurrección de Jesús a una vida nueva.

Los últimos tres días de la Semana Santa se llaman Triduo Pascual. El Triduo Pascual comienza con la Misa del Jueves Santo, pasa al Viernes Santo, continúa durante la Vigilia Pascual y termina con la oración de las vísperas del Domingo de Pascua.

El Siervo Doliente

El Viernes Santo la Iglesia recuerda el sufrimiento que Jesús padeció por el bien de todas las personas.

El recorrido de Jesús cargando su Cruz desde el lugar donde fue condenado hasta el lugar donde fue crucificado se llama Vía Crucis. Fue un camino doloroso. Los romanos usaban la crucifixión como instrumento de castigo y muerte. Sin embargo, a través de Jesús, la cruz se convirtió en signo de vida nueva.

La procesión del Viernes Santo representa a Jesús cargando la Cruz hasta el Gólgota, el lugar de su Crucifixión.

The Cross

On Palm (Passion) Sunday, with the procession of palms and the reading of the Passion of Jesus, the Church begins the holiest week of the year. We call to mind all the events that led to Jesus' dying and rising to new life.

The last three days of Holy Week are called the Triduum. Triduum starts with the Holy Thursday Mass, moves into Good Friday, continues through the Easter Vigil, and ends with evening prayer on Easter Sunday.

Suffering Servant

On Good Friday the Church remembers the suffering Jesus endured for the sake of every person.

Jesus' journey carrying his Cross from the place he was condemned to the place where he was crucified is called the Way of the Cross. It was a painful journey. The Romans used the crucifixion as an instrument of punishment and death. Yet through Jesus the cross became a sign of new life.

A Good Friday procession reenacts Jesus carrying the Cross to Golgotha, the place of his Crucifixion.

Con la Muerte de Jesús en la Cruz y su Resurrección a una vida nueva, recibes el perdón y participas de la vida de Dios.

Hoy la cruz es un símbolo del amor de Jesús por todos. La cruz puede inspirarte para amar en palabra y obra.

➜ **¿Dónde ves cruces?**

Vida nueva

El pasaje del Libro de Isaías fue escrito mucho antes de que naciera Jesús. Isaías dijo que algún día uno de los siervos de Dios sufriría por los pecados de muchos. Jesús sufrió y murió para liberar a todas las personas del pecado y devolverles su amistad con Dios. Por eso la Iglesia llama a Jesús el Siervo Doliente.

Actividad

En palabra y obra Piensa en un acto de bondad o sacrificio que harás durante Semana Santa. Luego escribe algunas maneras de imitar el amor de Jesús en palabra y obra.

_____

_____

_____

_____

_____

_____

_____

_____

Because of Jesus' Death on the Cross and his Resurrection to new life, you receive forgiveness and share in God's life.

Today, the cross is a symbol of Jesus' love for all. The cross can inspire you to love in both word and action.

➜ **Where do you see crosses?**

New Life

The passage from the Book of Isaiah was written long before Jesus was born. Isaiah told the people that someday one of God's servants would suffer for the sins of many. Jesus suffered and died to free all people from sin and to bring them back to God's friendship. That is why the Church calls Jesus the Suffering Servant.

Activity

In Word and Action Think about an act of kindness or sacrifice that you will make during Holy Week. Then write some more ways you can imitate the love of Jesus in word and action.

_____

_____

_____

_____

_____

_____

_____

_____

Celebremos el Triduo Pascual

Esta forma de oración reverencia la cruz en una celebración de la Palabra. En la celebración reflexionas sobre la Palabra de Dios. Cuando reverencias la cruz, usas movimientos para orar.

 Oremos

Reúnanse y hagan juntos la Señal de la Cruz.

Líder: Oh Señor, abre mis labios.

Todos: Para que mi boca proclame tu alabanza.

Líder: Oremos.

Inclinen la cabeza mientras el líder ora.

Todos: Amén.

Escucha la Palabra de Dios

Lector: Lectura del Libro del profeta Isaías.

Lean Isaías 53, 10b-12.

Palabra de Dios.

Todos: Te alabamos, Señor.

Canten juntos.

 Canten "Toma Mi Pecado"

Dialoga

El Libro de Isaías fue escrito mucho antes del nacimiento de Jesús. ¿Por qué crees que la Iglesia lee este pasaje el Viernes Santo?

Celebrate Triduum

This prayer form reverences the cross in a celebration of the Word. In the celebration you reflect on God's Word. In reverencing the cross, you use movement to pray.

 ## Let Us Pray

Gather and pray the Sign of the Cross together.

Leader: O Lord, open my lips.

All: That my mouth may proclaim your praise.

Leader: Let us pray.

Bow your heads as the leader prays.

All: Amen.

Listen to God's Word

Leader: A reading from the Book of the prophet Isaiah.

Read Isaiah 53:10b–12.

The word of the Lord.

All: Thanks be to God.

Sing together.

 Sing "Were You There?"

Dialogue

The Book of Isaiah was written long before the birth of Jesus. Why do you think the Church reads this passage on Good Friday?

Oración de los Fieles

Arrodíllense por un momento después de cada oración; luego pónganse de pie mientras el líder ora.

Honremos la Cruz

Líder: Mirad el árbol de la Cruz, donde estuvo clavado el Salvador del mundo.

Todos: Venid y adoremos.

Pónganse de pie y repitan esta aclamación tres veces, inclinándose profundamente primero a la izquierda, luego a la derecha y después al centro, mirando siempre la cruz.

Todos: ¡Dios es Santo! ¡Santo y fuerte!

Adelántense en silencio, uno por uno, y reverencien la cruz inclinándose, besándola u ofreciéndole algún otro signo de respeto.

¡Evangeliza!

Líder: Confesando que Jesús es el Señor para la gloria de Dios, pueden ir en la paz de Cristo.

Todos: Demos gracias a Dios.

Retírense en silencio.

Prayer of the Faithful

Kneel for a moment after each prayer; then stand as the leader prays.

Honor the Cross

Leader: Behold the wood of the Cross, on which hung the salvation of the world.

All: Come, let us worship.

Stand and say this acclamation three times, bowing deeply first to the left, then to the right, then to the center, always facing the cross.

All: Holy is God! Holy and Strong!

Step forward in silence, one by one, and reverence the cross by bowing, kissing the cross, or offering some other sign of reverence.

Go Forth!

Leader: Confessing that Jesus is Lord to the glory of God, go forth in the peace of Christ.

All: Thanks be to God.

Depart in silence.

HABLAMOS DEL TRIDUO >>>

La Semana Santa es la más importante del Año Litúrgico. Empieza con el Domingo de Ramos y continúa hasta la Oración de Vísperas del Domingo de Pascua. El Triduo Pascual, o "tres días", señala el momento más sagrado de la Semana Santa. Empieza al atardecer del Jueves Santo y termina al atardecer del Domingo de Pascua. Durante estos tres días, toda la Iglesia ayuna y ora, con expectativa y esperanza. La Misa del Jueves Santo tiene una conexión especial con la vida sacramental de la parroquia. En esta Misa, se presentan los santos óleos que se usarán durante el próximo año. Estos óleos son bendecidos por el obispo en la Misa Crismal que celebra cada diócesis. Los óleos se usan durante los Sacramentos del Bautismo, la Confirmación, el Orden Sagrado y la Unción de los Enfermos.

La Sagrada Escritura

Lean **Filipenses 2, 6-11**. Describe las actitudes de humildad y obediencia de Jesús hacia su Padre. Cuando su familia toma decisiones, ¿toman en cuenta lo que Dios desearía que hicieran?

AYUDEN A SUS HIJOS A COMPRENDER >>>

El Triduo Pascual

- La mayoría de los niños de esta edad han desarrollado una idea del pecado y están conscientes de la necesidad de la salvación.

- Generalmente, los niños de esta edad son capaces de meditar usando los Misterios Dolorosos del Rosario o las Estaciones de la Cruz.

COSTUMBRES DE LA FAMILIA CATÓLICA >>>

Esta lección enseña sobre la importancia de la Cruz como un medio de salvación. Señala el punto en que cada persona se enfrenta a las dificultades, o "carga una cruz" en algún momento.

- Refuercen esta idea cuando su hijo tenga ante sí una responsabilidad difícil, tal como renunciar a una golosina o sobrellevar un procedimiento médico.

- Honren las cruces y crucifijos en su hogar, sacudiendo el polvo y limpiándolos antes de la Pascua.

ORACIÓN EN FAMILIA >>>

Durante el Triduo Pascual, podrían colocar un crucifijo o una cruz sobre la mesa en la cena. Antes de su comida sin carne del Viernes Santo, pidan a cada miembro de la familia que bese o toque la cruz con reverencia. Esto es similar a las acciones para honrar a la Cruz durante los servicios del Viernes Santo. Recen juntos:

Te adoramos, oh Cristo, y te bendecimos, porque por tu Cruz has redimido al mundo.

Amén.

Visiten **vivosencristo.osv.com** para encontrar un glosario multimedia de Palabras católicas, lecturas dominicales, y recursos de Santos y tiempos festivos.

FAMILY+FAITH
LIVING AND LEARNING TOGETHER

TALKING ABOUT TRIDUUM >>>

Holy Week is the holiest week of the Church year. It begins on Palm Sunday and continues until Evening Prayer on Easter Sunday. The Triduum, or "three days," marks the most sacred time of Holy Week. It begins at sundown on Holy Thursday and ends at sundown on Easter Sunday. During these three days, the whole Church fasts and prays with anticipation and hope. The Holy Thursday Mass has a unique connection with parish sacramental life. At this Mass, the holy oils that will be used for the next year are presented. These oils are blessed by the bishop at the Chrism Mass held in each diocese. The oils are used during the Sacraments of Baptism, Confirmation, Holy Orders, and the Anointing of the Sick.

Scripture

Read **Philippians 2:6–11**. It describes Jesus' attitudes of humility and obedience to his Father. When your family makes decisions, do you consider what God might want you to do?

HELPING YOUR CHILD UNDERSTAND >>>
Triduum

- Most children this age have developed a sense of sin and are aware of the need for salvation.

- Usually children this age are capable of meditation using the Sorrowful Mysteries of the Rosary or the Stations of the Cross.

CATHOLIC FAMILY CUSTOMS >>>

This lesson teaches about the importance of the Cross as a means of salvation. It makes the point that each person deals with difficult things, or "carries a cross," at some point.

- Reinforce this idea when your child has a difficult task to face, such as giving up a treat or tolerating a medical procedure.

- Honor the crosses and crucifixes in your home by dusting and cleaning them before Easter.

FAMILY PRAYER >>>

 During Triduum, you might place a crucifix or cross on the dinner table. Before your meatless meal on Good Friday, have each family member kiss or reverently touch the cross. This is similar to the actions done to honor the Cross during the Good Friday services. Pray together:

We adore you, O Christ, and we bless you, because by your Cross, you have redeemed the world.

Amen.

For a multimedia glossary of Catholic Faith Words, Sunday readings, seasonal and Saint resources, and chapter activities go to **aliveinchrist.osv.com**.

Él vive

❤ Oremos

Líder: Señor, Dios, bendice a todo tu pueblo con la
alegría de la Pascua y la presencia continua de tu
Hijo por siempre. Por Cristo, nuestro Señor.

"Den gracias al Señor, pues él es bueno, pues
su bondad perdura para siempre". **Salmo 118, 1**

Todos: Amén.

📖 La Sagrada Escritura

"La multitud de los fieles tenía un solo corazón y una sola
alma. Nadie consideraba como propios sus bienes, sino que
todo lo tenían en común. Los apóstoles daban testimonio de la
resurrección del Señor Jesús con gran poder, y aquél era para
todos un tiempo de gracia excepcional. Entre ellos ninguno
sufría necesidad, pues los que poseían campos o casas los
vendían, traían el dinero y lo depositaban a los pies de los
apóstoles, que lo repartían según las necesidades de cada
uno." **Hechos 4, 32-35**

❓ ¿Qué piensas?

- ¿Por qué crees que los primeros
  creyentes vivían de esta manera?

- ¿Qué tan fácil o difícil sería para ti
  vivir como ellos?

He Lives

♥ Let Us Pray

Leader: Lord, God, bless all your people with the joy of Easter and the continued presence of your Son forever. Through Christ our Lord.

"Give thanks to the LORD, for he is good,
his mercy endures forever." **Psalm 118:1**

All: Amen.

🔖 Scripture

"The community of believers was of one heart and mind, and no one claimed that any of his possessions was his own, but they had everything in common. With great power the apostles bore witness to the resurrection of the Lord Jesus, and great favor was accorded them all. There was no needy person among them, for those who owned property or houses would sell them, bring the proceeds of the sale, and put them at the feet of the apostles, and they were distributed to each according to need." **Acts 4:32–35**

❓ What Do You Wonder?

- Why do you think the first believers lived this way?

- How easy or difficult would it be for you to live like they did?

En Pascua, con frecuencia vemos cruces de Resurrección dentro y fuera de las iglesias. Las telas y flores blancas ayudan a proclamar la resurrección de Jesús a una vida nueva.

La luz del mundo

En Pascua la Iglesia celebra la Resurrección de Jesús. Cuando Jesús resucitó de entre los muertos al tercer día, derrotó el pecado y la muerte. La Iglesia celebra la Pascua de Resurrección durante cincuenta días, desde el Domingo de Pascua hasta Pentecostés.

La Pascua es un tiempo de alegría y felicidad. Se canta el Aleluya una y otra vez. Flores y plantas llenan las iglesias, como signos de la vida nueva que Jesús trae. Los coros cantan el Gloria a Dios y el altar se viste de blanco. Todos son signos de la luz que Jesús trae al mundo.

En el hemisferio norte, la Pascua llega cuando la oscuridad del invierno da paso a la primavera. Aparecen hojas en los árboles y las plantas florecen. La primavera es un tiempo de vida nueva.

At Easter, we often see Resurrection crosses inside and outside churches. White cloths and flowers to help proclaim Jesus' being raised to new life.

Light of the World

On Easter the Church celebrates Jesus' Resurrection. When Jesus was raised from the dead on the third day, he conquered sin and death. The Church celebrates Easter for fifty days, from Easter Sunday to Pentecost.

The Easter season is one of joy and gladness. Alleluias are sung once again. Flowers and plants fill the churches, as signs of the new life Christ brings. Choirs sing Glory to God! and the altar is draped in white cloth. All are signs of the light that Jesus brings into the world.

In the northern hemisphere, Easter comes as the darkness of winter gives way to spring. Leaves appear on trees, and flowers blossom. Spring is a season of new life.

Deja que brille tu luz

La Resurrección de Jesús es un signo de la vida nueva que brota con la luz brillante del sol. Jesús triunfó sobre el egoísmo que aparta a las personas de Dios. Él convirtió la oscuridad del pecado en la luz del amor. Por eso a Jesús se lo llama la Luz del Mundo.

¿Alguna vez notaste que al aire libre en la oscuridad de la noche, lejos de las luces de la ciudad, las estrellas parecen más brillantes? De manera parecida, la luz de Cristo brilla en la oscuridad del mundo. En medio de la tristeza y la violencia, la luz de Cristo brilla aún más. En medio de la soledad o el rechazo, la luz del amor de Cristo está allí para reconfortar el corazón lastimado.

➡ **¿Cuáles son algunas maneras en que Jesús es luz para ti?**

➡ **¿Cómo puedes ayudar a los demás a conocer la luz del amor de Cristo?**

Actividad

La Luz del Mundo Decora la vela con símbolos de Jesús como la Luz del Mundo.

En los siete rayos que irradia la llama, escribe cosas que tú y tu familia pueden hacer cada semana del tiempo de Pascua para llevar la luz de Cristo a tu vecindario y tu comunidad. Comparte tus ideas con tu familia.

Let Your Light Shine

Jesus' Resurrection is a sign of the new life that bursts forth in the bright light of the sun. Jesus triumphed over the selfishness that leads people away from God. He turned the darkness of sin into the light of love. That is why Jesus is called the Light of the World.

Did you ever notice that outside on a dark night, away from the lights of the city, the stars seem brighter? In a similar way, the light of Christ brightens the darkness of the world. In the midst of sadness and violence, Christ's light shines even more brightly. In the midst of loneliness or rejection, the light of Christ's love is there to warm the heart that is hurting.

➤ **What are some ways Jesus is light for you?**

➤ **How can you help others to know the light of Christ's love?**

Activity

The Light of the World Decorate the candle with symbols of Jesus as the Light of the World.

In the seven rays of light radiating from the candle flame, write things you and your family can do each week during the Easter season to bring Christ's light into your neighborhood and community. Share your ideas with your family.

© Our Sunday Visitor

Celebremos la Pascua

Esta oración es una celebración de la Palabra y un acto de alabanza y de acción de gracias. La celebración de la Palabra es un momento para orar con la Iglesia, usando las Sagradas Escrituras.

 Oremos

Reúnanse y hagan juntos la Señal de la Cruz.

Líder: Luz y paz en Jesucristo, nuestro Señor, aleluya.

Todos: Demos gracias a Dios, aleluya.

Lector: ¡Cristo es nuestra luz en la oscuridad!

Todos: Aleluya, aleluya, aleluya.

Lector: ¡Cristo es el Camino, la Verdad y la Vida!

Todos: Aleluya, aleluya, aleluya.

Líder: Oremos.

Inclinen la cabeza mientras el líder ora.

Todos: Amén, aleluya.

Escucha la Palabra de Dios

Lector: Lectura del santo Evangelio según Mateo.

Lean Mateo 28, 1-10.

Palabra del Señor.

Todos: Gloria a ti, Señor Jesús.

Celebrate Easter

This prayer is a celebration of the Word and an act of praise and thanksgiving. A celebration of the Word is a moment of prayer with the Church using the Scriptures.

 Let Us Pray

Gather and pray the Sign of the Cross together.

Leader: Light and peace in Jesus Christ our Lord. Alleluia.

All: Thanks be to God, Alleluia.

Reader: Christ is our light in the darkness!

All: Alleluia, Alleluia, Alleluia.

Reader: Christ is the Way, the Truth, and the Life!

All: Alleluia, Alleluia, Alleluia.

Leader: Let us pray.

Bow your heads as the leader prays.

All: Amen, Alleluia.

Listen to God's Word

Reader: A reading from the holy Gospel according to Matthew.

Read Matthew 28:1–10.

The Gospel of the Lord.

All: Praise to you, Lord Jesus Christ.

Dialoga

¿Cuál fue tu primer pensamiento mientras escuchabas este Evangelio? ¿Qué les dijo Jesús a las mujeres?

Bendición con agua bendita

Adelántate e inclínate ante la vela. Luego mójate los dedos con agua bendita y haz la Señal de la Cruz.

Líder: Oremos.

Inclinen la cabeza mientras el líder ora.

Todos: Amén.

¡Evangeliza!

Líder: ¡Podemos ir en paz a compartir la Buena Nueva de que Cristo, nuestra luz, ha resucitado! ¡Aleluya!

Todos: Demos gracias a Dios. ¡Aleluya!

 Canten "Resucitó"

Resucitó, resucitó, resucitó, aleluya.
Aleluya, aleluya, aleluya, resucitó.
La muerte ¿dónde está la muerte?
¿Dónde está mi muerte?
¿Dónde su victoria?

Dialogue

What was your first thought as you heard this Gospel? What did Jesus tell the women?

Blessing with Holy Water

Step forward and bow before the candle. Then dip your hand in the blessed water and make the Sign of the Cross.

Leader: Let us pray.

Bow your heads as the leader prays.

All: Amen.

Go Forth!

Leader: Let us go forth and share the Good News that Christ our light has risen! Alleluia!

All: Thanks be to God. Alleluia!

 Sing "He Is Risen, Alleluia!"
He is Risen, Alleluia!
He is here with us today!
He is Risen, Alleluia!
He brings new life on this day.
Jesus, you bring new life on this day.

FAMILIA + FE

VIVIR Y APRENDER JUNTOS

HABLAMOS DE LA PASCUA >>>

La celebración del tiempo de Pascua abarca los cincuenta días siguientes al Triduo. Las liturgias de la Pascua reflejan la alegría de la salvación. Se canta el Aleluya con frecuencia. Los Evangelios proclaman el suceso de Pascua y celebran lo que Dios hizo por nosotros a través de su hijo, Jesús. Cuando el sacerdote y el diácono bendicen a la asamblea con la aspersión del agua bendita, todos renuevan su compromiso bautismal. La Iglesia celebra unida como el pueblo de la Pascua.

La Sagrada Escritura

Lean **Hechos de los Apóstoles 4, 32-35**. Describe la vida en la comunidad cristiana primitiva. ¿Cómo vive su familia en armonía y se ocupa de las necesidades mutuas y de la comunidad en general?

AYUDEN A SUS HIJOS A COMPRENDER >>>

La Pascua

- Por lo general, los niños de esta edad estarán dispuestos a ayudar a los necesitados.

- La mayoría de los niños se interesan por los ritos y quieren participar en las actividades rituales.

- Por regla general, los niños de esta edad están alertos a los sentidos. Serán más conscientes y se motivarán con la variedad de símbolos y música de la Pascua.

COSTUMBRES DE LA FAMILIA CATÓLICA >>>

Según cuándo sea la fecha de la Pascua, parte del tiempo abarcará el mes de mayo. La Fiesta de San José Obrero se celebra el 1 de mayo.

Este es un buen día para honrar a los trabajadores que dan servicio a su familia (aseo urbano, bomberos, policía, plomeros o electricistas) con una palabra de agradecimiento.

ORACIÓN EN FAMILIA >>>

El Aleluya es una oración de alabanza y agradecimiento. Celebren la Resurrección en su comida vespertina. Animen a sus hijos a dirigirlos. Apaguen todas las luces y luego enciendan una vela para simbolizar la luz de Cristo.

Líder: Jesús, te alabamos por tu victoria de Pascua sobre el pecado y la muerte.

Todos: ¡Aleluya!

Líder: Aumenta nuestra fe durante estos cincuenta días de la Pascua y transfórmanos por la luz de tu Resurrección.

Todos: ¡Aleluya!

 Visiten **vivosencristo.osv.com** para encontrar un glosario multimedia de Palabras católicas, lecturas dominicales, y recursos de Santos y tiempos festivos.

FAMILY+FAITH
LIVING AND LEARNING TOGETHER

TALKING ABOUT EASTER >>>

The celebration of the Easter season includes the fifty days following the Triduum. The Easter liturgies reflect the joy of salvation. The Alleluia is sung often. The Gospels proclaim the Easter event and celebrate what God did for us through his son, Jesus. When the priest and deacon bless the assembly with the sprinkling of holy water, all renew their baptismal commitments. The Church celebrates together as an Easter people.

Scripture

Read **Acts 4:32–35**. It describes life in the early Christian community. In what ways does your family live in harmony and provide for the needs of one another and the wider community?

HELPING YOUR CHILD UNDERSTAND >>>
Easter

- Usually children at this age will respond well to helping those in need.

- At this age, most children are interested in and want to participate in rituals and ritual activity.

- As a rule, children this age are alert to the sensate. They will be aware of and motivated by expansive Easter symbols and music.

CATHOLIC FAMILY CUSTOMS >>>

Depending on when Easter occurs, some part of the season will occur during the month of May. The Feast of Saint Joseph the worker is celebrated on May 1. This is a good day to honor workers who give service to your family (waste removal, fire and police, plumbers, or electricians) with a word of thanks.

FAMILY PRAYER >>>

The Alleluia is a prayer of praise and thanksgiving. Celebrate in the Resurrection at your evening meal. Encourage your child to lead you. Turn off all lights, then light a candle to symbolize the light of Christ.

Leader: Jesus, we praise you for your Easter victory over sin and death.

All: Alleluia!

Leader: Increase our joy during these fifty days of Easter, and transform us by the light of your Resurrection.

All: Alleluia!

For a multimedia glossary of Catholic Faith Words, Sunday readings, seasonal and saint resources, and chapter activities go to **aliveinchrist.osv.com**.

Ascensión

♥ Oremos

Líder: Amado Dios:

Ayúdanos a comprender que tu voluntad es que disfrutemos de la felicidad eterna contigo en el Cielo. Danos la ayuda del Espíritu Santo para vivir aquí como seguidores fieles, para que después podamos disfrutar de esa felicidad. Te lo pedimos en tu nombre.

"El Señor ha fijado su trono en los cielos
   y su realeza todo lo domina". **Salmo 103, 19**

Todos Amén.

📖 La Sagrada Escritura

"Le dijo Jesús: 'Yo soy la resurrección (y la vida). El que cree en mí, aunque muera, vivirá. El que vive, el que cree en mí, no morirá para siempre. ¿Crees esto?' Ella contestó: 'Sí, Señor; yo creo que tú eres el Cristo, el Hijo de Dios, el que tenía que venir al mundo.'" **Juan 11, 25-27**

❓ ¿Qué piensas?

• ¿Cómo sería vivir para siempre?

• ¿Cómo te imaginas el Cielo?

Ascension

❤ Let Us Pray

Leader: Dear Lord,

Help us to understand that your will is for us to enjoy eternal happiness with you in Heaven. Give us the help of the Holy Spirit to live as faithful followers here, so that one day we will enjoy that happiness. In your name we pray.

"The LORD has set his throne in heaven; his dominion extends over all." **Psalm 103:19**

All: Amen.

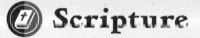 **Scripture**

"'I am the resurrection and the life; whoever believes in me, even if he dies, will live, and everyone who lives and believes in me will never die. Do you believe this?' She said to him, 'Yes, Lord. I have come to believe that you are the Messiah, the Son of God, the one who is coming into the world.'" **John 11:25–27**

❓ What Do You Wonder?

- What would it be like to live forever?
- How do you imagine Heaven?

La muerte y morir

Jesús murió y resucitó y luego ascendió al Cielo para estar con su Padre por siempre. Todos nosotros también moriremos algún día. Pero tenemos la oportunidad de estar con Jesús y con su Padre en el Cielo. Siempre que alguien cercano a nosotros muere nos ponemos tristes porque perdemos a esa persona. La Resurrección de Jesús y su Ascensión nos dan la fe y la esperanza de que, cuando una persona muere, su vida continúa, pero es diferente.

La muerte es el paso de esta vida a una vida nueva. Nuestro cuerpo muere, pero nuestra alma sigue viviendo. Sin embargo, también nuestro cuerpo resucitará al final de los tiempos. En la Solemnidad de la Ascensión, la Iglesia celebra el regreso de Jesús a su Padre en el Cielo. La Ascensión del Señor se celebra cuarenta días después de Pascua.

Marca las cosas que ya haces. Encierra en un círculo algo que harás en el futuro. Luego agrega una idea a la lista.

La ofrenda

Dios llama a todas las personas de todos los tiempos y nos ofrece el don de la salvación. Nosotros aceptamos el don de la salvación de Dios a través de nuestra fe en Jesucristo. La verdadera fe se muestra a sí misma en las cosas que hacemos.

- [ ] Dedicamos tiempo a escuchar a Dios y a hablar con Él.
- [ ] Somos amables y respetuosos con los demás.
- [ ] Cuidamos de todos los dones de Dios.
- [ ] Ayudamos a los pobres, los enfermos y los marginados.

_____

_____

Death and Dying

Jesus died and rose and then ascended into Heaven to be with his Father forever. All of us will die some day, too. But we have the chance to be with Jesus and his Father in Heaven. We are always sad when someone close to us dies because we miss that person. Jesus' Resurrection and his Ascension give us faith and hope that when a person dies, his or her life continues, but it is different.

Death is a passing from this life to new life. Our body dies but our soul lives on. However, our bodies will also rise at the end of time On the Feast of the Ascension, the Church celebrates Jesus' return to his Father in Heaven. Ascension Thursday is celebrated forty days after Easter.

Check off the things that you already do. Circle something you will do in the future. Then add one idea to the list.

The Offer

God calls everyone at all times and offers us the gift of salvation. We accept God's gift of salvation through our faith in Jesus Christ. Real faith will show itself in the things we do.

- [ ] We take time to listen and talk to God.

- [ ] We are kind and respectful to others.

- [ ] We take care of all God's gifts.

- [ ] We reach out to the poor, to those who are sick, and to those who are outcasts.

_____

_____

♡ Oremos

Recordemos la Ascensión

Reúnanse para cantar y hagan juntos la Señal de la Cruz.

Líder: Proclamamos tu Muerte, oh Señor,
y profesamos tu Resurrección
hasta que vengas de nuevo.
Oremos.

Inclinen la cabeza mientras el líder ora.

Todos: Amén.

Escucha la Palabra de Dios

Líder: Lectura del santo Evangelio según Juan.
Lean Juan 14, 1-3.

Reflexión silenciosa.

Presentación de nombres

Líder: Una manera de dar testimonio de la Resurrección
es encomendar a Dios a los que han muerto.
Escribe el nombre de personas que hayan muerto
y que desees recordar en la oración. Luego coloca
la lista en el tazón que está en el frente del salón.

Cuando el último niño haya pasado al frente, comienzan las
intercesiones. Respondan a cada oración con estas palabras.

Todos: Confío y espero en Dios.

¡Evangeliza!

Líder: Ofrezcamos una oración de alabanza a Dios Padre,
Hijo y Espíritu Santo.

 Canten "No Queden Tristes"

♥ Let Us Pray

Remember the Ascension

Gather to sing and pray the Sign of the Cross together.

Leader: We proclaim your Death, O Lord,
and profess your Resurrection
until you come again.
Let us pray.

Bow your heads as the leader prays.

All: Amen.

Listen to God's Word

Leader: A reading from the holy Gospel according to John.

Read John 14:1–3
Silent Reflection

Presentation of Names

Leader: One way to give witness to the Resurrection is to commend those who have died to God. Write the names of people who have died whom you wish to remember in prayer. Then place your list in the bowl in the front of the room.

After the last child has come forward, the intercessions begin. Respond to each intercession with these words.

All: I place my trust and hope in God.

Go Forth!

Leader: Let us offer a prayer of praise to God—Father, Son, and Holy Spirit.

 Sing "Rise Up With Him"

FAMILIA + FE

VIVIR Y APRENDER JUNTOS

HABLAMOS DE LA ASCENSIÓN >>>

Los católicos celebran la Solemnidad de la Ascensión del Señor en jueves, cuarenta días después de la Pascua. En algunas diócesis y parroquias, la solemnidad se mueve del jueves al Séptimo Domingo de Pascua. La solemnidad de la Ascensión celebra al Jesús Resucitado regresando a su Padre celestial en el Cielo. En Estados Unidos, la Ascensión del Señor es un día de precepto.

La Sagrada Escritura

 Lean **Juan 11, 25-27**. Dice que quienes creen en Jesús vivirán y que todos los que viven y creen en Jesús jamás morirán. ¿A qué seres amados esperan volver a ver después de la muerte?

AYUDEN A SUS HIJOS A COMPRENDER >>>

Ascensión

- A menudo los niños de esta edad se imaginan solo los elementos maravillosos del relato de la Ascensión. Necesitan ayuda para adecuarlo a su propia vida.

- A veces, a los niños les resulta difícil hablar acerca de la muerte y de morir.

- En general, se los puede orientar para que vean la muerte como parte de la vida, observando los cambios de la naturaleza.

FIESTAS DEL TIEMPO LITÚRGICO >>>

San Matías

El 14 de mayo, la Iglesia celebra la Fiesta de San Matías. Él fue el Apóstol elegido para reemplazar a Judas. Fue elegido porque estuvo con los discípulos en el transcurso de la vida de Jesús, y fue testigo de la Resurrección.

ORACIÓN EN FAMILIA >>>

Recen a diario esta oración tradicional al Espíritu Santo, antes de cenar o de ir a dormir, entre el jueves de Ascensión y el domingo de Pentecostés. Cada vez que recen, recuerden los nombres de los familiares o amigos que han muerto.

Concédeles, Señor, el descanso eterno y brille para ellos la luz perpetua. Descansen en paz.

Amén.

Visiten **vivosencristo.osv.com** para encontrar un glosario multimedia de Palabras católicas, lecturas dominicales, y recursos de Santos y tiempos festivos.

FAMILY+FAITH
LIVING AND LEARNING TOGETHER

TALKING ABOUT ASCENSION >>>

Catholics celebrate the Feast of Ascension Thursday forty days after Easter. In some dioceses and parishes, the feast is moved from Thursday to the seventh Sunday of Easter. The Feast of the Ascension celebrates the Risen Jesus returning to his Father in Heaven. In the United States, Ascension Thursday is a Holy Day of Obligation.

Scripture

 Read **John 11:25–27**. It says that those who believe in Jesus will live, and that everyone who lives and believes in Jesus will never die. Which of your loved ones do you hope to see again after death?

HELPING YOUR CHILD UNDERSTAND >>>

Ascension

- Often children this age picture only the wondrous elements of the story of the Ascension. They need assistance making it appropriate to their own lives.

- Sometimes children this age find it difficult to talk about death and dying.

- For the most part, children can be guided to see death as a part of life through observing the changes in nature.

FEASTS OF THE SEASON >>>
Saint Mathias

On May 14, the Church celebrates the Feast of Saint Matthias. He was the Apostle chosen to replace Judas. He was chosen because he was with the disciples throughout Jesus' life, and he was a witness to the Resurrection.

FAMILY PRAYER >>>

Pray this traditional prayer to the Holy Spirit as a dinner or bedtime prayer every day between Ascension Thursday and Pentecost Sunday. Each time, make note of the names of family members or friends who have died.

Eternal rest grant to them, O Lord
and let perpetual light shine upon them.
May they rest in peace.

Amen

For a multimedia glossary of Catholic Faith Words, Sunday readings, seasonal and Saint resources, and chapter activities go to **aliveinchrist.osv.com**.

Pentecostés

❤ Oremos

Líder: Ven, Espíritu Santo,
y envíanos tu poder y tus dones
para que seamos instrumentos
de la venida del Reino de Dios.
Por Cristo, nuestro Señor.

"¡Bendice al Señor, alma mía!
¡Eres muy grande, oh Señor, mi Dios...!"
Salmo 104, 1

Todo: Amén.

📖 La Sagrada Escritura

"... y nadie puede decir: '¡Jesús es el Señor!', sino con el Espíritu Santo. Hay diferentes dones espirituales, pero el Espíritu es el mismo. Hay diversos ministerios, pero el Señor es el mismo. Hay diversidad de obras, pero es el mismo Dios quien obra todo en todos. La manifestación del Espíritu que a cada uno se le da es para provecho común." **1 Corintios 12, 3-7**

❓ ¿Qué piensas?

- ¿Qué dones te ha dado el Espíritu Santo?

- ¿Cómo usan las personas sus dones para el bien común?

© Our Sunday Visitor

Pentecost

❤ Let Us Pray

Leader: Come Holy Spirit
send us your power and your gifts,
that we may be instruments
of the coming of God's Kingdom.
Through Christ, our Lord.

"Bless the LORD, my soul!
LORD, my God, you are great indeed!"
Psalm 104:1

All: Amen.

📖 Scripture

"No one can say, 'Jesus is Lord,' except by the holy Spirit. There are different kinds of spiritual gifts but the same Spirit; there are different forms of service but the same Lord; there are different workings but the same God who produces all of them in everyone. To each individual the manifestation of the Spirit is given for some benefit." **1 Corinthians 12:3–7**

❓ What Do You Wonder?

- What gifts has the Spirit given you?
- How do people use their gifts for the common good?

95

Pentecostés hoy

Hoy la Iglesia manifiesta su alegría por la Resurrección del Señor durante cincuenta días después de Pascua. Luego, en Pentecostés, celebra el don del Espíritu Santo a la Iglesia. El Espíritu Santo les dio a los primeros discípulos la sabiduría y el valor que necesitaban para predicar el Evangelio.

> ⭐ **Subraya la acción del Espíritu Santo en y por la Iglesia desde Pentecostés hasta hoy.**

- La Fiesta de Pentecostés celebra la venida del Espíritu Santo sobre María y los Apóstoles.

- El Pentecostés se celebra cincuenta días después de Pascua y marca el final del tiempo de Pascua.

- En Pentecostés el sacerdote usa vestiduras rojas. El rojo nos recuerda el fuego del Espíritu Santo.

La venida del Espíritu Santo marcó el comienzo del ministerio activo de los Apóstoles para predicar el Evangelio después de la Ascensión de Jesús. Desde este momento en adelante, a la Iglesia se le ha dado el poder del Espíritu Santo para difundir la Buena Nueva en palabra y obra. Él edifica la Iglesia, le otorga el poder para su servicio y es la fuente de su santidad.

→ **¿De qué manera está hoy activo en el mundo el Espíritu Santo?**

Pentecost Today

Today the Church rejoices in the Resurrection of the Lord for fifty days after Easter. Then on Pentecost, the Church celebrates the gift of the Holy Spirit to the Church. The Holy Spirit gave the first disciples the wisdom and courage they needed to preach the Gospel.

- The Feast of Pentecost celebrates the coming of the Holy Spirit on Mary and the Apostles.

- Pentecost occurs fifty days after Easter and marks the end of the Easter season.

- On Pentecost the priest wears red vestments. Red reminds us of the fire of the Holy Spirit.

The coming of the Holy Spirit marked the beginning of the Apostles' active ministry of spreading the Gospel after Jesus' Ascension. From this time onward, the Church has been empowered by the Holy Spirit to spread the Good News by word and action. He builds up the Church, empowers her for service, and is the source of her holiness.

➜ **How is the Holy Spirit active in the world today?**

> **Underline the Holy Spirit's action in and for the Church from Pentecost through to today.**

❤ Oremos

Celebremos Pentecostés

Reúnanse y hagan juntos la Señal de la Cruz.

Líder: Luz y paz en Jesucristo, nuestro Señor, aleluya.

Todos: Demos gracias a Dios, aleluya.

Líder: Oremos.

Inclinen la cabeza mientras el líder ora.

Todos: Amén.

Escucha la Palabra de Dios

Lector: Lectura de Hechos de los Apóstoles.

Lean Hechos 2, 1-11.

Palabra de Dios.

Todos: Te alabamos, Señor.

Oración de los Fieles

Líder: Oremos por la Iglesia y por el mundo, para que todos estén abiertos al poder del Espíritu Santo.

Respondan a cada oración con estas palabras.

Todos: Envíanos tu Espíritu, oh Señor.

¡Evangeliza!

Líder: Podemos ir en paz, aleluya.

Todos: Demos gracias a Dios, ¡aleluya!

 Canten "Ven, Llena Mi Vida"

♥ Let Us Pray

Celebrate Pentecost

Gather and pray the Sign of the Cross together.

Leader: Light and peace in Jesus Christ our Lord, Alleluia.

All: Thanks be to God, Alleluia.

Leader: Let us pray.

Bow your heads as the leader prays.

All: Amen.

Listen to God's Word

Reader: A reading from the Acts of the Apostles.

Read Acts 2:1–11.

The word of the Lord.

All: Thanks be to God.

Prayer of the Faithful

Leader: Let us pray for the Church and the world, that all will be open to the power of the Holy Spirit.

Respond to each prayer with these words.

All: Send us your Spirit, O Lord.

Go Forth!

Leader: Let us go forth in love, Alleluia.

All: Thanks be to God, Alleluia!

 Sing "Come, Holy Ghost"

FAMILIA + FE

VIVIR Y APRENDER JUNTOS

HABLAMOS DE PENTECOSTÉS >>>

Durante Pentecostés recordamos la venida del Espíritu Santo sobre los Apóstoles y María. El color litúrgico de esta celebración es rojo, que simboliza el fuego de Pentecostés y el poder del Espíritu Santo. En las lecturas de la Sagrada Escritura, la música y los gestos corporales, la Iglesia celebra las acciones fortalecedoras de Dios a través de los Dones del Espíritu Santo. El domingo de Pentecostés es una celebración inspiradora de la constante obra de Dios en el mundo.

La Sagrada Escritura

Lean **1 Corintios 12, 3b-13**. Describe la variedad de dones que los miembros de la Iglesia han recibido para usarlos por el bien de la comunidad. ¿Qué dones tiene su familia que pueda usar en servicio a los demás?

AYUDEN A SUS HIJOS A COMPRENDER >>>

Pentecostés

- La mayoría de los niños de esta edad comienzan a desarrollar el sentido de sus propios dones y quieren usarlos para ayudar a los demás.

- En general, los niños hallan útil la reflexión guiada para sumergirse en un pasaje de la Sagrada Escritura.

- Los niños de esta edad se interesarán por crear arte e imágenes poéticas del Espíritu Santo.

FIESTAS DEL TIEMPO LITÚRGICO >>>

San Bernardino de Siena

El 20 de mayo es la Fiesta de San Bernardino de Siena. Bernardino tuvo dos dones que usó para los demás. En su juventud, tenía el don de la curación, que usó en hospitales con los pacientes moribundos durante una plaga. Más tarde, recibió el don de predicar y viajó extensamente, predicando sobre el pecado, la virtud y la misericordia de Dios.

ORACIÓN EN FAMILIA >>>

Recen esta oración en familia antes de la comida de Pentecostés.

Ven, Espíritu Santo, llena los corazones de tus fieles, y enciende en ellos el fuego de tu amor. Envía tu Espíritu Creador y renueva la faz de la tierra.

Oh Dios, que has iluminado los corazones de tus hijos con la luz del Espíritu Santo; haznos dóciles a sus inspiraciones para gustar siempre el bien y gozar de su consuelo. Por Cristo nuestro Señor, Amén.

Visiten **vivosencristo.osv.com** para encontrar un glosario multimedia de Palabras católicas, lecturas dominicales, y recursos de Santos y tiempos festivos.

FAMILY+FAITH
LIVING AND LEARNING TOGETHER

TALKING ABOUT PENTECOST >>>

At Pentecost we remember the coming of the Holy Spirit on the Apostles and Mary. The liturgical color for this celebration is red, which symbolizes the fire of Pentecost and the power of the Holy Spirit. In Scripture readings, music, and gestures, the Church celebrates God's empowering actions through the Gifts of the Holy Spirit. Pentecost Sunday is an uplifting celebration of God's ongoing work in the world.

Scripture

 Read **1 Corinthians 12:3b–13**. It describes the varieties of gifts members of the Church are given to use for the good of the community. What gifts does your family have that can be used in service to others?

HELPING YOUR CHILD UNDERSTAND >>>

Pentecost

- Most children this age are beginning to develop a sense of their own gifts and want to use them to help others.

- Usually children this age find guided meditation helpful to enter into a Scripture passage.

- Children this age will be interested in creating art and poetry images of the Holy Spirit.

FEASTS OF THE SEASON >>>
Saint Bernardine of Siena

May 20 is the Feast of Saint Bernardine of Siena. Bernardine had two gifts he used for others. In his younger life, he had a gift for healing, which he used in a hospital with patients who were dying during a plague. Later, he received a gift for preaching, and he traveled extensively preaching about, sin, virtue, and God's mercy.

FAMILY PRAYER >>>

Say this prayer before your family Pentecost meal.

Come, Holy Spirit, fill the hearts of your faithful.
And kindle in them the fire of your love.
Send forth your Spirit and they shall be created.
And you will renew the face of the earth.

Lord, by the light of the Holy Spirit you have taught the hearts of your faithful. In the same Spirit, help us to relish what is right and always rejoice in your consolation. We ask this through Christ our Lord, Amen.

For a multimedia glossary of Catholic Faith Words, Sunday readings, seasonal and Saint resources, and chapter activities go to **aliveinchrist.osv.com**.

Vista general de las unidades

Units at a Glance

Revelación

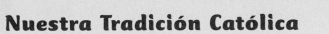

Nuestra Tradición Católica

- Dios comunica un plan amoroso para toda la creación. Aprendemos esto en la Sagrada Escritura y la Sagrada Tradición. (CIC, 50, 81)

- Dios se mantiene fiel a sí mismo y a sus promesas. A través de sus alianzas, Dios sigue diciendo y demostrando a las personas que Él será fiel, a pesar de que pequemos. (CIC, 211)

- Dios nos ayuda a comprender cómo serle fiel. A través de los Diez Mandamientos, Dios reveló cómo quiere que todos sus hijos vivan. (CIC, 2060)

¿Cómo demuestra Dios que es fiel a su alianza a través de la vida de Abrahán, José y Moisés?

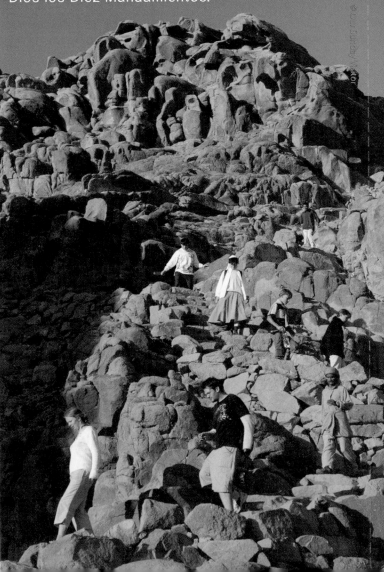

Los visitantes descienden de la cumbre del monte Sinaí, en Egipto, donde Moisés recibió de Dios los Diez Mandamientos.

Revelation

Our Catholic Tradition

- God communicates a loving plan for all of creation. We learn of this in Sacred Scripture and Sacred Tradition. (CCC, 50, 81)

- God stays true and faithful to his promises. Through his covenants, God keeps telling and showing people that he will be faithful, even though we sin. (CCC, 211)

- God helps us understand how to be faithful to him. Through the Ten Commandments, God revealed how he wants all of his children to live. (CCC, 2060)

How does God show he is faithful to his covenant through the lives of Abraham, Joseph, and Moses?

Visitors descend from the summit of Mount Sinai in Egypt, where Moses received the Ten Commandments from God.

La providencia de Dios

💗 Oremos

Líder: Dios misericordioso, te damos gracias por cuidarnos y guiarnos.

"Yo te voy a instruir, te enseñaré el camino,
te cuidaré, seré tu consejero".

Salmo 32, 8

Todos: Dios, Padre nuestro, tu gran amor por nosotros no termina nunca. Confiamos en que seguir tu plan para nosotros nos traerá paz y felicidad. Amén.

📖 La Sagrada Escritura

"Pues él habló y todo fue creado,
lo ordenó y las cosas existieron.

Pero el proyecto del Señor subsiste siempre,
sus planes prosiguen a lo largo de los siglos.

Es feliz la nación cuyo Dios es el Señor,
el pueblo que él escoge como herencia."

Salmo 33, 9. 11-12

❓ ¿Qué piensas?

- ¿Cuántas cosas creó Dios de las que ni siquiera sabemos?

- ¿Cómo conoces el plan de Dios?

God's Providence

❤ Let Us Pray

Leader: Gracious God, we thank you for caring for and guiding us.

"I will instruct you and show you the way
  you should walk,
  give you counsel with my eye upon you."
Psalm 32:8

All: God our Father, your great love for us never ends. We trust that following your plan for us will bring us happiness and peace. Amen.

📖 Scripture

"For [God] spoke and it came to be,
  commanded, and it stood in place.

But the plan of the LORD stands forever,
  the designs of his heart through all generations.

Blessed is the nation whose God is the LORD,
  the people chosen as his inheritance."
Psalm 33:9, 11–12

❓ What Do You Wonder?

- How many things did God create that we don't even know about?
- How do you know God's plan?

La creación de Dios

¿Qué dijo Dios acerca de todo lo que Él hizo?

El mundo se parece a un caleidoscopio. Sus patrones y sus movimientos complejos dan pistas del sorprendente plan de Dios para la creación. Este relato de la Sagrada Escritura nos enseña acerca de Dios y su creación.

🕊 La Sagrada Escritura

El relato de la creación

En el principio, cuando Dios creó los cielos y la tierra, la tierra era un terreno baldío sin forma. Estaba completamente oscuro. Un viento poderoso aleteaba sobre las aguas.

Luego Dios dijo: "Haya luz," y hubo luz. Él separó la luz de las tinieblas. Dios llamó a la luz "día" y a las tinieblas, "noche." Y vio Dios que todo esto era bueno. Fue el día primero.

Luego Dios dijo: "Haya una bóveda en medio de las aguas." Dios creó la bóveda. Separó el agua de arriba del agua de abajo. Dios llamó a la bóveda "cielo." Y vio Dios que esto era bueno. Fue el día segundo.

Luego Dios dijo: "Júntense las aguas de debajo de los cielos en un solo depósito." El agua se juntó en un solo depósito y apareció suelo seco. Dios llamó al suelo seco "tierra." Llamó al agua "mar." Y vio Dios que esto era bueno.

Luego Dios dijo: "Haya plantas y árboles de todo tipo." La tierra produjo toda clase de plantas y toda clase de árboles frutales. Y vio Dios que esto era bueno. Fue el día tercero.

God's Creation

What did God say about all that he had made?

The world is something like a kaleidoscope. Its complex patterns and movements give clues to God's amazing plan for creation. This Scripture account teaches us about God and his creation.

✝ Scripture

The Story of Creation

In the beginning, when God created the heavens and the earth, the earth was a formless wasteland. It was completely dark. A mighty wind swept over the waters.

Then God said, "Let there be light," and there was light. He separated the light from the darkness. God called the light "day" and the darkness "night." God saw that it was good. This was the first day.

Then God said, "Let there be a dome in the middle of the waters." God made the dome. It separated the water above from the water below. God called the dome "the sky." God saw that it was good. This was the second day.

Then God said, "Let the water under the sky be gathered into a single basin." The water was gathered into a single basin and dry land appeared. God called the dry land "earth." He called the water "the sea." God saw that it was good.

Then God said, "Let there be plants, and trees of every kind." The earth brought forth every kind of plant and every kind of fruit tree. God saw that it was good. This was the third day.

Luego Dios dijo: "Haya luces en la bóveda del cielo, para separar el día de la noche." Dios creó dos grandes luces. Hizo el sol para el día y la luna para la noche. Luego Dios hizo las estrellas. Y vio Dios que esto era bueno. Fue el cuarto día.

Luego Dios dijo: "Llénense los mares de seres vivos y el cielo de aves que vuelan." Dios creó toda clase de criaturas que nadan y toda clase de aves. Y vio Dios que esto era bueno. Fue el día quinto.

Luego Dios dijo: "Que la tierra se llene de toda clase de criaturas vivas." Dios hizo a los animales salvajes, el ganado y toda clase de insectos. Y vio Dios que esto era bueno. Luego Dios dijo: "Que haya personas, hechas a mi propia imagen y semejanza." Dios creó a las personas, hombre y mujer. Los bendijo y les dijo que cuidaran de la tierra, los mares y todas las plantas y las criaturas vivas. ¡Dios miró todo lo que había hecho y vio que era muy bueno! Fue el día sexto.

Después de que Dios terminó de crear el mundo, descansó. Bendijo el séptimo día y lo hizo santo.

Basado en Génesis 1, 1-31; 2, 1-3

1. Encierra en un círculo la palabra *bueno* cada vez que aparezca en el pasaje de la Sagrada Escritura.

2. Di qué aprendiste sobre Dios de este pasaje de la Sagrada Escritura.

Comparte tu fe

Reflexiona En el globo terráqueo, completa algunas de las maneras en que el mundo demuestra el amor y el cuidado de Dios por su creación.

Comparte Habla acerca de algunas de estas maneras con un compañero.

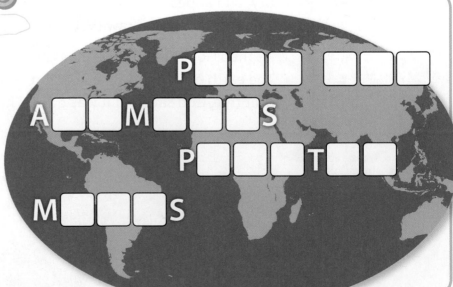

Then God said, "Let there be lights in the dome of the sky, to separate day from night." God made two great lights. He made the sun for the day and the moon for the night. Then God made the stars. God saw that it was good. This was the fourth day.

Then God said, "Let the seas be filled with living creatures and the sky with flying birds." God created all kinds of swimming creatures and all kinds of birds. God saw that it was good. This was the fifth day.

Then God said, "Let the earth be filled with all kinds of living creatures." God made wild animals, cattle, and all kinds of creeping things. God saw that it was good. Then God said, "Let there be people, made in my own image and likeness." God created people, a man and a woman. He blessed them and told them to take care of the earth, the seas, and all the plants and living creatures. God looked at everything he made and saw that it was very good! This was the sixth day.

After God had finished creating the world, he rested. He blessed the seventh day and made it holy.

Based on Genesis 1:1–31, 2:1–3

1. Circle the word *good* every time it appears in the Scripture passage.

2. Tell what you learned about God from this Scripture passage.

Share Your Faith

Reflect On the globe, fill in some of the ways the world shows God's love and care for his creation.

Share Talk about some of these ways with a partner.

PEOPLE

ANIMALS

PLANTS

SEAS

Un plan de bondad amorosa

¿Cómo nos revela Dios su plan?

Desde el principio, Dios ha tenido un plan amoroso para toda la creación. A medida que el plan de Dios se desarrolla, Él protege bajo su cuidado amoroso a todas las personas y a todas las cosas. Esto se llama **providencia**. Dios tiene un plan para ti y para todos.

Una vez, mucho tiempo antes de que naciera Jesús, había un hombre joven que vivía en el pequeño reino de Judea, donde hoy está la nación de Israel. Se llamaba Jeremías, que significa "el Señor levanta". Dios llamó a Jeremías para que dijera la verdad a su pueblo en una época de gran peligro. Habían perdido el camino y los estaban invadiendo naciones poderosas. Así es cómo Jeremías recordó el llamado de Dios.

La Sagrada Escritura

El llamado a Jeremías
Me llegó una palabra de Yavé:
"Antes de formarte en el seno de tu madre, ya te conocía;
     antes de que tú nacieras, yo te consagré,
     y te destiné a ser profeta de las naciones."

Yo exclamé: "Ay, Señor, Yavé,
     ¡cómo podría hablar yo, que soy un muchacho!"

Y Yavé me contestó:
     "No me digas que eres un muchacho.

Irás adondequiera que te envíe,
     y proclamarás todo lo que yo te mande.

No les tengas miedo,
     porque estaré contigo para protegerte."
Jeremías 1, 4-8

➜ **¿Cuándo has sentido que Dios quería que hicieras algo o que tomaras cierta decisión?**

A Plan of Loving Goodness

How does God reveal his plan to us?

From the beginning, God has had a loving plan for all creation. As God's plan unfolds, he keeps everyone and everything in his loving care. This is called **providence**. God has a plan for you and for everyone.

Once, long before Jesus was born, there was a young man who lived in the tiny kingdom of Judah, where the nation of Israel is today. His name was Jeremiah, which means "the Lord raises up." Jeremiah was called by God to speak the truth to his people in a time of great danger. They had lost their way and were being invaded by powerful nations. This is how Jeremiah remembered God calling him.

> ### Catholic Faith Words
>
> **providence** God's loving care for all things; God's will and plan for creation

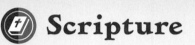 **Scripture**

The Call of Jeremiah

The word of the LORD came to me:
Before I formed you in the womb I knew you,
before you were born I dedicated you,
a prophet to the nations I appointed you.

"Ah, Lord GOD!" I said,
"I do not know how to speak. I am too young!"

But the LORD answered me,
Do not say, "I am too young."

To whomever I send you, you shall go;
whatever I command you, you shall speak.

Do not be afraid of them,
for I am with you to deliver you.
Jeremiah 1:4–8

➤ **When have you felt that God wanted you to do something or to make a certain choice?**

Chapter 1: God's Providence **113**

Palabras católicas

Sagrada Escritura otro nombre para la Biblia; la Sagrada Escritura es la Palabra de Dios inspirada por Él y escrita por los seres humanos

Revelación Divina la manera en que Dios se nos da a conocer y nos hace conocer su plan para los seres humanos

Sagrada Tradición la Palabra de Dios a la Iglesia, salvaguardada por los Apóstoles y sus sucesores, los obispos, y transmitida verbalmente a las futuras generaciones, en los Credos, Sacramentos y otras enseñanzas

Definir providencia
Explica lo que es la *providencia* con tus propias palabras.

Jeremías respondió al llamado, u orden, de Dios y siguió su plan. El relato de Jeremías está en el Antiguo Testamento de la Biblia. La Biblia, llamada también **Sagrada Escritura**, es la Palabra de Dios escrita en palabras humanas. En el Antiguo Testamento hay muchos más relatos que pueden mostrarte cómo siguieron otras personas el plan de Dios.

Luego, en el Nuevo Testamento, puedes ver al Hijo de Dios, Jesús, que responde perfectamente al llamado del Padre. A través de Jesús, puedes aprender cómo tienes que responder al plan de Dios para ti. El Espíritu Santo, a quien Jesús envió a la Iglesia, te ayudará.

La Revelación de Dios

Dios se da a conocer gradualmente a lo largo de la historia por medio de palabras y acciones, y en la experiencia de las personas. La manera en que Dios comparte la verdad sobre sí mismo y su plan se llama **Revelación Divina**. La Revelación se encuentra en la Sagrada Escritura y en la **Sagrada Tradición** de la Iglesia.

Jeremiah answered God's call, or command, and followed his plan. The story of Jeremiah is in the Old Testament of the Bible. The Bible, also called **Sacred Scripture**, is God's Word written in human words. There are many more stories in the Old Testament that can show you how others have followed God's plan.

Then, in the New Testament, you can see God's Son, Jesus, answering his Father's call perfectly. Through Jesus, you can learn how you are to respond to God's plan for you. The Holy Spirit, whom Jesus sent to the Church, will help you.

God's Revelation

God has made himself known gradually throughout history by words and deeds and in the experience of people. The way God shares the truth about himself and his plan is called **Divine Revelation**. Revelation is found in Sacred Scripture and in the **Sacred Tradition** of the Church.

Catholic Faith Words

Sacred Scripture another name for the Bible; Sacred Scripture is the inspired Word of God written by humans

Divine Revelation the way God makes himself, and his plan for humans, known to us

Sacred Tradition God's Word to the Church, safeguarded by the Apostles and their successors, the bishops, and handed down verbally—in her creeds, Sacraments, and other teachings—to future generations

Connect Your Faith

Define Providence Explain *providence* in your own words.

Nuestra vida católica

¿Adónde puedes orar?

La oración es hablar con Dios y escucharlo. Es elevar tu mente y tu corazón a Dios. La oración te ayuda a aprender acerca del plan de Dios para ti. Un momento de silencio y un lugar especial hacen que pensar y orar sea fácil. Un espacio de oración es un lugar al que puedes ir para sentirte cerca de Dios.

Agrega tus ideas en los espacios provistos.

Crea tu propio espacio de oración

1. Halla un espacio	Piensa en un lugar tranquilo donde no te interrumpan. El espacio tiene que ser un lugar que tengas permitido usar y al que puedas llegar por ti mismo. Puede ser en tu hogar, tu jardín o en cualquier lugar donde te sientas seguro. Nombra dónde estaría tu espacio. _____ _____
2. Prepara el espacio	Después de que elijas un espacio de oración, decide cómo quieres prepararlo. Si estás en el interior, tal vez quieras cerrar las cortinas o las persianas, dejando pasar solo una luz suave. Tal vez quieras agregar una imagen religiosa, una cruz o un objeto de la naturaleza como ayuda para tranquilizar tu mente y concentrarte.
3. Prepárate	Asegúrate de prepararte para la oración. Fija la mirada y escucha tu respiración. Recuerda que Dios te dio su aliento de vida cuando fuiste creado. Piensa en un relato de Jesús tomado de la Biblia o imagina que Él está sentado junto a ti. Di qué relato podría ayudarte a que te prepares mejor. _____
4. Ora	Ora desde el corazón. Está atento a Dios. Dale las gracias por su constante presencia en tu vida. Si comienzas a pensar en otra cosa, recuerda que este es un momento para la oración y vuelve a pensar en Dios.

Our Catholic Life

Where do you pray?

Prayer is talking and listening to God. It is raising your mind and heart to God. Prayer helps you learn about God's plan for you. Quiet time and a special place make it easier to think and pray. A prayer space is a place you can go to feel close to God.

⭐ **Add your ideas in the spaces provided.**

Make Your Own Prayer Space

1. Find a Space	Think of a quiet place where you will not be disturbed. The space needs to be a place that you have permission to use and can get to by yourself. It can be in your home, your yard, or any place where you will feel safe. Name where your space would be. _____ _____
2. Prepare the Space	After you choose a prayer space, decide how you want to prepare it. If you are indoors, you might want to close the curtains or blinds, allowing only soft light. Perhaps you would like to add a religious picture, a cross, or an object from nature to help you quiet your mind and focus.
3. Prepare Yourself	Be sure to prepare yourself for prayer. Focus your eyes and listen to your breathing. Remember that God breathed his life into you when you were created. Think about a story of Jesus from the Bible, or imagine that he is sitting there with you. Tell which story might help you prepare yourself best. _____
4. Pray	Pray from your heart. Listen for God. Give thanks to him for his constant presence in your life. If you start to think of something else, remind yourself that this is a time for prayer, and go back to thinking about God.

Gente de fe

Santa Kateri Tekakwitha, 1656–1680

14 de julio

El padre de Santa Kateri Tekakwitha era un guerrero mohawk. Su madre era una algonquina, que era cristiana. Kateri es la primera indígena americana canonizada. Aprendió sobre Jesús de los misioneros jesuitas. Como vivió tan cerca de la naturaleza y encontraba a Dios en el mundo natural, es la patrona de la ecología, la naturaleza y el ambiente. Frecuentemente, Kateri pasaba tiempo orando en los bosques, donde podía hablar con Dios. Ella lo oía en su corazón y a través de las maravillas de la creación. Uno de sus títulos es "lirio de los mohawks".

Comenta: ¿Qué cosas de la naturaleza te recuerdan a Dios?

Aprende más sobre Santa Kateri en **vivosencristo.osv.com**

Comparte tu fe

Diseña un espacio de oración para tu habitación. ¿Qué sería importante tener en este espacio?

Identifica tres cosas en tu boceto.

People of Faith

Saint Kateri Tekakwitha, 1656–1680

July 14

Saint Kateri Tekakwitha's father was a Mohawk warrior. Her mother was an Algonquian woman who was Christian. Kateri is the first Native American to be canonized. She learned about Jesus from Jesuit missionaries. Because she lived so close to nature and found God in the natural world, she is the patron of ecology, nature, and the environment. Kateri often spent time praying in the woods, where she would talk to God. She would hear him in her heart and through the wonders of creation. One of her titles is the "Lily of the Mohawks."

Discuss: What in nature reminds you of God?

 Learn more about Saint Kateri at **aliveinchrist.osv.com**

Live Your Faith

Design a prayer space for your room. What would be important to have in this space?

Identify three things on your sketch.

♥ Oremos

Oración salmódica de alabanza

Esta oración, tomada del Libro de los Salmos que está en la Biblia, es una oración de alabanza. Alabamos a nuestro amoroso y compasivo Dios, que es más de lo que podemos imaginar.

Reúnanse y comiencen con la Señal de la Cruz.

Líder: Dios compasivo, te alabamos por tus maravillosas obras, tu bondad y tu amor, tu maravilloso plan para la creación.

Lector 1: El Señor es ternura y compasión, está lleno de gran bondad y de amor.

Lector 2: El Señor es bueno con todos y compasivo con todas sus obras.

Todos: El Señor es compasivo con todas sus obras.

Lector 3: Que tus obras te den las gracias, oh Señor, y que tu santo pueblo te bendiga.

Lector 4: Los ojos de todos te miran, y Tú les das todo lo que necesitan.

Todos: El Señor es compasivo con todas sus obras.

Lector 5: El Señor es justo en todas sus maneras y amoroso para con todo lo que ha creado.

Todos: El Señor es compasivo para con sus obras. **Basado en el Salmo 145**

Líder: Oremos.

 Todos: Canten "Gracias, Señor"

♡ Let Us Pray

Psalm Prayer of Praise

This prayer, taken from the Book of Psalms in the Bible, is a prayer of praise. We give praise to our loving and compassionate God, who is more than we can ever imagine.

Gather and begin with the Sign of the Cross.

Leader: Compassionate God, we praise you for your wondrous works, your kindness and love, your marvelous plan for your creation.

Reader 1: The Lord is gracious and compassionate, filled with great kindness and rich in love.

Reader 2: The Lord is good to all and compassionate toward all his works.

All: The Lord is compassionate toward all his works.

Reader 3: Let all your works give you thanks, O Lord, and let your holy People bless you.

Reader 4: The eyes of all look to you and you give them all they need.

All: The Lord is compassionate toward all his works.

Reader 5: The Lord is just in all his ways and loving toward all that he has created.

All: The Lord is compassionate toward all his works. **Based on Psalm 145**

Leader: Let us pray.

 All: Sing "I Sing the Mighty Power of God"

FAMILIA + FE

VIVIR Y APRENDER JUNTOS

SUS HIJOS APRENDIERON >>>

Este capítulo explica que Dios se revela a Sí mismo a través de la Sagrada Escritura y la Sagrada Tradición de la Iglesia.

La Sagrada Escritura

 Lean **Salmo 25, 1-2a. 4-5** para aprender acerca del plan de Dios para nosotros.

Lo que creemos

• Dios nos ama y cuida a toda la creación, y tiene un plan para el mundo.

• Todo lo que Dios quiere que sepamos acerca de Él está contenido en la Sagrada Escritura y en la Tradición de la Iglesia.

Para aprender más, vayan al *Catecismo de la Iglesia Católica* #80–83, 302-308 en **usccb.org**.

Gente de fe

Esta semana, su hijo aprendió acerca de Santa Kateri Tekakwitha, patrona de la ecología y la primera indígena americana en ser canonizada.

LOS NIÑOS DE ESTA EDAD >>>

Cómo comprenden el plan de Dios La naturaleza lógica del pensamiento de los niños de esta edad los lleva a sacar conclusiones sensatas sobre la creación de Dios: Si Dios hizo todas las cosas, entonces Él las hizo por una razón. Es útil hablar con su hijo acerca del propósito que tienen las cosas creadas, especialmente sobre la idea de que ellos también fueron hechos con un propósito especial.

CONSIDEREMOS ESTO >>>

¿Alguna vez se han preguntado cuál es el plan de Dios para ustedes?

Ustedes son la creación más importante de Dios porque Él los ha creado a su imagen. Él los creó con un plan y un propósito para su vida. Como católicos, sabemos que "Dios guía a su creación hacia su plenitud o perfección mediante lo que llamamos su Divina Providencia. Esto quiere decir que Dios tiene absoluta soberanía sobre todo lo que ha creado y que guía a su creación según el designio divino de su voluntad" *(CCEUA, p. 61).*

HABLEMOS >>>

• Pidan a su hijo que les cuente con sus propias palabras el relato de la creación según la Biblia.

• Comenten acerca de una manera en que Dios se les ha dado a conocer recientemente.

OREMOS >>>

Oh Dios, ayúdanos a conocerte y amarte a través de Tu creación, como lo hizo Santa Kateri. Amén.

Visiten **vivosencristo.osv.com** para encontrar un glosario multimedia de Palabras católicas, lecturas dominicales, y recursos de Santos y tiempos festivos.

FAMILY+FAITH
LIVING AND LEARNING TOGETHER

YOUR CHILD LEARNED >>>

This chapter explains that God reveals himself through Sacred Scripture and the Sacred Tradition of the Church.

Scripture

 Read **Psalm 25:1–2a, 4–5** to find out about God's plan for us.

Catholics Believe

- God loves and cares for all creation and has a plan for the world.

- Everything God wants you to know about him is contained in Scripture and in the Tradition of the Church.

To learn more, go to the *Catechism of the Catholic Church* #80–83, 302–308 at **usccb.org.**

People of Faith

This week, your child learned about Saint Kateri Tekakwitha, a patron of ecology and the first Native American to be canonized.

CHILDREN AT THIS AGE >>>

How They Understand God's Plan The logical nature of children's thinking at this age leads them to a sensible conclusion about God's creation: If God made everything, then he made everything for a reason. It's helpful to talk with your child about the purpose behind created things and especially the idea that he or she is made for a unique purpose as well.

CONSIDER THIS >>>

Do you ever wonder about God's plan for you?

You are God's greatest creation because he has created you in his image. He created you with a plan and purpose for your life. As Catholics, we know that "God guides his creation toward its completion or perfection through what we call his *Divine Providence*. This means that God has absolute sovereignty over all that he has made and guides his creation according to the divine plan of his will" (*USCCA, p. 56*).

LET'S TALK >>>

- Ask your child to tell you the Bible account of creation in his or her own words.

- Share a way that God has made himself known to you recently.

LET'S PRAY >>>

O God, help us to learn to know and love you through your creation as Saint Kateri did. Amen.

For a multimedia glossary of Catholic Faith Words, Sunday readings, seasonal and Saint resources, and chapter activities go to **aliveinchrist.osv.com.**

Capítulo 1 Repaso

A Trabaja con palabras Rellena el círculo que está junto a la respuesta que completa mejor cada enunciado.

1. El plan de Dios para _____ se revela gradualmente.
   - ○ la Biblia
   - ○ la creación
   - ○ los animales

2. Las personas experimentan a Dios _____.
   - ○ a lo largo de su vida
   - ○ solo después de la muerte
   - ○ nunca

3. El plan de Dios para todo lo que existe _____.
   - ○ continúa hoy
   - ○ se terminó
   - ○ no ha empezado

4. El cuidado amoroso de Dios por toda la creación se llama _____.
   - ○ Sagrada Escritura
   - ○ Sagrada Tradición
   - ○ providencia

5. Jesús siempre _____ el plan de Dios Padre para Él.
   - ○ ignoró
   - ○ siguió
   - ○ cambió

B Confirma lo que aprendiste Completa los siguientes enunciados.

6. La Revelación Divina de Dios se encuentra en la Sagrada Escritura y en la _____.

7. _____ es la Palabra de Dios escrita en palabras humanas.

8. _____ es la manera en que Dios hace a sí mismo, y su plan para los humanos, conocidos.

9. La oración es _____ con Dios y escucharlo.

10. _____ implica elevar tu corazón y tu mente a Dios.

Chapter 1 Review

A **Work with Words** Fill in the circle next to the answer that best completes each statement.

1. God's plan for _____ is revealed gradually.
   - ○ the Bible
   - ○ creation
   - ○ animals

2. People experience God _____.
   - ○ throughout their lives
   - ○ only after death
   - ○ never

3. God's plan for everything that exists _____.
   - ○ continues today
   - ○ is finished
   - ○ has not started

4. God's loving care and plan for all creation is called _____.
   - ○ Scripture
   - ○ Tradition
   - ○ providence

5. Jesus always _____ God the Father's plan for him.
   - ○ ignored
   - ○ followed
   - ○ changed

B **Check Understanding** Complete the following statements.

6. God's Divine Revelation is found in Sacred Scripture and

   _____.

7. _____

   is the inspired Word of God written in human words.

8. _____

   is the way God makes himself, and his plan for humans, known to us.

9. Prayer is _____
   and listening to God.

10. _____

    involves raising your heart and mind to God.

Dios es fiel

❤ Oremos

Líder: Señor de toda fidelidad, reúnenos como tu pueblo
y guárdanos cerca de tu corazón.

"El amor del Señor por siempre cantaré,
tu fidelidad proclamaré de siglo en siglo;
yo digo: tu favor es eterno,
al hacer el cielo, pusiste en él tu
fidelidad." **Salmo 89, 2-3**

Todos: Dios fiel, gracias por hacernos a tu manera.
Gracias por creer en nosotros. Gracias por
darnos fe. Amén.

📖 La Sagrada Escritura

"Esta es la alianza que pactaré con ellos
en los tiempos que han de venir, el Señor añade:

'Pondré mis leyes en su corazón
y las grabaré en su mente.
No volveré a acordarme de sus errores ni de sus pecados.'

Sigamos profesando nuestra esperanza sin que nada nos
pueda conmover, ya que es digno de confianza aquel que se
comprometió." **Hebreos 10, 16-17. 23**

❓ ¿Qué piensas?

• ¿Cómo demostró Dios su fidelidad a los
primeros humanos?

• ¿Quién o qué te ayuda a fortalecer tu fe
en Dios?

CHAPTER 2

God Is Faithful

♥ Let Us Pray

Leader: Lord of all faithfulness, gather us as your people and keep us close to your heart.

"I will sing of your mercy forever, LORD
    proclaim your faithfulness through all ages.
For I said, 'My mercy is established forever;
    my faithfulness will stand as long as the
      heavens.'" **Psalm 89:2–3**

All: Faithful God, thank you for making us your own. Thank you for believing in us. Thank you for giving us faith. Amen.

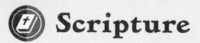 Scripture

"This is the covenant I will establish with
    them after those days, says the Lord:

'I will put my laws in their hearts,
and I will write them upon their minds. . . .
Their sins and their evildoing I will remember no more.'

Let us hold unwaveringly to our confession that gives us hope, for he who made the promise is trustworthy."
Hebrews 10:16–17, 23

? What Do You Wonder?

- How did God show his faithfulness to the first humans?

- Who or what helps you strengthen your faith in God?

En los relatos bíblicos de la creación, aprendemos acerca de nuestros primeros padres, conocidos como Adán y Eva.

Palabras católicas

Pecado Original el pecado de nuestros primeros padres, Adán y Eva, que llevó a la condición pecadora del género humano desde sus principios

salvación la acción amorosa de Dios de perdonar los pecados y de restaurar la amistad con Él, realizada a través de Jesús

El primer pecado

¿Cómo nos afectó la elección de Adán y Eva?

Para Adán y Eva, hubo un tiempo en que todos los días eran buenos. Pero un día, Satanás, un ángel caído que era enemigo de Dios, se acercó a Eva en forma de serpiente y la tentó. A través del Libro del Génesis nos enteramos de lo que hicieron Adán y Eva. El Génesis es el primer libro de la Biblia. Juntos, los cinco primeros libros de la Biblia reciben el nombre de Pentateuco. Los cinco libros son Génesis, Éxodo, Levítico, Números y Deuteronomio.

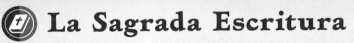

La Sagrada Escritura

En el jardín

En el jardín del Edén había un árbol especial. Dios les dijo a Adán y a Eva que no debían tocarlo. Pero Satanás convenció a Eva de que, si ella y Adán comían el fruto de ese árbol, podrían ser más parecidos a Dios. Adán y Eva hicieron lo que Satanás dijo; pero después de pecar, se sintieron avergonzados. Aprendieron cómo se siente hacer algo malo.

Todo se hizo más difícil para Adán y Eva. Dios los expulsó del jardín. Tuvieron que trabajar para encontrar alimento y refugio. Desde ese momento, hubo en el mundo envidia, tristeza y peleas. **Basado en Génesis 3**

In the biblical Creation accounts, we learn about our first parents, known as Adam and Eve.

The First Sin

How did Adam and Eve's choice affect all of us?

For Adam and Eve, there was a time when every day was a good day. But one day, Satan, a fallen angel who was God's enemy, came to Eve in the form of a snake and tempted her. We learn from the Book of Genesis what Adam and Eve did. Genesis is the first book of the Bible. Together, the first five books of the Bible are called the Pentateuch. The five books are: Genesis, Exodus, Leviticus, Numbers, and Deuteronomy.

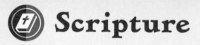 **Scripture**

In the Garden

In the Garden of Eden was one special tree that God told Adam and Eve not to touch. But Satan convinced Eve that if she and Adam ate the fruit of that tree, they could be more like God. Adam and Eve did as Satan said; but after they sinned, they felt ashamed. They learned how it felt to do something wrong.

Everything got harder for Adam and Eve. God sent them away from the garden. They had to work to find food and shelter. From then on, jealousy, sadness, and fighting were in the world.   **Based on Genesis 3**

> ## Catholic Faith Words
>
> **Original Sin** the sin of our first parents, Adam and Eve, which led to the sinful condition of the human race from its beginning
>
> **salvation** the loving action of God's forgiveness of sins and the restoration of friendship with him brought by Jesus

© Our Sunday Visitor

Consecuencias

Los humanos fueron creados para participar de la vida de Dios y para ser felices con Dios para siempre. Al desobedecer a Dios, Adán y Eva rompieron su amistad con Dios. Este pecado de nuestros primeros padres se llama **Pecado Original** porque desde que se tomó esa decisión, el pecado ha estado presente en todo el mundo. El Pecado Original afecta a todos los humanos. Como resultado del Pecado Original, aparecieron en el mundo la inclinación al pecado, el sufrimiento y la muerte.

A pesar de que Dios expulsó a Adán y a Eva del jardín, no los abandonó. Siguió siendo fiel y prometió la **salvación**. Quería que todos los humanos fueran libres y fieles a Él para que pudieran ser felices para siempre.

El Libro del Génesis nos narra luego otro relato importante, la historia de Noé. Lo importante del relato de Noé es que, aun cuando las personas siguieron pecando y desobedeciendo a Dios, Dios era fiel.

Subraya lo que sucedió debido al Pecado Original.

Comparte tu fe

Reflexiona Halla algunas historias en las noticias que sean ejemplos de los efectos del Pecado Original en el mundo de hoy.

Comparte En un grupo pequeño, hablen acerca de las formas en que las personas pueden actuar como Dios quiere que lo hagan en estas situaciones.

Consequences

Humans were created to share God's life and to be happy with God forever. By disobeying God, Adam and Eve broke their friendship with God. This sin of our first parents is called **Original Sin** because ever since that choice was made, sin has been present throughout the world. Original Sin affects every human. The inclination to sin, suffering, and death all came into the world as a result of Original Sin.

Even though God sent Adam and Eve away from the garden, he did not abandon them. He remained faithful and promised **salvation**. He wanted all humans to be free and faithful to him, so they could be happy forever.

The Book of Genesis then tells another important story, the story of Noah. The point of Noah's story is that even when people continued to sin and to disobey God, God was faithful.

> Underline what happened because of Original Sin.

Share Your Faith

Reflect Find some stories in the news that are examples of the effects of Original Sin in the world today.

Share In a small group, talk about ways that people can act as God wants them to in these situations.

Una promesa sagrada

¿Qué le pidió Dios a Abram y qué le prometió?

Dios llamó a un hombre llamado Abram para que ayudara a los humanos a permanecer fieles.

📖 La Sagrada Escritura

El llamado a Abram y su viaje

El Señor llamó a Abram, prometiéndole que lo bendeciría y que haría de él una gran nación. Abram llevó a su esposa Saray y a Lot, el hijo de su hermano, y todas sus posesiones en el largo viaje a la tierra nueva, tal como Dios le indicó.

Abram y su familia nunca estuvieron solos en el difícil viaje. Sabían que Dios estaba siempre con ellos. Cada vez que Abram llegaba a un alto en el viaje, construía un altar de agradecimiento al Señor.   **Basado en Génesis 12, 1-8**

La promesa de Dios

Muchos años más tarde, después de que Abram se había establecido en la tierra de Canaán, el Señor le volvió a hablar, diciéndole: "¡No tengas miedo! Te protegeré y te recompensaré."

Abram contestó: "Señor, me has dado todo lo que podía pedir, excepto hijos."

El Señor le dijo a Abram: "Mira al cielo y cuenta las estrellas. Así serán los muchos descendientes que tendrás."

Dios le volvió a hablar a Abram. Dios hizo una alianza con Abram y sus descendientes para siempre. Dios dijo a Abram: "A tu descendencia daré esta tierra... Te tengo destinado a ser padre de una multitud de naciones." La tierra de Canaán pertenecería a Abram y sus descendientes para siempre, y estas personas serían el pueblo de Dios.

Basado en Génesis 15, 1-5. 18; 17, 5-9. 15; 21, 1-3

A Sacred Promise

What did God ask of and promise to Abram?

God called a man named Abram to help humans remain faithful.

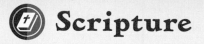

Scripture

Abram's Call and Journey

The LORD called Abram, promising to bless him and make of him a great nation. Abram took his wife, Sarai, his brother's son Lot, and their possessions on the long journey to the new land as God directed.

Abram and his family were never alone on their difficult journey. They knew that God was always with them. Every time Abram reached a stop on the journey, he built an altar of thanksgiving to the LORD.   **Based on Genesis 12:1–8**

God's Promise

Many years later, after Abram had settled in the land of Canaan, the LORD spoke again to him, saying, "Don't be afraid! I will protect and reward you."

Abram replied, "LORD, you have given me everything I could ask for, except children."

The LORD told Abram, "Look at the sky and count the stars. That is how many descendants you will have."

God spoke to Abram again. God made a covenant with Abram and his descendants for all time. God told Abram, "To your descendants I give this land . . . I am making you the father of a multitude of nations." The land of Canaan would belong to Abram and his descendants forever, and these people would be God's people.

Based on Genesis 15:1–5, 18; 17:5–9, 15; 21:1–3

La alianza de Dios con Abrahán

Dios reveló su plan a Abram de una manera nueva, haciendo una **alianza**, o promesa o acuerdo sagrado, con él. Como signo de la alianza, Dios cambió los nombres de Abram y Saray a Abrahán y Sara. Poco después, a pesar de que Sara era anciana, tuvo un hijo, a quien la pareja llamó Isaac.

Abrahán y Sara nunca se alejaron de Dios. Como Abrahán y Sara, eres **fiel** a Dios cada vez que obedeces sus leyes y haces elecciones amorosas.

Abrahán es considerado antepasado en la fe de la cristiandad, el judaísmo y el islam. Estas religiones ven sus orígenes en la respuesta libre de Abrahán a la revelación de Dios de que Él era el único Dios en el que Abrahán debía creer y al que debía seguir.

En oración ante el Santísimo Sacramento, estamos en la presencia de Cristo, que permaneció fiel a Dios Padre y culminó la alianza.

© Our Sunday Visitor

Practica tu fe

Demostrar fe A continuación, escribe tu nombre con letras de colores. Alrededor de tu nombre, escribe palabras que digan cómo demuestras que eres fiel a Dios.

God's Covenant with Abraham

God revealed his plan to Abram in a new way by making a **covenant**, or sacred promise or agreement, with him. As a sign of the covenant, God changed the names of Abram and Sarai to Abraham and Sarah. Soon after that, even though Sarah was old, she had a son, whom the couple named Isaac.

Abraham and Sarah never turned away from God. Like Abraham and Sarah, you are **faithful** to God every time you obey his laws and make loving choices.

Abraham is considered an ancestor in faith of Christianity, Judaism, and Islam. These religions see their origins in Abraham's free response to God's revelation that he was the one God Abraham should believe in and follow.

In prayer before the Blessed Sacrament, we are in the presence of Christ, who remained faithful to God the Father and fulfilled the covenant.

> ## Catholic Faith Words
>
> **covenant** a sacred promise or agreement between God and humans
>
> **faithful** to be constant and loyal in your commitments to God and others, just as he is faithful to you

Connect Your Faith

Show Faith Write your first name in colorful letters below. Around your name, write words that tell how you show that you are faithful to God.

© Our Sunday Visitor

Nuestra vida católica

¿Cómo permaneces fiel?

Frecuentemente, le pedimos ayuda y guía a Dios. A veces, su ayuda no llega tan rápidamente como nos gustaría. O, tal vez, no sea la ayuda que esperamos. Ser fiel puede ser difícil. Pero seguimos orando y confiando en que Dios nos dará la ayuda que necesitamos para superar lo que tengamos que enfrentar.

Abrahán y Sara oraron y esperaron durante muchos años antes de tener a su primer hijo. Quedaron impactados cuando supieron que tendrían un hijo en la vejez. Pero su hijo, Isaac, llegó en el momento oportuno de acuerdo con el plan de Dios.

En ocasiones, la respuesta de Dios no es tan fácil de ver. Muchas veces, cuando le pides ayuda, Dios te da la habilidad para que te ayudes tú mismo. Jessica aprende esto en la siguiente situación.

Escribe acerca de una oportunidad en que le pediste ayuda a Dios y, más tarde, te diste cuenta de que te había dado lo que necesitabas para ayudarte tú mismo.

La historia de Jessica

Jessica quería el videojuego que había visto en la tienda. Oró pidiéndole a Dios el juego. Siguió orando durante varias semanas, pero seguía sin obtenerlo. Un día, el vecino le ofreció $5 para regar las plantas mientras no estaba. Otra vecina le pidió que le paseara el perro. Al terminar la semana, Jessica tenía $10. Se dio cuenta de que podía ahorrar el dinero para el juego. Con el permiso de sus padres, Jessica empezó a preguntar a sus vecinos si tenían pequeñas tareas para ella. Después de dos meses, tenía dinero suficiente para comprar el videojuego.

Tu historia

_____

_____

_____

_____

_____

_____

_____

_____

Our Catholic Life

How do you remain faithful?

Often we ask God for help and guidance. Sometimes his help does not come as quickly as we would like. Or it may not be the help we expect. It may be difficult to be faithful. But, we continue to pray and trust that God will give us the help we need to get through whatever we face.

Abraham and Sarah prayed and waited for many years before they had their first child. They were shocked to learn they would have a child so late in life. But, their son, Isaac, arrived according to the timing of God's plan.

At times, God's answer is not easy to see. Many times when you ask for his help, God gives you the ability to help yourself. Jessica learns this in the following situation.

> Write about a time when you asked God for help and later realized that he had given you what you needed to help yourself.

Jessica's story

Jessica wanted the video game she saw at the store. She prayed, asking God for it. She continued to pray for several weeks, but still she did not get it. One day her neighbor offered her $5 to water his plants while he was away. Another neighbor asked Jessica to walk her dog. At the end of the week, Jessica had $10. She realized that she could save her money for the game. With her parents' permission, Jessica started asking neighbors whether they had odd jobs for her. After two months, she had enough money to buy the video game.

Your story

_____

_____

_____

_____

_____

_____

_____

_____

_____

Gente de fe

23 de julio

Santa Brígida de Suecia, ~1303–1373

Santa Brígida era hija de uno de los terratenientes más ricos de toda Suecia. De hecho, su familia estaba relacionada con el rey. Sus padres se aseguraron de que se le enseñara religión. Cuando tenía siete años, era conocida por tener sueños religiosos, o visiones, de Jesús y la Sagrada Familia. Durante todo un año, rezó quince Padre Nuestros y quince Ave Marías todos los días, junto con otras oraciones que Jesús le había enseñado.

Comenta: Habla acerca de una oportunidad en que esperaste que Dios respondiera a una oración.

 Aprende más sobre Santa Brígida en **vivosencristo.osv.com**

Vive tu fe

Encierra en un círculo las acciones que describen cómo puedes seguir el ejemplo de Dios, siendo leal y confiable con tus amigos, tu familia y, más especialmente, con Dios.

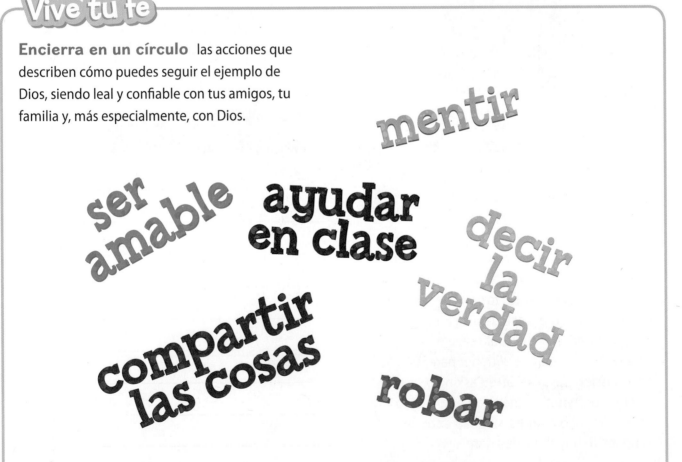

mentir

ser amable

ayudar en clase

decir la verdad

compartir las cosas

robar

People of Faith

July 23

Saint Bridget of Sweden: ~1303–1373

Saint Bridget was born to one of the wealthiest landowners in all of Sweden. In fact, her family was related to the king. Her parents made sure that she was taught religion. By the time she was seven, she was known to have religious dreams, or visions, of Jesus and the Holy Family. For an entire year, she prayed fifteen Our Fathers and fifteen Hail Marys every day, along with other prayers Jesus taught her.

Discuss: Tell about a time when you waited for God to answer a prayer.

 Learn more about Saint Bridget at **aliveinchrist.osv.com**

Live Your Faith

Circle the actions below that describe how you can follow God's example, being loyal and trustworthy to friends, family, and most especially God.

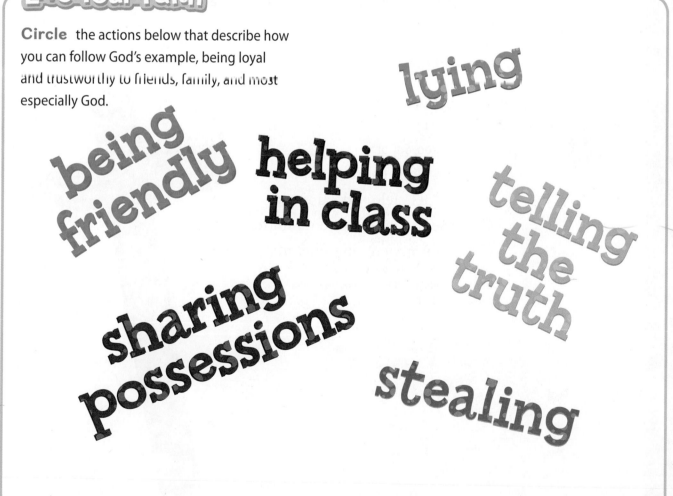

lying

being friendly

helping in class

telling the truth

sharing possessions

stealing

❤ Oremos

Oración de la alianza

Esta oración de la alianza recuerda y promete algunas de las maneras en que somos fieles con nuestro Dios amoroso.

Reúnanse y comiencen con la Señal de la Cruz.

Líder: Dios siempre fiel, nos reunimos, conscientes de tu fidelidad constante para con nosotros.

Todos: Te damos gracias por tu don de la fidelidad, oh Dios. Ayúdanos a confiar en ti. Somos tu pueblo de la alianza.

Nombra maneras en que has hecho elecciones amorosas y has sido fiel. Luego responde:

Dios siempre fiel, somos tu pueblo de la alianza.

Líder: Oremos.

Todos: Canten "Creo, Señor"

Creo en Dios Padre todopoderso, creador del cielo y de la tierra.
Creo, Señor, pero aumenta mi fe.
Creo, Señor, pero aumenta mi fe.
Letra y música © 1984 Cesáreo Gabaráin.
Obra publicada por OCP. Derechos reservados.
Con las debidas licencias.

♡ Let Us Pray

Covenant Prayer

This covenant prayer recalls and promises some of the ways we are faithful to our loving God.

Gather and begin with the Sign of the Cross.

Leader: God Ever Faithful, we gather, aware of your constant faithfulness to us.

All: Thank you for your gift of faithfulness, O God. Help us to trust in you. We are your covenant People.

Name ways you have made loving choices and been faithful. Then respond:

God Ever Faithful, we are your covenant People.

Leader: Let us pray.

 All: Sing "God Keeps His Promises"
God keeps his promises.
God keeps his promises
God keeps his promises to us
God keeps his promises
God keeps his promises
Every word he says you can trust!
© 2010, Chet A. Chambers. Published by Our Sunday Visitor, Inc.

FAMILIA + FE

VIVIR Y APRENDER JUNTOS

SUS HIJOS APRENDIERON >>>

Este capítulo explica el Pecado Original, sus consecuencias y cómo Dios nos ama a pesar de que elijamos actuar contra Su plan de felicidad y salvación para nosotros.

La Sagrada Escritura

Lean **Hebreos 10, 16-17. 23** para aprender sobre la promesa de amor de Dios.

Lo que creemos

- La alianza de Dios con Abrahán revela que Dios es siempre fiel a su Pueblo.
- El pecado está presente en el mundo debido a las decisiones humanas.

Para aprender más, vayan al *Catecismo de la Iglesia Católica* #59-61, 385-389 en **usccb.org.**

Gente de fe

Esta semana, su hijo aprendió acerca de Santa Brígida de Suecia. A ella se la conoce por su fidelidad en la oración.

LOS NIÑOS DE ESTA EDAD >>>

Cómo comprenden la fidelidad de Dios A medida que aumentan su conciencia y sus destrezas sociales, su hijo tiene amigos más cercanos que antes. Su hijo comprende que la confianza y la lealtad son esenciales para tener una relación con otra persona. Esto les ofrece un contexto natural donde aprender acerca de las alianzas de Dios y su fidelidad para cumplir sus promesas; aunque los seres humanos no siempre vivamos a la altura de nuestros compromisos con Dios.

CONSIDEREMOS ESTO >>>

¿Por qué tomar buenas decisiones puede hacerlos felices?

Dios nos creó para vivir felices con Él para siempre. Cuando pecamos, nos alejamos de Dios y de nuestra relación con Él. Como católicos, nos damos cuenta de que "Aunque el pecado venial no destruye completamente el amor que necesitamos para la felicidad eterna, sí debilita ese amor e impide nuestro progreso en la práctica de la virtud y del bien moral. Es por esto que, con el paso del tiempo, puede tener serias consecuencias" *(CCEUA, p. 332).*

HABLEMOS >>>

- Pidan a su hijo que les cuente acerca de la alianza de Dios con su Pueblo y de por qué era necesaria.
- Comenten lo que significa ser dignos de confianza, y ser leales a Dios y entre sí.

HABLEMOS >>>

Querido Dios, ayúdanos a orar fielmente a Ti como lo hizo Santa Brígida. Amén.

Visiten **vivosencristo.osv.com** para encontrar un glosario multimedia de Palabras católicas, lecturas dominicales, y recursos de Santos y tiempos festivos.

FAMILY+FAITH
LIVING AND LEARNING TOGETHER

YOUR CHILD LEARNED >>>

This chapter explains Original Sin, its consequences, and how God loves us despite our choices to act against his plan for our happiness and salvation.

Scripture

 Read **Hebrews 10:16–17, 23** to find out about God's promises of love.

Catholics Believe

- God's covenant with Abraham reveals that God is always faithful to his People.
- Sin is present in the world because of human choice.

To learn more, go to the *Catechism of the Catholic Church* #59–61, 385–389 at **usccb.org.**

People of Faith

This week, your child learned about Saint Bridget of Sweden. She is known for her faithfulness in prayer.

CHILDREN AT THIS AGE >>>

How They Understand God's Faithfulness As he or she grows in social skills and awareness, your child has deeper friendships than before. Your child understands that trust and loyalty are essential to being in relationship with someone else. This provides a natural context in which to learn about God's covenants and his faithfulness in keeping his promises—even when we as human beings do not always live up to our commitments to God.

CONSIDER THIS >>>

How can making good choices make you happy?

God created us to live in happiness with him forever. When we sin, we turn away from God and our relationship with him. As Catholics, we realize that "though venial sin does not completely destroy the love we need for eternal happiness, it weakens that love and impedes our progress in the practice of virtue and the moral good. Thus, over time, it can have serious consequences" (*USCCA*, p. 313).

LET'S TALK >>>

- Ask your child to tell you about God's covenant with his People and why it was needed.
- Talk with each other about what it means to be trustworthy and loyal to God and one another.

LET'S PRAY >>>

Dear God, help us to pray faithfully to you like Saint Bridget did. Amen.

For a multimedia glossary of Catholic Faith Words, Sunday readings, seasonal and Saint resources, and chapter activities go to **aliveinchrist.osv.com.**

Capítulo 2 Repaso

A **Trabaja con palabras** Completa cada oración con la palabra correcta del Vocabulario.

1. Al desobedecer a Dios, Adán y Eva rompieron su
   _____ con Él.

2. Una consecuencia de la desobediencia de Adán y Eva es
   la inclinación al _____.

3. Dios siempre es _____ a su Pueblo.

4. Dios hizo una _____ con Abrahán y sus
   descendientes.

5. Como signo de la alianza, Dios les cambió el _____
   a Abram y Saray.

Vocabulario

fiel

pecado

alianza

nombre

amistad

B **Confirma lo que aprendiste** Rellena el círculo de la opción que mejor completa cada oración.

6. Dios creó a los humanos para que _____ con Él para siempre.
   - ○ fueran felices
   - ○ estuvieran confundidos
   - ○ no se relacionaran

7. _____ es el hijo de Abrahán y Sara.
   - ○ Adán
   - ○ Isaac
   - ○ Eva

8. La elección de nuestros primeros padres, Adán y Eva, de desobedecer a Dios
   se llama _____ .
   - ○ Pecado Original
   - ○ Tentación Original
   - ○ Sufrimiento Original

9. _____ es la acción amorosa de Dios de perdonar los pecados y la restauración de
   la amistad con Dios a través de Jesús.
   - ○ La felicidad
   - ○ La honestidad
   - ○ La salvación

10. Abrahán es un _____ en la fe.
    - ○ escritor
    - ○ antepasado
    - ○ oficial

Chapter 2 Review

 Work with Words Complete each sentence with the correct word from the Word Bank.

1. By disobeying God, Adam and Eve broke their _____ with him.

2. One consequence of the disobedience of Adam and Eve is the inclination to _____.

3. God always remains _____ to his People.

4. God made a _____ with Abraham and his descendants.

5. As a sign of the covenant, God changed the _____ of Abram and Sarai.

Word Bank
. . . .
faithful

sin

covenant

names

friendship

B **Check Understanding** Fill in the circle of the choice that best completes each sentence.

6. God created humans to be _____ with him forever.
   ○ happy   ○ confused   ○ out of relationship

7. _____ is the child of Abraham and Sarah.
   ○ Adam   ○ Isaac   ○ Eve

8. The choice of our first parents, Adam and Eve, to disobey God is called _____.
   ○ Original Sin   ○ Original Temptation   ○ Original Suffering

9. _____ is the loving action of God's forgiveness of sins and the restoration of friendship with God through Jesus.
   ○ Happiness   ○ Honesty   ○ Salvation

10. Abraham is an _____ in faith.
   ○ author   ○ ancestor   ○ official

Los Mandamientos de Dios

 Oremos

Líder: Padre amoroso, nos hiciste para conocerte y conocer tu deseo por nosotros.

"He elegido, mi Dios, hacer tu voluntad,
   y tu Ley está en el fondo de mi ser".   **Salmo 40, 9**

Todos: Oh Dios, ayúdanos a aprender a escuchar tu voz para que podamos saber cómo seguirte. Amén.

La Sagrada Escritura

Moisés estuvo observando: la zarza ardía, pero no se consumía… Yavé vio que Moisés se acercaba para mirar; Dios lo llamó de en medio de la zarza: "¡Moisés, Moisés!", y él respondió: "Aquí estoy." Yavé le dijo: "No te acerques más. Sácate tus sandalias porque el lugar que pisas es tierra sagrada."   **Éxodo 3:4–5**

? ¿Qué piensas?

- ¿Cómo habla hoy Dios a las personas?
- ¿Cómo te ayudan los Diez Mandamientos a conocer a Dios y lo que Él quiere para ti?

God's Commandments

❤ Let Us Pray

Leader: Loving Father, you made us to know you and your desire for us.

"I delight to do your will, my God;
your law is in my inner being!" **Psalm 40:9**

All: O God, help us to learn how to listen for your voice so that we will know how to follow you. Amen.

📖 Scripture

"When [Moses] looked, although the bush was on fire, it was not being consumed. . . . When the LORD saw that he had turned aside to look, God called out to him from the bush: Moses! Moses! He answered, 'Here I am.' God said: Do not come near! Remove your sandals from your feet, for the place where you stand is holy ground." **Exodus 3:4–5**

❓ What Do You Wonder?

- How does God speak to people today?

- How do the Ten Commandments help you to know God and what he wants for you?

De la esclavitud a la libertad

¿Cómo da Dios la libertad a su pueblo?

Dios creó a los seres humanos para que sean libres. Él nos pide que usemos el don del libre albedrío para responder a su llamado para vivir como su pueblo. Debido al pecado, sabemos que hay veces en que los demás tratan de quitarnos nuestra libertad. Estos son dos relatos de la Biblia acerca de cómo llevó Dios a su pueblo de la esclavitud a la libertad.

Dios le dio a José la habilidad de interpretar los sueños. Después de que le explicara los sueños a Faraón, este se refirió a José diciendo: "otro hombre como éste, que tenga el espíritu de Dios" (Génesis 41, 38).

📖 La Sagrada Escritura

José y sus hermanos

Jacob, uno de los descendientes de Abrahán, tuvo doce hijos. Los hijos mayores de Jacob odiaban a José, su hermano menor, porque era el preferido de su padre.

Un día, los hermanos tiraron a José a un pozo seco. Luego, lo vendieron como esclavo en Egipto. Le dijeron a su padre que a José lo habían matado animales salvajes. Ahora, más bienes de su padre les pertenecerían a ellos.

Con los años, el poder de José de decir el significado de los sueños le ganó un lugar de honor con Faraón, el líder de Egipto. Durante una hambruna, los hermanos de José fueron a la corte para pedir granos. No reconocieron a José, pero José los conoció.

Para probarlos, José hizo que sus sirvientes llenaran las bolsas de los hermanos con granos y pusieran una copa de plata en el saco de su hermano Benjamín. Más tarde, pidió a sus sirvientes que los siguieran y descubrieran la copa de plata en la bolsa. Entonces José dijo a los hermanos que Benjamín sería su esclavo.

Judá, el hermano de Benjamín, pidió por él, diciendo que a su padre se le rompería el corazón si Benjamín no regresaba. Ante esta noticia, José lloró y dijo a los hombres que él era su hermano. Él los perdonó.

Basado en Génesis 37, 1-4; 42, 6-8; 44, 1-12; 45, 4-5

From Slavery to Freedom

How does God give his people freedom?

God created human beings to be free. He asks us to use the gift of free will to answer his call to live as his People. Because of sin, we know that there are times when others try to take away our freedom. Here are two Bible stories about how God led his People from slavery to freedom.

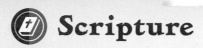

Scripture

Joseph and His Brothers

Jacob, one of Abraham's descendants, had twelve sons. Jacob's older sons hated their younger brother Joseph because he was their father's favorite.

One day Joseph's brothers threw him into a dry well. Then, they sold him as a slave in Egypt. They told their father that wild animals had killed Joseph. Now, more of their father's goods would belong to them.

Over the years, Joseph's power to tell the meaning of dreams won him a place of honor with Pharaoh, the leader of Egypt. During a famine, Joseph's brothers came to the court to beg for grain. The brothers did not recognize Joseph, but Joseph knew them.

To test them, Joseph had servants fill the brothers' sacks with grain and put a silver cup into the sack of his brother Benjamin. Later, he had his servants follow them and discover the silver cup in the sack. Joseph then told the brothers that Benjamin was to be his slave.

Benjamin's brother Judah pleaded for him, saying that their father would be brokenhearted if Benjamin did not return. At this news, Joseph wept and told the men that he was their brother. He forgave them.

Based on Genesis 37:1–4, 42:6–8, 44:1–12, 45:4–5

God gave Joseph the ability to interpret dreams. After he explained the Pharaoh's dreams, Pharaoh called Joseph "a man so endowed with the spirit of God" (Genesis 41:38).

Dios llama a Moisés

Cuando los hermanos vendieron a José como esclavo, también se crearon problemas a sí mismos. No fue sino hasta que José perdonó a sus hermanos que su familia volvió a saber lo que eran la libertad y la felicidad reales.

📖 La Sagrada Escritura

El Éxodo de Egipto

Muchos años más tarde, los israelitas, el pueblo de Dios, eran esclavos en Egipto. Iban a matar a los niños varones, así que una madre israelita ocultó a su bebé en una canasta cerca del río Nilo. Cuando la hija de Faraón encontró al bebé, se quedó con él y lo llamó Moisés. Lo crió en la corte como su hijo.

Cuando Moisés creció, Dios lo llamó para que fuera el líder de su pueblo. Dios le pidió a Moisés que le dijera a Faraón que dejara de lastimar a los israelitas, pero Faraón no escuchó.

Finalmente, Moisés pudo sacar a los israelitas de Egipto. En el mar Rojo, Moisés levantó su bastón y las aguas se separaron para que los israelitas pasaran.

Basado en Éxodo 2, 1-10; 14, 10-31; 15, 19-21

➜ **¿Quién era Moisés y qué hizo?**

Comparte tu fe

Reflexiona ¿De qué manera el perdón ayudó a la familia de José a volver a experimentar felicidad?

Comparte Cuenta cómo te sentiste después de que te perdonaron por algo que habías hecho o dicho.

God Calls Moses

When Joseph's brothers sold him as a slave, they caused problems for themselves as well. It was only when Joseph forgave his brothers that his family knew real freedom and happiness again.

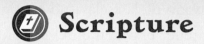

Scripture

The Exodus from Egypt

Many years later, God's People, the Israelites, were slaves in Egypt. Their male children were being killed, so one Israelite mother hid her baby boy in a basket near the Nile River. When Pharaoh's daughter found the baby, she kept him and named him Moses. She raised him at court as her son.

When Moses grew older, God called him to be a leader of his people. God asked Moses to tell Pharaoh to stop hurting the Israelites, but Pharaoh did not listen.

Finally, Moses was able to lead the Israelites out of Egypt. At the Red Sea, Moses raised his staff and the waters parted for the Israelites to pass through.

Based on Exodus 2:1–10, 14:10–31, 15:19–21

➜ **Who was Moses and what did he do?**

© Our Sunday Visitor

Reflect How did forgiveness help Joseph's family experience happiness again?

Share Tell how you felt after you were forgiven for something you'd done or said.

Leyes para guiarnos

¿Cómo nos ayudan los Diez Mandamientos a ser fieles?

Los israelitas estaban libres de la esclavitud, pero seguían necesitando la ayuda de Dios. Después de cruzar el mar Rojo, vagaron por el desierto durante años. Olvidaron que Dios los había salvado de la esclavitud en Egipto. Moisés luchaba para mantener el orden en el pueblo de Dios y para encontrar alimento y agua para ellos. Se quejó ante Dios por su duro trabajo, y Dios lo ayudó.

En el desierto, Dios llamó a Moisés para que subiera al monte Sinaí. Después de que Dios mostró su poder con truenos y rayos, le dio a Moisés los **Diez Mandamientos** como leyes para mostrar a las personas cómo tenían que vivir.

Moisés y los israelitas construyeron un contenedor especial, llamado **arca de la alianza**, para guardar las tablas de los Diez Mandamientos. Llevaban el arca con ellos a donde iban como un recordatorio de que Dios estaba con ellos.

Vivir la alianza de Dios

Así como los Diez Mandamientos ayudaron a los israelitas a vivir su relación de alianza con Dios, los Mandamientos también son una guía para ti. Te dicen lo mínimo que se necesita para amar a Dios y a los demás. Los tres primeros Mandamientos te muestran cómo ser fiel a Dios. Los últimos mandamientos te muestran cómo tratar a otras personas con amor. El cuadro de la página siguiente nombra los Diez Mandamientos y explica lo que significa cada uno para ti.

> Subraya por qué Dios dio a su pueblo los Diez Mandamientos.

Palabras católicas

Diez Mandamientos el resumen de las leyes que Dios dio a Moisés en el monte Sinaí. Estas describen lo que es necesario para amar a Dios y a los demás.

arca de la alianza un baúl de madera que contenía las tablas con los Diez Mandamientos. Los israelitas lo llevaban a donde quiera que iban como un recordatorio de que Dios estaba con ellos.

Laws to Guide Us

How do the Ten Commandments help us to be faithful?

The Israelites were free from slavery, but they still needed God's help. After they crossed the Red Sea, they wandered in the desert for years. They forgot that God had saved them from slavery in Egypt. Moses struggled to keep order among God's People and to find food and water for them. He complained to God about his hard job, and God helped him.

In the desert, God called Moses up to Mount Sinai. After God showed his power with thunder and lightning, he gave Moses the **Ten Commandments** as laws to show the people how they were to live.

Moses and the Israelites built a special container, called the **ark of the covenant**, to house the tablets of the Ten Commandments. They carried the ark with them wherever they went as a reminder that God was with them.

Living God's Covenant

Just as the Ten Commandments helped the Israelites live their covenant relationship with God, the Commandments are also a guide for you. They tell you the minimum that is required to love God and others. The first three Commandments show you how to be faithful to God. The last seven show you how to treat other people with love. The chart on the next page names the Ten Commandments and explains what each one means for you.

> ⭐ **Underline why God gave his People the Ten Commandments.**

© Our Sunday Visitor

Catholic Faith Words

Ten Commandments the summary of laws that God gave Moses on Mount Sinai. They tell what is necessary in order to love God and others.

ark of the covenant a wooden chest that housed the tablets of the Ten Commandments. The Israelites carried it wherever they went as a reminder that God was with them.

Los Diez Mandamientos

El Mandamiento	Lo que significa el Mandamiento
1. Yo soy Yavé, tu Dios. No tendrás otros dioses fuera de mí.	• Pon tu fe en Dios solo. • Adora, alaba y da gracias al Creador. • Cree en Dios, confía en Él y ámalo.
2. No tomes en vano el nombre de Yavé tu Dios.	• Di el nombre de Dios con reverencia. • No maldigas. • Nunca pongas a Dios como testigo de una mentira.
3. Acuérdate del día del Sábado para santificarlo.	• Reúnete para celebrar en la Eucaristía. • Descansa y evita el trabajo innecesario los domingos.
4. Respeta a tu padre y a tu madre.	• Respeta y obedece a tus padres, tutores y otros que tengan la autoridad correcta.
5. No mates.	• Respeta y protege la vida de los demás y tu propia vida.
6. No cometas adulterio.	• Sé fiel y leal con tus amigos y tu familia. • Sé puro y actúa adecuadamente para respetar el don de la sexualidad que nos dio Dios.
7. No robes.	• Respeta las cosas que pertenecen a otros. • Comparte lo que tienes con los necesitados.
8. No atestigües en falso contra tu prójimo.	• Sé honesto y sincero. • No alardees sobre ti mismo. • No digas cosas falsas ni negativas sobre otros.
9. No codicies la mujer de tu prójimo.	• Practica la modestia en los pensamientos, las palabras y la vestimenta.
10. No codicies nada de lo que le pertenece a tu prójimo.	• Alégrate por la buena fortuna de los demás. • No sientas celos de las posesiones de los demás. • No seas codicioso.

Practica tu fe

Los Mandamientos y tú Habla con un compañero acerca de una decisión que tomaste esta semana y di qué Mandamiento seguiste cuando tomaste esa decisión.

The Ten Commandments

The Commandment	What the Commandment Means
1. I am the Lord your God. You shall not have strange gods before me.	• Place your faith in God alone. • Worship, praise, and thank the Creator. • Believe in, trust, and love God.
2. You shall not take the name of the Lord your God in vain.	• Speak God's name with reverence. • Don't curse. • Never call on God to witness to a lie.
3. Remember to keep holy the Lord's Day.	• Gather to worship at the Eucharist. • Rest and avoid unnecessary work on Sunday.
4. Honor your father and your mother.	• Respect and obey your parents, guardians, and others who have proper authority.
5. You shall not kill.	• Respect and protect the lives of others and your own life.
6. You shall not commit adultery.	• Be faithful and loyal to friends and family. • Be pure and act appropriately to respect God's gift of sexuality.
7. You shall not steal.	• Respect the things that belong to others. • Share what you have with those in need.
8. You shall not bear false witness against your neighbor.	• Be honest and truthful. • Do not brag about yourself. • Do not say untruthful or negative things about others.
9. You shall not covet your neighbor's wife.	• Practice modesty in thoughts, words, and dress.
10. You shall not covet your neighbor's goods.	• Rejoice in others' good fortune. • Do not be jealous of others' possessions. • Do not be greedy.

Connect Your Faith

Commandments and You Talk with a partner about a decision you made this week, and tell which Commandment you followed when you made that decision.

Nuestra vida católica

¿Cómo puedes vivir como piden los Diez Mandamientos?

Dios dio a Moisés los Diez Mandamientos para que los compartiera con su pueblo. Estos Mandamientos nos ayudan a vivir de una manera que agrada a Dios.

La página 154 presenta las explicaciones de cada Mandamiento. Estas son algunas otras maneras de vivir los Mandamientos.

Escribe el número correcto del Mandamiento junto a cada ejemplo. Luego completa la última sección con una manera de vivir el Cuarto Mandamiento.

Los Diez Mandamientos

☐	Recuerda que las fiestas religiosas, como la Navidad y la Pascua, son sobre Jesús, no sobre regalos y golosinas.
☐	Cuando alguien te presta algo, trátalo con mucho cuidado. Devuélvelo siempre en buen estado.
☐	Los domingos, ve a Misa y pasa tiempo en reflexión silenciosa sobre tu semana.
☐	Escucha cuando tus padres te piden que hagas algo. No hagas que te lo pidan repetidamente.
☐	Usa el nombre de Dios y Jesús con reverencia y respeto.
☐	Trata a las personas y a los animales con cuidado.
☐	Compórtate con decencia.
☐	Sigue el ejemplo de Jesús de respetar su propia persona y a sus amigos.
☐	Sé agradecido por lo que tienes y comparte con los demás.
☐	Habla honestamente sobre los demás.
☐	_____ _____

Our Catholic Life

How can you live as the Ten Commandments require?

God gave Moses the Ten Commandments to share with his People. These Commandments help us live in a way that is pleasing to God.

Page 155 lists explanations of each Commandment. Here are some other ways to live out the Commandments.

> Write the correct Commandment number next to each example. Then fill in the last section with one way to live out the Fourth Commandment.

The Ten Commandments

1	Remember that religious holidays, such as Christmas and Easter, are about Jesus, not about gifts and candy.
7	When someone lends you something, treat it with great care. Always return it in good condition.
3	On Sunday, go to Mass and spend time in quiet reflection about your week.
4	Listen when your parents ask you to do something. Don't make them ask you repeatedly.
2	Use the names of God and Jesus with reverence and respect.
5	Treat people and animals with care.
9	Behave with decency.
6	Follow Jesus' example of respecting himself and his friends.
10	Be thankful for what you have, and share with others.
8	Speak honestly about others.
	_____

© Our Sunday Visitor

Gente de fe

San Raimundo de Peñafort, c. 1175–1275

7 de enero

Muchas de las leyes de nuestra Iglesia se basan en los Diez Mandamientos. Las leyes que están escritas para la Iglesia se llaman "leyes canónicas". San Raimundo de Peñafort era un sacerdote que estudió la ley canónica. Había muchas leyes canónicas, pero no estaban organizadas en un solo lugar. El Papa le pidió a Raimundo que pusiera todas las leyes canónicas en un solo libro. Tuvo que asegurarse de no repetir ninguna ley. ¡Fue una tarea enorme! Cuando todas las leyes estuvieron en un libro, San Raimundo se convirtió en la cabeza de la Orden de los Dominicos. Vivió hace unos 800 años.

Comenta: ¿Cómo sigues los Diez Mandamientos?

 Aprende más sobre San Raimundo en **vivosencristo.osv.com**

Vive tu fe

Escribe el número del Mandamiento que no se está siguiendo en cada una de las dos ilustraciones de abajo.

Habla con un compañero acerca de lo que harías en cada situación. Luego haz un dibujo de ti mismo siguiendo un Mandamiento.

TELÉFONO NUEVO
$ OFERTA

People of Faith

January 7

Saint Raymond of Peñafort, c. 1175–1275

Many of our Church laws are based on the Ten Commandments. Laws that are written for the Church are called "canon laws." Saint Raymond of Peñafort was a priest who studied canon law. There were many canon laws, but they were not organized into one place. The Pope asked Raymond to put all the canon laws in one book. He had to make sure no law was repeated. It was a big job! When all the laws were in one book, Saint Raymond became the head of the Dominican Order. He lived about 800 years ago.

Discuss: How do you follow the Ten Commandments?

Learn more about Saint Raymond at **aliveinchrist.osv.com**

Live Your Faith

Write the number of the Commandment that is not being followed in each of the two pictures below.

Talk with a partner about what you would do in each situation. Then draw a picture of yourself keeping one Commandment.

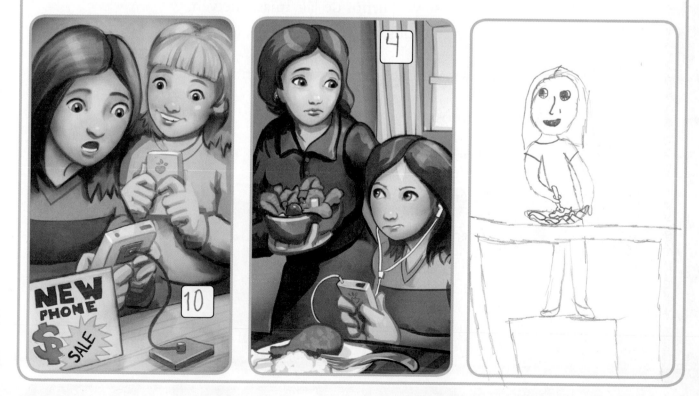

♡ Oremos

Oración salmódica de alabanza

Reúnanse y comiencen con la Señal de la Cruz.

Líder: El Señor nos da los Mandamientos como una manera de vivir. Alabemos a Dios por el don de la salvación.

Lector 1: Nuestra boca se llenaba de risa, en nuestros labios había canciones.

Todos: Dios ha hecho grandes cosas por nosotros.

Lector 2: ¡Qué maravillas obró el Señor para nosotros! Ciertamente, estábamos contentos.

Todos: Dios ha hecho grandes cosas por nosotros.

Lector 3: Los que siembran entre lágrimas cantarán cuando cosechen.

Todos: Dios ha hecho grandes cosas por nosotros.

Lector 4: Se van, se van, llenos de lágrimas; vuelven, vuelven, llenos de canciones.

Todos: Dios ha hecho grandes cosas por nosotros.

Líder: Oremos.

Inclinen la cabeza mientras el líder ora.

Todos: Amén.   **Basado en el Salmo 126**

 Canten "A Ti, Dios"

♡ Let Us Pray

Psalm Prayer of Praise

Gather and begin with the Sign of the Cross.

Leader: The Lord gives us the Commandments as a way of living. Let us praise God for the gift of salvation.

Reader 1: Then was our mouth filled with laughter, on our lips there were songs.

All: God has done great things for us.

Reader 2: What marvels the Lord worked for us! Indeed, we were glad.

All: God has done great things for us.

Reader 3: Those who are sowing in tears will sing when they reap.

All: God has done great things for us.

Reader 4: They go out, they go out, full of tears; they come back, they come back, full of song.

All: God has done great things for us.

Leader: Let us pray.

Bow your head as the leader prays.

All: Amen.   **Based on Psalm 126**

  Sing "My Ten Commandments"

FAMILIA + FE

VIVIR Y APRENDER JUNTOS

SUS HIJOS APRENDIERON >>>

Este capítulo explica que los Diez Mandamientos nos enseñan a responder a Dios, quien primero nos amó, y a amar a los demás.

La Sagrada Escritura

Lean **Éxodo 3, 2b. 4-5** para saber cómo Dios se comunicó con Moisés a través de la zarza ardiente.

Lo que creemos

- Dios nos dio los Diez Mandamientos para ayudarnos a ser fieles a Él y a su alianza.
- Los Mandamientos nos dicen cómo debemos amar a Dios y a los demás.

Para aprender más, vayan al *Catecismo de la Iglesia Católica* #2055, 2060-2061 en **usccb.org**.

Gente de fe

Esta semana, su hijo aprendió acerca de San Raimundo de Peñafort. San Raimundo fue conocido por compilar todas las leyes canónicas de la Iglesia en un solo libro.

LOS NIÑOS DE ESTA EDAD >>>

Cómo comprenden los Diez Mandamientos

Probablemente, su hijo posee un pensamiento práctico y concreto, pero los niños de esta edad también comienzan a comprender que la moral implica más de lo que se ve por fuera. Los mandamientos del corazón, tales como "No desearás", comienzan a tener sentido a medida que su hijo internaliza su comprensión de vivir una vida cristiana. En este proceso, la formación de la conciencia y el desarrollo de la personalidad se mueven hacia la siguiente etapa de desarrollo.

CONSIDEREMOS ESTO >>>

¿Qué aprende su hijo acerca del amor cuando le establece límites?

Por amor, les establecemos límites a nuestros hijos para mantenerlos protegidos y sanos, así como para enseñarles cómo tratar a los demás con respeto. Como católicos, comprendemos que "Antes de que Dios diese los Mandamientos en el Monte Sinaí, Él había establecido una alianza de amor con la comunidad de Israel (cf. Ex 19:3-6). Una vez que la alianza había sido establecida, Dios dio al pueblo los Diez Mandamientos para enseñarles la forma de vivir la alianza del amor" *(CCEUA, pp. 345-346).*

HABLEMOS >>>

- Pidan a su hijo que les cuente acerca de José y sus hermanos.
- Conversen acerca de las cosas positivas que podemos hacer cuando nos sentimos celosos.

OREMOS >>>

Querido Dios, ayúdanos a cumplir siempre tus Mandamientos. Amén.

Visiten **vivosencristo.osv.com** para encontrar un glosario multimedia de Palabras católicas, lecturas dominicales, y recursos de Santos y tiempos festivos.

FAMILY + FAITH
LIVING AND LEARNING TOGETHER

YOUR CHILD LEARNED >>>

This chapter explains that the Ten Commandments teach us how to respond to God, who first loved us, and how to love others.

Scripture

 Read **Exodus 3:2b, 4–5** to find out how God communicated to Moses through the burning bush.

Catholics Believe

- God gave you the Ten Commandments to help you be faithful to him and his covenant.
- The Commandments tell you ways to love God and others.

To learn more, go to the *Catechism of the Catholic Church* #2055, 2060–2061 at **usccb.org.**

People of Faith

This week, your child learned about Saint Raymond of Peñafort. Saint Raymond was known for compiling all the Church's canon laws into one book.

CHILDREN AT THIS AGE >>>

How They Understand the Ten Commandments Your child is probably a practical, concrete thinker, but children this age are also beginning to understand that morality involves more than what people see on the outside. Commandments of the heart such as "You shall not covet" are beginning to make sense as your child internalizes an understanding of living a Christian life. In this process, conscience formation and character building are moving toward the next stage of development.

CONSIDER THIS >>>

What does setting limits for your child teach him or her about love?

Out of love, we set limits for our children to keep them safe and healthy as well as teach them how to treat others with respect. As Catholics, we understand that "before God gave the Commandments at Sinai, he entered into a covenant of love with the community of Israel (cf. Exodus 19:3–6). Once the covenant was established, God gave the people the Ten Commandments in order to teach them the way to live the covenant of love" (*USCCA, p. 325*).

LET'S TALK >>>

- Ask your child to tell you about Joseph and his brothers.
- Talk together about what positive things we can do when we are feeling jealous.

LET'S PRAY >>>

 Dear God, help us to always keep your Commandments. Amen.

For a multimedia glossary of Catholic Faith Words, Sunday readings, seasonal and Saint resources, and chapter activities go to **aliveinchrist.osv.com.**

Capítulo 3 Repaso

A **Trabaja con palabras** Une cada descripción de la Columna A con el término correcto de la Columna B.

Columna A   Columna B

1. perdonó a sus hermanos   Moisés

2. lugar donde se entregó la ley   Faraón

3. lugar de esclavitud de los israelitas monte Sinaí

4. líder de Egipto   José

5. condujo a los israelitas a la libertad Egipto

B **Confirma lo que aprendiste** Encierra Verdadero en un círculo si un enunciado es verdadero, y encierra Falso en un círculo si un enunciado es falso. Corrige cualquier enunciado falso.

6. Dios dio a Moisés los Diez Mandamientos en el monte Sinaí.

   Verdadero   **Falso**

   _____

7. El Tercer Mandamiento exige que evites los chismes.

   Verdadero   **Falso**

   _____

   _____

8. Los Diez Mandamientos eran solo para que Moisés los guardara para él.

   Verdadero   **Falso**

   _____

9. El arca de la alianza contenía las tablas con los Diez Mandamientos.

   Verdadero   **Falso**

   _____

10. José era el líder de Egipto.

    Verdadero   **Falso**

    _____

Chapter 3 Review

A **Work with Words** Match each description in Column A with the correct term in Column B.

Column A   **Column B**

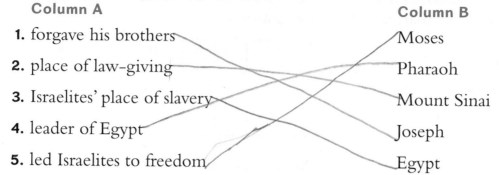

1. forgave his brothers   Moses

2. place of law-giving   Pharaoh

3. Israelites' place of slavery   Mount Sinai

4. leader of Egypt   Joseph

5. led Israelites to freedom   Egypt

B **Check Understanding** Circle True if a statement is true, and circle False if a statement is false. Correct any false statements.

6. God gave Moses the Ten Commandments on Mount Sinai.

   (True)   **False**

   _____

7. The Third Commandment requires you to avoid gossip.

   True   **(False)**

   To Keep Holy the Lords day

   _____

8. The Ten Commandments were only for Moses to keep for himself.

   True   **(False)**

   To Keep Holy the lords day.

9. The ark of the covenant housed the tablets of the Ten Commandments.

   (True)   **False**

   _____

10. Joseph was the leader of Egypt.

    True   **(False)**

    Pharaoh was the leader or Egypt.

Repaso de la Unidad

A **Trabaja con palabras** Usa las pistas para resolver el crucigrama. Escribe la respuesta a cada pista en las casillas. Cuando hayas terminado, lee la columna de los círculos para encontrar la palabra oculta que puedes usar para responder al número 10.

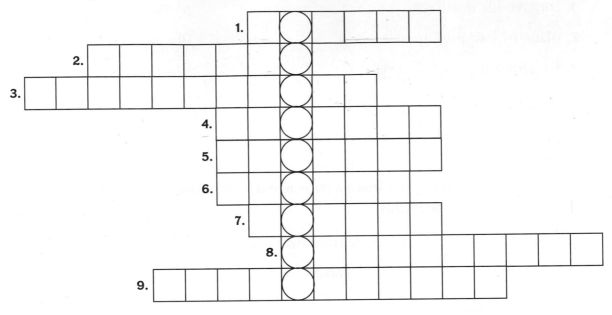

1. Llamamos _____ Original a la elección de Adán y Eva de desobedecer a Dios.

2. El Quinto Mandamiento nos dice: "No _____."

3. El cuidado amoroso de Dios por todas las cosas; su voluntad y su plan para la creación

4. Lo que José hizo después de que sus hermanos rogaron por el perdón para Benjamín

5. Una promesa o acuerdo sagrado entre Dios y los seres humanos

6. _____ Tekakwitha es la primera indígena americana canonizada.

7. Los descendientes de Abrahán son el _____ de Dios.

8. La manera en que Dios se da a conocer y hace conocer su plan para los seres humanos

9. "No tendrás otros dioses fuera de mí" es parte del primer _____.

10. Sagrada _____ es otro nombre para la Biblia, o Palabra de Dios inspirada, escrita en palabras humanas.

A **Work with Words** Use the clues to solve the puzzle. Write the answer to each clue in the boxes. When you have finished, read down the column with the circles to find the hidden word you can use to answer number 10.

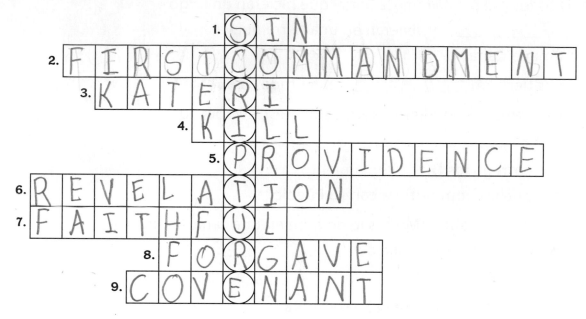

1. S I N
2. F I R S T C O M M A N D M E N T
3. K A T E R I
4. K I L L
5. P R O V I D E N C E
6. R E V E L A T I O N
7. F A I T H F U L
8. F O R G A V E
9. C O V E N A N T

1. Original _____ is what we call Adam and Eve's choice to disobey God.

2. "You shall not have strange gods before me" is part of the _____.

3. _____ Tekakwitha is the first Native American to be canonized.

4. The Fifth Commandment forbids us to do this.

5. God's loving care for all things; his will and plan for creation

6. Divine _____ is the way God makes himself and his plan for humans known.

7. Steadfast and loyal in your commitment to God

8. What Joseph did after his brothers pleaded for Benjamin to be spared

9. A sacred promise or agreement between God and humans

10. Sacred _____ is another name for the Bible, or the inspired Word of God written in human words.

B **Confirma lo que aprendiste** Completa cada oración con la palabra correcta del Vocabulario.

11. Dios les pidió a Abram y a Saray que hicieran un largo _____ y vivieran en una tierra nueva llamada Canaán.

12. Dios tiene un _____ para todo su Pueblo.

13. Los hermanos vendieron a José como esclavo porque estaban _____.

14. Dios entregó los Diez Mandamientos a _____ para que los compartiera con su Pueblo.

15. Cuando era bebé, a Moisés lo dejaron en una canasta junto al río Nilo, donde lo encontró la hija del _____.

Vocabulario
• • • • • • • • • •

plan

Faraón

viaje

Moisés

celosos

C **Relaciona** Escribe una respuesta a cada pregunta.

16. ¿Por qué es importante que halles un lugar tranquilo para orar?

_____

_____

_____

_____

17. ¿Cuál es la lección del relato de la espera de años de Abrahán y Sara para tener un hijo?

_____

_____

_____

B **Check Understanding** Complete each sentence with the correct word from the Word Bank.

Word Bank

plan

Pharaoh's

journey

Moses

jealous

11. God asked Abram and Sarai to go on a long _journey_ and live in a new land called Canaan.

12. God has a _plan_ for all of his People.

13. Joseph's brothers sold him into slavery because they were _jealous_.

14. God gave the Ten Commandments to _Moses_ to share with his People.

15. As a baby, Moses was left in a basket by the Nile River, where he was found by _Pharoah's_ daughter.

C **Make Connections** Write a response to each question.

16. Why is it important for you to find a quiet place to pray?

So you can concentrate better. And God can hear you better.

17. What is the lesson of the story of Abraham and Sarah's waiting many years to have a child?

It is important to trust God's will for life.

Repaso de la Unidad

Usa los términos del Vocabulario en un párrafo para explicar cómo cumples el Tercer Mandamiento.

Vocabulario

- Domingo
- adorar
- descansar
- Día del Señor

18–20. ______________________________

Use the terms in the Word Bank in a paragraph to explain how you keep the Third Commandment.

18–20. Keeping holy the Lord's Day. Rest, and have fun with your family on Sunday. Worship God by Praying.

La Trinidad

Nuestra Tradición Católica

- Estás hecho a imagen y semejanza de Dios, y tienes que vivir y amar en comunidad. (CIC, 1604)

- Demostrar amor a los demás es una manera de reflejar el amor de la Santísima Trinidad. No hacerlo es pecado. (CIC, 735)

- Las Personas Divinas de la Santísima Trinidad te ayudan a hacer el bien y evitar el mal. Haces esto usando tu libre albedrío y siguiendo tu conciencia. (CIC, 1704)

¿De qué manera una conciencia, informada por la Sagrada Escritura y la Sagrada Tradición, e interpretada por la Iglesia, nos ayuda a amar como Dios ama?

Trinity

Our Catholic Tradition

- You are made in God's image and likeness and are to live and love in community. (CCC, 1604)

- Showing love to others is a way we reflect the love of the Holy Trinity. The failure to do so is sin. (CCC, 735)

- The Divine Persons of the Holy Trinity help you to do good and avoid evil. You do this by using your free will and following your conscience. (CCC, 1704)

How does a conscience, informed by Sacred Scripture and Sacred Tradition, interpreted by the Church, help us to love as God loves?

© Our Sunday Visitor

A imagen de Dios

♡ Oremos

Líder: Padre creador, te damos gracias por hacernos como somos y quiénes somos.

"Pues eres tú quien formó mis
  riñones, quien me tejió en el seno de mi madre.
Te doy gracias por tantas maravillas,
  admirables son tus obras". **Salmo 139, 13-14**

Todos: Oh Dios, eres más que nuestro hacedor. Eres nuestro Padre amoroso. Ayúdanos a crecer para ser cada día más parecidos a ti. Amén.

📖 La Sagrada Escritura

Que lleven una vida digna del Señor y de su total agrado, produciendo frutos en toda clase de buenas obras y creciendo en el conocimiento de Dios. ... Y que den gracias al Padre que nos preparó para recibir nuestra parte en la herencia reservada a los santos en su reino de luz. El nos arrancó del poder de las tinieblas y nos trasladó al Reino de su Hijo amado. En él nos encontramos liberados y perdonados.

El es la imagen del Dios que no se puede ver, y para toda criatura es el Primogénito. **Colosenses 1, 10. 12-15**

❓ ¿Qué piensas?

- ¿Cómo podría dañar el pecado la manera en que las personas se relacionan con los demás?

- ¿Cómo daña el pecado la manera en que las personas reflejan la imagen de Dios?

CHAPTER 4

In God's Image

❤ Let Us Pray

Leader: Creator Father, we give you thanks for making us as we are and who we are.

"You formed my inmost being;
  you knit me in my mother's womb.
I praise you, because I am wonderfully made;
  wonderful are your works!" **Psalm 139:13–14**

All: O God, you are more than our maker. You are our loving Father. Help us grow to be like you more and more each day. Amen.

🕮 Scripture

Live in a manner worthy of the Lord, so as to be fully pleasing, in every good work bearing fruit and growing in the knowledge of God, . . . giving thanks to the Father, who has made you fit to share in the inheritance of the holy ones in light. He delivered us from the power of darkness and transferred us to the kingdom of his beloved Son, in whom we have redemption, the forgiveness of sins.

He is the image of the invisible God,
  the firstborn of all creation. **Colossians 1:10, 12–15**

❓ What Do You Wonder?

- How might sin hurt the way people relate to others?

- How does sin hurt the way people reflect God's image?

Reflejar el amor de Dios

¿Qué significa estar creados a imagen de Dios?

Dios te ha dado la vida. Él te ha creado a ti y a todas las personas para que reflejen su propia imagen de amor. Se supone que la imagen de Dios tiene que brillar en cada uno de nosotros. Como católicos, creemos que todas las personas tienen **dignidad humana** porque están creadas a imagen de Dios.

La Sagrada Escritura

Y creó Dios al hombre a su imagen.
A imagen de Dios lo creó.
Macho y hembra los creó. **Génesis 1, 27**

Dios te hizo con un cuerpo humano, y te dio un **alma** que vivirá por siempre. Dios te dio la capacidad de pensar, de amar y de tomar decisiones. Puedes elegir hacer el bien todos los días y permitir que la imagen de amor de Dios brille.

© Our Sunday Visitor

En el espejo, dibuja una manera en que eres una imagen del amor.

Reflect God's Love

What does it mean to be created in God's image?

God has given you life. He has created you and all people to reflect his own image of love. God's image is meant to shine in each of us. As Catholics, we believe that all people have **human dignity** because they are created in God's image.

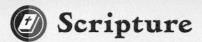

Scripture

God created mankind in his image;
    in the image of God he created them;
    male and female he created them. **Genesis 1:27**

God made you with a human body, and you have a **soul** that will live forever. God gave you the ability to think, to love, and to make choices. You can choose to do good every day and let God's image of love shine through.

Catholic Faith Words

human dignity the worth each person has because he or she is made in the image of God

soul the spiritual part of a human that lives forever

In the mirror, draw one way you are an image of love.

Santa Mariana Cope

La historia de Santa Mariana Cope muestra cómo una persona reflejó el amor de Dios. Ella trataba a los demás, especialmente a los pobres y los enfermos, con dignidad y respeto.

Cuando era niña, Barbara Cope sabía que quería ser hermana religiosa. Como su familia era pobre, trabajaba en una fábrica para ayudarlos. Cuando sus hermanos y hermanas finalmente crecieron, ingresó en la comunidad religiosa de las Hermanas de San Francisco.

En el convento, era conocida como Hermana Mariana. Enseñaba y ayudaba a sus hermanas a establecer hospitales que, en esa época, eran especiales porque trataban a personas de cualquier nacionalidad, religión o color. En los hospitales, ella trabajaba por los derechos de los pacientes y promovía la limpieza.

El rey y la reina de Hawái invitaron a las hermanas a trabajar en los hospitales de allí. La Madre Mariana, como era llamada en ese momento, tomó a un grupo de hermanas para responder al llamado. En pocos años, transformaron un sucio hospital para leprosos (personas que tienen una enfermedad contagiosa de la piel) en un lugar hermoso e hicieron otras mejoras para ayudar a los leprosos y a sus familias.

Con los años, la Madre Mariana también ayudó a fundar hospitales en Nueva York.

➜ **¿Cómo la obra de la Madre Mariana honró la dignidad de las personas?**

Comparte tu fe

Reflexiona Con tus propias palabras, describe lo que significa el término *dignidad humana*.

Comparte Explica tu descripción a un compañero.

Saint Marianne Cope

The story of Saint Marianne Cope shows how one person reflected God's love. She treated others, especially the poor and sick, with dignity and respect.

When she was a child, Barbara Cope knew that she wanted to become a religious sister. Because her family was poor, she worked in a factory to help support them. When her brothers and sisters were finally grown, she entered the religious community of the Sisters of Saint Francis.

In the convent, she was known as Sister Marianne. She taught and helped her Sisters establish hospitals which were special at that time because they treated people of any nationality, religion, or color. In the hospitals, she worked for patients' rights and promoted cleanliness.

The King and Queen of Hawaii invited the Sisters to work in hospitals there. Mother Marianne, as she was then called, took a group of Sisters to answer the call. Within a few years, they transformed a dirty hospital for lepers (people with a contagious skin disease) into a beautiful facility and made other improvements to help lepers and their families.

Over the years, Mother Marianne also helped found hospitals in New York.

➜ **How did Mother Marianne's work honor the dignity of people?**

Share Your Faith

Reflect In your own words, describe what the term *human dignity* means.

Share Explain your description to a partner.

Creados para estar con Dios

¿Qué es una falta de amor?

© Our Sunday Visitor

Palabras católicas

pecado pensamiento, palabra, acción u omisión deliberada que va en contra de la ley de Dios. Los pecados dañan nuestra relación con Dios y con los demás.

pecado mortal un pecado grave que rompe la relación de la persona con Dios

pecado venial un pecado que debilita la relación de la persona con Dios, pero que no la destruye

Dios te creó para que estés unido a Él y a todas las personas. Cada vez que actúas de manera amorosa, profundizas tu conexión con Dios y con los miembros de la Iglesia, el Cuerpo de Cristo. Cuando eliges tratar mal a alguien, lastimas a esta persona y a toda la comunidad de fe. Eliges no demostrar amor ni respeto.

El **pecado** es siempre una falta de amor. Un pensamiento, una palabra o un acto pecaminoso también lastima tu amistad con Dios y las demás personas. El pecado también te afecta a ti y evita que te conviertas en la persona que Dios quiere que seas. Hay dos clases de pecado personal: el **pecado mortal** y el **pecado venial**.

Pecado personal	
Pecados veniales	**Pecados mortales**
• pecados que debilitan tu amistad con Dios y los demás, pero no la destruyen	• pecados que hacen que se rompa la relación de una persona con Dios
• cosas que haces, como desobedecer, engañar y mentir. Estos son pecados de acción.	• pecados graves, como el asesinato
• malos hábitos que desarrollas, como ser perezoso o deshonesto	• Para que un pecado sea mortal, (1) el acto debe ser extremadamente grave, (2) debes saber que es muy grave, y (3) debes elegir libremente hacerlo de todas maneras.
• No actuar, a veces, es un pecado de omisión; por ejemplo, es pecado permanecer callados cuando alguien dice una broma haciendo burla de otra persona u otro grupo.	

Created to Be with God

What is a failure to love?

God created you to be united to him and to all people. Every time you act in a loving way, you deepen your connection to God and to the members of the Church, the Body of Christ. When you choose to treat someone badly, you hurt this person and the whole community of faith. You choose not to show love and respect.

Sin is always a failure to love. A sinful thought, word, or act also hurts your friendship with God and other people. Sin affects you, too, and keeps you from becoming the person God wants you to be. There are two kinds of personal sin—**mortal sin** and **venial sin**.

> ## Catholic Faith Words
>
> **sin** a deliberate thought, word, deed, or omission contrary to the law of God. Sins hurt our relationship with God and other people.
>
> **mortal sin** serious sin that causes a person's relationship with God to be broken
>
> **venial sin** a sin that weakens a person's relationship with God but does not destroy it

Personal Sin	
Venial Sins	**Mortal Sins**
• sins that weaken your friendship with God and others, but do not destroy it	• sins that cause a person's relationship with God to be broken
• things that you do, such as disobeying, cheating, and lying. These are sins of commission.	• serious sins, such as murder
• bad habits that you develop, such as being lazy or dishonest	• In order for a sin to be mortal, (1) the act must be seriously wrong, (2) you must know that it is seriously wrong, and (3) you must freely choose to do it anyway.
• A failure to act sometimes is a sin of omission; for example, to remain silent when someone tells a joke that makes fun of another person or group is a sin.	

Amor y respeto

Todas las personas son iguales. Todas las personas tienen dignidad humana y merecen respeto porque están hechas a imagen de Dios. Como es el Hijo de Dios, Jesús es la imagen perfecta de Dios. Estás llamado a ser más como Jesús y a reflejar el amor y el cuidado que Él demuestra a todas las personas.

Practica tu fe

Identificar pecados Para cada uno de los siguientes enunciados, escribe una M en el espacio en blanco si describe un pecado mortal. Escribe una V en el espacio en blanco si describe un pecado venial.

☐ pecado grave

☐ mentir o engañar

☐ destruye la relación de una persona con Dios y con los demás

☐ asesinato

☐ daña la relación de una persona con Dios y con los demás

☐ ser perezoso o desobedecer

Love and Respect

All people are equal. Every person has human dignity and is worthy of respect because he or she is made in God's image. Because he is the Son of God, Jesus is the perfect image of God. You are called to become more like Jesus and to reflect the love and care that he shows all people.

Connect Your Faith

Identify Sins For each statement below, write an M in the blank if it describes a mortal sin. Write a V in the blank if it describes a venial sin.

- [M] a serious sin
- [V] lying or cheating
- [V] destroys a person's relationship with God and others
- [M] murder
- [V] hurts a person's relationship with God and others
- [V] being lazy or disobeying

Nuestra vida católica

¿Dónde ves la gloria de Dios?

Dios te muestra algo de cómo es Él a través de su imagen en las personas y a través del mundo que creó. Si prestas atención, aprenderás muchas cosas acerca de Él.

1. Dentro de la flor, escribe una manera en que la naturaleza es un signo de la gloria de Dios.

2. Dentro de la pelota de fútbol, escribe acerca de una ocasión en que hayas visto un reflejo de Dios en otra persona.

La naturaleza da gloria a Dios

La belleza de una flor o el brillo de un atardecer te dice algo acerca del poder y la bondad de Dios. Reflexionar sobre su gloria puede crear sentimientos de gratitud o de paz. Dedica tiempo a mirar de cerca la naturaleza y a apreciarla.

Las personas muestran la gloria de Dios

Piensa en las personas que te han demostrado amor: tus padres o tutores, un buen amigo, un maestro comprensivo o un abuelo dedicado. Un bebé puede hacerte pensar en el poder y la maravilla de Dios. Una persona mayor puede recordarte la sabiduría de Dios.

Our Catholic Life

Where do you see God's glory?

God shows you something of what he is like through his image in people and through the world he created. If you pay attention you will learn many things about him.

1. **Inside the flower, write one way nature is a sign of God's glory.**

2. **Inside the soccer ball, write about a time when you have seen a reflection of God in another person.**

Nature Gives Glory to God

The loveliness of a flower or the brilliance of a sunset tells you something about God's power and goodness. Reflecting on his glory may bring about feelings of gratitude or peace. Take time to look closely at and appreciate nature.

People Show the Glory of God

Think about people who have shown you love: your parents or guardians, a good friend, an understanding teacher, or a devoted grandparent. A baby may make you think of God's power and wonder. An older person may remind you of God's wisdom.

Nature is a beautiful sign of God's power.

My parents are very king to me.

Gente de fe

15 de junio

Santa Germana Cousin, 1579–1601

Santa Germana Cousin nos recuerda que cada uno de nosotros está hecho a imagen de Dios y merece respeto. Tenía una mano lisiada y el cuello deformado. Después de la muerte de su madre, su padre volvió a casarse. Su madrastra la hacía dormir en una alacena debajo de las escaleras. Germana nunca se quejó. Por el contrario, rezaba por su madrastra. Finalmente, la madrastra se dio cuenta de que Germana era muy santa y quiso que viviera en la casa. Pero Germana permaneció en su alacena y fue un modelo de oración y santidad.

Comenta: ¿Qué puedes hacer para ayudar a alguien que tiene una discapacidad?

 Aprende más sobre Santa Germana en **vivosencristo.osv.com**

Vive tu fe

Crea un cartel que explique cómo puedes tratar a los demás con dignidad y cómo puedes ver la gloria de Dios en todos.

DIGNIDAD

People of Faith

Saint Germaine Cousin, 1579–1601

June 15

Saint Germaine Cousin reminds us that each of us is made in God's image and worthy of respect. She had a crippled hand and a deformed neck. After her mother died, her father remarried. Her stepmother made her sleep in a cupboard under the stairs. Germaine never complained. Instead, she prayed for her stepmother. Finally, her stepmother realized that Germaine was very holy and wanted her to live in the house. But Germaine stayed in her cupboard and was a model of prayer and holiness.

Discuss: What can you do to help someone who has a disability?

Learn more about Saint Germaine at **aliveinchrist.osv.com**

Live Your Faith

Create a poster that explains how you can treat others with dignity and see the glory of God in everyone.

DIGNITY

♥ Oremos

Oración por la dignidad y el respeto

Reúnanse y comiencen con la Señal de la Cruz.

Lector 1: Dios de vida,

Todos: Oramos por la dignidad de la vida.

Lector 2: Dios de creación,

Todos: Oramos por la dignidad de la vida.

Lector 3: Dios, fuente de toda vida,

Todos: Oramos por la dignidad de la vida.

Lector 4: Dios, el protector de la humanidad,

Todos: Oramos por la dignidad de la vida.

Líder: Dios, te alabamos y te damos gracias por toda la creación. **Basado en el Salmo 139**

Todos: Amén.

Canten "Canto de Toda Criatura"
Cantan todos tus santos con amor y bondad,
cantan todos alegres, te vienen a adorar.
Cantan todos los montes y las sierras, Señor,
cantan los pajaritos de tu gran amor.

Letra basada en Daniel 3, 57-64; © 1999, Arsenio Córdova.
Obra publicada por OCP. Derechos reservados. Con las debidas licencias.

♥ Let Us Pray

Prayer for Dignity and Respect

Gather and begin with the Sign of the Cross.

Reader 1: God of life,

All: We pray for the dignity of life.

Reader 2: God of creation,

All: We pray for the dignity of life.

Reader 3: God, the source of all life,

All: We pray for the dignity of life.

Reader 4: God, the protector of humanity,

All: We pray for the dignity of life.

Leader: God, we give you praise and thanks for all creation.   **Based on Psalm 139**

All: Amen.

Sing "O God, You Search Me"
O God, you search me and you know me.
All my thoughts lie open to your gaze.
When I walk or lie down you are before me:
Ever the maker and keeper of my days.

SUS HIJOS APRENDIERON >>>

Este capítulo explica que Dios creó a las personas a Su imagen y, por eso, cada uno de nosotros tenemos dignidad humana y merecemos respeto.

La Sagrada Escritura

Lean **Colosenses 1, 10. 12-15** para conocer cómo Dios nos creó para vivir.

Lo que creemos

- Cada persona es digna de respeto porque ha sido creada a imagen de Dios.
- Cada persona tiene un alma que vivirá para siempre.

Para aprender más, vayan al *Catecismo de la Iglesia Católica* #355-357, 362-366 en **usccb.org.**

Gente de fe

Esta semana, su hijo aprendió acerca de Santa Germana Cousin, quien nació con graves discapacidades.

LOS NIÑOS DE ESTA EDAD >>>

Cómo comprenden ser creados a imagen de Dios   Es probable que su hijo haya superado esos primeros años de la niñez en los que pensaba que todo era posible. Algunos niños de esta edad se están volviendo dolorosamente conscientes de sus limitaciones y necesitan recordar que son seres humanos valiosos en virtud de que han sido creados a imagen de Dios. Saber esto los ayudará a comenzar a explorar la idea de que fueron creados con un propósito, y que Dios tiene un plan para su vida.

CONSIDEREMOS ESTO >>>

¿Es más fácil mostrar respeto por un extraño o por alguien de su propia familia?

Puede ser más difícil mostrar respeto por personas con quienes vivimos porque vemos sus defectos de cerca. Todas las personas merecen nuestro respeto porque están hechas a imagen de Dios. Como católicos, sabemos que "El ser creado a imagen de Dios incluye cualidades específicas. Cada uno de nosotros es capaz de conocerse a sí mismo y de entrar en comunión con otras personas por medio de la entrega de uno mismo. Estas cualidades —y la herencia común de nuestros primeros padres— también es la base del vínculo de unidad que existe entre todos los seres humanos" *(CCEUA, p. 74).*

HABLEMOS >>>

- Pidan a su hijo que explique por qué todas las personas tenemos dignidad.
- Compartan un relato personal acerca de alguna vez en que no fueron tratados con dignidad y cómo se sintieron.

OREMOS >>>

 Oh Dios, que seamos siempre respetuosos de todas las personas y que sepamos que son tus hijos. Amén.

Visiten **vivosencristo.osv.com** para encontrar un glosario multimedia de Palabras católicas, lecturas dominicales, y recursos de Santos y tiempos festivos.

FAMILY+FAITH
LIVING AND LEARNING TOGETHER

YOUR CHILD LEARNED >>>

This chapter explains that God created all people in his image and therefore each of us has human dignity and deserves respect.

Scripture

Read **Colossians 1:10, 12–15** to find out how God created us to live.

Catholics Believe

- Every person is worthy of respect because he or she is created in God's image.
- Each person has a soul that will live forever.

To learn more, go to the *Catechism of the Catholic Church* #355–357, 362–366 at **usccb.org.**

People of Faith

This week, your child learned about Saint Germaine Cousin, who was born with some severe disabilities.

CHILDREN AT THIS AGE >>>

How They Understand Being Created in God's Image

Your child is probably now past those early childhood years in which he or she thought anything was possible. Some children this age are becoming painfully aware of their limitations and need to remember that they are valuable human beings by virtue of their creation in God's image. Knowing this, they can also begin to explore the idea that they were created for a purpose, and that God has a design for their lives.

CONSIDER THIS >>>

Is it easier to show respect to a stranger or to someone in your own family?

It may be more difficult to show respect to people with whom we live because we see their flaws up close. All people deserve our respect because they are made in the image of God. As Catholics, we know that "to be made in the image of God includes specific qualities. Each of us is capable of self-knowledge and of entering into communion with other persons through self-giving. These qualities—and the shared heritage of our first parents—also form a basis for a bond of unity among all human beings" (*USCCA, p. 67*).

LET'S TALK >>>

- Ask your child to explain why all people have dignity.
- Share a personal story about a time when you were not treated with dignity and how you felt.

LET'S PRAY >>>

O God, may we always be respectful of all people, knowing we are all your children. Amen.

For a multimedia glossary of Catholic Faith Words, Sunday readings, seasonal and Saint resources, and chapter activities go to **aliveinchrist.osv.com.**

Capítulo 4 Repaso

A **Trabaja con palabras** Encierra Verdadero en un círculo si el enunciado es verdadero, y encierra Falso en un círculo si el enunciado es falso. Corrige cualquier enunciado falso.

1. Un niño que intimida a otros nunca puede reflejar la imagen de Dios.

    Verdadero   **Falso**

    _____

2. El pecado es un pensamiento, una palabra, un acto o una omisión deliberada contrario a la ley de Dios.

    Verdadero   **Falso**

    _____

3. Cometes un pecado mortal cuando te copias en una prueba de ortografía.

    Verdadero   **Falso**

    _____

4. Un pecado mortal hace que se rompa la relación de una persona con Dios.

    Verdadero   **Falso**

    _____

5. Cada persona es única y creada por Dios.

    Verdadero   **Falso**

    _____

B **Confirma lo que aprendiste** Completa los siguientes enunciados.

6. El _____ es la parte espiritual del ser humano que vive para siempre.

7. La _____ humana es el valor cada persona tiene porque está hecha a imagen de Dios.

8. Un pecado _____ daña tu amistad con Dios.

9. _____ y _____ muestran la gloria de Dios.

10. No actuar, a veces, es un pecado _____.

Chapter 4 Review

A **Work with Words** Circle True if the statement is true, and circle False if the statement is false. Correct any false statements.

1. A bully can never reflect God's image.

   True   (False)

   Everyone reflects God's image.

2. Sin is a deliberate thought, word, deed, or omission contrary to the law of God.

   (True)   False

3. You commit a mortal sin when you cheat on a spelling test.

   True   (False)

   You commit a venial sin.

4. Mortal sin causes a person's relationship with God to be broken.

   (True)   False

5. Each person is unique and created by God.

   (True)   False

B **Check Understanding** Complete the following statements.

6. The ___soul___ is the spiritual part of you that lives forever.

7. Human ___dignity___ is the worth each person has because he or she is made in God's image.

8. A ___venial___ sin hurts your friendship with God.

9. ___Nature___ and ___People___ show the glory of God.

10. A failure to act sometimes is a sin of ___omission___.

Vivir en comunidad

♥ Oremos

Líder: Dios de unidad y comunión, Dios que es uno y tres en uno, únete a nosotros en amor.

"¡Qué bueno y qué tierno es ver a esos hermanos vivir juntos!"

Salmo 133, 1

Todos: Dios de unidad y comunión, Dios que es uno y tres en uno, únete a nosotros en amor. Amén.

📖 La Sagrada Escritura

Miren cómo se manifestó el amor de Dios entre nosotros: Dios envió a su Hijo único a este mundo para que tengamos vida por medio de él. ... Queridos, si Dios nos amó de esta manera, también nosotros debemos amarnos mutuamente. A Dios no lo ha visto nadie jamás; pero si nos amamos unos a otros, Dios está entre nosotros y su amor da todos sus frutos entre nosotros. Y ¿cómo sabemos que permanecemos en Dios y él en nosotros? Porque nos ha comunicado su Espíritu. ... Dios es amor: el que permanece en el amor permanece en Dios y Dios en él.

1 Juan 4, 9. 11-13. 16b

❓ ¿Qué piensas?

- ¿Qué cosas haces para que una amistad siga siendo fuerte?

- ¿Dónde puedes buscar ayuda para vivir una vida moral, o una vida de amor?

Living in Community

♥ Let Us Pray

Leader: God of unity and communion, God who is one and three-in-one, unite us in love.

"How good and how pleasant it is,
when brothers dwell together as one!"
Psalm 133:1

All: God of unity and communion, God who is one and three-in-one, unite us in love. Amen.

📖 Scripture

In this way the love of God was revealed to us: God sent his only Son into the world so that we might have life through him. . . . Beloved, if God so loved us, we also must love one another. No one has ever seen God. Yet, if we love one another, God remains in us, and his love is brought to perfection in us. This is how we know that we remain in him and he in us, that he has given us of his Spirit. . . . God is love, and whoever remains in love remains in God and God in him.

1 John 4:9, 11–13, 16b

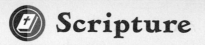

❓ What Do You Wonder?

- What are some things you do to keep a friendship going strong?

- Where can you look for help in living a moral life, or a life of love?

Creados para el amor

¿Qué tiene que ver el amor del prójimo con el amor de Dios?

En el último capítulo, aprendiste que Dios hizo a todas las personas a su imagen. Eres claramente una imagen de Dios cuando reflejas el amor de la **Santísima Trinidad** por los demás. La Santísima Trinidad es el misterio de un único Dios en tres Personas Divinas: Dios Padre, Dios Hijo y Dios Espíritu Santo. Dios se revela como tres únicas Personas Divinas, pero el Padre, el Hijo y el Espíritu Santo son un solo Dios.

Jesús es divino y humano a la vez, Dios y hombre. Jesús nos dice que la misión de Dios Hijo y Dios Espíritu Santo es llevar a las personas al amor de la Santísima Trinidad: el amor perfecto que existe en el Padre, el Hijo y el Espíritu Santo. El plan de Dios es para que las personas vivan juntas en amor.

Desde el tiempo de los primeros humanos, las personas han formado grupos. Cuando un grupo de personas viven juntas en amor, es una comunidad. En una comunidad como esta, las personas tienen creencias, esperanzas y objetivos comunes.

Palabras católicas

Santísima Trinidad el misterio de un Dios en tres Personas Divinas: Padre, Hijo y Espíritu Santo

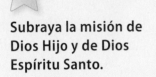

Subraya la misión de Dios Hijo y de Dios Espíritu Santo.

Jesús enseña a sus discípulos.

Created to Love

What does love of neighbor have to do with love of God?

You learned in the last chapter that God made all people in his image. You are more clearly an image of God when you reflect the love of the **Holy Trinity** to others. The Holy Trinity is the mystery of one God in three Divine Persons: God the Father, God the Son, and God the Holy Spirit and Guide. God reveals himself as three unique Divine Persons, but the Father, Son, and Holy Spirit are one God.

Jesus is both divine and human, God and man. Jesus tells us that the mission of God the Son and God the Holy Spirit is to bring people into the love of the Holy Trinity—the perfect love that exists in the Father, Son, and Holy Spirit. God's plan is for people to live together in love.

From the time of the first humans, people have formed groups. When a group of people live together in love, it is a community. In a community like this, the people have common beliefs, hopes, and goals.

Catholic Faith Words

Holy Trinity the mystery of one God in three Divine Persons: Father, Son, and Holy Spirit

Underline the mission of God the Son and God the Holy Spirit.

Jesus teaches his disciples.

Derecho y responsabilidad

Cada persona tiene derechos individuales que están equilibrados con una responsabilidad de respetar y proteger los derechos de los demás. Nadie tiene una libertad ilimitada ni un derecho ilimitado a los bienes de la Tierra. Cuando los derechos de todos están en equilibrio, el Reino de Dios está al alcance de la mano.

Puedes ver un buen ejemplo de esto en el relato de los primeros cristianos. En este pasaje, aprendemos cómo vivían en los años que siguieron a la Resurrección y la Ascensión de Jesús: orando, enseñando y cuidando a los demás.

📖 La Sagrada Escritura

La vida en comunidad

Acudían asiduamente a la enseñanza de los apóstoles, a la convivencia, a la fracción del pan y a las oraciones. Toda la gente sentía un santo temor, ya que los prodigios y señales milagrosas se multiplicaban por medio de los apóstoles. Todos los que habían creído vivían unidos; compartían todo cuanto tenían, vendían sus bienes y propiedades y repartían después el dinero entre todos según las necesidades de cada uno.   **Hechos 2, 42-45**

La Iglesia primitiva vivió en comunidad.

Comparte tu fe

Reflexiona ¿Cuáles son algunas maneras prácticas en que las personas de una comunidad demuestran su amor unos por otros?

Comparte Habla con un compañero acerca de una manera en que esto sucede hoy en tu parroquia.

Right and Responsibility

Each person has individual rights that are balanced with a responsibility to respect and protect the rights of others. No one has unlimited freedom or an unlimited right to the Earth's goods. When everyone's rights are in balance, the Kingdom of God is close at hand.

You can see a good example of this in the story of the early Christians. In this passage, we learn how they lived in the years just after Jesus' Resurrection and Ascension—praying, teaching, and caring for others.

Scripture

The Communal Life

They devoted themselves to the teaching of the apostles and to the communal life, to the breaking of the bread and to the prayers. Awe came upon everyone, and many wonders and signs were done through the apostles. All who believed were together and had all things in common; they would sell their property and possessions and divide them among all according to each one's need.   **Acts 2:42–45**

The early Church lived in community.

Share Your Faith

Reflect What are some practical ways people in a community show their love for one another?

Share Tell a partner about one way this happens in your parish today.

Vivir como católicos

¿Qué significa vivir una vida moral?

Amarse unos a otros

Los primeros cristianos formaron una comunidad basada en una fe común en Jesucristo y su mensaje. Su fe y su amor son hoy un ejemplo para ti. Fe es tu "sí" a todo lo que Dios ha revelado. Dios creó a todos los hombres y mujeres iguales en dignidad y a su imagen. Por lo tanto, el respeto por los derechos y las necesidades de los demás forma parte de la fe.

Así como no puedes vivir aislado de los demás, tampoco puedes creer solo. Tú crees como parte de una comunidad de fe más grande. Como católico, estás llamado a vivir una vida moral buena.

Vivir moralmente

La vida moral es una manera de vivir en una relación correcta con Dios, contigo mismo y con los demás. La **moralidad** católica incluye seguir los Diez Mandamientos, las enseñanzas de Jesús y las enseñanzas de la Iglesia. Incluye también seguir el bien y las leyes justas que trabajan por el **bien común**.

Las familias católicas y tu comunidad parroquial son lugares donde puedes aprender a vivir la vida moral católica.

➜ **¿Cómo estás llamado a vivir como parte de una comunidad de fe más grande?**

Palabras católicas

moralidad vivir en una relación correcta con Dios, contigo mismo y con los demás. Es poner en práctica tus creencias.

bien común el bien de todos, en especial el de aquellos que sean más vulnerables a ser heridos

Una monaguilla coloca la Cruz procesional durante los Ritos iniciales de la Misa.

Living as Catholics

What does it mean to live a moral life?

Love One Another

The early Christians formed a community based on a common faith in Jesus Christ and his message. Their faith and love are an example for you today. Faith is your "yes" to all that God has revealed. God created all men and women equal in dignity and in his image. So respect for the rights and needs of others is part of faith.

Just as you cannot live in isolation from others, so you cannot believe alone. You believe as part of a larger community of faith. As a Catholic, you are called to live a good moral life.

Moral Living

The moral life is a way of living in right relationship with God, yourself, and others. Catholic **morality** includes following the Ten Commandments, the teachings of Jesus, and the teachings of the Church. It also includes following the good and just laws that work for the **common good**.

Catholic families and your parish community are places where you can learn to live the Catholic moral life.

➔ **How are you called to live as part of a larger community of faith?**

> ### Catholic Faith Words
>
> **morality** living in right relationship with God, yourself, and others. It is putting your beliefs into action.
>
> **common good** the good of everyone, with particular concern for those who might be most vulnerable to harm

An altar server places the Procession Cross during the Introductory Rites of the Mass.

El bien común

Las personas que viven en comunidades verdaderas trabajan por el bien común

- respetando la dignidad humana de cada persona y reconociendo el derecho de cada persona a la libertad y a la expresión personal, mientras no se dañe a los demás.

- asegurándose de que todas las personas tengan una manera de obtener las cosas que son necesarias para la vida, como alimento, vivienda, ropa y acceso a los médicos.

- brindando paz, seguridad y orden en la comunidad.

Por el bien común Junto a cada imagen, explica cómo estas personas de tu vecindario o tu parroquia trabajan por el bien común.

respetando la dignidad humana de cada persona

_____

_____

_____

asegurando que las personas puedan obtener las cosas necesarias para la vida

_____

_____

_____

brindando paz, seguridad y orden

_____

_____

_____

The Common Good

People who live in true communities work for the common good by

- respecting the human dignity of each person and acknowledging each person's right to freedom and self-expression, as long as others are not hurt.

- making sure that every person has a way to get the things that are necessary for life, such as food, shelter, clothing, and access to doctors.

- providing peace, security, and order in the community.

Connect Your Faith

For the Common Good Beside each picture, explain how these people in your neighborhood or parish work for the common good.

respecting the human dignity of each person

A teacher.

making sure that people can get the things that are necessary for life

Nuns

providing peace, security, and order

Goard.

Nuestra vida católica

¿De qué manera debes vivir como parte de una comunidad?

Tus acciones afectan la vida de los demás. Como parte de la comunidad de la familia de Dios, tienes una responsabilidad con los que te rodean. Cuando actúas responsablemente, ayudas a crear una comunidad más amorosa.

Aquí tienes algunas normas para ser un buen miembro de la comunidad.

1. Elige palabras del Vocabulario para completar las oraciones.

2. Encierra en un círculo lo que ya estás haciendo para vivir como un buen miembro de la comunidad.

3. Escribe cómo puedes ser un mejor miembro de la comunidad.

Vivir en comunidad

Estas son algunas maneras en que las personas pueden vivir como buenos miembros de la comunidad.

- **Conocer** y ___vivir___ los Diez Mandamientos.

- **Perdonar** a los que te lastiman y convertirte en un **mediador** de paz cuando haya discusiones y peleas.

- Ser _____ con los que tienen menos que tú. **Compartir** lo que puedas de tu tiempo, talento y posesiones.

- **Respetar** la dignidad humana de todos, incluso de aquellos que son diferentes de ti.

- **Ayudar** a los _____: los confinados en su casa, los enfermos, los que están solos, los temerosos, los más pequeños o las personas mayores.

- _____

Vocabulario

necesitados

generosos

vivir

Our Catholic Life

How should you live as part of a community?

Your actions affect the lives of others. As part of the community of God's family, you have a responsibility to those around you. When you act responsibly, you help create a more loving community.

Here are some guidelines for becoming a good member of the community.

1. Choose words from the Word List to complete the sentences.
2. Circle what you are already doing to live as a good community member.
3. Write one way you can be a better community member.

Living in Community

Here are some ways people can live as good community members.

- **Know** and _live_ the Ten Commandments.

- **Forgive** those who hurt you, and become a **peacemaker** when there is arguing and fighting.

- Be _generous_ to those who have less than you do. **Share** what you can of your time, talents, and possessions.

- **Respect** the human dignity of everyone, including those who are different from you.

- **Help** those in _need_ —people who are housebound, sick, lonely, afraid, very young, or very old.

- _be Kind_

Word List

need

generous

live

Gente de fe

8 de agosto

Santo Domingo, 1170–1221

Santo Domingo sabía que, para las personas que trabajan por Dios, era importante estar unidas. Fundó una orden religiosa llamada Orden de Predicadores. A veces son llamados dominicos, por él. Su lema era: "Alabar, bendecir, predicar". Quería que sus seguidores alabaran a Dios, bendijeran a todos los que encontraran y predicaran el Evangelio siempre. También quería que vivieran juntos en comunidad. Compartían todo lo que tenían, como hacían los primeros seguidores de Jesús. Incluso hoy, los dominicos dedican su vida a contar la Buena Nueva a las personas y siguen viviendo en comunidad.

Comenta: ¿De qué manera los miembros de tu familia trabajan juntos por el bien de cada persona?

Aprende más sobre Santo Domingo en **vivosencristo.osv.com**

Vive tu fe

Observa lo que están haciendo las personas de las ilustraciones para ayudarse mutuamente.

Decide qué cosa puedes hacer la semana que viene para ayudar a crear una comunidad más amorosa.

Anota los pasos que darás para que esto suceda.

Lista de cosas por hacer

- ☐
- ☐
- ☐
- ☐
- ☐

People of Faith

August 8

Saint Dominic, 1170–1221

Saint Dominic knew that it was important for people who work for God to be together. He founded a religious order called the Order of Preachers. Sometimes they are called *Dominicans*, after him. His motto was: "to praise, to bless, to preach." He wanted his followers to always praise God, bless everyone they met, and preach the Gospel. He also wanted them to live together in community. They shared all they had, like the earliest followers of Jesus did. Even today, Dominicans dedicate their lives to telling people the Good News, and they still live in community.

Discuss: How does your family work together for the good of each person?

 Learn more about Saint Dominic at **aliveinchrist.osv.com**

Live Your Faith

Look at what the people in the pictures are doing to help one another.

Decide on one thing you can do next week to help create a more loving community.

List the steps you will take to make this happen.

To do list

☐

☐

☐

☐

☐

♥ Oremos

Lectio Divina

Esta antigua oración de la Iglesia es un rezo lento de las Sagradas Escrituras, en el cual estamos atentos a lo que el Espíritu Santo quiere que oigamos.

Reúnanse y comiencen con la Señal de la Cruz.

Líder: Ven, Espíritu Santo. Abre nuestros oídos;

Todos: abre nuestra mente; abre nuestro corazón.

Líder: Lean Juan 14, 27
Primera reflexión

Líder: Lean Juan 14, 27
Segunda reflexión

Líder: Unidos como una comunidad, comprometidos para crecer como uno en Dios, oramos:

Lado 1: Gloria al Padre

Lado 2: y al Hijo

Lado 1: y al Espíritu Santo.

Lado 2: Como era en el principio,

Lado 1: ahora y siempre,

Lado 2: por los siglos de los siglos.

Todos: Amén.

 Canten "Gloria"

Let Us Pray

Lectio Divina

This ancient prayer of the Church is a slow praying of the Scriptures in which we listen for what the Holy Spirit wants us to hear.

Gather and begin with the Sign of the Cross.

Leader: Come Holy Spirit. Open our ears;

All: open our minds; open our hearts.

Leader: Read John 14:27

First Reflection

Leader: Read John 14:27

Second Reflection

Leader: United as one community, committed to grow as one in God, we pray:

Side 1: Glory be to the Father

Side 2: and to the Son

Side 1: and to the Holy Spirit,

Side 2: as it was in the beginning

Side 1: is now, and ever shall be

Side 2: world without end.

All: Amen.

▶ Sing "Raise Your Voice for Justice"

FAMILIA + FE

VIVIR Y APRENDER JUNTOS

SUS HIJOS APRENDIERON >>>

Este capítulo explica que la Santísima Trinidad —Dios Padre, Dios Hijo y Dios Espíritu Santo— nos muestra cómo vivir una buena relación con Dios, con nosotros mismos y con los demás.

La Sagrada Escritura

Lean **1.a Juan 4, 9. 11-13. 16b** para saber por qué Dios envió a su Hijo, Jesús, a vivir entre nosotros.

Lo que creemos

- Dios creó a las personas para ayudarse mutuamente, y todas debemos obrar por el bien común. Tal amor por el prójimo refleja el amor de la Santísima Trinidad.
- Nadie puede creer por sí mismo, así como nadie puede vivir aislado.

Para aprender más, vayan al *Catecismo de la Iglesia Católica* #1905-1912 en **usccb.org**.

Gente de fe

Esta semana, su hijo aprendió acerca de Santo Domingo, el fundador de la Orden de los Dominicos. Su lema de vida era "alabar, bendecir, predicar".

LOS NIÑOS DE ESTA EDAD >>>

Cómo comprenden que somos creados el uno para el otro La mayoría de los niños de esta edad son muy sociables. Pero es probable que las destrezas sociales de su hijo ya hayan superado las de los primeros años de la niñez, cuando solo quería jugar con otro niño, y ahora quiera formar lazos reales de amistad. Esta es la época de los "mejores amigos", cuando los niños forman relaciones estrechas con uno o varios amigos con quienes prefieren estar. Es el comienzo de relaciones más profundas que esperamos que disfruten por el resto de su vida.

CONSIDEREMOS ESTO >>>

¿Qué significa cuando un católico dice: "Dios es amor"?

Como católicos, creemos que la naturaleza de Dios es una relación de amor perfecto, una comunión de amor entre el Padre, el Hijo y el Espíritu Santo. Dios, "... siempre fiel e indulgente, es a la larga vivido por los seres humanos mediante su Hijo, Jesucristo, y el Espíritu Santo. Su amor es más fuerte que el amor de una madre por su hijo o que el de un novio por su amada... Jesús ha revelado que la esencia de Dios es amor" *(CCEUA, p. 55)*.

HABLEMOS >>>

- Pidan a su hijo que explique la conexión entre el amor al prójimo y el amor a Dios.
- Comenten cómo la gente en su comunidad trabaja por el bien común.

OREMOS >>>

Querido Dios, ayúdanos a vivir siempre en paz y a trabajar por el bien de cada persona en nuestra familia. Amén.

Visiten **vivosencristo.osv.com** para encontrar un glosario multimedia de Palabras católicas, lecturas dominicales, y recursos de Santos y tiempos festivos.

FAMILY+FAITH
LIVING AND LEARNING TOGETHER

YOUR CHILD LEARNED >>>

This chapter explains that the Holy Trinity—God the Father, God the Son, and God the Holy Spirit—shows us how to live in right relationship with God, ourselves, and one another.

Scripture

 Read **1 John 4:9, 11–13, 16b** to find out why God sent his Son, Jesus, to live among us.

Catholics Believe

- God created people for one another, and all must work for the common good. Such love of neighbor reflects the love of the Holy Trinity.

- No one can believe alone, just as no one can live alone.

To learn more, go to the *Catechism of the Catholic Church* #1905–1912 at **usccb.org.**

People of Faith

This week, your child learned about Saint Dominic, the founder of the Dominican Order. His life motto was "to praise, to bless, to preach."

CHILDREN AT THIS AGE >>>

How They Understand Being Created for One Another Most children this age are very social. But the social skills of your child have probably moved beyond the early childhood years of simply wanting to play with other children to forming real bonds of friendship. This is a time of "best friends," when children form close relationships with one or a few children they prefer to spend their time with. It is the beginning of the deeper relationships they will hopefully enjoy for the rest of their lives.

CONSIDER THIS >>>

When a Catholic says, "God is love," what do we mean?

As Catholics, we believe God's nature is a relationship of perfect love— a communion of love between Father, Son, and Holy Spirit. God, "ever-faithful and forgiving, is ultimately experienced by human beings through his Son, Jesus Christ, and the Holy Spirit. His love is stronger than a mother's love for her child or a bridegroom for his beloved. [. . .] Jesus has revealed that God's very being is love" (*USCCA, p. 51*).

LET'S TALK >>>

- Ask your child to explain the connection between love of neighbor and love of God.

- Talk about how people in your community work for the common good.

LET'S PRAY >>>

Dear God, help us always live in peace and work for the good of each person in our family. Amen.

For a multimedia glossary of Catholic Faith Words, Sunday readings, seasonal and Saint resources, and chapter activities go to **aliveinchrist.osv.com.**

Capítulo 5 Repaso

A **Trabaja con palabras** Resuelve el crucigrama.

Verticales

1. Grupo de personas con creencias similares, que trabajan juntas por un objetivo en común

2. Vivir en una relación correcta con Dios, con uno mismo y con los demás

Horizontales

3. El resultado de respetar los derechos de todos y trabajar por ellos en una comunidad

4. Los miembros de una comunidad _____ unos de otros.

5. Cuando demostramos esto a los demás, seguimos la manera de actuar de Dios y vivimos una vida moral.

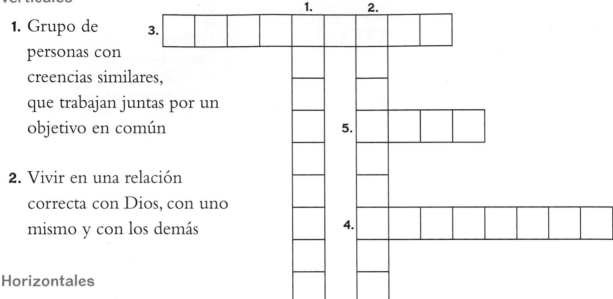

B **Confirma lo que aprendiste** Encierra la palabra que completa mejor cada enunciado.

6. Tus (**creencias/acciones**) afectan la vida de los demás.

7. Tus derechos individuales están (**integrados a/desconectados de**) tu responsabilidad de respetar y proteger los derechos de los demás.

8. La Santísima Trinidad es el (**relato/misterio**) de un Dios en tres Personas Divinas.

9. Se llama (**parroquia/ciudad**) a una comunidad en la que puedes adorar y aprender.

10. Como católico estás llamado a vivir una (**buena/parcialmente**) vida moral.

Chapter 5 Review

A **Work with Words** Solve the crossword puzzle.

Down

1. A group of people with similar beliefs, working together toward a common goal

2. Living in right relationship with God, self, and others

4. Members of a community _____ on one another.

Across

3. The result of respecting and working for everyone's rights in a community

5. When we show this to others, we follow God's way and live a moral life.

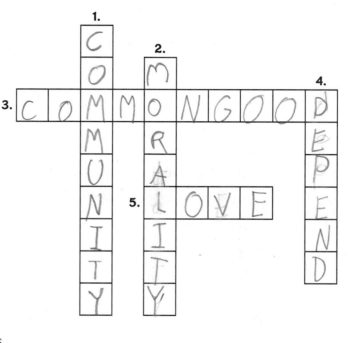

B **Check Understanding** Circle the word that best completes each statement.

6. Your (**beliefs**/**actions**) affect the lives of others.

7. Your individual rights are (**balanced**/**unconnected**) with your responsibility to respect and protect the rights of others.

8. The Holy Trinity is the (**story**/**mystery**) of one God in three Divine Persons.

9. A Catholic community where you can worship and learn is called a (**parish**/**city**).

10. As a Catholic you are called to live a (**good**/**partly**) moral life.

Tomar buenas decisiones

 Oremos

Líder: Oh Dios, danos una fe lo bastante fuerte para ver lo que es correcto y justo.

"Enséñame el buen sentido y el saber, pues tengo fe en tus mandamientos".
Salmo 119, 66

Todos: Oh Dios, ayúdanos a tomar decisiones que sean verdaderas para esa fe. Amén.

La Sagrada Escritura

Una rama saldrá del tronco de Jesé,
un brote surgirá de sus raíces.
Sobre él reposará el Espíritu de Yavé,
espíritu de sabiduría e inteligencia,
espíritu de prudencia y valentía,
espíritu para conocer
a Yavé y para respetarlo, y para
gobernar según sus preceptos.
No juzgará por las apariencias
ni se decidirá por lo que se dice,
sino que hará justicia a los débiles
y defenderá el derecho de los pobres del país.
Isaías 11, 1-4a

¿Qué piensas?

• ¿Quién o qué te ayuda a elegir lo que es correcto y justo?

• ¿Cómo puedes formar tu conciencia?

Making Good Choices

♥ Let Us Pray

Leader: O God, give us a faith strong
enough to see what is right and just.

"Teach me wisdom and knowledge,
for in your commandments
I trust." **Psalm 119:66**

All: O God, help us make choices that are true to that
faith. Amen.

📖 Scripture

A shoot shall sprout from the stump of Jesse,
and from his roots a bud shall blossom.
The spirit of the LORD shall rest upon him:
a spirit of wisdom and of understanding,
A spirit of counsel and of strength,
a spirit of knowledge and of fear of the LORD,
and his delight shall be the fear of the LORD.
Not by appearance shall he judge,
nor by hearsay shall he decide,
But he shall judge the poor with justice,
and decide fairly for the land's afflicted.
Isaiah 11:1–4a

❓ What Do You Wonder?

- Who or what helps you choose what is right and just?

- What are some ways you can form your conscience?

Decisiones y consecuencias

¿Cuál es el uso apropiado del libre albedrío?

Tienes la libertad de tomar decisiones, pero todas las decisiones tienen consecuencias. En este relato, Julia aprende una lección de las decisiones que toma.

Julia decide

—¡Vamos, Julia! —dijo Mónica—. Realmente quiero ver la película nueva en el Cine Crosstown. Pensé que también querías verla.

—Sí quiero verla —respondió Julia—. Tal vemos podamos verla la semana próxima. Mi entrenador acaba de programar una práctica adicional de fútbol para esta tarde. Tengo que ir.

—Bueno, puedes ir a la práctica de fútbol si quieres —dijo Mónica—. Yo voy al cine.

Después de que Mónica se fue, Julia se preparó para la práctica. "Puedo ver la película después con Lila, mi hermana" pensó mientras se ataba las zapatillas. "En este momento tengo que practicar mi tiro al arco. El equipo cuenta conmigo".

Cuando, finalmente, Julia vio la película, la disfrutó. Sin embargo, ¡no tanto como disfrutó ganar el premio a la jugadora que más progresó, al final de la temporada!

Choices and Consequences

What is the proper use of free will?

You have the freedom to make choices, but all choices have consequences. In this story, Julia learns a lesson from a choice she makes.

Julia Decides

"Come on, Julia!" said Monica. "I really want to see the new movie at the Crosstown Cinema. I thought you wanted to see it, too."

"I do want to see it," Julia replied. "Maybe we can see it next week.

My coach just called an extra soccer practice for this afternoon. I have to go."

"Well, you can go to soccer practice if you want to," said Monica. "I am going to the movie."

After Monica left, Julia got ready for practice. "I can see that movie later with my sister Lila," she thought as she tied her shoes. "Right now I have to work on my goal tending. The team is counting on me."

When Julia finally saw the movie, she enjoyed it. However, not as much as she enjoyed winning the award for most improved player at the end of the season!

Libertad y responsabilidad

La historia de Julia demuestra que todas las decisiones tienen consecuencias. Tú también eres responsable por tus decisiones.

Cuando Dios te creó a su imagen, te dio **libre albedrío**. Con tu libre albedrío, tú tomas decisiones. A veces, tus decisiones están entre lo correcto y lo incorrecto. Otras veces, como en el caso de Julia, están entre lo bueno y lo mejor. Cada vez que tomas una buena decisión, usas el don de Dios del libre albedrío y te acercas más a Él.

Dios te ayuda

Dios te da muchos dones para ayudarte a tomar buenas decisiones. El don más importante de Dios es la **gracia**, que es el don de Dios de su propia vida y ayuda que Él te da amorosa y libremente. Recibiste la gracia de una manera especial en el Sacramento del Bautismo. Creces en la gracia de Dios a través de los Sacramentos, la oración y las buenas decisiones morales.

Además de su gracia, Dios te da los Diez Mandamientos y a la Iglesia para que te ayuden. Dios está siempre ayudándote a desarrollar una relación más amorosa con Él.

Palabras católicas

libre albedrío la libertad y habilidad otorgadas por Dios para tomar decisiones. Dios nos creó con libre albedrío para que tuviéramos la libertad de elegir el bien.

gracia el don de Dios de su propia vida y ayuda que Él nos da amorosa y libremente a los seres humanos

Subraya tres maneras en que Dios te ayuda a tomar buenas decisiones.

Comparte tu fe

Reflexiona ¿Cuáles dos palabras usarías para describir cómo se sintió al tomar su decisión?

_____

_____

Comparte Diseña una cinta para el premio de Julia para la Jugadora que más progresó.

Freedom and Responsibility

Julia's story shows that all choices have consequences. You are responsible for your choices, too.

When God created you in his image, he gave you **free will**. With your free will, you make choices. Sometimes your choices are between right and wrong. Sometimes, as in Julia's case, they are between better and best. Whenever you make a good choice, you use God's gift of free will properly and you grow closer to God.

God Helps You

God gives you many gifts to help you make good choices. God's most important gift is **grace**, which is God's free and loving gift to you of his own life and help. You received grace in a special way in the Sacrament of Baptism. You grow in God's grace through the Sacraments, prayer, and good moral choices.

In addition to his grace, God gives you the Ten Commandments and the Church to help you. God is always helping you develop a more loving relationship with him.

Catholic Faith Words

free will the God-given freedom and ability to make choices. God created us with free will so we can have the freedom to choose good.

grace God's free and loving gift to humans of his own life and help

Underline three ways God helps you make good choices.

Share Your Faith

Reflect What two words would you use to describe how Julia felt after she made her choice?

_____

_____

Share Design a ribbon for Julia's Most Improved Player award.

El don de Dios de la conciencia

¿Qué es una conciencia bien formada?

Las buenas decisiones te ayudan a crecer como una persona moral. Desarrollan buenos hábitos y fortalecen tu relación con Dios y los demás. Un día Jesús contó este relato acerca de demostrar amor, incluso a las personas a las que no conocemos.

Palabras católicas

conciencia la habilidad dada por Dios que nos ayuda a juzgar si una acción es correcta o incorrecta. Es importante para nosotros saber las leyes de Dios para que nuestra conciencia nos ayude a tomar buenas decisiones.

La Sagrada Escritura

La parábola del buen samaritano

Jesús contó el relato de un viajero judío que iba de Jerusalén a Jericó que fue atacado por ladrones que lo golpearon, lo robaron y lo dejaron a un lado del camino.

Un sacerdote vio al viajero lastimado y se pasó al otro lado del camino. Más tarde, un líder judío pasó por el mismo lugar y, cuando vio al viajero, él también se pasó al otro lado del camino. Finalmente, por el lugar donde yacía moribundo el viajero, pasó un samaritano. A diferencia de los demás, el samaritano se detuvo. Atendió y vendó las heridas del viajero. Lo llevó en su propio animal a una posada, donde lo cuidó. Al día siguiente, cuando el samaritano se estaba yendo, le dio dinero al posadero y le dijo: "Cuida de este hombre. Si gastas más de lo que te he dado, te pagaré cuando regrese."

Basado en Lucas 10, 30-35

→ ¿Qué tenía de difícil la decisión que tomó el samaritano?

→ ¿Cuándo es difícil para ti tomar buenas decisiones?

God's Gift of Conscience

What is a well-formed conscience?

Good choices help you grow as a moral person. They build good habits and strengthen your relationship with God and others. One day Jesus told this story about showing love, even toward people whom we do not know.

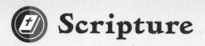 **Scripture**

The Parable of the Good Samaritan

Jesus told the story of a Jewish traveler going from Jerusalem to Jericho who was attacked by robbers that beat, robbed, and left him on the side of the road.

A priest saw the injured traveler and moved to the other side of the road. Later, a Jewish leader came to the same place, and when he saw the traveler, he too moved to the other side of the road. Finally, a Samaritan came to the place where the traveler lay dying. Unlike the others, the Samaritan stopped. He treated and bandaged the traveler's wounds. He carried him on his own animal to an inn, where he cared for him. The next day, when the Samaritan was leaving, he gave the innkeeper money and told him, "Take care of this man. If you spend more than what I have given you, I will repay you when I return." **Based on Luke 10:30–35**

➤ **What was difficult about the choice the Samaritan made?**

➤ **When is it difficult for you to make good choices?**

> ## Catholic Faith Words
>
> **conscience** the God-given ability that helps us judge whether actions are right or wrong. It is important for us to know God's laws so our conscience can help us make good decisions.

Saber la diferencia

Las buenas decisiones fortalecen tu relación con Dios y los demás. Los pecados debilitan o destruyen esa relación. El pecado es siempre una falta de amor a Dios y a los demás. Cuando usas tu libre albedrío para pecar, te vuelves siempre menos libre.

Probablemente sepas cuándo has hecho algo malo, incluso si nadie te ha visto. Sabes que has actuado contra el plan de Dios. Tu **conciencia** es un don de Dios que te ayuda a saber la diferencia entre lo correcto y lo incorrecto. La conciencia es tu libre albedrío y tu razón trabajando juntos. Te dirigen para que elijas lo que está bien y evites lo que está mal. Es tu trabajo fortalecer, o formar, tu propia conciencia. No puedes hacer esto solo.

1. Coloca una marca junto a algo de lo que quieras saber más.
2. Dibuja una estrella junto a una manera en que formarás tu conciencia esta semana.

Formar tu conciencia

El Espíritu Santo	te fortalece para que tomes buenas decisiones	☐
Orar y estudiar	te ayudan a pensar las cosas	☐
La enseñanza de la Sagrada Escritura y la Iglesia	guían tus decisiones	☐
Los padres, los maestros y las personas sabias	te dan buenos consejos	☐

© Our Sunday Visitor

Practica tu fe

La decisión correcta
En cada situación, ¿qué consejo darías para ayudar a un amigo a usar el don de Dios de la conciencia para tomar la decisión correcta?

Know the Difference

Good choices strengthen your relationship with God and others. Sin weakens or destroys that relationship. Sin is always a failure to love God and others. When you use your free will to sin, you always become less free.

You probably know when you have done something wrong, even if no one has seen you. You know that you have acted against God's plan. Your **conscience** is a gift from God that helps you to know the difference between right and wrong. Conscience is your free will and your reason working together. They direct you to choose what is good and avoid what is wrong. It is your job to strengthen, or form, your own conscience. You cannot do this alone.

1. Place a check mark next to one thing you want to know more about.

2. Draw a star next to one way you will form your conscience this week.

Forming Your Conscience

The Holy Spirit	strengthens you to make good choices	☐
Prayer and study	help you think things through	☐
Scripture and Church teaching	guide your decisions	☐
Parents, teachers, and wise people	give you good advice	☐

Connect Your Faith

The Right Choice
For each scenario, what advice would you give to help a friend use God's gift of conscience to make the right choice?

Nuestra vida católica

¿Cómo tomas decisiones?

Tomar buenas decisiones morales necesita práctica. Recuerda las palabras *alto*, *piensa*, *ora* y *elige*. Son los pasos que te ayudan a tomar decisiones. Estas palabras te recordarán qué hacer cuando te enfrentes a una elección moral.

Estos cuatro pasos pueden no ayudarte a tomar la decisión más fácil o la más popular, pero te ayudarán a tomar la mejor decisión. Esta decisión fortalecerá tu relación con Dios y con los demás.

Tomar buenas decisiones

ALTO	PIENSA
Toma tu tiempo No tomes una decisión sin pensar ni actúes según tu primera idea.	**Considera tus elecciones** Piensa en lo que podría suceder si haces cada elección.
• Las elecciones importantes pueden afectarte a ti, a los demás y a tu relación con Dios.	• Di una oración al Espíritu Santo para pedirle guía.
• Tómate el tiempo necesario, y es más probable que hagas una buena decisión.	• Escucha tu conciencia.
	• Considera lo que la Biblia y la Iglesia te enseñan.
	• Consulta con tu familia y tus maestros.
ORA	**ELIGE**
Pide ayuda para elegir Reflexiona sobre lo que Dios te está pidiendo que hagas.	**Decídete** Decide lo que harás.
• Ora otra vez para pedir la ayuda y la guía del Espíritu Santo.	• Ten confianza en que, si piensas y oras acerca de tu decisión, harás la elección correcta.
• Pide sabiduría y valor para tomar la mejor decisión.	• Actúa de acuerdo con tu elección.

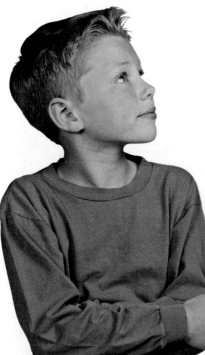

Our Catholic Life

How do you make decisions?

Making good moral decisions takes practice. Remember the words *stop*, *think*, *pray*, and *choose*. They are steps to help you make decisions. These words will remind you what to do when you are faced with a moral choice.

These four steps may not help you make the easiest choice or the most popular choice, but they will help you make the best choice. This choice will strengthen your relationship with God and others.

Making Good Decisions

STOP	THINK
Take your time Do not make a snap decision or act on your first idea.	**Consider your choices** Think about what might happen if you make each choice.
• Important choices can affect you, others, and your relationship with God.	• Say a prayer to the Holy Spirit for guidance.
• Give yourself time, and you are more likely to make a good decision.	• Listen to your conscience.
	• Consider what the Bible and the Church teach you.
	• Consult with your family and teachers.

PRAY	CHOOSE
Ask for help in choosing Reflect on what God is calling you to do.	**Make up your mind** Decide what you will do.
• Pray again for help and guidance from the Holy Spirit.	• Be confident that if you think and pray about your decision, you will make the right choice.
• Ask for wisdom and courage to make the best choice.	• Act on your choice.

Gente de fe

3 de junio

San Carlos Lwanga, m. 1886

San Carlos Lwanga era un joven sirviente de la corte del rey en Uganda. El rey odiaba a los cristianos. Ordenó a sus sirvientes que se unieran en actividades inmorales. Carlos se negó, eligiendo seguir su conciencia y obedecer a Dios, no al rey. Carlos y otros veintiún cristianos fueron torturados antes de ser ejecutados, tratando de forzarlos a que hicieran lo que el rey quería. Cuando Carlos estaba muriendo, oró en voz alta y dijo que él sabía que estaba yendo al Cielo. A Carlos y a sus compañeros se les conoce como los mártires africanos.

Comenta: Habla sobre una ocasión en la que seguiste tu conciencia.

Aprende más sobre San Carlos en **vivosencristo.osv.com**

Piensa en una oportunidad en que tu conciencia te ayudó a tomar una buena decisión moral. Luego dibuja los pasos que diste para tomar esa decisión.

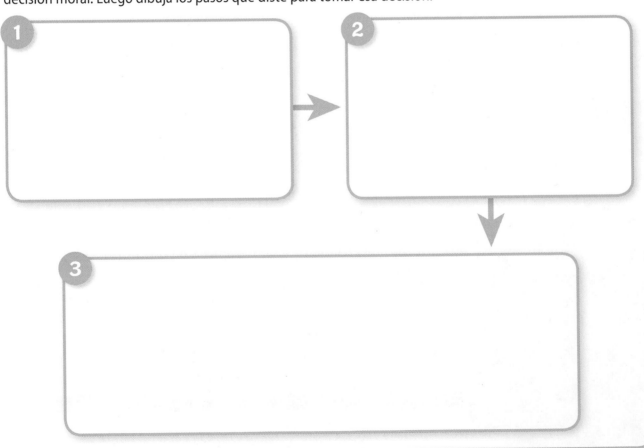

1

2

3

People of Faith

Saint Charles Lwanga, d. 1886

June 3

Saint Charles Lwanga was a young servant in the king's court in Uganda. The king hated Christians. He commanded his servants to join in immoral activities. Charles refused, choosing to follow his conscience and obey God, not the king. Charles and twenty-one other Christians were tortured before they were executed in an effort to get them to do what the king wanted. As Charles was dying, he prayed aloud and said that he knew he was going to Heaven. Charles and his companions are known as the African Martyrs.

Discuss: Tell about a time when you followed your conscience.

 Learn more about Saint Charles at **aliveinchrist.osv.com**

Live Your Faith

Think about a time when your conscience helped you to make a good moral decision. Then draw the steps you took to make that decision.

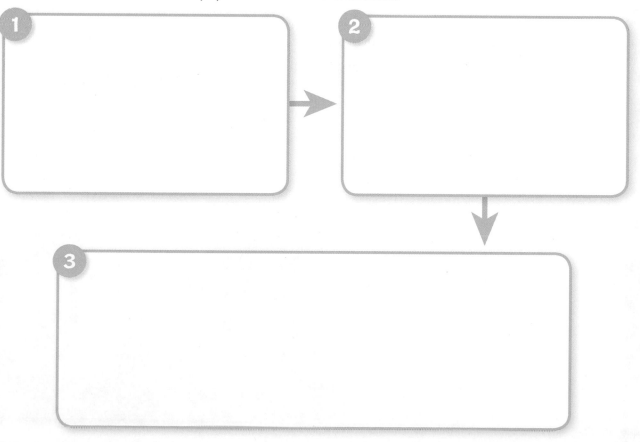

♥ Oremos

Oración de reflexión

Reúnanse y comiencen con la Señal de la Cruz.

Líder: En oración, escuchas atentamente la voz de Dios para que te guíe. Cierra los ojos y piensa en una ocasión en que tuviste miedo y no supiste qué hacer. Escucha este relato sobre un hombre llamado Elías, quien oyó la voz de Dios de una manera muy sorprendente cuando tenía miedo.

Lector: Leer 1 Reyes 19, 9-14

Líder: Siéntense en silencio y noten si pueden oír a Dios susurrándoles dentro del corazón. ¿Qué les está diciendo Dios? ¿Qué quieren decirle a Dios?

Líder: Dios del sonido susurrante, ayúdanos a estar tranquilos y atentos a tu voz para que nos guíe.

Todos: Amén.

♡ Let Us Pray

Prayer of Reflection

Gather and begin with the Sign of the Cross.

Leader: In prayer, you listen for God's voice to guide you. Close your eyes and think about a time when you were afraid and didn't know what to do. Listen to this story about a man named Elijah, who heard God's voice in a very surprising way when he was afraid.

Reader: Read 1 Kings 19:9–14

Leader: Sit quietly and notice whether you can hear God whispering to you inside your heart. What is God saying to you? What do you want to say to God?

Leader: God of the whispering sound, help us be still and listen for your voice to guide us.

All: Amen.

FAMILIA + FE

VIVIR Y APRENDER JUNTOS

SUS HIJOS APRENDIERON >>>

Este capítulo explica que es necesario desarrollar una conciencia bien formada para poner el bien por encima del mal.

La Sagrada Escritura

Lean **Isaías 11, 1-4a** para aprender del Salvador que Dios prometió enviar.

Lo que creemos

- La gracia de Dios nos ayuda a usar la razón y el libre albedrío para tomar buenas decisiones.
- La conciencia es la habilidad dada por Dios que nos ayuda a distinguir lo bueno de lo malo.

Para aprender más, vayan al *Catecismo de la Iglesia Católica* #1776-1782 en **usccb.org.**

Gente de fe

Esta semana, su hijo aprendió acerca de San Carlos Lwanga, un mártir africano que fue conocido por seguir su conciencia.

LOS NIÑOS DE ESTA EDAD >>>

Cómo comprenden el libre albedrío y la conciencia Los niños de esta edad comprenden bien que los adultos no siempre ven lo que ellos dicen y hacen. También saben que hay límites en la capacidad que tienen las figuras de autoridad en su vida de imponer su voluntad. Entonces, ser una persona moral significa tomar una serie de decisiones. Ellos necesitan comprender que estas decisiones se nos presentan para que podamos tener la libertad de elegir el bien. Esto es también el comienzo de su comprensión de lo que es la conciencia. A medida que los niños se dan mayor cuenta de la vida de sus pensamientos más íntimos, pueden formar su conciencia y escucharla para tomar buenas decisiones.

CONSIDEREMOS ESTO >>>

¿Alguna vez han considerado la diferencia que hay entre una conciencia bien formada y la opinión propia?

Puede resultar demasiado fácil hablar con aparente autoridad, aunque no estemos bien informados. Hay una diferencia entre una opinión y nuestra conciencia. Como católicos, sabemos que "Una conciencia bien formada formula juicios que se conforman a la razón y al bien que es deseado por la Sabiduría de Dios. Una conciencia bien formada requiere una formación de por vida. Cada seguidor de Cristo bautizado está obligado a formar su conciencia según criterios morales objetivos" *(CCEUA, p. 333).*

HABLEMOS >>>

- Pidan a su hijo que explique por qué todas las decisiones tienen consecuencias.
- Hablen de alguna vez en que alguien de la familia tuvo que tomar una decisión importante. ¿Cómo la familia ayudó a esa persona?

OREMOS >>>

San Carlos, ruega por nosotros para que sigamos nuestra conciencia, aunque hacerlo sea difícil. Amén.

Visiten **vivosencristo.osv.com** para encontrar un glosario multimedia de Palabras católicas, lecturas dominicales, y recursos de Santos y tiempos festivos.

FAMILY+FAITH
LIVING AND LEARNING TOGETHER

YOUR CHILD LEARNED >>>

This chapter explains that it is necessary to develop a well-formed conscience in order to choose good over evil.

Scripture

Read **Isaiah 11:1–4a** to find out about the Savior God promised to send.

Catholics Believe

- God's grace helps us use our reason and free will to make good choices.
- Conscience is our God-given ability that helps us judge right from wrong.

To learn more, go to the *Catechism of the Catholic Church* #1776–1782 at **usccb.org**.

People of Faith

This week, your child learned about Saint Charles Lwanga, an African martyr who was known for following his conscience.

CHILDREN AT THIS AGE >>>

How They Understand Free Will and Conscience Fourth grade children understand well that adults do not always see what they say and do. They also know that there are limits to the ability of authority figures in their life to enforce their will. Being a moral person, then, becomes a series of choices. They need to understand that these choices are given to us so that we can have the freedom to choose the good. This is also the beginning of the understanding of conscience. As children become more aware of their inner thoughts they can form and listen to their conscience to help them make good choices.

CONSIDER THIS >>>

Have you ever considered the difference between a well-formed conscience and your opinion?

It can be all too easy to seemingly speak with authority even when we may not be well informed. There is a distinction between opinion and our conscience. As Catholics, we know that "a good conscience makes judgments that conform to reason and the good that is willed by the Wisdom of God. A good conscience requires lifelong formation. Each baptized follower of Christ is obliged to form his or her conscience according to objective moral standards" (*USCCA, p. 314*).

LET'S TALK >>>

- Ask your child to explain how all choices have consequences.
- Talk about a time when someone in the family had to make an important decision. How did the family help him or her?

LET'S PRAY >>>

Saint Charles, pray for us that we may follow our consciences, even when it hard to do so. Amen.

For a multimedia glossary of Catholic Faith Words, Sunday readings, seasonal and Saint resources, and chapter activities go to **aliveinchrist.osv.com**.

Capítulo 6 Repaso

 A **Trabaja con palabras** Completa cada oración con el término correcto del Vocabulario.

1. El _____ es la libertad y la habilidad otorgadas por Dios para tomar decisiones.

2. Tu _____ es la habilidad dada por Dios que te ayuda a juzgar las acciones como correctas o incorrectas.

3. Las buenas decisiones te ayudan a crecer como una persona _____.

4. El pecado debilita o destruye tu relación con _____ y con los demás.

5. El don de la vida y la ayuda de Dios para ti es la _____.

B **Relaciona** Escribe las respuestas en las siguientes líneas.

6. ¿Cuál es la lección de la parábola del buen samaritano?

_____

7. ¿Cómo te ayudan la oración y el estudio?

_____

_____

8. ¿Qué puede ayudarte a tomar buenas decisiones?

_____

_____

9. ¿Qué pasa cuando eliges pecar?

_____

10. ¿A quién puedes dirigirte cuando necesitas consejo?

_____

_____

Chapter 6 Review

A **Work with Words** Complete each sentence with the correct term from the Word Bank.

Word Bank

• • • • • • • • • • •

moral

free will

conscience

God

grace

1. _____ is the God-given freedom and ability to make choices.

2. Your _____ is the God-given ability that helps you judge actions as right or wrong.

3. Good choices help you grow as a _____ person.

4. Sin weakens or destroys your relationship with _____ and with others.

5. God's gift of his own life and help is _____.

B **Make Connections** Write responses on the lines below.

6. What is the lesson of the Parable of the Good Samaritan?

_____

7. How do prayer and study help you?

_____

_____

8. What can help you make good decisions?

_____

_____

9. What happens when you choose to sin?

_____

10. To whom can you go when you need advice?

_____

_____

A **Trabaja con palabras** Escribe la palabra correcta después de cada definición. Luego halla la palabra en la sopa de letras. Algunas palabras pueden estar escritas al revés.

F	C	D	A	V	Q	T	Y	D	L
O	L	D	I	G	N	I	D	A	D
C	M	J	C	K	E	P	S	D	R
I	L	M	A	I	X	U	X	I	L
W	D	C	R	E	A	R	Y	N	C
J	D	Y	G	P	V	S	K	U	B
C	L	E	A	Z	E	I	N	M	Y
A	I	C	N	E	I	C	N	O	C
X	V	Z	O	O	R	E	S	C	C

1. El don de Dios de su propia vida y ayuda que Él da amorosa y libremente _____

2. Hacer algo de la nada _____

3. La habilidad que Dios da y que te ayuda a distinguir lo bueno de lo malo _____

4. Un grupo de personas con creencias y objetivos comunes _____

5. El valor que cada persona tiene porque está hecha a imagen de Dios _____

A **Work with Words** Write the correct word after each definition. Then find the word in the word search. Some words may be written backwards.

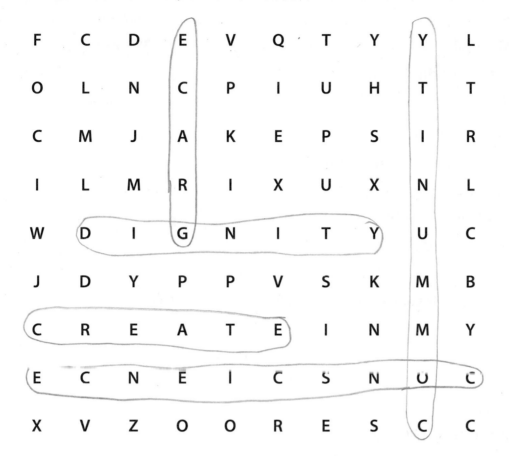

F	C	D	E	V	Q	T	Y	Y	L
O	L	N	C	P	I	U	H	T	T
C	M	J	A	K	E	P	S	I	R
I	L	M	R	I	X	U	X	N	L
W	D	I	G	N	I	T	Y	U	C
J	D	Y	P	P	V	S	K	M	B
C	R	E	A	T	E	I	N	M	Y
E	C	N	E	I	C	S	N	O	C
X	V	Z	O	O	R	E	S	C	C

1. God's free and loving gift to us of his own life and help

   grace e

2. To make something from nothing

   creato

3. The God-given ability that helps you judge right from wrong

   conscience

4. A group of people with common beliefs and goals

   community

5. The worth each person has from being made in God's image

   dignity

B **Confirma lo que aprendiste** Une cada descripción de la Columna A con el término correcto de la Columna B. Los términos se pueden usar más de una vez.

Columna A	Columna B
6. copiarse la tarea	**pecado de omisión**
7. permanecer en silencio mientras se burlan de alguien	**pecado venial**
8. mentirle a un amigo	
9. pensamiento, palabra, acción u omisión deliberada que va en contra de la ley de Dios	**pecado**
10. asesinato	**pecado mortal**

Une cada descripción de la Columna A con el término correcto de la Columna B.

Columna A	Columna B
11. la parte espiritual del ser humano que vive para siempre	**conciencia**
12. habilidad que viene de Dios para juzgar lo que está bien y lo que está mal	**libre albedrío**
13. comunidad católica que comparte la fe y el culto	**moralidad**
14. vivir en una relación correcta con Dios, contigo mismo y con los demás	**parroquia**
15. la libertad que Dios te ha dado para tomar decisiones	**alma**

B **Check Understanding** Match each description in Column A with the correct term in Column B. Terms may be used more than once.

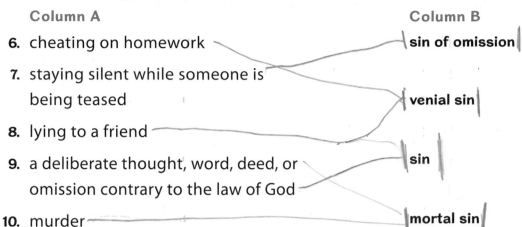

Column A

6. cheating on homework

7. staying silent while someone is being teased

8. lying to a friend

9. a deliberate thought, word, deed, or omission contrary to the law of God

10. murder

Column B

sin of omission

venial sin

sin

mortal sin

Match each description in Column A with the correct term in Column B.

Column A

11. the spiritual part of a human that lives forever

12. ability from God to judge right from wrong

13. a Catholic community with shared faith and worship

14. living in right relationship with God, yourself, and others

15. the freedom God has given you to make choices

Column B

conscience

free will

morality

parish

soul

C **Relaciona** Escribe las respuestas en las siguientes líneas.

16. ¿Cuál es la diferencia entre pecado mortal y pecado venial?

_____

_____

_____

17. ¿Cómo te ayuda Dios a tomar buenas decisiones?

_____

_____

_____

18. ¿Cómo puedes trabajar por el bien común?

_____

_____

_____

19. ¿Cómo describirías la moralidad?

_____

_____

_____

20. ¿Cómo puedes desarrollar tu conciencia?

_____

_____

_____

C **Make Connections** Write responses on the lines below.

16. What is the difference between mortal sin and venial sin?

   Mortal sin destroys your relationship with God
   and Ven

17. How does God help you make good choices?

   _____

   _____

   _____

18. How can you work for the common good?

   Obey th rules.

   _____

   _____

19. How would you describe morality?

   _____

   _____

   _____

20. How can you develop your conscience?

   _____

   _____

   _____

Jesucristo

Nuestra Tradición Católica

- Jesús quiere que las personas sean felices y que lleven al mundo su mensaje de la bondad del Reino de Dios. Él compartió ese mensaje en sus enseñanzas, más especialmente en las Bienaventuranzas. (CIC, 851, 1724)

- Jesús nos llama a confiar en el Padre y a ser una bendición para los demás al vivir el Gran Mandamiento del amor. (CIC, 2055)

- Jesús nos enseña que debemos alabar a Dios mediante el culto, honrando su nombre y santificando el domingo. (CIC, 2083)

¿Cómo nos ayudan las enseñanzas que nos da Jesús en las Bienaventuranzas a vivir los Diez Mandamientos?

La Abadía de Hagia María en Sion se erige en las afueras de la Ciudad Vieja de Jerusalén, en el monte de Sion.

Jesus Christ

Our Catholic Tradition

- Jesus wants people to be happy and to carry his message of the goodness of God's Kingdom into the world. He shared that message in his teachings, most especially the Beatitudes. (CCC, 851, 1724)

- Jesus calls us to trust in the Father and to be a blessing to others by living the Great Commandment of love. (CCC, 2055)

- Jesus teaches us to praise God with worship, by honoring his name, and by keeping Sunday holy. (CCC, 2083)

Hagia Maria Sion Abbey stands just outside the Old City of Jerusalem, on Mt. Zion.

How does Jesus' teaching in the Beatitudes help us to live the Ten Commandments?

Las Bienaventuranzas

❤ Oremos

Líder: Gracias, oh, Dios, por habernos
bendecido de tantas maneras.

"Es feliz la nación cuyo Dios es el Señor,
el pueblo que él escoge como herencia".
Salmo 33, 12

Todos: Tú nos has elegido, oh, Señor, y nos creaste
para ser felices contigo para siempre. Estamos
verdaderamente bendecidos por tus dones. Amén.

📖 La Sagrada Escritura

Mientras Jesús estaba hablando, una mujer levantó la voz
de entre la multitud y le dijo: "¡Feliz la que te dio a luz y te crió!"
Jesús replicó: "¡Felices, pues, los que escuchan la palabra de Dios
y la observan!" Lucas 11, 27-28

❓ ¿Qué piensas?

- ¿Qué significa ser feliz?
- ¿Qué indicaciones les dio Jesús a
sus seguidores sobre cómo vivir?

The Beatitudes

♥ Let Us Pray

Leader: Thank you, O Lord, for you have blessed us in so many ways.

"Blessed is the nation whose God is the LORD, the people chosen as his inheritance."
Psalm 33:12

All: You have chosen us, O Lord, and made us to be happy with you forever. We are truly blessed by your gifts. Amen.

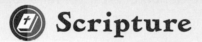

📖 Scripture

While [Jesus] was speaking, a woman from the crowd called out and said to him, "Blessed is the womb that carried you and the breasts at which you nursed." He replied, "Rather, blessed are those who hear the word of God and observe it." Luke 11:27–28

❓ What Do You Wonder?

- What does it mean to be blessed?
- What directions did Jesus give his followers on how to live?

Jesús trae la bendición de Dios

¿Qué les enseñó Jesús a sus discípulos acerca de las bendiciones?

En el Evangelio según Mateo, encontramos un resumen de lo que Jesús enseñó acerca de cómo vivir según la Palabra de Dios. Aprendemos quién es bendecido y cómo ser una bendición para los demás, y acerca de la bondad y preocupación conocidas como la **misericordia**.

Palabras católicas

misericordia la bondad y preocupación por aquellos que sufren. Dios tiene misericordia de nosotros aunque seamos pecadores.

Bienaventuranzas enseñanzas de Jesús que muestran el camino a la felicidad verdadera y explican cómo vivir en el Reino de Dios ahora y siempre

vida eterna vida para siempre con Dios para todos los que mueren en su amistad

Esta estatua de Cristo Redentor domina la vista de Río de Janeiro, Brasil.

ⓣ La Sagrada Escritura

Un día Jesús estaba en medio de sus Apóstoles y de una gran multitud de seguidores. Entonces comenzó a hablar y les enseñaba diciendo:

"Felices los que tienen el espíritu del pobre, porque de ellos es el Reino de los Cielos.

Felices los que lloran,
porque recibirán consuelo.

Felices los pacientes,
porque recibirán la tierra en herencia.

Felices los que tienen hambre y sed de justicia,
porque serán saciados.

Felices los compasivos,
porque obtendrán misericordia.

Felices los de corazón limpio,
porque verán a Dios.

Felices los que trabajan por la paz,
porque serán reconocidos como hijos de Dios.

Felices los que son perseguidos por causa del bien,
porque de ellos es el Reino de los Cielos."
Mateo 5, 3–10

Jesus Brings God's Blessing

What did Jesus teach his disciples about blessings?

In the Gospel according to Matthew, we find a summary of what Jesus taught about how to live by God's Word. We learn who is blessed and how to be a blessing for others, and about the kindness and concern know as **mercy**.

© Our Sunday Visitor

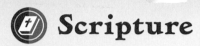

Scripture

One day Jesus stood in the midst of his Apostles and a great crowd of followers.
He taught them with these words:

"Blessed are the poor in spirit,
for theirs is the kingdom of heaven.

Blessed are they who mourn,
for they will be comforted.

Blessed are the meek,
for they will inherit the land.

   Blessed are they who hunger and thirst
      for righteousness,
      for they will be satisfied.

   Blessed are the merciful,
      for they will be shown mercy.

   Blessed are the clean of heart,
      for they will see God.

   Blessed are the peacemakers,
      for they will be called children of God.

   Blessed are they who are persecuted for
      the sake of righteousness,
      for theirs is the kingdom of heaven."
Matthew 5:3–10

Catholic Faith Words

mercy kindness and concern for those who are suffering. God has mercy on us even though we are sinners.

Beatitudes teachings of Jesus that show the way to true happiness and tell the way to live in God's Kingdom now and always

eternal life life forever with God for all who die in his friendship

This statue of Christ the Redeemer overlooks Rio de Janeiro, Brazil.

Las Bienaventuranzas

La Iglesia llama **Bienaventuranzas** a estas enseñanzas de Jesús. La palabra *bienaventuranza* significa "bendición" o "felicidad". Dios puso el deseo de la felicidad dentro de cada uno de nosotros. A veces, nos parece que ciertas personas o ciertas cosas nos harán felices. Pero la verdadera felicidad llega cuando seguimos las Bienaventuranzas.

Las Bienaventuranzas tratan sobre la forma en que actuamos, sentimos y pensamos. Tratan sobre la felicidad duradera que Dios quiere para ti. Dios quiere que trabajemos con Él mientras construye su Reino. Quiere que todos tengamos **vida eterna**.

Vivir lo que Jesús enseñó	
Las Bienaventuranzas	**Cómo puedes vivirlas**
Felices los que tienen el espíritu del pobre…	Depender de Dios, no de las cosas materiales.
Felices los pacientes…	Ser amable y humilde.
Felices los compasivos…	Perdonar a los demás y pedir perdón.
Felices los que trabajan por la paz…	Trabajar por la unidad de las personas. Buscar la manera de resolver los problemas pacíficamente.
Felices los que lloran…	Compartir las penas y las alegrías de las personas.
Felices los que tienen hambre y sed de justicia…	Ayudar a que todos traten de manera justa a los demás y ayudar a que cambien las condiciones injustas.
Felices los de corazón limpio…	Ser fiel a Dios y a lo que nos manda.
Felices los que son perseguidos por causa del bien…	En los momentos difíciles, confiar en Dios y defender lo correcto.

Comparte tu fe

Reflexiona Imagina que estabas allí cuando Jesús nos dio las Bienaventuranzas. Piensa en una pregunta que le habrías hecho acerca de ellas.

Comparte Comenta con un compañero qué habría respondido Jesús.

The Beatitudes

The Church calls this teaching of Jesus the **Beatitudes**. The word *beatitude* means "blessing" or "happiness." God put the desire for happiness inside each of us. Sometimes we think certain people or things will make us happy. But true happiness comes when we follow the Beatitudes.

The Beatitudes are about how we act, feel, and think. They are about the lasting happiness God wants for you. God wants us to work with him as he builds his Kingdom. He wants us all to have **eternal life**.

Live What Jesus Taught

The Beatitudes	How You Can Live Them
Blessed are the poor in spirit …	Depend on God, not on material things.
Blessed are the meek…	Be gentle and humble.
Blessed are the merciful…	Forgive others and ask forgiveness.
Blessed are the peacemakers…	Work to bring people together. Look for ways to solve problems peacefully
Blessed are they who mourn…	Share people's sorrows and joys.
Blessed are those who hunger and thirst for righteousness…	Help all people treat others justly, and helpchange unjust conditions.
Blessed are the clean of heart…	Be faithful to God and to his ways.
Blessed are those who are persecuted for the sake of righteousness…	In difficult times, trust in God and stand up for what is right.

Share Your Faith

Reflect Imagine you had been there when Jesus gave us the Beatitudes. Think of one question you would ask him about them.

Share Discuss with a partner how Jesus would answer.

Sé una bendición

¿Qué significa ser una bendición para los demás?

Gracias a que Dios nos ha bendecido primero, todos tenemos una oportunidad de ser una bendición para los demás. Este relato cuenta cómo un hombre humilde fue una bendición para muchos.

Papa San Juan XXIII

Angelo Roncalli se crió en una familia de agricultores italianos. Se ordenó sacerdote en 1904 y ayudó a un obispo a dirigir una diócesis. Además enseñó en un seminario y dio homilías inspiradoras.

Cuando Italia entró en la Primera Guerra Mundial, Angelo fue reclutado. Llegó a ser sargento y capellán del cuerpo médico. Oraba con los soldados heridos, les daba la Sagrada Comunión y escuchaba sus confesiones. Cuando hacía falta, administraba el Sacramento de la Unción de los Enfermos.

Al terminar la guerra, regresó a trabajar en el seminario. Al poco tiempo, el Padre Angelo quedó a cargo de una oficina del Vaticano, que colabora con quienes trabajan en las misiones.

Mientras estuvo en Bulgaria, visitó a los católicos y a otros grupos cristianos, y trabajó con ellos. Hubo un terremoto y él trabajó para ofrecer alivio a las víctimas. Dondequiera que estuviera, el Padre Angelo sirvió a quienes tuviera cerca, amándolos en el nombre de Dios.

Una estampilla impresa en Italia en 1981 conmemora el 100.o aniversario del nacimiento del Papa San Juan XXIII.

Be a Blessing

What does it mean to be a blessing to others?

Because God first blessed us, everyone has a chance to be a blessing to others. This story tells how one humble man was a blessing to many people.

Pope Saint John XXIII

Angelo Roncalli grew up in an Italian farming family. He became a priest in 1904 and he helped a bishop run a diocese. He also taught in a seminary and gave inspirational homilies.

When Italy became involved in World War I, Angelo was drafted. He became a sergeant and chaplain in the medical corps. He prayed with wounded soldiers, gave them Holy Communion, and heard their confessions. When needed, he performed the Sacrament of the Anointing of the Sick.

After the war, he went back to work at the seminary. Soon, Father Angelo was put in charge of an office in the Vatican that helps those who work in the missions.

While in Bulgaria, he visited and worked with Catholic and other Christian groups. When an earthquake struck, he worked to provide relief to the victims. No matter where Father Angelo was, he served those around him by loving them in God's name.

A stamp printed in Italy in 1981 commemorates the 100th anniversary of Pope Saint John XXIII's birth.

Hermanas de las Misioneras de la Caridad entre los escombros de su iglesia luego del terremoto ocurrido en Puerto Príncipe, Haití, en 2010.

Palabras católicas

paz un estado de calma en el que las cosas están en su orden apropiado y las personas resuelven los problemas con bondad y justicia

Compartir bendiciones

En la década de 1930, el Padre Angelo trabajaba por la Iglesia en Grecia. Entonces estalló la Segunda Guerra Mundial. Él ayudó a que los prisioneros de guerra se comunicaran con sus familias. También ayudó a que las familias judías escaparan dándoles documentos que les aseguraban un viaje sin peligros.

En estos países, respetaban a Angelo por su conducta sincera y su profunda santidad. Él trató de resolver los problemas mediante las enseñanzas de la Biblia sobre el amor.

En 1958, al Padre Angelo lo eligieron Papa. Adoptó el nombre de Juan XXIII. En esta posición, fue un buen siervo de su pueblo. Visitó los hospitales y las cárceles. Recibió a personas de otros países y de otras religiones, y se reunió con ellas. Animó a todos a vivir en **paz** y resolver sus problemas con bondad y justicia. En 1961, el Papa San Juan XXIII convocó a una reunión especial de todos los obispos de la Iglesia. Hablaron de cómo podía la Iglesia llevar al mundo el mensaje de Jesús.

➜ **¿Cómo demostró el Papa San Juan XXIII que Dios bendice a todas las personas?**

Practica tu fe

Sé una bendición Escribe palabras que empiecen con las letras de la palabra PACES y que describan cómo puedes ser una bendición para los demás.

P _____

A _____

C _____

E _____

S _____

Sisters from the Missionaries of Charity amid the rubble of their church after the 2010 earthquake in Port-au-Prince, Haiti.

Sharing Blessings

In the 1930s, Father Angelo worked for the Church in Greece. Then, World War II broke out. He helped prisoners of war communicate with their families. He also helped Jewish families escape by giving them papers that ensured their safe travel.

Angelo was respected in these countries because of his sincere ways and deep holiness. He tried to settle problems by using the teachings about love from the Bible.

In 1958, Father Angelo was elected Pope. He took the name John XXIII. In this position, he was a good servant to his people. He visited people in hospitals and in prisons. He welcomed and met with people from other countries and of other religions.

He urged everyone to live in **peace** and settle their problems with kindness and justice. In 1961, Pope Saint John XXIII called a special meeting of all the bishops of the Church. They discussed how the Church could help bring the message of Jesus to the world.

➜ **How did Pope Saint John XXIII show that God blesses all people?**

Catholic Faith Words

peace a state of calm when things are in their proper order and people settle problems with kindness and justice

Catholic Class

Connect Your Faith

Be a Blessing Write words beginning with the letters of the word PEACE to describe how you can be a blessing to others.

P _____

E _____

A _____

C _____

E _____

© Our Sunday Visitor

Nuestra vida católica

¿Cómo puedes compartir bendiciones mediante la oración?

La intercesión, o petición, es un tipo de oración en la cual le pides a Dios algo para otra persona o para la comunidad. Es un tipo de oración generosa y considerada, y es un tipo de oración que rezaba Jesús.

Inmediatamente antes de la preparación de las ofrendas en la Misa, toda la asamblea ofrece oraciones de intercesión a Dios en la Oración de los fieles. Con frecuencia, estas oraciones se dicen por los miembros de la Iglesia, los líderes religiosos y del gobierno, y las personas que aparecen en las noticias. Estos son unos ejemplos de cuando podrías decir una oración de intercesión.

Llena los espacios en blanco con más ejemplos de cuando podrías rezar una oración de intercesión.

Comparte bendiciones al rezar una oración de intercesión

Cuando un amigo está muy triste
Cuando alguien pierde un trabajo
Cuando un miembro de la familia está enfermo
Cuando un amigo tiene que tomar una decisión difícil

Our Catholic Life

How can you share blessings through prayer?

Intercession, or petition, is a kind of prayer in which you ask God for something for another person or for the community. It is a generous, thoughtful kind of prayer, and it is one of the types of prayers that Jesus prayed.

Just before the preparation of the gifts at Mass, the whole assembly offers prayers of intercession to God in the Prayer of the Faithful. These prayers are often said for members of the Church, religious and government leaders, and people in the news. Here are some examples of when you might want to say a prayer of intercession.

Fill in more examples of when you would pray a prayer of intercession.

Share Blessings by Saying a Prayer of Intercession

When a friend is very unhappy

When someone loses his job

When a family member is sick

When a friend has to make a hard decision

_____

_____

_____

_____

_____

Gente de fe

20 de septiembre

San Yi Sung-hun, 1756–1801

San Yi Sung-hun vivió en Corea. Su familia pertenecía a la clase gobernante. En un viaje a China con su padre, se bautizó. Fue uno de los primeros coreanos en convertirse al catolicismo. El gobierno no quería que hubiera cristianos entre su pueblo. Cuando Yi Sung-hun se negó a adorar un dios falso, lo arrestaron. También arrestaron a muchos otros cristianos coreanos. Mataron a ciento tres personas por ser cristianas. Cuando Yi Sung-hun murió, dijo a los demás que no se pusieran tristes, porque volvería a verlos en el Cielo. Dios ocupó el primer lugar en su vida. Él fue un hombre de las Bienaventuranzas.

Comenta: ¿Cómo te bendice Dios? ¿Cómo puedes compartir esas bendiciones con los demás?

Aprende más sobre San Yi Sung-hun en **vivosencristo.osv.com**

© Our Sunday Visitor

Vive tu fe

Nombra una Bienaventuranza de acuerdo con la cual vives habitualmente y otra que te resulte más difícil.

_____

_____

_____

_____

Escribe una oración breve para pedirle a Dios que te ayude a vivir estas Bienaventuranzas.

_____

_____

_____

_____

_____

_____

People of Faith

September 20

Saint Yi Sung-hun, 1756–1801

Saint Yi Sung-hun lived in Korea. His family was part of the ruling class. When he was traveling with his father to China, he was baptized. He was one of the first people in Korea to become Catholic. The government did not want people to be Christian. When Yi Sung-hun refused to worship a false god, he was arrested. Many other Korean Christians were arrested too. One hundred and three people were killed for being Christian. When Yi Sung-hun died, he told people not to be sad because he would see them again in Heaven. He placed God first, and was a man of the Beatitudes.

Discuss: How does God bless you? How can you share those blessings with others?

 Learn more about Saint Yi Sung-hun at **aliveinchrist.osv.com**

Live Your Faith

Name one Beatitude that you live by regularly and another that is more difficult for you.

_____

_____

_____

_____

Write a short prayer asking God to help you live these Beatitudes.

_____

_____

_____

_____

_____

❤ Oremos

Oración de bendición

Reúnanse y comiencen con la Señal de la Cruz.

Líder: Hermanos, alaben a Dios, quien es rico en misericordia.

Todos: Bendito seas por siempre, Señor.

Lector 1: Lean Filipenses 4, 4-7.

Todos: Bendito seas por siempre, Señor.

Lector 2: Dios amoroso, Tú creaste a todas las personas del mundo y nos conoces a cada uno por nuestro nombre.

Todos: Bendito seas por siempre, Señor.

Lector 3: Te damos gracias por nuestra vida. Bendícenos con tu amor y tu amistad.

Todos: Bendito seas por siempre, Señor.

Lector 4: Por que crezcamos en sabiduría, conocimiento y gracia.

Todos: Bendito seas por siempre, Señor.

Líder: Por que seamos bendecidos en el nombre del Padre, del Hijo y del Espíritu Santo.
Basado en Mateo 5, 7; Juan 14

Todos: Amén.

 Canten "Jesús, el Buen Pastor"

❤ Let Us Pray

Prayer of Blessing

Gather and begin with the Sign of the Cross.

Leader: Brothers and sisters, praise God, who is rich in mercy.

All: Blessed be God forever.

Reader 1: Read Philippians 4:4–7.

All: Blessed be God forever.

Reader 2: Loving God, you created all the people of the world, and you know each of us by name.

All: Blessed be God forever.

Reader 3: We thank you for our lives. Bless us with your love and friendship.

All: Blessed be God forever.

Reader 4: May we grow in wisdom, knowledge, and grace.

All: Blessed be God forever.

Leader: May we be blessed in the name of the Father, the Son, and the Holy Spirit.
Based on Matthew 5, 7; John 14

All: Amen.

 Sing "Lead Me, Lord"

FAMILIA + FE
VIVIR Y APRENDER JUNTOS

SUS HIJOS APRENDIERON >>>

Este capítulo explica que Jesús nos dio las Bienaventuranzas para mostrarnos el camino a la felicidad verdadera y para decirnos cómo vivir en el Reino de Dios ahora y siempre.

La Sagrada Escritura

Lean **Lucas 11, 27-28** para saber a quiénes Jesús llama bienaventurados.

Lo que creemos

- Las Bienaventuranzas son ocho enseñanzas que describen el Reino de Dios que Jesús anunció cuando vivía en la Tierra.
- Las Bienaventuranzas nos muestran cómo debemos vivir y actuar como seguidores de Jesús.

Para aprender más, vayan al *Catecismo de la Iglesia Católica* #1716-1724 en **usccb.org.**

Gente de fe

Esta semana, su hijo aprendió acerca de Yi Sung-hun, un mártir coreano que puso a Dios en primer lugar y a quien recordamos porque sacrificó su vida por creer en Jesús.

LOS NIÑOS DE ESTA EDAD >>>

Cómo comprenden las Bienaventuranzas Probablemente su hijo está comenzando a comprender que, en la vida católica, la moral no consiste solamente en lo que no está permitido. Consiste en ser algo y, específicamente, en seguir a alguien, a Jesucristo. Jesús nos ofrece un patrón en las Bienaventuranzas, que incluye tanto nuestras acciones externas como la disposición interna de nuestro corazón. Los niños de la edad de su hijo están creciendo en su habilidad de percibir lo que está dentro de su corazón, de modo que es un buen momento para usar las Bienaventuranzas al hablar de lo que Dios nos llama a ser.

CONSIDEREMOS ESTO >>>

¿Alguna vez han sentido que reciben una bendición en medio del sufrimiento?

Aun en tiempos de sufrimiento, podemos contar con las bendiciones de aquellos que se preocupan por nosotros, nos escuchan y comparten con nosotros el amor de Dios. Como católicos, sabemos que "La Iglesia continúa, de muchas formas, el ministerio de la curación de Cristo. Hay familias católicas que cuidan de parientes enfermos de numerosas maneras. Hay muchas historias inspiradoras sobre un cónyuge ya mayor que sirve, personalmente, a su cónyuge enfermo de por ejemplo, la enfermedad de Alzheimer y otras enfermedades. Los que cuidan a los enfermos descubren que la fe y la oración significan mucho en situaciones como estas" *(CCEUA, p. 268).*

HABLEMOS >>>

- Pidan a su hijo que les hable de las Bienaventuranzas.
- Comenten cómo Dios ha bendecido a su familia y cómo los miembros de su familia son una bendición el uno para el otro.

OREMOS >>>

San Yi Sung-hun, ruega por nosotros para que pongamos a Dios en primer lugar en nuestra vida y para que seamos siempre una bendición para los demás. Amén.

Visiten **vivosencristo.osv.com** para encontrar más recursos y actividades.

FAMILY+FAITH
LIVING AND LEARNING TOGETHER

YOUR CHILD LEARNED >>>

This chapter explains that Jesus gave us the Beatitudes to show the way to true happiness and to tell how us to live in God's Kingdom now and always.

Scripture

 Read **Luke 11:27–28** to find out who Jesus says is blessed and why.

Catholics Believe

- The Beatitudes are eight teachings that describe the Reign of God that Jesus announced when he lived on Earth.

- The Beatitudes show you how to live and act as a follower of Jesus.

To learn more, go to the *Catechism of the Catholic Church* #1716–1724 at **usccb.org**.

People of Faith

This week, your child learned about Saint Yi Sung-hun, a Korean martyr who placed God first and is remembered for sacrificing his life for his belief in Jesus.

CHILDREN AT THIS AGE >>>

How They Understand the Beatitudes Your child is probably beginning to understand that morality, in the Catholic life, is not just about what is not allowed. It is about being something, and specifically *following someone*, Jesus Christ. Jesus offers us a pattern in the Beatitudes, which involve both outward actions and inner dispositions of the heart. Children your child's age are growing in their ability to perceive what is inside their hearts, so this is a good time to use the Beatitudes to talk about who God would call us to be.

CONSIDER THIS >>>

Have you ever felt a blessing in the midst of suffering?

Even in times of suffering, we can count the blessings of those who care for us, listen to us, and share God's love with us. As Catholics, we know that "the Church carries forward Christ's healing ministry in a variety of approaches. Catholic families in countless ways care for family members who are ill. There are numerous inspiring stories of an aging spouse who personally ministers to an ailing spouse in cases of Alzheimer's and other illnesses. Caregivers find that faith and prayer mean a great deal to them in these situations" (*USCCA, p. 252*).

LET'S TALK >>>

- Ask your child to tell you about the Beatitudes.

- Share how God has blessed your family and how your family members are a blessing to one another.

LET'S PRAY >>>

Saint Yi Sung-hun, pray for us that we may put God first in our lives, and always be a blessing for others. Amen.

Visit **aliveinchrist.osv.com** for additional resources and activities.

Capítulo 7 Repaso

A **Trabaja con palabras** Completa el siguiente párrafo con las palabras correctas del Vocabulario.

Vocabulario
. . . .
verdadera

ocho

Reino

Bienaventuranzas

pacientes

1–5. Jesús nos dio las _____ para enseñarnos el camino hacia la _____ felicidad. Por medio de las _____ Bienaventuranzas, Jesús nos habló acerca de las bendiciones de Dios y de que debemos vivir por el _____ de Dios ahora y siempre. Dijo que los _____ son felices porque recibirán la tierra en herencia.

B **Confirma lo que aprendiste** Rellena el círculo que está junto a la respuesta que mejor completa cada enunciado.

6. Los que tienen el espíritu del pobre son aquellos que dependen de _____.

○ sí mismos   ○ Dios   ○ las cosas materiales

7. Dios quiere que todos compartan _____ con Él.

○ la vida eterna   ○ las Bienaventuranzas   ○ las cosas materiales

8. Trabajar por la unidad de las personas es una manera de _____.

○ ser paciente   ○ trabajar por la paz   ○ ser pobre

9. La bondad y preocupación por aquellos que sufren es _____.

○ misericordia   ○ bienaventuranza   ○ mansedumbre

10. Las oraciones de _____ le piden a Dios algo para otra persona o para una comunidad.

○ rectitud   ○ intercesión   ○ amistad

Chapter 7 Review

A **Work with Words** Complete the following paragraph with the correct words from the Word Bank.

Word Bank

true

eight

Kingdom

Beatitudes

meek

1–5. Jesus gave us the _beatitudes_ to show us the way to _true_ happiness. Through the _eight_ Beatitudes, Jesus tell us about being blessed by God and living for God's _Kingdom_ now and always. He said that people who are _meek_ are blessed because they will inherit the land.

B **Check Understanding** Fill in the circle next to the answer that best completes each statement.

6. People who are poor in spirit are those who depend on _____.
   ○ themselves ● God ○ material things

7. God wants all people to share _____ with him.
   ● eternal life ○ Beatitudes ○ material things

8. Working to bring people together is a way to be _____.
   ○ meek ● a peacemaker ○ poor

9. Kindness and concern for those who are suffering is _____.
   ● mercy ○ blessedness ○ meekness

10. Prayers of _____ ask God for something for another person or for a community.
    ○ righteousness ● intercession ○ friendship

Ama a Dios y al prójimo

 Oremos

Líder: Dios misericordioso, ayúdanos a conocer y a hacer tu voluntad.

"Señor, enséñame el camino de tus preceptos, que los quiero seguir hasta el final". **Salmo 119, 33**

Todos: Tú nos pides, Señor, que te amemos con todo nuestro corazón y que amemos a nuestro prójimo como a nosotros mismos. Danos la gracia para hacer lo que nos pides. Amén.

La Sagrada Escritura

"Como hijos amadísimos de Dios, esfuércense por imitarlo. Sigan el camino del amor, a ejemplo de Cristo." Jesús se entregó como sacrificio de amor a su Padre por nosotros. Por lo tanto, como ustedes son santos, deben vivir como Jesús ordenó. Jamás sean avaros, ni digan insultos, ni sean irrespetuosos. **Basado en Efesios 5, 1-5**

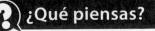

¿Qué piensas?

- ¿Qué te ayuda a imitar a Cristo; a tener fe, esperanza y amor?

- ¿Cómo puedes ser generoso y ayudar a los necesitados?

Love God and Neighbor

 Let Us Pray

Leader: Merciful God, help us to know and do your will.

> "LORD, teach me the way of your statutes;
> I shall keep them with care." **Psalm 119:33**

All: You ask us, Lord, to love you with our whole heart and love our neighbor as we love ourselves. Give us the grace to do what you ask. Amen.

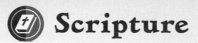 **Scripture**

"So be imitators of God, as beloved children, and live in love, as Christ loved us." Jesus gave himself as a sacrifice of love to his Father for us. So, you holy ones must live as Jesus commanded. Do not ever be greedy, or swear, or be disrespectful. **Based on Ephesians 5:1–5**

? What Do You Wonder?

- What helps you imitate Christ, to have faith, hope, and love?
- How can you be generous and help people in need?

El Gran Mandamiento

¿En qué se parecen el Gran Mandamiento y los Diez Mandamientos?

© Our Sunday Visitor

Palabras católicas

Gran Mandamiento el mandato doble de amar a Dios por sobre todas las cosas y al prójimo como a ti mismo. Resume todas las leyes de Dios.

Todos sabemos que las reglas son importantes. Comprendemos que la obediencia a las reglas, aun cuando no nos gusten, ayuda a mantener el orden. Pero Jesús enseñó que cumplir los Diez Mandamientos es más que cumplir los puntos de una lista. Cada Mandamiento te enseña una forma de amar a Dios y amar al prójimo con todo tu corazón y toda tu alma.

La Sagrada Escritura

El gran Mandamiento

"Amarás al Señor tu Dios con todo tu corazón, con toda tu alma y con toda tu mente. Este es el gran mandamiento, el primero. Pero hay otro muy parecido: Amarás a tu prójimo como a ti mismo. Toda la Ley y los profetas se fundamentan en estos dos mandamientos." **Mateo 22, 37-40**

Por lo tanto, el **Gran Mandamiento** de amar a Dios sobre todas las cosas y al prójimo como a ti mismo resume los Diez Mandamientos, toda la ley y lo que enseñaron los profetas.

The Great Commandment

How is the Great Commandment like the Ten Commandments?

We all know that rules are important. We understand that obeying rules, even when we don't like them, helps keep order. But Jesus taught that keeping the Ten Commandments includes more than checking off items on a list. Each Commandment shows you a way to love God and love others with your whole heart and soul.

© Our Sunday Visitor

> ### Scripture
>
> **The Greatest Commandment**
>
> "You shall love the Lord, your God, with all your heart, with all your soul, and with all your mind. This is the greatest and the first commandment. The second is like it: You shall love your neighbor as yourself. The whole law and the prophets depend on these two commandments." **Matthew 22:37–40**

Therefore, the **Great Commandment** to love God above all and your neighbor as yourself sums up the Ten Commandments, the whole law, and what the prophets taught.

> ### Catholic Faith Words
>
> **Great Commandment** the twofold command to love God above all and your neighbor as yourself. It sums up all God's laws.

Seguir a Jesús

Hay muchas maneras en las que puedes seguir a Jesús compartiendo tu amor con los demás. Una vez, Jesús le pidió a un joven que mostrara su amor por los demás de una manera muy generosa.

✝ La Sagrada Escritura

El joven rico

Un día, cuando Jesús estaba enseñando, un joven preguntó: "¿Qué debo hacer para vivir con Dios para siempre?"

Jesús respondió: "Cumple los mandamientos."

"¿Qué mandamientos?", preguntó el joven. Jesús le detalló algunos de los Diez Mandamientos.

"¡Ya cumplo todos esos mandamientos!", dijo feliz el joven. "¿Qué más tengo que hacer?"

"Si quieres ser perfecto," dijo Jesús, "ve, vende lo que posees, repártelo entre los pobres y tendrás un tesoro en el Cielo. Después, ven y sígueme."

Al joven se le borró la sonrisa, ya que era muy rico. No podía imaginarse dándolo todo, entonces se fue triste. **Basado en Mateo 19, 16-22**

Jesús sabía que el amor del joven por sus posesiones podría impedirle amar a Dios completamente. Cuando Jesús lo puso a prueba para ver cuánta importancia tenían sus posesiones, el joven no pudo desprenderse de ellas.

➜ **¿Por qué no pudo el joven regalar sus posesiones?**

Comparte tu fe

Reflexiona Piensa en lo que nos dice Jesús acerca del Gran Mandamiento.

Comparte Con un compañero, diseña una cartelera que apoye esta enseñanza.

Following Jesus

There are many ways that you can follow Jesus by sharing your love with others. Once, Jesus asked a young man to show his love for others in a very generous way.

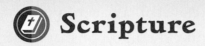 Scripture

The Rich Young Man

One day when Jesus was teaching, a young man asked, "What must I do to live forever with God?"

Jesus answered, "Keep the commandments."

"Which commandments?" the young man asked. Jesus listed some of the Ten Commandments for him.

"I keep all those commandments!" the young man said happily. "What else do I need to do?"

"If you wish to be perfect," Jesus said, "go, sell what you have and give to [the] poor, and you will have treasure in heaven. Then come, follow me."

The young man's smile faded, for he was very rich. He could not imagine giving everything away, so he went away sad.   **Based on Matthew 19:16–22**

Jesus knew that the man's love for his possessions could keep him from loving God completely. When Jesus tested him to see how important his possessions were, the man could not part with them.

➤ **Why could the rich young man not give away his possessions?**

Share Your Faith

Reflect Think about what Jesus tells us about the Great Commandment.

Share With a partner, design a billboard that supports this teaching.

Ama a Dios

¿Cómo puedes vivir el Gran Mandamiento?

El primer paso para vivir el Gran Mandamiento es entender que Dios quiere que lo ames. **Las Virtudes Teologales** te ayudan a vivir en una relación de amor con Dios. Las virtudes son buenos hábitos espirituales que te hacen más fuerte y te ayudan a hacer lo que es correcto y bueno. Aumentan con el tiempo por medio de la práctica y estar abiertos a la gracia de Dios.

Las Virtudes Teologales de la **fe**, la **esperanza** y la **caridad** son dones que vienen de Dios. Cuando usamos estos dones, entramos en una relación más profunda con Dios. También profundizamos nuestra comprensión de que amar a Dios nos lleva a compartir el amor de Dios con los demás.

Ama al prójimo

Dios Padre envió a su Hijo para que enseñara a todos los hombres a vivir en amor. Jesús demostró que el poder del amor puede cambiar las cosas. Jesús se ocupó principalmente de los pobres, los desesperados y los que sufrían. Él llama a sus seguidores a que hagan lo mismo.

Palabras católicas

Virtudes Teologales las virtudes de fe, esperanza y caridad, que son los dones de Dios que guían nuestra relación con Él

fe la virtud teologal que hace posible que nosotros creamos en Dios y todo lo que Él nos ayuda a entender de sí mismo. La fe nos lleva a obedecer a Dios.

esperanza la virtud teologal que nos ayuda a confiar en la felicidad verdadera que Dios quiere que tengamos y en las promesas de Jesús de vida eterna, y a contar con la ayuda del Espíritu Santo

caridad la virtud teologal del amor. Nos lleva a amar a Dios por sobre todas las cosas y a nuestro prójimo como a nosotros mismos, por el amor de Dios.

Virtudes Teologales	
Fe	Dios te creó con la capacidad de conocerlo y de confiar en Él. Tú tomas la decisión de buscar a Dios y de creer en Él.
Esperanza	Esta virtud te ayuda a confiar en Dios y en la felicidad que Él quiere que tengas.
Caridad	La más importante de todas las Virtudes Teologales. Este don hace posible que ames a Dios por sobre todas las cosas y al prójimo como a ti mismo.

Love God

How can you live the Great Commandment?

The first step in living the Great Commandment is to understand that God wants you to love him. The **Theological Virtues** help you to live in a loving relationship with God. Virtues are good spiritual habits that strengthen you and help you to do what is right and good. They develop over time with our practice and openness to God's grace.

The Theological Virtues of **faith**, **hope** and **charity** are gifts from God. When we use these gifts, we are drawn into a deeper relationship with God. We also come to a deeper understanding that loving God leads to sharing God's love with others.

Love Others

God the Father sent his Son to show all people how to live in love. Jesus showed that the power of love can make a difference. Jesus cared most for those who were poor, helpless, and suffering. He calls his followers to do the same.

Catholic Faith Words

Theological Virtues the virtues of faith, hope, and charity, which are gifts from God that guide our relationship with him

faith the theological virtue that makes it possible for us to believe in God and all that he helps us understand about himself. Faith leads us to obey God.

hope the theological virtue that helps us trust in the true happiness God wants us to have and in Jesus' promises of eternal life, and to rely on the help of the Holy Spirit

charity the theological virtue of love. It directs us to love God above all things and our neighbor as ourselves, for the love of God.

Theological Virtues

Faith	God created you with the ability to know and trust him. You make the choice to seek God and believe in him.
Hope	This virtue helps you trust in God and the happiness he wants you to have.
Charity	The greatest of all Theological Virtues. This gift makes it possible for you to love God above everything else, and others as yourself.

Actos de caridad

La fuerza del Espíritu Santo, a quien Jesús envió, te da la facultad de tender la mano a los demás en amor, como hizo Jesús. El Espíritu Santo te infundió la caridad en tu Bautismo.

El Gran Mandamiento de Jesús te dice que ames al prójimo como a ti mismo. Los cristianos ven las necesidades de los demás y ayudan a satisfacerlas. La Iglesia ha mencionado siete actos de bondad que puedes hacer para satisfacer las necesidades de los demás. Se llaman **Obras de Misericordia Corporales**. Las **Obras de Misericordia Espirituales** expresan lo que puedes hacer por los demás para cubrir sus necesidades del corazón, de la mente y del alma. Busca en la página 634 de la sección Nuestra Tradición Católica de tu libro la lista completa de las Obras de Misericordia

Palabras católicas

Obras de Misericordia Corporales actos que muestran que atendemos a las necesidades físicas de los demás

Obras de Misericordia Espirituales actos que satisfacen las necesidades del corazón, la mente y el alma

Practica tu fe

Reconoce las Obras de Misericordia Traza líneas para unir la Obra de Misericordia con una acción. Luego encierra en un círculo las acciones que hayas hecho.

Corporal: Vestir al desnudo.

Corporal: Dar posada al peregrino.

Espiritual: Perdonar las injurias.

Espiritual: Consolar al triste.

Corporal: Visitar y cuidar a los enfermos

Espiritual: Rogar a Dios por vivos y difuntos.

Ir a un funeral.

Donar ropa a los necesitados.

Escuchar a un amigo que esté verdaderamente triste.

Visitar a un familiar que no puede salir de su casa.

Donar dinero a un hogar para personas sin techo.

Aceptar una disculpa cuando alguien dice que está arrepentido.

Acts of Charity

The strength of the Holy Spirit, whom Jesus sent, gives you the power to reach out to others in love, as Jesus did. The Holy Spirit breathed charity into you at your Baptism.

Jesus' Great Commandment tells you to love others as you love yourself. Christians see the needs of others and help meet those needs. The Church has named seven acts of kindness you can do to meet the physical needs of others. They are called the **Corporal Works of Mercy**. The **Spiritual Works of Mercy** name what you can do for others to care for the needs of their heart, mind, and soul. See page 635 in the Our Catholic Tradition section of your book for the full list of Works of Mercy.

Catholic Faith Words

Corporal Works of Mercy actions that show care for the physical needs of others

Spiritual Works of Mercy actions that address the needs of the heart, mind, and soul

Connect Your Faith

Recognize Works of Mercy Draw lines to match the Work of Mercy with an action. Then circle the actions that you have done.

Corporal: Clothe the naked.	Attend a funeral.
Corporal: Shelter the homeless.	Donate clothes to those in need.
Spiritual: Forgive all injuries.	Listen to a friend who's really sad.
Spiritual: Comfort the sorrowful.	Visit a homebound relative.
Corporal: Visit the sick.	Donate money to a homeless shelter.
Spiritual: Pray for the living and the dead.	Accept an apology when someone says he is sorry.

Nuestra vida católica

¿Cómo puedes ayudar a las personas como lo hacía Jesús?

Cuando piensas en los necesitados, ¿te imaginas a las personas que no tienen un techo, que tienen hambre o que están enfermas? Las Obras de Misericordia Corporales nos enseñan que hay muchas clases de necesidades. No siempre es fácil darse cuenta de cuáles son esas necesidades. Estas son algunas personas que podrías ver que necesitan de tu ayuda.

Escribe cómo podrías ayudar a cada uno de estos necesitados.

Muchas maneras de ayudar

Vestir al desnudo	En la cancha de basquetbol, un niño pierde su sudadera.
Dar posada al peregrino	Una niña vecina olvida la llave de su casa.
Dar de comer al hambriento	A un compañero de clase se le cae la bandeja del almuerzo.
Dar de beber al sediento	Un compañero de equipo no tiene botella de agua.
Redimir al cautivo	Un vecino no tiene modo de llegar a la tienda de comestibles.
Visitar y cuidar a los enfermos	Tu primo se quebró una pierna.
Enterrar a los muertos	Muere la madre de uno de tus compañeros de clase.

© Our Sunday Visitor

Our Catholic Life

How can you help people as Jesus did?

People all over the world are in need. Some of them are in your parish or neighborhood. If you pay attention, you may find that you know people who need your loving help.

When you think of people in need, do you imagine people who are homeless, hungry, and sick? The Corporal Works of Mercy teach us that there are many kinds of need. It is not always easy to see what those needs are. Here are some people you might see who need your help.

Write how you could help each of these people in need.

Many Ways to Help

Clothe the naked	A child on the basketball court loses his sweatshirt. _Donate Clothing_
Shelter the homeless	A neighbor child forgets her house key. _Call parents_
Feed the hungry	A classmate drops his lunch tray. _Share_
Give drink to the thirsty	A teammate does not have a water bottle. _Share_
Visit the imprisoned	A neighbor has no way to get to the grocery store.
Visit the sick	Your cousin has a broken leg. _Call a doctor_
Bury the dead	The mother of one of your classmates dies. _Attend their funeral_

Gente de fe

Santa Catalina Drexel, 1858–1955

Santa Catalina Drexel provenía de una familia adinerada, pero consagró su dinero y su vida a los pobres. Hizo trabajo misionero entre los afroamericanos y los indígenas americanos. Insistía en que las personas debían recibir un trato justo más allá de su raza. Fundó las Hermanas del Santísimo Sacramento, así como también escuelas en las reservas indígenas y la primera y única universidad católica para afroamericanos. Creía que vivir para las Obras de Misericordia Corporales era el trabajo de su vida.

Comenta: ¿Qué Obras de Misericordia has hecho?

Aprende más sobre Santa Catalina Drexel en **vivosencristo.osv.com**

Vive tu fe

Escribe o dibuja una manera en que tratarás de mostrar tu amor por Dios y los demás cada día de la próxima semana.

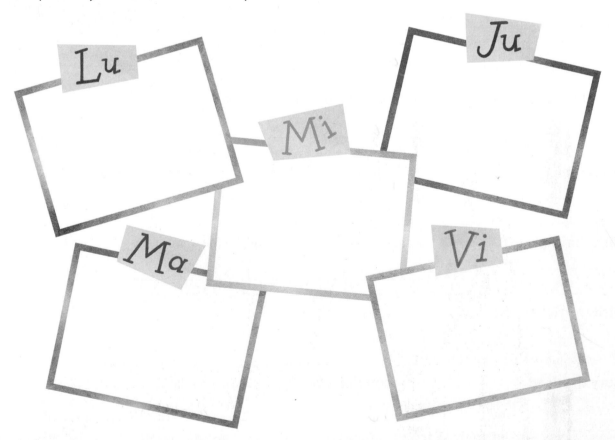

People of Faith

March 3

Saint Katharine Drexel, 1858–1955

Saint Katharine Drexel came from a wealthy family, but she devoted her money and her life to those who were poor. She did missionary work among African Americans and Native Americans. She insisted that all people be treated fairly, no matter what their race. She founded the Sisters of the Blessed Sacrament and also established schools on Native American reservations and the first and only Catholic university for African Americans. She believed it was her life's work to live out the Corporal Works of Mercy.

Discuss: What Works of Mercy have you done?

Learn more about
Saint Katharine Drexel
at **aliveinchrist.osv.com**

Live Your Faith

Write or draw one way in which you will try to show your love for God and others on each day next week.

Mon.

Tues.

Wed.

Thurs.

Fri.

♥ Oremos

Celebración de la Palabra

Reúnanse y comiencen con la Señal de la Cruz.

Líder: Dios de Misericordia, nos reunimos para acordarnos de tu amor y tu misericordia.

Lector 1: Una lectura de la Primera Carta a los Corintios.
Lean 1 Corintios 13, 2-7.
Palabra de Dios.

Todos: Te alabamos, Señor.

Lector 2: Señor, danos el don de la paciencia.

Todos: Queremos vivir en tu amor.

Lector 3: Señor, danos el don de la bondad.

Todos: Queremos vivir en tu amor.

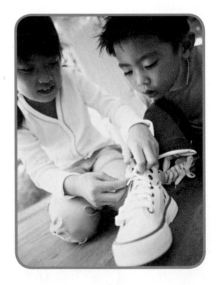

Lector 4: Señor, ayúdanos a pensar en los demás.

Todos: Queremos vivir en tu amor.

Líder: Oremos.

Inclinen la cabeza mientras el líder ora.

Todos: Amén.

 Canten "Tu Palabra Me Da Vida"

Tu Palabra me da vida,
confío en Ti, Señor.
Tu palabra es eterna,
en ella esperaré.

Letra basada en el Salmo 118 (119); © 1969, Juan A. Espinosa. Obra publicada por OCP.
Derechos reservados. Con las debidas licencias.

♡ Let Us Pray

Celebration of the Word

Gather and begin with the Sign of the Cross.

Leader: God of Mercy, we gather to remind ourselves of your love and mercy.

Reader 1: A reading from the First Letter to the Corinthians.

Read 1 Corinthians 13:2–7.

The word of the Lord.

All: Thanks be to God.

Reader 2: Lord, give us the gift of patience.

All: We want to live in your love.

Reader 3: Lord, give us the gift of kindness.

All: We want to live in your love.

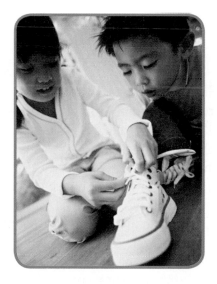

Reader 4: Lord, help us think of others.

All: We want to live in your love.

Leader: Let us pray.

Bow your heads as the leader prays.

All: Amen.

 Sing "Whatsoever You Do"

Whatsoever you do to the least of my people,
that you do unto me.

SUS HIJOS APRENDIERON >>>

Este capítulo ayuda a los estudiantes a profundizar su comprensión de las Virtudes Teologales y de cómo estas virtudes nos ayudan a vivir el Gran Mandamiento y a practicar las Obras de Misericordia.

La Sagrada Escritura

Lean **Efesios 5, 1-5** para aprender qué deben tener aquellos que dicen amar a Dios.

Lo que creemos

- El Gran Mandamiento es amar a Dios con todo tu corazón, toda tu fuerza y toda tu mente, y amar a tu prójimo como a ti mismo.
- Las Virtudes Teologales de fe, esperanza y caridad nos ayudan a amar a Dios y a acercarnos a Él.

Para aprender más, vayan al *Catecismo de la Iglesia Católica* #2055, 2083, 2196 en **usccb.org**.

Gente de fe

Esta semana, su hijo aprendió acerca de Santa Catalina Drexel, quien dedicó su vida y su fortuna a educar a los afroamericanos y a los indígenas americanos.

LOS NIÑOS DE ESTA EDAD >>>

Cómo comprenden el Gran Mandamiento La continuación del pensamiento concreto de los niños de esta edad significa que, probablemente, ellos seguirán viendo el amor por Dios y por el prójimo como una serie de actos visibles. Eso no está lejos de la verdad porque ciertamente, son las cosas que hacemos las que dicen si realmente amamos a Dios y a nuestro prójimo. Los niños de la edad de su hijo están creciendo en su habilidad de ver las relaciones entre estos importantes Mandamientos y las decisiones pequeñas de la vida diaria. Pueden determinar mejor si una acción individual es o no es amorosa hacia Dios y hacia el prójimo. Esta nueva habilidad los ayudará a comenzar a tomar decisiones ante situaciones nuevas.

CONSIDEREMOS ESTO >>>

¿De qué manera su relación con Dios afecta su relación con los demás?

Mientras más conscientes estemos del amor de Dios, mayor será el amor que se moverá a través de nosotros. Como católicos, sabemos que "Bíblica y teológicamente, la vida moral cristiana comienza con una relación amorosa con Dios, un amor de la alianza que es posible por el sacrificio de Cristo. Los Mandamientos y otras reglas morales se nos dan como formas de proteger los valores que promueven el amor de Dios y de los demás. Nos dan maneras de expresar el amor, a veces prohibiendo aquello que contradice al amor" *(CCEUA, p. 337)*.

HABLEMOS >>>

- Pidan a su hijo que mencione algunas de las Obras de Misericordia.
- Comenten un momento de necesidad en que alguien los ayudó haciendo una de las Obras de Misericordia.

OREMOS >>>

 Santa Catalina, ruega por nosotros para que sigamos el camino de Jesús. Ayúdanos a vivir las Obras de Misericordia Corporales en nuestra vida diaria. Amén.

Visiten **vivosencristo.osv.com** para encontrar un glosario multimedia de Palabras católicas, lecturas dominicales, y recursos de Santos y tiempos festivos.

FAMILY+FAITH

LIVING AND LEARNING TOGETHER

YOUR CHILD LEARNED >>>

This chapter helps students deepen their understanding of the Theological Virtues and how these virtues help us live the Great Commandment and practice Works of Mercy.

Scripture

Read **Ephesians 5:1–5** to find out what those who say they love God must have.

Catholics Believe

- The Great Commandment is to love God with all your heart, strength, and mind and to love your neighbor as yourself.

- The Theological Virtues of faith, hope, and charity help us to love God and grow closer to him.

To learn more, go to the *Catechism of the Catholic Church* #2055, 2083, 2196 at **usccb.org**.

People of Faith

This week, your child learned about Saint Katharine Drexel, who dedicated her life and her fortune to educating African Americans and Native Americans.

CHILDREN AT THIS AGE >>>

How They Understand the Great Commandment The continued concrete thinking of children at this age means that they will probably continue to see love for God and for neighbor as a series of outward actions. This is not far from the truth, for it is certainly the things that we do that tell whether we really have love for God and neighbor. Children your child's age are growing in their ability to see relationships between these larger Commandments and smaller choices in everyday life. They can better determine whether or not an individual action is loving toward God or toward their neighbor. This new ability will help them to begin to make decisions in new situations.

CONSIDER THIS >>>

How does your relationship with God affect how you love others?

The more aware we are of God's love for us, the more that love moves through us. As Catholics, we know that "Scripturally and theologically, the Christian moral life begins with a loving relationship with God, a covenant love made possible by the sacrifice of Christ. The Commandments and other moral rules are given to us as ways of protecting the values that foster love of God and others. They provide us with ways to express love, sometimes by forbidding whatever contradicts love" (*USCCA, p. 318*).

LET'S TALK >>>

- Ask your child to name some of the Works of Mercy.

- Talk about a time of need when someone helped you by performing one of the Works of Mercy.

LET'S PRAY >>>

Saint Katharine, pray for us that we may follow the way of Jesus. Help us live out the Corporal Works of Mercy in our daily lives. Amen.

For a multimedia glossary of Catholic Faith Words, Sunday readings, seasonal and Saint resources, and chapter activities go to **aliveinchrist.osv.com**.

Capítulo 8 Repaso

A **Trabaja con palabras** Usa todas las palabras del Vocabulario para escribir cinco de las Obras de Misericordia Corporales.

1. _____

2. _____

3. _____

4. _____

5. _____

Vocabulario

los

dar de beber

muertos

dar de comer

posada

enterrar

hambriento

vestir

dar

sediento

peregrino

desnudo

B **Confirma lo que aprendiste** Encierra Verdadero si un enunciado es verdadero y Falso si es falso. Corrige cualquier enunciado falso.

6. Las Obras de Misericordia Espirituales muestran que atendemos las necesidades físicas de los demás.

   Verdadero   **Falso**

   _____

7. Solamente los adultos tienen la capacidad de cuidar y de ayudar a los demás.

   Verdadero   **Falso**

   _____

8. La esperanza hace posible que creamos en Dios y en todo lo que Él ha revelado.

   Verdadero   **Falso**

   _____

9. El Gran Mandamiento puede replantearse de esta manera: "Primero ama a Dios y después ama a los demás como a ti mismo".

   Verdadero   **Falso**

   _____

10. La caridad nos indica que debemos amar a Dios por sobre todas las cosas.

    Verdadero   **Falso**

    _____

Chapter 8 Review

A **Work with Words** Use all of the words in the Word Bank to write five of the Corporal Works of Mercy. Use the lines below.

1. Clothe the Naked
2. Bury the dead
3. Feed the hungry
4. Shelter the homeless
5. Give drinks for the thirsty

B **Check Understanding** Circle True if a statement is true, and circle False if a statement is false. Correct any false statements.

6. The Spiritual Works of Mercy show care for the physical needs of others.

    True   **(False)**

    Heart, mind, soul

7. Only adults have the ability to care for and help others.

    True   **(False)**

    Everyone

8. Hope makes it possible for us to believe in God and all he has revealed.

    True   **False**

9. The Great Commandment can be restated in this way: "First love God, and then love others as you love yourself."

    True   **False**

10. The virtue of charity directs us to love God above all things.

    True   **False**

Honrar a Dios

♥ Oremos

Líder: Toda la gloria, las alabanzas y el honor para ti, gran Dios de la gracia.

"Yo hablaré de tu Nombre a mis hermanos, te
  alabaré también en la asamblea:
¡Alaben al Señor sus servidores!
  Todos los descendientes de Jacob lo honren".
Basado en el Salmo 22, 23-24

Todos: Te honramos y te respetamos, Señor, y te ponemos en el primer lugar de nuestra vida. Amén.

✝ La Sagrada Escritura

"Vuelvan a ti, Señor y Dios nuestro,
  la gloria, el honor y el poder, pues tú lo mereces.
  Tú creaste todas las cosas, y por tu voluntad existen
  y fueron creadas.

¡Amén! Alabanza, gloria, sabiduría, acción
  de gracias, honor, poder y fuerza a
  nuestro Dios por los siglos de los
  siglos. Amén".
Apocalipsis 4, 11; 7, 12

? ¿Qué piensas?

- ¿Qué puede ayudarte a honrar y adorar a Dios?

- ¿Poner a Dios en primer lugar significa que tu familia y tus amigos no son importantes?

Honoring God

♥ Let Us Pray

Leader: All glory, praise, and honor to you, great God of grace.

"I will proclaim your name to all I know;
   in the assembly I will praise you:
You who fear the LORD, give praise!
   All descendants of Jacob, give honor."
Based on Psalm 22:23–24a

All: We honor and respect you, Lord, and give to you first place in our lives. Amen.

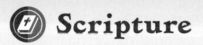 **Scripture**

"Worthy are you, Lord our God,
   to receive glory and honor and power, for you created all things;
   because of your will they came to be
     and were created.

Blessing and glory, wisdom and thanksgiving,
   honor, power, and might
   be to our God forever and ever. Amen."
Revelation 4:11; 7:12

? What Do You Wonder?

- What can help you honor and worship God?
- Does putting God first mean your family and friends aren't important?

Poner a Dios en primer lugar

¿Qué quiere decir alabar y honrar a Dios?

Dios creó a las personas para que fueran únicas, pero también parecidas de una manera más importante. Él creó a todos a su propia imagen. Una vez, el pueblo hebreo olvidó mostrar a Dios el honor y el respeto que se le debe al dador de semejante don.

La Sagrada Escritura

El becerro de oro

Moisés estuvo con Dios en el monte Sinaí durante cuarenta días y cuarenta noches. Cuando el pueblo supo de la demora de Moisés, se reunieron alrededor de Aarón y dijeron: "Ven y fabrícanos un dios que sea nuestro líder; ya que a Moisés, el hombre que nos sacó de la tierra de Egipto, no sabemos qué le ha pasado." Aarón recolectó y fundió todo el oro del pueblo y lo transformó en un becerro. Después Aarón edificó un altar delante del becerro de oro y anunció una fiesta. El pueblo ofrecía sacrificios y adoraba al becerro.

Entonces Dios le dijo a Moisés que regresara con el pueblo y le contara lo enojado que estaba Él. Moisés regresó al campamento y destruyó el becerro reduciéndolo a polvo. **Basado en Éxodo 32, 1-20**

➜ **¿Por qué no mostraba respeto a Dios el culto al becerro de oro?**

La astrología es contraria al honor que le debemos a Dios.

Putting God First

What does it mean to praise and honor God?

God created each person to be unique, but also alike in a most important way. He created everyone in his own image. Once, the Hebrew people forgot to show God the honor and respect due to the giver of such a gift.

📖 Scripture

The Golden Calf

Moses was with God on Mount Sinai for forty days and nights. When the people learned of Moses' delay, they gathered around Aaron and said, "Come, make us a god who will be our leader; as for the man Moses who brought us out of the land of Egypt, we do not know what has happened to him." Aaron collected and melted all their gold, forming it into a golden calf. Then Aaron built an altar before the calf and declared a feast. The people brought sacrifices and worshipped the calf.

God then told Moses to return to the people and tell them how angry he was. Moses returned to the camp and destroyed the calf, turning it to powder. **Based on Exodus 32:1–20**

→ Why did it not show respect to God to worship the golden calf?

Astrology contradicts the honor we owe God.

El Primer Mandamiento

El pecado de adorar al becerro de oro ocurrió mientras Moisés estaba recibiendo de Dios las tablas de piedra de los Diez Mandamientos. El Primer Mandamiento dice. "Yo soy el Señor, tu Dios. No habrá para ti otros dioses delante de mí."

El Primer Mandamiento te pide que honres y adores solamente a Dios. La adoración y la alabanza que se le deben a Dios es el **culto**. Le das culto a Dios cuando celebras la Misa, cuando oras y cuando llevas una vida en la que pones a Dios en primer lugar. Adorar un objeto o a una persona en vez de a Dios, como se adoró al becerro de oro, se llama **idolatría**.

Cuando le das culto a Dios, muestras tu fe en Él como la fuente de la creación y la salvación. Muestras que tú, y todos los seres vivos, dependen de Él para tener vida. Muestras tu confianza y tu esperanza en Él. Por eso, adivinar el futuro, o creer que podemos controlar la naturaleza y saber las cosas que Dios sabe, va en contra del Primer Mandamiento.

➜ **¿Qué cosas ponen las personas a veces delante de Dios?**

Palabras católicas

culto adorar y alabar a Dios, especialmente en la liturgia y en oración

idolatría el pecado de adorar un objeto o persona en lugar de Dios. Es permitir que algo o alguien sea más importante que Dios.

Comparte tu fe

Reflexiona sobre qué manera adoras a Dios. Escribe por qué Dios merece alabanza.

_____

_____

Comparte tus respuestas con un compañero.

The First Commandment

The sin of worshipping the golden calf occurred while Moses was receiving the stone tablets of the Ten Commandments from God. The First Commandment says, "I am the Lord your God. You shall not have strange gods before me."

The First Commandment requires you to honor and worship only God. **Worship** is the adoration and praise that is due to God. You worship God when you celebrate Mass, when you pray, and when you live a life that puts God first. Worshipping an object or a person instead of God, as the people worshipped the golden calf, is called **idolatry**.

When you worship God, you show your faith in him as the source of creation and salvation. You show that you, and all creatures, rely on him for life. You show your trust and hope in him. This is why fortune-telling, or thinking that we can control nature and know the things that God knows, is against the First Commandment.

➤ **What are some things that people sometimes place ahead of God?**

© Our Sunday Visitor

> ### Catholic Faith Words
>
> **worship** to adore and praise God, especially in the liturgy and in prayer
>
> **idolatry** the sin of worshipping an object or a person instead of God. It is letting anything or anyone become more important than God.

Share Your Faith

Reflect Think about the ways you worship God. Write why God is deserving of praise.

_____

_____

Share your responses with a partner.

Respetar a Dios

¿Qué te dicen que debes hacer el Segundo y el Tercer Mandamientos?

© Our Sunday Visitor

Palabras católicas

blasfemia el pecado de no respetar el nombre de Dios, Jesucristo, María o los Santos en palabras o acciones

Resurrección el acto por el cual Dios Padre, a través del poder del Espíritu Santo, hace que Jesús pase de la Muerte a una nueva vida

El Segundo Mandamiento se relaciona con el Primer Mandamiento: "No tomarás en falso el nombre del Señor". El nombre de Dios es sagrado, o santo, porque Dios es sagrado. Cuando Dios llamó a Moisés para que fuera el líder de su Pueblo, Dios le reveló su nombre. Dios compartió su nombre con su Pueblo porque lo amaba y confiaba en él. A su vez, el Pueblo de Dios debe bendecir y alabar el santo nombre de Dios.

Este Mandamiento te llama a usar siempre el nombre de Dios con reverencia y respeto. Respetar el nombre de Dios es un signo del respeto que Dios merece. Maldecir o usar el nombre de Dios para jurar o para mentir es un pecado contra el nombre de Dios. Deshonrar gravemente el nombre de Dios, de Jesucristo, de María o de los Santos en palabras o en acciones se llama **blasfemia**.

Probablemente usas el nombre de Dios más frecuentemente en la oración. Convocar el nombre de Dios te fortalece para vivir como hijo de Dios y seguidor de Cristo. El Segundo Mandamiento te recuerda también que Dios llama a cada persona por su nombre. El nombre es un signo de la dignidad humana de una persona. Debes usar el nombre de los demás con respeto.

Cada vez que haces la Señal de la Cruz, convocas el nombre del Padre, del Hijo y del Espíritu Santo.

Respecting God

What do the Second and Third Commandments tell you to do?

The Second Commandment is connected to the First Commandment: "You shall not take the name of the Lord in vain." God's name is sacred, or holy, because God is sacred. When God called Moses to be the leader of his People, God revealed his name to Moses. God shared his name with his People because he loved and trusted them. In return, God's People are to bless and praise God's holy name.

This Commandment calls you to always use the name of God with reverence and respect. Respecting God's name is a sign of the respect God deserves. It is a sin against God's name to curse or to use God's name to swear to a lie. To seriously dishonor the name of God, Jesus Christ, Mary, or the Saints in words or actions is called **blasphemy**.

You probably use God's name most often in prayer. Calling on God's name strengthens you to live as a child of God and a follower of Christ. The Second Commandment also reminds us that God calls each person by name. A name is a sign of a person's human dignity. You are to use the names of others with respect.

> ## Catholic Faith Words
>
> **blasphemy** the sin of showing disrespect for the name of God, Jesus Christ, Mary, or the Saints in words or action
>
> **Resurrection** the event of Jesus being raised from Death to new life by God the Father through the power of the Holy Spirit

Every time you make the Sign of the Cross, you call on the name of the Father, of the Son, and of the Holy Spirit.

© Our Sun Jay Visitor

289

Guardar el Día del Señor

Cumplir el Primero, el Segundo y el Tercer Mandamientos te ayuda a amar a Dios y a acercarte más a Él. El Tercer Mandamiento te enseña a honrar a Dios celebrando el domingo, el día de la semana más importante y más especial para los cristianos. El Tercer Mandamiento es este: Recuerda el Día del Señor para santificarlo.

El domingo es el primer día de la semana. El primer día de la semana, Jesús resucitó a la nueva vida. Por eso el domingo se conoce como el Día del Señor. Reunirse el domingo para celebrar la Eucaristía ha sido el centro de la vida de la Iglesia desde los tiempos de los Apóstoles. Es porque el domingo es el día de la **Resurrección** del Señor.

El Día del Señor

Participa en la celebración dominical de la Eucaristía. Es la manera más importante de observar el Tercer Mandamiento.

Descansa y disfruta con tu familia. Compartan una comida, lean juntos la Biblia o visiten un pariente al que no ven seguido.

Participa en las actividades de la parroquia, visita un hogar de ancianos, visita a los enfermos de la comunidad o realiza una obra de servicio en familia.

Respeta el derecho de los demás a descansar y observar el domingo.

Practica tu fe

Sugerencias para el domingo Encierra en un círculo las acciones que podrías realizar para recordar el Día del Señor.

Keeping the Lord's Day

Following the First, Second, and Third Commandments helps you love God and grow closer to him. The Third Commandment teaches you to honor God by celebrating Sunday, the greatest and most special day of the week for Christians. The Third Commandment is this: Remember to keep holy the Lord's Day.

Sunday is the first day of the week. Jesus rose to new life on the first day of the week. This is why Sunday is known as the Lord's Day. Gathering on Sunday for the Eucharist has been the center of the Church's life since the time of the Apostles. This is because Sunday is the day of the Lord's **Resurrection**.

The Lord's Day

Participate in the Sunday celebration of the Eucharist. This is the most important way to observe the Third Commandment.

Rest and enjoy time with your family. Share a meal, read the Bible together, or visit a relative you do not often see.

Take part in parish activities, visit a retirement center, visit people in the community who are sick, or perform a work of service as a family.

Respect the rights of others to rest and observe Sunday.

Connect Your Faith

Sunday Suggestions Circle the actions you could take to remember the Lord's Day.

Nuestra vida católica

¿Por qué son importantes el Primero, el Segundo y el Tercer Mandamientos?

Los tres primeros Mandamientos son acerca de cómo debes actuar hacia Dios, pensar en Él y darle culto. Te dan una guía de cómo puedes alabar a Dios y mostrarle respeto.

> Ordena las letras de las palabras en negrita para hallar algunas maneras de mostrar tu respeto a Dios.

Mandamientos de respeto

Dios te ha dado muchas bendiciones. A cambio, te pide que cumplas los tres primeros Mandamientos para adorarlo.

Participa en la Misa Participa en la Misa todos los domingos o los sábados por la tarde.

Bendice la mesa Dale gracias a Dios y pídele sus **esnbidicone** antes de comer.

_____

Recuerda el significado de las fiestas religiosas Durante los días festivos, ponte a pensar por qué estás celebrando.

Ama a los demás Muéstrales amabilidad y amor a las personas que te rodean. Están hechas a **amnieg** de Dios.

_____

Di una oración de agradecimiento Dale gracias a Dios por las numerosas bendiciones de tu vida.

No maldigas Presta atención a lo que estés **nicdoied**.

_____

Our Catholic Life

Why are the First, Second, and Third Commandments important?

The first three Commandments are about how you act toward, think about, and worship God. They give you a guide for how you can praise God and show him respect.

Unscramble the letters in the boldfaced words to find some ways to show your respect for God.

Commandments of Respect

God has given you many blessings. In return, he asks that you follow the first three Commandments in worship of him.

Attend Mass Participate in Mass every Sunday or Saturday evening.

Say grace Give thanks to God and ask for his **Ibisgssen** before you eat.

_____

Remember the meaning of religious holidays During the holidays, stop and think about why you are celebrating.

Love others Show kindness and love to people around you. They are made in God's **emgia**.

_____

Say a prayer of thanks Thank God for the many blessings in your life.

Do not curse Pay attention to what you are **ysinga**.

_____

Gente de fe

Santa Mariana de Jesús, de Quito; 1618–1645

26 de mayo

Santa Mariana de Jesús nació en Quito, una ciudad de Ecuador, América del Sur. Provenía de una familia aristócrata. Desde pequeña prometió llevar una vida santa en la pobreza. Dedicó mucho tiempo en oración y haciendo penitencia. Al principio su nombre era Mariana de Paredes. Como quería estar segura de mostrarle respeto siempre al Nombre de Jesús, añadió el nombre de Él al suyo. Cuando los terremotos y las enfermedades azotaron su ciudad, ella oró. La ciudad se salvó. Se la considera una heroína nacional de Ecuador.

Comenta: ¿Cómo muestras respeto por el nombre de Dios?

Aprende más sobre Santa Mariana de Jesús en **vivosencristo.osv.com**

Vive tu fe

Describe cómo la estudiante del dibujo está cumpliendo uno de los Mandamientos.

Ilustra una manera en que podrías amar a Dios cumpliendo uno de los tres primeros Mandamientos.

People of Faith

May 26

Saint Mary Ann of Quito, 1618–1645

Saint Mary Ann of Quito was born in Quito, a city in Ecuador, South America. She was from a noble family. At an early age, she promised to live a holy life in poverty. She spent much time in prayer and doing penance. At first her name was Mariana de Paredes. Because she wanted to be sure she always showed her respect for the Name of Jesus, she added his name to hers. When earthquakes and disease came to her city, she prayed. The city was saved. She is considered a national hero of Ecuador.

Discuss: How do you show respect for the name of God?

Learn more about Saint Mary Ann at **aliveinchrist.osv.com**

Live Your Faith

Describe how the student in the picture is following one of the Commandments.

Illustrate one way you could love God by following one the first three Commandments.

The girl is giving the dog food.

Oremos

Oración de alabanza

Reúnanse y comiencen con la Señal de la Cruz.

Líder: Respondan a cada nombre de Dios rezando: Alabamos tu nombre, oh, Dios.

Lector: Dios, nuestro Padre,

Todos: Alabamos tu nombre, oh, Dios.

Lector: Todopoderoso y misericordioso Dios,

Todos: Alabamos tu nombre, oh, Dios.

Lector: Dios, Creador nuestro,

Todos: Alabamos tu nombre, oh, Dios.

Lector: Compasivo Dios,

Todos: Alabamos tu nombre, oh, Dios.

Lector: Dios, fuente de toda vida,

Todos: Alabamos tu nombre, oh, Dios.

Líder: Oremos.

Inclinen la cabeza mientras el líder ora.

Todos: Amén.

 Canten "Alabaré"

♥ Let Us Pray

Prayer of Praise

Gather and begin with the Sign of the Cross.

Leader: Respond to each name of God by praying:
We praise your name, O God.

Reader: God, our Father,

All: We praise your name, O God.

Reader: All merciful and gracious God,

All: We praise your name, O God.

Reader: God, our Creator,

All: We praise your name, O God.

Reader: Compassionate God,

All: We praise your name, O God.

Reader: God, source of all life,

All: We praise your name, O God.

Leader: Let us pray.

Bow your heads as the leader prays.

All: Amen.

▶ Sing "Holy God, We Praise Thy Name"

FAMILIA + FE

VIVIR Y APRENDER JUNTOS

SUS HIJOS APRENDIERON >>>

Este capítulo explica cómo el Primero, Segundo y Tercer Mandamientos nos ayudan a poner a Dios en primer lugar en nuestra vida y nos enseñan a adorar a Dios y a honrar su nombre.

La Sagrada Escritura

Lean **Apocalipsis 4, 11. 7:12** para aprender por qué y cómo debemos honrar a Dios.

Lo que creemos

- Los tres primeros Mandamientos nos enseñan a honrar a Dios por encima de todo, a respetar su nombre y a ir a Misa los domingos.
- Estos Mandamientos nos dicen que debemos creer en Dios, confiar en Él y amarlo.

Para aprender más, vayan al *Catecismo de la Iglesia Católica* #2063-2065 en **usccb.org**.

Gente de fe

Esta semana su hijo aprendió acerca de Santa Mariana de Jesús, uno de los héroes nacionales de Ecuador.

LOS NIÑOS DE ESTA EDAD >>>

Cómo comprenden Honrar a Dios Para los niños puede ser un reto honrar a Dios por sobre todas las cosas. Los niños de esta edad son prácticos y concretos, por lo que suelen estar muy enfocados en las cosas materiales. Comprender que deben tener más deseos de buscar a Dios que del nuevo sistema de videojuego u otro aparato electrónico puede crearles un conflicto. Necesitan saber que si se lo piden, Dios los ayudará a formar los deseos de su corazón para que sigan Su voluntad.

CONSIDEREMOS ESTO >>>

¿Cuáles son las prioridades en su vida familiar que mostraría su calendario?

La mayoría de nuestros calendarios están llenos de trabajo, actividades de los niños y tareas para el mantenimiento del hogar. Sin embargo, los Mandamientos nos llaman a darle prioridad a Dios en nuestra mente. Como católicos, comprendemos que "Los tres primeros Mandamientos tratan de nuestra relación con Dios. Los siete últimos lo hacen de nuestra relación con los demás. El Primer Mandamiento nos llama a tener fe en el Dios verdadero, a tener esperanza en Él y a amarlo plenamente con nuestra mente, corazón y voluntad… El Primer Mandamiento promueve la virtud de la religión que nos mueve a adorar solo a Dios porque solo Él es santo y digno de nuestra alabanza" (*CCEUA, pp. 363-364*).

HABLEMOS >>>

- Pidan a su hijo que mencione una manera de honrar a Dios en nuestra vida.
- Hablen acerca de cómo su familia guarda el Día del Señor.

OREMOS >>>

Querido Dios, que siempre respetemos y honremos tu nombre y que nunca lo usemos en un insulto. Amén.

Visiten **vivosencristo.osv.com** para encontrar un glosario multimedia de Palabras católicas, lecturas dominicales, y recursos de Santos y tiempos festivos.

FAMILY+FAITH

LIVING AND LEARNING TOGETHER

YOUR CHILD LEARNED >>>

This chapter explains how the First, Second, and Third Commandments help us keep God first in our lives and teach us to worship God and honor his name.

Scripture

Read **Revelation 4:11; 7:12** to find out why and how to honor God.

Catholics Believe

- The first three Commandments teach you to honor God above all else, respect his name, and worship him on Sunday.
- These Commandments tell you to believe in, trust, and love God.

To learn more, go to the *Catechism of the Catholic Church* #2063–2065 at **usccb.org**.

People of Faith

This week, your child learned about Saint Mary Ann of Quito, one of the national heroes of Ecuador.

CHILDREN AT THIS AGE >>>

How They Understand Honoring God It can be a challenge for children to honor God above everything. Children this age are practical and concrete, so they are usually very focused on material things. Understanding that they should seek God more than they want the newest video game system or other high-tech device can pose a conflict for them. They need to know that if they ask him, God will help them form the desires of their heart so that they are in line with his will.

CONSIDER THIS >>>

What would your calendar indicate are the top priorities in your family's life?

Most of our calendars are filled with work, children's activities, and chores to keep the household running. Yet, the Commandments call us to prioritize with God in mind. As Catholics, we understand that "the first three Commandments treat our relationship to God. . . . The First Commandment calls us to have faith in the true God, to hope in him, and to love him fully with mind, heart, and will. . . . The First Commandment fosters the virtue of religion that moves us to adore God alone because he alone is holy and worthy of our praise" (*USCCA, p. 341*).

LET'S TALK >>>

- Ask your child to tell you one way we honor God in our lives.
- Talk about how your family keeps the Lord's Day.

LET'S PRAY >>>

Dear God, may we always respect and honor your name and never use it as a swear word. Amen.

For a multimedia glossary of Catholic Faith Words, Sunday readings, seasonal and Saint resources, and chapter activities go to **aliveinchrist.osv.com**.

Capítulo 9 Repaso

A **Trabaja con palabras** Rellena el círculo al lado de la palabra que mejor completa cada enunciado.

1. Convocar el nombre de Dios ___ te ayuda a vivir como hijo de Dios y seguidor de Cristo.
   - ○ enojado
   - ○ en oración
   - ○ en un juramento

2. _____ el nombre de Dios, de Jesucristo, de María o de los Santos en palabras o en acciones se llama blasfemia.
   - ○ Deshonrar
   - ○ Explicar
   - ○ Honrar

3. Cuando adoras y alabas a Dios, _____ en la liturgia y en oración, estás dándole culto.
   - ○ excepto
   - ○ solamente
   - ○ especialmente

4. Adivinar el futuro es contrario al _____ Mandamiento.
   - ○ Primer
   - ○ Segundo
   - ○ Tercer

5. Cuando le das culto a Dios, muestras tu _____ en Él como la fuente de la creación y la salvación.
   - ○ incredulidad
   - ○ creencia
   - ○ indiferencia

B **Confirma lo que aprendiste** Responde brevemente a las siguientes preguntas.

6. ¿A quién o a qué debes adorar?

   _____

7. ¿Qué creó Dios a su propia imagen?

   _____

8. ¿Cómo puedes mostrar respeto por el nombre de Dios?

   _____

9. ¿Quiénes están llamados a dar culto en la Misa dominical?

   _____

10. ¿Qué te dicen los tres primeros Mandamientos que debes hacer?

    _____

    _____

    _____

Chapter 9 Review

A Work with Words Fill in the circle next to the word that best completes each statement.

1. Calling on God's name in _____ helps you live as a child of God and follower of Christ.
   - ○ anger
   - ● prayer
   - ○ an oath

2. _____ the name of God, Jesus Christ, Mary, or the Saints in words or actions is called blasphemy.
   - ● Dishonoring
   - ○ Explaining
   - ○ Honoring

3. When you adore and praise God, _____ in the liturgy and in prayer, you are worshipping him.
   - ○ except
   - ○ only
   - ● especially

4. Fortune-telling is against the _____ Commandment.
   - ● First
   - ○ Second
   - ○ Third

5. When you worship God, you show your _____ in him as the source of creation and salvation.
   - ○ disbelief
   - ● belief
   - ○ indifference

B Check Understanding Respond briefly to the following questions.

6. Who or what should you worship?

   God

7. What did God create in his own image?

   Humans

8. How can you show respect for God's name?

   Pray

9. Who is called to worship at Sunday Mass?

   Everyone

10. What do the first three Commandments tell you to do?

    How you act

    How you think

    How you worship God

UNIDAD 3

Repaso de la Unidad

A **Trabaja con palabras** Une cada descripción de la Columna A con el término correcto de la Columna B.

Columna A

1. Amar a tu prójimo como a ti mismo

2. El significado de "bienaventuranza"

3. El pecado de no respetar el nombre de Dios, Jesucristo, María y los Santos en palabras o acciones

4. El domingo, que es el día que Jesús resucitó a la nueva vida

5. Amar a Dios con todo tu corazón

Columna B

Día del Señor

primera parte del Gran Mandamiento

segunda parte del Gran Mandamiento

blasfemia

bendición

Une cada descripción de la Columna A con el término correcto de la Columna B.

Columna A

6. Actos que muestran que atendemos a las necesidades físicas de los demás

7. Ellas dicen la manera de vivir en el Reino de Dios ahora y siempre

8. Adorar y alabar a Dios, especialmente en la liturgia y en oración

9. La virtud del amor

10. El pecado de adorar un objeto o persona en lugar de Dios

Columna B

Bienaventuranzas

Caridad

Obras de Misericordia Corporales

idolatría

culto

© Our Sunday Visitor

A **Work with Words** Match each description in Column A with the correct term in Column B.

Column A

1. Loving your neighbor as yourself

2. The meaning of "beatitude"

3. The sin of showing disrespect for the name of God, Jesus Christ, Mary, or the Saints in words or actions

4. Sunday, which is the day Jesus rose to new life

5. Loving God with all your heart

Column B

Lord's Day

first part of the Great Commandment

second part of the Great Commandment

blasphemy

blessing

Match each description in Column A with the correct term in Column B.

Column A

6. Actions that show care for the physical needs of others

7. These tell the way to live in God's Kingdom now and always

8. To adore and praise God, especially in the liturgy and in prayer

9. The virtue of love

10. The sin of worshipping an object or a person instead of God

Column B

Corporal Works of Mercy

idolatry

Beatitudes

charity

worship

B **Confirma lo que aprendiste** Completa cada oración con la palabra correcta.

11. _____ recibió los Diez Mandamientos de Dios en el monte Sinaí.

12. El _____ Mandamiento dice: "Yo soy el Señor, tu Dios. No habrá para ti otros dioses delante de mí."

13. El _____ Mandamiento dice: "No tomarás en falso el nombre del Señor".

14. El _____ Mandamiento dice: "Recuerda el Día del Señor para santificarlo".

15. El joven rico del relato de la Sagrada Escritura no pudo imaginarse vendiendo sus cosas y dando el _____ a los pobres.

Relaciona Escribe una respuesta a cada pregunta o enunciado.

16. Escribe acerca de una de las Virtudes Teologales.

_____

_____

_____

_____

17. Escribe acerca de alguien que vive de acuerdo con la Virtud Teologal que describiste.

_____

_____

_____

_____

B Check Understanding **Complete each sentence with the correct word.**

11. ___Moses___ received the Ten Commandments from God on Mount Sinai.

12. The ___first___ Commandment says, "I am the Lord your God. You shall not have strange gods before me."

13. The ___second___ Commandment says, "You shall not take the name of the Lord in vain."

14. The ___third___ Commandment says, "Remember to keep holy the Lord's Day."

15. The rich young man in the Scripture story could not think of selling his things and giving the ___money___ to the poor.

Make Connections **Write a response to each question or statement.**

16. Write about one of the Theological Virtues.

_____

_____

_____

_____

17. Write about someone who lives out the Theological Virtue you described.

_____

_____

_____

_____

18. Explica lo que enseñan los tres primeros Mandamientos acerca del respeto.

_____

_____

_____

_____

_____

_____

19. Explica qué tiene en común el Gran Mandamiento con las Obras de Misericordia Corporales.

_____

_____

_____

_____

_____

_____

20. ¿Qué significan para ti respetar y honrar?

_____

_____

_____

_____

_____

_____

18. Explain what the first three Commandments teach about respect.

_____

_____

_____

_____

_____

19. Explain what the Great Commandment has in common with the Corporal Works of Mercy.

_____

_____

_____

_____

_____

20. What do respect and honor mean to you?

_____

_____

_____

_____

_____

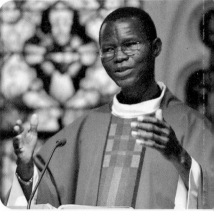

La Iglesia

Nuestra Tradición Católica

- Todos tienen una vocación para amar y honrar a Dios, participar en su felicidad y parecerse más a Cristo a medida que servimos a los demás y trabajamos por su Reino. (CIC, 1877)

- María y los Santos son modelos y maestros de santidad para todos nosotros. (CIC, 828)

- Jesús dio a los líderes de la Iglesia la autoridad de explicar la Sagrada Escritura y la Sagrada Tradición a los fieles. El Espíritu Santo dirige a los líderes de la Iglesia para que enseñen y conduzcan a los fieles. (CIC, 95, 100)

¿Cómo te ayuda tu vocación a hacerte Santo?

The Church

Our Catholic Tradition

- Every person has a vocation to love and honor God, share in his happiness, and become more like Christ as we serve others and work for his Kingdom. (CCC, 1877)

- Mary and the Saints are models and teachers of holiness for all of us. (CCC, 828)

- Jesus gave Church leaders the authority to explain Sacred Scripture and Sacred Tradition to the faithful. The Holy Spirit directs Church leaders in teaching and guiding the faithful. (CCC, 95, 100)

How does your vocation help you to become a Saint?

HAIL MARY   FULL OF GRACE

—LUKE 1: 28

Llamados a servir

❤ Oremos

Líder: Dios de amor, nos agrada honrarte y obedecerte.

"¡Alaben, servidores del Señor,
alaben el nombre del Señor!" **Salmo 113, 1**

Todos: En nuestro Bautismo, somos llamados a la santidad.
Tú nos llamas por nuestro nombre para conocerte
y servir a tu pueblo. Ábrenos el corazón para que
podamos oír tu llamado. Amén.

✝ La Sagrada Escritura

Entonces Samuel hizo acercarse a todas las tribus de Israel y
fue elegida la tribu de Benjamín. Y de ella fue elegida la familia
de Matrí. Finalmente, eligieron a Saúl, hijo de Quis. Pero no
pudieron encontrarlo. Samuel preguntó: "¿Vino Saúl aquí?".
El Señor respondió: "Está escondido entre los equipajes."
Basado en 1 Samuel 10, 20-22

❓ ¿Qué piensas?

- ¿Cómo llama Dios hoy a las personas?
- ¿Qué te ayudará a responder al llamado de Dios?

Called to Serve

❤ Let Us Pray

Leader: God of love, we gladly honor and obey you.

"Praise, you servants of the LORD,
praise the name of the LORD." **Psalm 113:1**

All: In our Baptism, we are called to holiness. You call us by name to know you and serve your people. Open our hearts that we may hear your call. Amen.

📖 Scripture

So Samuel had all the tribes of Israel come forward, and the tribe of Benjamin was chosen. And the family of Matri was chosen. Finally, Saul, son of Kish, was chosen. But they could not find him. Samuel asked, "Has he come here?" The Lord answered, "He is hiding among the baggage." **Based on 1 Samuel 10:20–22**

❓ What Do You Wonder?

- How does God call people today?
- What will help you respond to God's call?

El llamado de Dios

¿Qué significa tener una vocación?

Todo el mundo tiene una **vocación**. Una vocación es el plan de Dios para nuestra vida: el propósito para el que Él nos hizo. A veces, Dios llama a una persona para una función especial. Cuando Jesús estuvo preparado para empezar su obra, reunió a algunos amigos para que lo ayudaran.

Palabras católicas

vocación el plan de Dios para nuestra vida; el propósito para el cual Él nos hizo

⊕ La Sagrada Escritura

El llamado a los primeros discípulos

Un día, Jesús caminaba a orillas del mar de Galilea. Vio a dos hermanos, Pedro y Andrés. Andrés echó una red al mar. Los hermanos eran pescadores.

Jesús les dijo: "Síganme, y yo los haré pescadores de hombres." Al instante, dejaron sus redes y siguieron a Jesús.

Jesús siguió caminando. Se encontró a otros dos hermanos, Santiago y Juan. Estaban en una barca con su padre arreglando sus redes. Jesús los llamó. De inmediato dejaron sus redes y a su padre, y siguieron a Jesús.

Basado en Mateo 4, 18-22

God's Call

What does it mean to have a vocation?

Everyone has a **vocation**. A vocation is God's plan for our lives: the purpose for which he made us. Sometimes God calls a person to a special role. When Jesus was ready to begin his work, he gathered some friends to help him.

Catholic
Faith Words

vocation God's plan for our lives; the purpose for which he made us

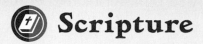 **Scripture**

The Call of the First Disciples

One day, Jesus was walking by the Sea of Galilee. He saw two brothers, Peter and Andrew. Andrew cast a net into the sea. The brothers were fishermen.

Jesus said to them, "Come follow me. I will make you fishers of men." At once, they left their nets and followed Jesus.

Jesus continued walking. He came upon two more brothers, James and John. They were in a boat with their father, fixing their nets. Jesus called them. Immediately they left their nets and their father and followed Jesus.

Based on Matthew 4:18–22

Our Sunday Visitor

La vocación y el Reino de Dios

No todos oyen el llamado de Dios tan claramente como lo oyeron los primeros discípulos. A veces, conocer tu vocación te lleva muchos años de oración y de escuchar.

Todas las vocaciones pueden hacer más visible el **Reino de Dios**. El Reinado de Dios es el mundo de amor, paz y justicia que Dios pretende. Jesús anunció el Reino y lo reveló en su vida y su ministerio. Pero el Reino de Dios no alcanzará aquí su plenitud hasta el fin de los tiempos, cuando Cristo regrese en la gloria. Hasta entonces, estamos llamados a ayudar a que Dios engrandezca su reinado en el mundo.

➔ **¿Qué signos del Reino de Dios puedes ver?**

Responder al llamado de Dios

La Iglesia Católica reconoce cuatro maneras de responder al llamado de Dios para servir: mediante el sacerdocio, la vida consagrada, la vida como laico soltero o la vida en matrimonio. La vida consagrada es un estado de vida en la cual una persona hace **votos**, o promesas, que la ayudan a crecer en santidad. El Bautismo nos inicia en el viaje de la santidad. Los sacerdotes y las personas casadas hacen votos.

Palabras católicas

Reino de Dios reinado de Dios de paz, justicia y amor que existe en el Cielo, pero que no ha alcanzado su plenitud en la Tierra

votos promesas solemnes que se hacen ante Dios o que se le hacen a Dios

Sacerdocio

Vida consagrada

Vida como laico soltero

Vida de casado

Comparte tu fe

Reflexiona Piensa en dos personas que conozcas que sirven a Dios.

Comparte por qué estas personas son un ejemplo de servicio.

Vocation and God's Kingdom

Not everyone hears God's call as clearly as the first disciples did. Sometimes it takes many years of praying and listening to know your vocation.

All vocations can make the **Kingdom of God** more visible. God's Reign is the world of love, peace, and justice that God intends. Jesus announced the Kingdom and revealed it in his life and ministry. But God's Kingdom will not be here fully until the end of time when Christ returns in glory. Until then, we are called to help God increase his rule in the world.

➜ **What signs can you see of God's Kingdom?**

Ways to Respond to God's Call

The Catholic Church recognizes four ways in which people respond to God's call to serve: through the priesthood, consecrated religious life, committed single life, or the married life. Consecrated religious life is a state of life in which a person usually makes **vows**, or promises, that help them to grow in holiness. Baptism sets us all on the journey of holiness. Priests and married couples take vows as well.

| Priesthood | Consecrated religious life | Committed single life | Married life |

Share Your Faith

Reflect Think about two people you know who serve God.

Share how these people are an example of service.

Servir a la Iglesia

¿Cómo podemos usar nuestros dones para servir?

La Iglesia reconoce que algunas personas pueden estar llamadas a servir a Dios aunque sigan solteras. También la vida como laico soltero es una vocación. Tanto las personas solteras como las casadas son parte del **laicado**. Todos los que estén bautizados están invitados a servir a la Iglèsia universal y a la comunidad parroquial. Estas son algunas maneras en que hacemos esto.

Palabras católicas

laicado todas las personas bautizadas de la Iglesia que comparten la misión de Dios pero que no son sacerdotes ni hermanas o hermanos consagrados; a veces se los llama laicos

Encierra en un círculo las funciones que te interesan y acerca de las cuales tienes preguntas.

Muchos dones

El **párroco** y el asociado **pastoral** conducen y sirven a la comunidad parroquial.

El **diácono permanente** se ordena para asistir al párroco —especialmente en la Eucaristía, los matrimonios y los funerales— y para realizar obras de caridad.

Un **ministro extraordinario de la Sagrada Comunión** no solo ayuda a distribuir la Sagrada Comunión en la Misa sino también la lleva a los enfermos o a quienes no pueden salir de su casa.

El **lector** proclama la Palabra de Dios en la Liturgia de la Palabra.

Los **monaguillos** asisten al sacerdote en la Misa llevando el Misal Romano, los vasos sagrados y la cruz.

Los **músicos** ensayan y guían a la asamblea en la oración cantada.

Los **catequistas** enseñan la Sagrada Escritura y la fe católica a los miembros de la parroquia.

Serving the Church

How can we use our gifts to serve?

The Church recognizes that some people may be called to serve God by remaining single. The dedicated single life is also a vocation. Both single and married people are part of the **laity**. All who are baptized are invited to serve the universal Church and the parish community. Here are some ways we do this.

© Our Sunday Visitor

Catholic Faith Words

laity all of the baptized people in the Church who share in God's mission but are not priests or consecrated sisters or brothers; sometimes called lay people

> Circle the roles that interest you or that you have questions about.

Many Gifts

The **pastor** and **pastoral associate** lead and serve the parish community.

The **permanent deacon** is ordained to assist the pastor—especially at Eucharist, marriages, and funerals—and to perform works of charity.

An **extraordinary minister of Holy Communion** not only helps distribute Holy Communion at Mass but also takes Holy Communion to those who are sick or housebound.

The **lector** proclaims the Word of God at the Liturgy of the Word.

Altar servers assist the priest at Mass by carrying the Roman Missal, the sacred vessels, and the cross.

Musicians practice and lead the assembly in sung prayer.

Catechists teach Scripture and the Catholic faith to members of the parish.

Venerable Ana de Guigné

El amado "Papá" de la Venerable Ana de Guigné murió cuando ella tenía apenas cuatro años. Ella decidió entonces llegar a ser tan buena y tan amable como le fuera posible. A medida que crecía, una de sus maestras observó lo feliz que era Ana. La maestra le preguntó cuál era el secreto de la felicidad en la vida. Ana contestó: "Jesús me ama mucho y yo lo amo mucho a Él". Ana conocía el amor de Jesús porque tenía un don especial para la oración. Recibió su Primera Comunión a los seis años. A partir de ese momento, ofreció sus oraciones por todos aquellos que no conocían ni amaban a Jesús.

Usar tus dones

Tú ya puedes usar los dones que Dios te ha dado para cambiar algo. Discernir cuál es tu vocación significa saber, a través de la oración, acerca de lo que Dios quiere que hagas. No hace falta que hagas algo grande y público para mejorar el mundo. Igual que la Venerable Ana, puedes hacerlo de forma silenciosa y privada.

Practica tu fe

Compartir tus dones ¿Qué don tienes para compartir? Debajo de la vista de la ciudad, escribe cómo puedes ayudar a los demás usando uno de los dones de Dios.

Venerable Anne de Guigné

Venerable Anne de Guigné's beloved "Papa" died when she was four years old. She decided to become as good and as kind as she could. As she grew older, one of her teachers noticed how happy Anne was. The teacher asked Anne for the secret to happiness in life. Anne replied, "Jesus loves me very much, and I love him very much." Anne knew Jesus' love because she had a special gift for prayer. She received her First Communion when she was six. From then on, she offered up her prayers for all those who did not know and love Jesus.

Using Your Gifts

You can already use your gifts from God to make a difference. Discerning your vocation means learning, through prayer, about what God wants you to do. You don't have to do something big and public to make the world a better place. Like Venerable Anne, you can do it quietly and privately.

Connect Your Faith

Sharing Your Gifts What gift do you have to share? Below the cityscape, write how you can help others by using one of God's gifts.

_____

_____

_____

Nuestra vida católica

¿A qué te llama tu Bautismo?

Como los discípulos y la Venerable Ana de Guigné, también tú tienes un llamado. Tu llamado, como el de todos los católicos, te llegó en tu Bautismo.

Seguramente no recuerdas tu Bautismo. Debes haber oído relatos de cómo llorabas o sonreías. Conoces los nombres de tus padrinos. Ahora que ya eres grande, has aprendido más acerca de la importancia del Sacramento del Bautismo.

Mediante el Bautismo, participas en el ministerio de Jesús como sacerdote, profeta y rey. Estas son algunas maneras de que vivas tu compromiso bautismal.

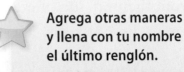

Agrega otras maneras y llena con tu nombre el último renglón.

Vive tu llamado

Como sacerdote

- Aprende acerca del plan de Dios para toda la creación.
- Ora con los demás y por ellos.
- _____

Como profeta

- Aprende lo que enseña la Iglesia acerca de la moral y la justicia.
- Ayuda a que los demás tomen buenas decisiones.
- _____

Como rey

- Hazte responsable de tus actos y tus decisiones.
- Sigue el ejemplo de Jesús sirviendo y perdonando a los demás, especialmente a quienes más necesitan justicia, misericordia y cuidado amoroso.
- _____

_____ , que vivas como sacerdote, profeta y rey.

Our Catholic Life

What does your Baptism call you to do?

Like the disciples and Venerable Anne de Guigné, you too have a calling. Your call, like that of all Catholics, came to you at your Baptism.

You probably do not remember your Baptism. You might have heard stories about how you cried or smiled. You know the names of your godparents. Now that you are older, you have learned more about the importance of the Sacrament of Baptism.

Through Baptism, you share in Jesus' ministry as priest, prophet, and king. Here are some ways to live your baptismal commitment.

Add some other ways to these and fill in your name on the last line.

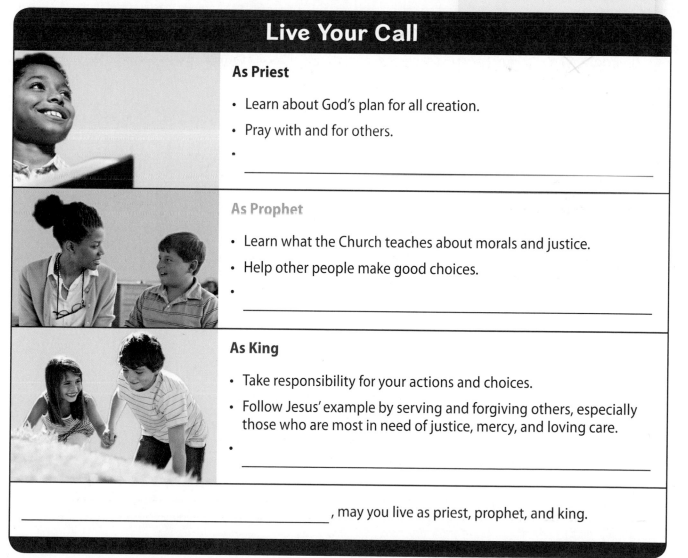

Live Your Call

As Priest

- Learn about God's plan for all creation.
- Pray with and for others.
- _____

As Prophet

- Learn what the Church teaches about morals and justice.
- Help other people make good choices.
- _____

As King

- Take responsibility for your actions and choices.
- Follow Jesus' example by serving and forgiving others, especially those who are most in need of justice, mercy, and loving care.
- _____

_____, may you live as priest, prophet, and king.

Gente de fe

Beato Federico Ozanam, 1813–1853

9 de septiembre

El Beato Federico Ozanam nació en Milán, Italia. Durante un tiempo, estudió leyes. Cuando vivía en París, descubrió el amor por la literatura. Sus amigos lo desafiaron a que encontrara una manera de vivir cotidianamente de acuerdo con sus fuertes creencias cristianas. Federico se dio cuenta de que tenía un llamado a ayudar a los necesitados. Ayudó a fundar la Sociedad de San Vicente de Paúl, la cual continúa ayudando a los necesitados, especialmente a los pobres. Federico fue también profesor universitario y escribió muchos libros. Trató de vivir de acuerdo con su vocación en todo lo que hizo.

Comenta: ¿Cómo vives tu llamado a la santidad?

 Aprende más sobre el Beato Federico en **vivosencristo.osv.com**

Escribe En cada dedo de la mano, escribe una manera en que puedes usar tus talentos en tu parroquia. En el centro de la mano, escribe una manera en que puedes usar uno de tus talentos para traer más paz y más justicia al mundo esta semana. Comenta tu idea con un compañero y hablen la próxima semana sobre cómo cumpliste tu objetivo.

People of Faith

Blessed Frédéric Ozanam, 1813–1853

September 9

Blessed Frédéric Ozanam was born in Milan, Italy. For a time, he studied law. When he lived in Paris, he discovered a love for literature. His friends challenged him to find a way to live out his strong Christian beliefs in his everyday life. Frédéric realized that he had a call to help those in need. He helped found the Society of Saint Vincent de Paul, which still helps those in need, especially those who are poor. Frédéric was also a university professor and wrote many books. He tried to live out his vocation in all he did.

Discuss: How do you live your call to holiness?

 Learn more about Blessed Frédéric at **aliveinchrist.osv.com**

Live Your Faith

Write On each finger of the hand, write one way you can use your talents in your parish. In the center of the hand, write one way that you can use one of your talents to bring more peace and justice into the world this week. Discuss your idea with a partner and talk next week about how you accomplished your goal.

© Our Sunday Visitor

♥ Oremos

Oración de petición por las vocaciones

Esta oración de petición por las vocaciones es una oportunidad de reflexionar sobre cómo nos llama Dios a cada uno de nosotros para que usemos nuestros dones, como hizo Jesús, para construir el Reino de Dios.

Reúnanse y comiencen con la Señal de la Cruz.

Líder: Tú nos has llamado a cada uno, Amoroso Dios, a que seamos plenamente todo para lo que tú nos creaste. Envía tu Espíritu Santo a darnos el deseo de usar nuestros dones para hacer de tu mundo un lugar mejor.

El llamado de Dios: Mi vocación
Letanía

Todos: _____, Dios te llama.

Líder: Dios, te damos gracias por el don de nuestro Bautismo. En el Bautismo, nos llamaste a participar en el ministerio de Jesús como sacerdote, profeta y rey. Danos el valor, a través del poder de tu Espíritu Santo, de ser fieles a tu llamado.

Todos: Amén.

▶ Canten "Ven, Llena Mi Vida"
Ven, llena mi vida, Señor.
Ven, llena mi vida, Jesús.
Ven, llénala con tu poder;
ven, llena mi vida, Señor.

Let Us Pray

Prayer of Petition for Vocations

This prayer of petition for vocations is a chance to reflect on how God calls each of us to use our gifts, as Jesus did, to build the Kingdom of God.

Gather and begin with the Sign of the Cross.

Leader: You have called each of us, Loving God, to be all that you created us to be. Send your Spirit to give us the desire to use our gifts to make your world a better place.

God's Call—My Vocation
Litany

All: _____, God calls you.

Leader: God, we give you thanks for the gift of our Baptism. In Baptism, you called us to participate in Jesus' ministry as priest, prophet, and king. Give us the courage, through the power of your Spirit, to be faithful to your call.

All: Amen.

Sing "Gifts"
We thank you, God,
for giving talents to us.
Now we use those gifts
to serve others and you.
Singing and teaching,
helping each other.
Caring for needs
of our sisters and brothers.
We thank you, God,
as we give our talents back to you!
© 2010, Chet A. Chambers. Our Sunday Visitor, Inc.

FAMILIA + FE

VIVIR Y APRENDER JUNTOS

SUS HIJOS APRENDIERON >>>

Este capítulo explica la vocación como el plan de Dios para nuestra vida y el propósito para el cual nos hizo; responder al llamado de Dios y seguir su plan para nosotros nos ayuda a crecer en santidad.

La Sagrada Escritura

Lean **1 Samuel 10, 20-22** para aprender cómo una persona respondió al llamado de Dios.

Lo que creemos

- Dios llama a cada persona a cumplir una vocación.
- A través de su vocación, puede ayudar a Dios a engrandecer su Reino.

Para aprender más, vayan al *Catecismo de la Iglesia Católica* #941, 2046 en **usccb.org**.

Gente de fe

Esta semana, su hijo aprendió acerca del Beato Federico Ozanam, quien fue cofundador de la Sociedad de San Vicente de Paúl. El Beato Federico es un ejemplo para nosotros de alguien que respondió y vivió el llamado de Dios para su vida.

LOS NIÑOS DE ESTA EDAD >>>

Cómo comprenden su llamado de Dios A medida que los estudiantes escuchan que Dios tiene un plan para su vida, se dan cuenta de que este plan es diferente del que Él tiene para cualquier otra persona. Ellos tienen el libre albedrío de elegir si siguen, o no siguen, el plan de Dios. Con la ayuda y el apoyo de adultos como ustedes, su hijo puede comenzar a identificar mejor los talentos e intereses que lo llevan al plan de Dios y también a ver las oportunidades de explorar mejor el camino de Dios para su futuro.

CONSIDEREMOS ESTO >>>

¿Piensan que su matrimonio es parte del plan de Dios para crecer en la santidad?

Dios nos invita a crecer en santidad a través de nuestras vocaciones. La vocación del matrimonio nos ayuda a ser uno con Dios por el amor a nuestro cónyuge. Como católicos, sabemos que "Dios creó al hombre y la mujer por amor y les ordenó que imitasen su amor en sus relaciones mutuas… [ambos] tienen la misma dignidad humana y en el matrimonio ambos se unen en un vínculo inquebrantable" (*CCEUA, p. 295*).

HABLEMOS >>>

- Pidan a su hijo que explique qué es la vocación.
- Reafirmen los dones y talentos de su hijo, mencionando maneras en que puede usarlos para llevar felicidad a los demás y servir a Dios.

OREMOS >>>

Dios, ayúdanos a responder a tu llamado como el Beato Federico, para que hagamos tu voluntad para nuestra vida. Amén.

Visiten **vivosencristo.osv.com** para encontrar un glosario multimedia de Palabras católicas, lecturas dominicales, y recursos de Santos y tiempos festivos.

FAMILY+FAITH
LIVING AND LEARNING TOGETHER

YOUR CHILD LEARNED >>>

This chapter explains vocation as God's plan for our lives and the purpose for which he made us; answering God's call and following his plan for us helps us grow in holiness.

Scripture

Read **1 Samuel 10:20–22** to find out how one person responded to God's call.

Catholics Believe

• God calls every person to a vocation.

• Through your vocation, you can help God increase his Reign.

To learn more, go to the *Catechism of the Catholic Church* #941, 2046 at **usccb.org**.

People of Faith

This week, your child learned about Blessed Frédéric Ozanam, who was a cofounder of the Society of Saint Vincent de Paul. Blessed Frédéric is an example for us of someone who answered and lived God's call for his life.

CHILDREN AT THIS AGE >>>

How They Understand Their Call from God As children hear that God has a plan for their lives, they are capable of realizing that this plan is different from the one he has for anyone else. They have the free will to choose to follow—or not to follow—God's plan. With help and support from adults like you, your child can begin to better identify the talents and interests that can point to God's plan and also to see the opportunities to further explore God's path for his or her future.

CONSIDER THIS >>>

Do you think of your marriage as part of God's plan for you to grow in holiness?

God invites us to grow in holiness through our vocations. The vocation of marriage helps us become one with God by loving our spouse. As Catholics, we know that "God created man and woman out of love and commanded them to imitate his love in their relations with each other. . . . [Both] are equal in human dignity, and in marriage both are united in an unbreakable bond" (*USCCA, p. 279*).

LET'S TALK >>>

• Ask your child to explain vocation.

• Affirm your child's gifts and talents, naming some ways he or she could use them to bring happiness to others and serve God.

LET'S PRAY >>>

God, help us answer your call as Blessed Frédéric did, so that we may do your will for our lives. Amen.

For a multimedia glossary of Catholic Faith Words, Sunday readings, seasonal and Saint resources, and chapter activities go to **aliveinchrist.osv.com**.

Capítulo 10 Repaso

A **Trabaja con palabras** Completa el siguiente párrafo.

1–5. Jesús anunció que el

_____ de Dios

estaba cerca. Con esto quiso

decir que el Reinado de Dios de

_____,

_____, y

_____ había

empezado con Él, pero que

todavía no había alcanzado su

plenitud. Dios nos

_____ a todos

nosotros a colaborar con Él para

que su Reino alcance su plenitud.

B **Confirma lo que aprendiste**
Rellena el círculo que está junto a la respuesta que mejor completa cada enunciado.

6. El propósito para el cual Dios nos hizo se conoce como _____.

○ **vocación**

○ **vacación**

○ **Mandamiento**

7. _____ los que están bautizados pueden servir en una parroquia.

○ **Algunos de**

○ **Todos**

○ **Ninguno de**

8. Los _____ conducen al pueblo en la oración cuando celebran la Misa.

○ **diáconos**

○ **feligreses**

○ **sacerdotes**

9. Los diáconos hacen todo esto, EXCEPTO _____.

○ **asistir en los Sacramentos**

○ **hacer obras de caridad**

○ **dirigir una diócesis**

10. Tanto las personas solteras como las casadas son parte _____.

○ **de los ordenados**

○ **del laicado**

○ **de los consagrados**

© Our Sunday Visitor

Chapter 10 Review

A **Work with Words** Complete the following paragraph.

1–5. Jesus announced that God's _____ was at hand. By this he meant that God's Reign of _____, _____, and _____ had begun with him but was still to come in its fullness. All of us are _____ by God to cooperate with him in bringing his Kingdom to fullness.

B **Check Understanding** Fill in the circle next to the answer that best completes each statement.

6. The purpose for which God made us is known as a _____.
- ○ vocation
- ○ vacation
- ○ Commandment

7. _____ people who are baptized can serve a parish.
- ○ Some
- ○ All
- ○ No

8. _____ lead the people in prayer when they celebrate Mass.
- ○ Deacons
- ○ Parishioners
- ○ Priests

9. Deacons do all of the following EXCEPT _____.
- ○ assist at the Sacraments
- ○ perform works of charity
- ○ lead a diocese

10. Both single and married people are part of the _____.
- ○ ordained
- ○ laity
- ○ consecrated

Modelos de virtud

♥ Oremos

Líder: Conocemos tu nombre, oh, Señor. Es Santo, Santo, Santo.

"Porque yo soy Yavé, Dios de ustedes; santifíquense y sean santos, pues yo soy Santo".

Levítico 11, 44

Todos: Somos tus tocayos, oh, Señor. Ayúdanos a vivir de acuerdo con nuestro nombre. Amén.

📖 La Sagrada Escritura

Ustedes son la luz del mundo: ¿cómo se puede esconder una ciudad asentada sobre un monte? Nadie enciende una lámpara para taparla con un cajón; la ponen más bien sobre un candelero, y alumbra a todos los que están en la casa. Hagan, pues, que brille su luz ante los hombres; que vean estas buenas obras, y por ello den gloria al Padre de ustedes que está en los Cielos.   **Mateo 5, 14-16**

❓ ¿Qué piensas?

- ¿Cómo eres la luz del mundo?
- ¿Por qué esconden a veces las personas sus dones y talentos?

Models of Virtue

♥ Let Us Pray

Leader: We know your name, O Lord. It is
Holy, Holy, Holy.

"I, the LORD, am your God. You shall make
and keep yourselves holy, because I am holy."
Leviticus 11:44

All: We are your namesakes, O Lord. Help us live up
to our name. Amen.

📖 Scripture

You are the light of the world. A city set on a mountain cannot be hidden. Nor do they light a lamp and then put it under a bushel basket; it is set on a lampstand, where it gives light to all in the house. Just so, your light must shine before others, that they may see your good deeds and glorify your heavenly Father. **Matthew 5:14–16**

❓ What Do You Wonder?

- How are you the light of the world?

- Why do people sometimes hide their gifts and talents?

Los Santos de Dios

¿Quiénes son modelos de fe para nosotros?

© Our Sunday Visitor

La Iglesia honra a ciertas personas cuya vida mostró a los demás cómo hacer la voluntad de Dios. Estos modelos de fe y de virtud llevaron una vida santa. Ser una persona santa es ser alguien único y puro, elegido para Dios y para sus propósitos. Estas personas ayudaron a que Dios trajera su Reinado al mundo más plenamente. Mediante el proceso de **canonización**, la Iglesia declara **Santa** a cada una de estas personas. El segundo paso del proceso de canonización es la **beatificación**. Esta es la historia de una Santa.

Santa Catalina de Siena

Catalina quería servir a Dios a través de la oración en silencio. Pero su mundo estaba lleno de problemas. Dios la llamó para que cambiara las cosas.

Catalina vivió hace mucho tiempo en Siena, Italia. Fue muy sabia y supo usar bien las palabras. Aunque no era común para una mujer en su época, Catalina daba discursos públicos y enseñaba a los sacerdotes. Además se ocupaba de los enfermos y de los presos.

Palabras católicas

canonización un anuncio del Papa que declara Santa a una persona. Los Santos canonizados tienen días festivos especiales o memoriales en el calendario de la Iglesia.

Santo una persona a quien la Iglesia declara que ha llevado una vida santa y que disfruta de la vida eterna con Dios en el Cielo

beatificación el segundo paso en el proceso para convertirse en Santo, en el que la Iglesia reconoce que la persona venerable ha realizado un milagro a través de sus oraciones de intercesión

Holy Ones of God
Who models faith for us?

The Church honors certain people whose lives showed others how to do God's will. These models of faith and virtue lived holy lives. To be holy is to be unique and pure, set apart for God and his purposes. These people helped God bring his Reign into the world more fully. Through the process of **canonization**, the Church names each of these people a **Saint**. The second step in the process of canonization is **beatification**. Here is the story of one Saint.

Saint Catherine of Siena

Catherine wanted to serve God through quiet prayer. But Catherine's world was full of problems. God called her to make a difference.

Catherine lived long ago in Siena, Italy. She was very wise and used words well. Although unusual for a woman of her time, Catherine made public speeches and taught priests. She also cared for the sick and those in prison.

Catholic Faith Words

canonization a declaration by the Pope naming a person a Saint. Canonized Saints have special feast days or memorials in the Church's calendar.

Saint a person whom the Church declares has led a holy life and is enjoying eternal life with God in Heaven

beatification the second step in the process of becoming a Saint, in which a venerable person is recognized by the Church as having brought about a miracle through his or her prayers of intercession

Catalina se manifestó contra la injusticia. Contribuyó a que líderes de la Iglesia hicieran las paces entre sí. Durante un tiempo, vivió en Roma y sirvió como consejera del Papa. Los cristianos aprenden de Catalina que todos los miembros de la Iglesia pueden mejorar algo.

Sus estudiantes la llamaban "Madre" y "Maestra". Ha sido declarada Doctora de la Iglesia, un honor que significa que es una de las grandes maestras de nuestra Iglesia. A pesar de no haber recibido una educación formal, sus escritos y sus enseñanzas han ejercido una gran influencia en la Iglesia.

Catalina de Siena es además una Santa canonizada de la Iglesia Católica. Quiere decir que la Iglesia ha declarado oficialmente que llevó una vida santa y que está disfrutando de la vida eterna con Dios en el Cielo.

➥ **¿Por qué razones las personas admiran a Catalina?**

Comparte tu fe

Reflexiona Menciona dos motivos por los cuales Santa Catalina es para ti un modelo de fe.

_____

_____

Comparte Comenta tus motivos con un grupo.

Catherine spoke out against injustice. She helped leaders in the Church make peace with one another. For a time, she lived in Rome and served as an adviser to the Pope. Christians learn from Catherine that every member of the Church can make a difference.

Catherine's students called her "Mother" and "Teacher." She has been named a Doctor of the Church, which is an honor that means she is one of the great teachers in our Church. Even though she had no formal education, her writings and teachings have been very influential in the Church.

Catherine of Siena is also a canonized Saint of the Catholic Church. This means that the Church has officially declared that she led a holy life and is enjoying eternal life with God in Heaven.

➤ **What are some reasons people admire Catherine?**

Share Your Faith

Reflect Name two reasons Saint Catherine is a model of faith for you.

_____

_____

Share Discuss your reasons with a group.

Modelo de santidad

¿Cómo es María un modelo de santidad?

Hay muchos Santos, pero **María** es el modelo perfecto de santidad. Dios eligió a María para que fuera la madre de Jesús. Después de que María dijo que "sí" sería la Madre del Hijo de Dios, fue a visitar a su prima Isabel. Así es como María describe su alegría por la gran bendición que Dios le había otorgado.

Palabras católicas

María la Madre de Jesús, la Madre de Dios. También se la llama "Nuestra Señora" porque es nuestra Madre y la Madre de la Iglesia.

La Sagrada Escritura

El cántico de María

"Proclama mi alma la grandeza del Señor,
y mi espíritu se alegra en Dios mi salvador,

porque se fijó en su humilde esclava, y desde
ahora todas las generaciones me llamarán feliz.

El Poderoso ha hecho grandes cosas por mí:
¡Santo es su Nombre!
Muestra su misericordia siglo tras siglo
a todos aquellos que viven en su presencia."

Lucas 1, 46-50

© Our Sunday Visitor

Model of Holiness

How is Mary a model of holiness?

There are many Saints, but **Mary** is the perfect model of holiness. God chose Mary to be the mother of Jesus. After Mary said "yes" to being the Mother of God's Son, she visited her cousin Elizabeth. Here is how Mary described her joy at the great blessing God had given her.

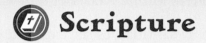

Scripture

The Canticle of Mary

"My soul proclaims the greatness of the Lord;
    my spirit rejoices in God my savior.
For he has looked upon his handmaid's lowliness;
    behold, from now on will all ages call me blessed.
The Mighty One has done great things for me,
    and holy is his name.
His mercy is from age to age
    to those who fear him."
Luke 1:46–50

Catholic
Faith Words

Mary the Mother of Jesus, the Mother of God. She is also called "Our Lady" because she is our mother and the Mother of the Church.

Palabras católicas

Inmaculada Concepción la verdad de que Dios mantuvo a María libre de pecado desde el primer momento de su vida

Santo patrón un Santo que tiene una relación especial con una causa, lugar, tipo de trabajo o persona. Por ejemplo, si la persona o ciudad tiene el mismo nombre del Santo, ese Santo es un patrón.

⭐ Encierra en un círculo por qué María es el modelo perfecto de santidad.

ST. MARTIN DE PORRES

Hágase tu voluntad

Dios creó a María llena de gracia. La preservó del pecado desde el primer momento de su concepción. La Iglesia Católica llama a este don de Dios la **Inmaculada Concepción** de María.

La palabra *inmaculada* significa sin mancha y limpia: sin pecado. La palabra *concepción* significa el preciso momento en que comienza la vida de una persona. La Iglesia celebra la Inmaculada Concepción de María el 8 de diciembre.

Un aspecto de la santidad es ser capaz de aceptar y de hacer las cosas que Dios pide. María aceptó la voluntad de Dios toda su vida. Cuidó y protegió a Jesús de pequeño. Estuvo junto a Él toda su vida. Fue lo suficientemente fuerte como para acompañarlo cuando lo crucificaron.

Después de que Jesús ascendió al Cielo, María permaneció en la Tierra con los seguidores de Jesús. Estaba allí el día de Pentecostés, cuando vino el Espíritu Santo. A María se la llama Madre de la Iglesia porque lleva a los seguidores de su Hijo cerca del corazón. Continúa siendo un ejemplo de amor y de fe para todos.

Una guía para ti

Cuando te bautizaron, quizás te pusieron el nombre de uno de los Santos. Esta persona es tu **Santo patrón**: tu modelo de fe, quien ora por ti desde el Cielo. Tú sigues los pasos de tu Santo y continúas sus buenas obras en la forma en que vives.

Practica tu fe

Modelo de santidad Con un compañero, comenta tres cualidades de Santos que quieres imitar.

Your Will Be Done

God created Mary full of grace. He preserved her from sin from the very first moment of her conception. The Catholic Church calls this gift from God Mary's **Immaculate Conception**.

The word *immaculate* means spotless and clean—without sin. The word *conception* means the very moment when a person's life begins. The Church celebrates the Immaculate Conception of Mary on December 8.

Part of holiness is being able to accept and do the things that God asks. Mary accepted God's will throughout her life. Mary cared for and protected Jesus when he was a child. She stood by him all through his life. She was strong enough to be with him when he was crucified.

After Jesus ascended into Heaven, Mary remained on Earth with Jesus' followers. She was there at Pentecost when the Holy Spirit came. Mary is called the Mother of the Church because she holds her Son's followers close to her heart. She remains an example of love and faith for all.

A Guide for You

When you were baptized, you may have received the name of one of the Saints. This person is your **patron Saint**—your model of faith who prays for you from Heaven. You walk in the footsteps of your Saint and continue his or her good works in the way you live.

Catholic Faith Words

Immaculate Conception the truth that God kept Mary free from sin from the first moment of her life

patron Saint a Saint who has a particular connection to a cause, place, type of work, or person. For example, if a person or city shares the name of a Saint, that Saint is a patron.

Circle the ways in which Mary is the perfect model of holiness.

ST. MARTIN DE PORRES

Connect Your Faith

Model of Holiness With a partner, discuss three qualities of Saints that you want to model.

Nuestra vida católica

¿Cómo puedes seguir el ejemplo de los Santos?

La Iglesia honra a los Santos de todo el mundo. Ellos han llevado una vida santa y muchos han hecho cosas valientes para difundir la Palabra de Dios. Quizás te parezca que no podrás ser como ellos hasta que crezcas, pero todos los Santos tuvieron tu edad una vez. Algunos actuaron heroicamente siendo jóvenes.

Tú puedes hacer cosas ahora. Para difundir a los demás el mensaje de amor de Dios, debes primero permitir que el amor de Dios crezca dentro de ti. Para eso, ten presentes los siguientes pasos.

En las casillas, escribe una H en las cosas que estás haciendo, una C en las que estás creciendo y una D en las que te presentan dudas.

Seguir a los Santos

☐ **Mantén los ojos puestos en Jesús**
Lee en la Biblia acerca de la vida de Jesús. Cuando te enfrentes a un problema, pregúntate cómo actuaría Jesús en esa situación. Haz que Jesús ocupe el primer lugar en tus decisiones y tus pensamientos.

☐ **Lee acerca de la vida de los Santos**
Piensa en cómo estas mujeres y estos hombres santos eligieron amar a Dios por sobre todas las cosas. Trata de seguir sus ejemplos de santidad.

☐ **Toma buenas decisiones**
Cumple los Diez Mandamientos, el Gran Mandamiento de Jesús y las Bienaventuranzas. Evita el pecado cada vez que aparezca la tentación.

Our Catholic Life

How can you follow the example of the Saints?

The Church honors Saints from around the world. They have lived holy lives, and many of them have done brave things to spread God's Word. You may think that you cannot be like them until you are older, but all of the Saints were your age once. Some Saints acted heroically at a young age.

You can do things now. To spread God's loving message to others, you must first allow God's love to grow within you. To do so, keep in mind the following steps.

In the boxes, write a D for things you are doing, a G for things you are growing in, and a Q for things you have questions about.

Following the Saints

☐ **Keep Your Eyes on Jesus**
Read in the Bible about Jesus' life. When you face a problem, ask yourself how Jesus would act in that situation. Make Jesus number one in your choices and thoughts.

☐ **Read About the Lives of the Saints**
Think about how these holy men and women chose to love God above everything else. Try to follow their examples of holiness.

☐ **Make Good Decisions**
Follow the Ten Commandments, Jesus' Great Commandment, and the Beatitudes. Avoid sin whenever temptation appears.

Gente de fe

Santa Bernadette, 1844–1879

16 de abril

Santa Bernadette Soubirous perteneció a una familia francesa muy pobre. Ayudaba a su familia arreando ovejas. Un día, tuvo la visión de una joven hermosa. Durante los cinco meses siguientes, vio a la mujer diecisiete veces más. La mujer la llevaba a un manantial de agua sanadora. Cuando Bernadette le preguntó quién era, la dama dijo que era "La Inmaculada Concepción". Entonces la gente se dio cuenta de que Bernadette estaba viendo a María, la Madre de Jesús. Hoy, las personas siguen yendo al manantial de Lourdes y oran para sanarse.

Comenta: ¿Qué sabes acerca de la Inmaculada Concepción?

 Aprende más sobre Santa Bernadette en **vivosencristo.osv.com**

Vive tu fe

Menciona una manera en que puedes mostrar cómo estás creciendo en santidad.

_____

Crea dos imágenes de ti mismo que muestren aspectos en los que sigues creciendo.

People of Faith

Saint Bernadette, 1844–1879

April 16

Saint Bernadette Soubirous came from a very poor French family. She helped her family by herding sheep. One day, she saw a vision of a beautiful young woman. Over the next five months, she saw the woman seventeen more times. The woman led her to a spring of healing water. When Bernadette asked her who she was, the lady said she was "The Immaculate Conception." People then knew that Bernadette was seeing Mary, the Mother of Jesus. Today, people still go to the spring at Lourdes and pray for healing.

Discuss: What do you know about the Immaculate Conception?

Learn more about Saint Bernadette at **aliveinchrist.osv.com**

Live Your Faith

Name one way you can show how you are growing in holiness.

_____

Create two snapshots of yourself that show ways in which you are still growing.

♥ Oremos

Letanía de los santos

Una letanía es una oración que tiene un verso creado para repetirlo una y otra vez, de modo que quienes están rezando queden envueltos en la oración misma.

Reúnanse y comiencen con la Señal de la Cruz.

Líder: Respondan con *Ruega* (o *rueguen*) *por nosotros* después del nombre de cada Santo.

Lector 1: Santa María, Madre de Dios,

Todos: Ruega por nosotros.

Lector 2: San Miguel,
San Juan Bautista,
San José,
San Pedro y San Pablo,
Santa María Magdalena,
San Esteban,
Santa Agnes,
San Gregorio,
San Francisco,
Santo Domingo,
Santa Catalina,
Santa Teresa,
Santa Perpetua y Santa Felicidad,
San Martín,

Líder: Oremos.

Inclinen la cabeza mientras el líder ora.

Todos: Amén.

 Canten "Letanía de los Santos"

© Our Sunday Visitor

♥ Let Us Pray

Litany of the Saints

A litany is a prayer with one line that is meant to be repeated over and over again so that those praying are caught up in the prayer itself.

Gather and begin with the Sign of the Cross.

Leader: Respond with *Pray for us* after each Saint's name.

Reader 1: Holy Mary, Mother of God

All: Pray for us.

Reader 2: Saint Michael,
Saint John the Baptist,
Saint Joseph,
Saints Peter and Paul,
Saint Mary Magdalene,
Saint Stephen,
Saint Agnes,
Saint Gregory,
Saint Francis,
Saint Dominic,
Saint Catherine,
Saint Teresa,
Saints Perpetua and Felicity,
Saint Martin,

Leader: Let us pray.

Bow your heads as the leader prays.

All: Amen.

 Sing "Immaculate Mary"

© Our Sunday Visitor

FAMILIA + FE

VIVIR Y APRENDER JUNTOS

SUS HIJOS APRENDIERON >>>

Este capítulo enseña que los Santos son personas que la Iglesia afirma que han tenido una vida virtuosa y ahora están con Dios en el Cielo.

La Sagrada Escritura

Lean **Mateo 5, 14-16** para aprender cómo llevar una vida de santidad puede alumbrar el camino de los demás.

Lo que creemos

- La santidad de la Iglesia brilla en los Santos. Todos los que viven el amor de Dios son Santos.
- María es el modelo perfecto de santidad y se la llama Madre de la Iglesia.

Para aprender más, vayan al *Catecismo de la Iglesia Católica* #828-829, 963, 967-970 en **usccb.org**.

Gente de fe

Esta semana, su hijo aprendió acerca de Santa Bernadette de Lourdes, a quien se le apareció la Virgen María.

LOS NIÑOS DE ESTA EDAD >>>

Cómo comprenden a los Santos Es probable que su hijo esté muy interesado en historias de Santos. Los niños de esta edad se sienten especialmente intrigados al oír acerca de Santos que eran jóvenes o que actuaron con heroísmo en circunstancias difíciles. Su hijo también puede comprender que los Santos no eran perfectos, pero ellos permitieron que Dios los usara y los convirtiera en lo que Él los llamó a ser.

CONSIDEREMOS ESTO >>>

¿Quién en su vida está abierto a cumplir con la voluntad de Dios como lo hizo María?

Los Santos son personas comunes que vivieron una vida extraordinariamente colmada de fe. El deseo de María de obedecer a Dios la hace el modelo perfecto. Como católicos, sabemos que María "en la Santa Iglesia ocupa después de Cristo el lugar más alto y el más cercano a nosotros" (LG, no. 54). Cuando Dios llama a María para que sea la Madre de Su Hijo, ella consiente con profunda fe y confianza. Ella es la primera y la más importante de los discípulos (*Basado en CCEUA, p. 153*).

HABLEMOS >>>

- Pidan a su hijo que explique por qué María es el modelo perfecto de santidad.
- Compartan una historia de un Santo que signifique mucho para ustedes o comenten maneras en que su familia puede honrar a los Santos.

OREMOS >>>

Inmaculada María, mantennos a salvo bajo tu protección. Amén.

Visiten **vivosencristo.osv.com** para encontrar un glosario multimedia de Palabras católicas, lecturas dominicales, y recursos de Santos y tiempos festivos.

FAMILY+FAITH

LIVING AND LEARNING TOGETHER

YOUR CHILD LEARNED >>>

This chapter teaches that Saints are people whom the Church declares have lived holy lives and are now with God in Heaven.

Scripture

 Read **Matthew 5:14–16** to find out how living a life of holiness can light the way for others.

Catholics Believe

• The Church's holiness shines in the Saints. All who live their love of God are Saints.

• Mary is the perfect model of holiness, and she is called the Mother of the Church.

To learn more, go to the *Catechism of the Catholic Church* #828–829, 963, 967–970 at **usccb.org**.

People of Faith

This week, your child learned about Saint Bernadette of Lourdes, to whom the Virgin Mary appeared.

CHILDREN AT THIS AGE >>>

How They Understand the Saints Your child is probably very interested in stories about the Saints. It is especially intriguing for children this age to hear about Saints who were young or who acted heroically in challenging circumstances. Your child can also understand that the Saints were not perfect, but they allowed God to use them and to form them into what he called them to be.

CONSIDER THIS >>>

Who in your life is open to God's will like Mary?

Saints are ordinary people who live extraordinarily faith-filled lives. Mary's willingness to obey God makes her the perfect model. As Catholics, we know that Mary "occupies a place in the Church which is the highest after Christ and yet very close to us" (*Lumen Gentium*, 54). When God calls Mary to be the Mother of his Son, she consents with deep faith and trust. She is the first and greatest of the disciples (*Based on USCCA p. 143*).

LET'S TALK >>>

• Ask your child to explain why Mary is the perfect model of holiness.

• Share a story about a Saint who means a lot to you or talk about ways your family can honor the Saints.

LET'S PRAY >>>

Immaculate Mary, keep us safe under your protection. Amen.

For a multimedia glossary of Catholic Faith Words, Sunday readings, seasonal and Saint resources, and chapter activities go to **aliveinchrist.osv.com**.

Capítulo 11 Repaso

 A **Trabaja con palabras** Completa cada oración con la palabra correcta del Vocabulario.

© Our Sunday Visitor

Vocabulario

beatificación

santa

Madre

preservó

sabiduría

1. Catalina de Siena fue declarada Doctora de la Iglesia debido a su _____.

2. La Inmaculada Concepción es la enseñanza que reconoce que Dios _____ a María del pecado desde el primer momento de su vida.

3. La _____ es el segundo paso del proceso para que canonicen a una persona y la declaren Santa.

4. María sintió gran alegría cuando Dios la eligió para que fuera la _____ de su Hijo.

5. La Iglesia reconoce a un Santo por haber llevado una vida _____ y está en el Cielo con Dios.

B **Confirma lo que aprendiste** Responde brevemente a las siguientes preguntas.

6. ¿Qué significa ser un Santo canonizado de la Iglesia Católica?

_____

_____

7. ¿Por qué es María el modelo perfecto de santidad?

_____

_____

8. ¿Contra qué se manifestó Catalina de Siena?

_____

9. ¿Qué es un Santo patrón?

_____

10. ¿Qué puedes aprender si lees acerca de la vida de los Santos?

_____

Chapter 11 Review

 A **Work with Words** Complete each sentence with the correct word from the Word Bank.

1. Catherine of Siena was named a Doctor of the Church because of her _____ .

2. Immaculate Conception is the teaching that recognizes that God _____ Mary from sin from the first moment of her life.

3. _____ is the second step in the process of a person being canonized a Saint.

4. Mary felt great joy at being chosen by God to be the _____ of his Son.

5. A Saint is recognized by the Church for living a _____ life and is in Heaven with God.

Word Bank

· · · · · · · · · · ·

Beatification

holy

Mother

preserved

wisdom

B **Check Understanding** Respond briefly to the following questions.

6. What does it mean to be a canonized Saint of the Catholic Church?

_____

_____

7. What makes Mary the perfect model of holiness?

_____

_____

8. What did Catherine of Siena speak out against?

_____

9. What is a patron Saint?

_____

10. What can you learn from reading about the lives of Saints?

_____

La Iglesia enseña

❤ Oremos

Líder: Jesús, Maestro y Señor, envíanos buenos maestros y
líderes que nos guíen hacia ti.

"Enséñame a que haga tu voluntad,
 ya que tú eres mi Dios;
que tu buen espíritu me guíe". **Salmo 143, 10**

Todos: Ayúdanos a seguir a nuestros líderes, Señor, para
que también nosotros podamos mostrar a los
demás el camino hacia ti.

📖 La Sagrada Escritura

Y ¿dónde están sus dones? Unos son apóstoles, otros
profetas, otros evangelistas, otros pastores y maestros. Así
prepara a los suyos para las obras del ministerio en vista
de la construcción del cuerpo de Cristo; hasta que todos
alcancemos la unidad en la fe y el conocimiento del Hijo
de Dios. **Efesios 4, 11-13**

❓ ¿Qué piensas?

- ¿Quiénes son los líderes y los maestros de la
Iglesia que conoces o de los que sabes algo?

- ¿Quiénes te guían en tu fe?

The Church Teaches

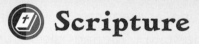 **Let Us Pray**

Leader: Jesus, Teacher and Lord, send us good teachers and leaders to guide us to you.

"Teach me to do your will,
for you are my God.
May your kind spirit guide me." **Psalm 143:10**

All: Help us to follow our leaders, Lord, so that we, too, might show others the way to you.

Scripture

[Jesus] gave some as apostles, others as prophets, others as evangelists, others as pastors and teachers, to equip the holy ones for the work of ministry, for building up the body of Christ, until we all attain to the unity of faith and knowledge of the Son of God. **Ephesians 4:11–13**

? What Do You Wonder?

- Who are the Church leaders and teachers you know or know about?
- Who guides you in your faith?

Jesús elige a un líder

¿A quién eligió Jesús como el líder de los Apóstoles?

Tenemos muchos maestros que nos ayudan a aprender lecciones importantes. Nuestros primeros maestros son nuestros padres y la Iglesia es nuestra maestra más importante. La autoridad de la Iglesia, o facultad de enseñar, la dio Jesús y la guía el Espíritu Santo. Este es un pasaje del Evangelio acerca de los comienzos de la autoridad de la Iglesia para enseñar.

La Sagrada Escritura

¡Tú eres el Mesías!

Salió Jesús con sus discípulos hacia los pueblos de Cesarea de Filipo, y por el camino les preguntó: "¿Quién dice la gente que soy yo?" Ellos contestaron: "Algunos dicen que eres Juan Bautista, otros que Elías o alguno de los profetas." Entonces Jesús les preguntó: "Y ustedes, ¿quién dicen que soy yo?" Pedro le contestó: "Tú eres el Mesías." Pero Jesús les dijo con firmeza que no conversaran sobre él.   **Marcos 8, 27-30**

© Our Sunday Visitor

Pedro creía en Jesús y así lo dijo. Jesús les dio a Pedro y a los otros Apóstoles una participación en la autoridad que Él había recibido de su Padre. Entonces Jesús los envió a predicar, enseñar, perdonar y curar en su nombre.

➜ **Si Jesús te hiciera la misma pregunta que le hizo a Pedro, ¿qué dirías tú?**

Jesus Chooses a Leader

Whom did Jesus choose as the leader of the Apostles?

We have many teachers who help us learn important lessons. Our parents are our first teachers, and the Church is our most important teacher. The Church's authority, or power to teach, was given by Jesus and is guided by the Holy Spirit. Here is a Gospel passage about the beginnings of the Church's authority to teach.

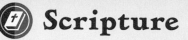 ## Scripture

You Are the Messiah!

Now Jesus and his disciples set out for the villages of Caesarea Philippi. Along the way he asked his disciples, "Who do people say that I am?" They said in reply, "John the Baptist, others Elijah, still others one of the prophets." And he asked them, "But who do you say that I am?" Peter said to him in reply, "You are the Messiah." Then [Jesus] warned them not to tell anyone about him. **Mark 8:27–30**

Peter believed in Jesus and said so. Jesus gave Peter and the other Apostles a share in the authority he had from his Father. Then Jesus sent them out to preach, teach, forgive, and heal in his name.

➔ **If Jesus asked you the same question he asked Peter, what would you say?**

Pedro y Jesús

Pedro cometió muchos errores a lo largo del camino. Mucho después, para el momento de la crucifixión de Jesús, Pedro y los otros discípulos tenían muchísimo miedo. De hecho, la noche anterior a que Jesús muriera, Pedro negó tres veces haber conocido a Jesús. Después se avergonzó y lloró.

Sin embargo, Jesús nunca perdió la fe en Pedro. Después de su Muerte y su Resurrección, Jesús estaba hablando con Pedro y los otros discípulos a orillas de un lago. Jesús le preguntó tres veces a Pedro si lo amaba. Por supuesto, Pedro dijo que sí. Jesús le dijo: "Apacienta mis corderos. Apacienta mis ovejas". (Busca Juan 21, 15–17).

A pesar de las negaciones previas de Pedro, Jesús lo convirtió en el principal pastor de todo su rebaño. Cuando fue el líder, Pedro tomó buenas decisiones para los miembros de la Iglesia.

➜ **¿Por qué Jesús le hizo a Pedro la misma pregunta tres veces?**

1. Subraya lo que hizo Pedro la noche anterior a la muerte de Jesús.

2. Encierra en un círculo lo que Jesús Resucitado le preguntó a Pedro.

Comparte tu fe

Reflexiona Piensa en algunas veces en que te hayan perdonado los errores que cometiste.

Comparte Escribe una oración de gracias breve para alguien que te haya perdonado.

Peter and Jesus

Peter made some mistakes along the way. Much later, at the time of Jesus' crucifixion, Peter and the other disciples were very much afraid. In fact, the night before Jesus died, Peter denied three times that he had ever known Jesus. Afterward, he was ashamed of himself and cried bitterly.

But Jesus never lost faith in Peter. After Jesus' Death and Resurrection, Jesus was talking to Peter and the other disciples on the shore of a lake. Jesus asked three times whether Peter loved him. Of course, Peter said that he did. Jesus said to him, "Feed my lambs. Feed my sheep." (See John 21:15–17.)

In spite of Peter's earlier denials, Jesus made Peter the chief shepherd of all his flock. When he became the leader, Peter made good decisions for the members of the Church.

➡ **Why do you think Jesus asked Peter the same question three times?**

1. **Underline what Peter did the night before Jesus' death.**

2. **Circle what the risen Jesus asked Peter.**

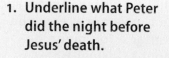

Reflect Think of some times when you have been forgiven for mistakes you have made.

Share Write a short prayer of thanks for someone who has forgiven you.

La Iglesia y tú

¿Cuál es tu función como miembro de la Iglesia?

Después de que Jesús ascendió al Cielo, Pedro y los Apóstoles estaban asustados. Luego, en Pentecostés, el Espíritu Santo vino y les dio valor para que predicaran la Buena Nueva.

Los Apóstoles, con Pedro a la cabeza, fueron los primeros líderes de la Iglesia. Jesús fundó la Iglesia sobre los Apóstoles. Les dio la autoridad de enseñar y conducir a sus seguidores. Hoy, los principales maestros de la Iglesia son el Papa y los obispos, los sucesores de los Apóstoles. Su oficio educativo se llama **Magisterio**. Ellos tienen la autoridad educativa de interpretar la Palabra de Dios que se encuentra en la Sagrada Escritura y en la Sagrada Tradición. Esto se llama autoridad magisterial y se remonta a la autoridad que Cristo les dio primero a los Apóstoles. El Espíritu Santo trabaja a través de los maestros de la Iglesia para mantener a toda la Iglesia fiel a las enseñanzas de Jesús.

La misión que tiene la Iglesia de compartir el verdadero mensaje de Jesús no es solo del Papa y los obispos. Todos los miembros del Cuerpo de Cristo tienen la obligación de aprender el mensaje de Jesús como la Iglesia lo interpreta y de compartirlo con los demás. A medida que hagas esto, crecerá en ti el amor a Dios y a tu prójimo.

➜ **¿Quién te ha enseñado las enseñanzas de la Iglesia?**

Palabras católicas

Magisterio el oficio educativo de la Iglesia, conformado por todos los obispos en unión con el Papa

Preceptos de la Iglesia algunos de los requisitos mínimos dados por los líderes de la Iglesia para profundizar nuestra relación con Dios y con la Iglesia

El Cardenal Timothy Michael Dolan, Arzobispo de Nueva York, escucha cantar a los niños de Mount Carmel-Holy Rosary School, en la zona este de Harlem.

The Church and You

What is your role as a member of the Church?

After Jesus ascended into Heaven, Peter and the Apostles were afraid. Then at Pentecost, the Holy Spirit came and gave them courage to preach the Good News.

The Apostles, with Peter as their head, were the first leaders of the Church. Jesus founded the Church on the Apostles. He gave them the authority to teach and lead his followers. Today, the chief teachers in the Church are the Pope and the bishops, the successors of the Apostles. Their teaching office is called the **Magisterium**. They have the teaching authority to interpret the Word of God found in Sacred Scripture and Sacred Tradition. This is called magisterial authority, and goes back to the authority Christ first gave to the Apostles. The Holy Spirit works through the Church's teachers to keep the whole Church faithful to the teachings of Jesus.

The Church's mission to share the true message of Jesus is not left to the Pope and bishops alone. All members of the Body of Christ have a duty to learn Jesus' message as the Church interprets it and to share it with others. As you do this, you will grow in your love of God and neighbor.

➜ **Who has taught you about the teachings of the Church?**

Catholic Faith Words

Magisterium the teaching office of the Church, which is all of the bishops in union with the Pope

Precepts of the Church some of the minimum requirements given by Church leaders for deepening your relationship with God and the Church

Archbishop Timothy Cardinal Dolan listens to children singing at Mount Carmel—Holy Rosary School in East Harlem, New York.

© Our Sunday Visitor

Reglas para vivir

Algunas de las responsabilidades de los miembros de la Iglesia Católica se resumen en los **Preceptos de la Iglesia**. Los líderes de la Iglesia crearon estas reglas y estos requisitos para indicarte lo mínimo que debes hacer para vivir con moral y fidelidad. Como católico, tienes el deber de vivir de acuerdo con las enseñanzas y los Preceptos de la Iglesia.

Los Preceptos de la Iglesia

1. Participar en la Misa los domingos y los días de precepto. Santificar estos días y evitar en ellos los trabajos innecesarios.

2. Celebrar el Sacramento de la Reconciliación por lo menos una vez al año si has cometido un pecado grave.

3. Recibir la Sagrada Comunión por lo menos una vez al año durante el tiempo de Pascua.

4. Observar los días de ayuno y abstinencia.

5. Colaborar con tiempo, dones y dinero para apoyar a la Iglesia.

Practica tu fe

Sopa de letras

Halla por lo menos seis palabras relacionadas con la autoridad educativa de la Iglesia.

Usa dos de ellas en una oración acerca de tu función en la Iglesia.

P	R	E	C	E	P	T	O	S	L
E	S	P	E	R	A	N	Z	A	Í
D	F	I	E	L	P	A	Z	N	D
R	E	M	O	R	A	L	X	T	E
O	B	I	S	P	O	A	M	O	R

Rules for Living

Some of the responsibilities of members of the Catholic Church are summed up in the **Precepts of the Church**. The Church's leaders developed these rules and requirements to show you the minimum you should do to live morally and faithfully. As a Catholic, you have a duty to live according to the teachings and Precepts of the Church.

Precepts of the Church

1. Take part in the Mass on Sundays and holy days. Keep these days holy and avoid unnecessary work.

2. Celebrate the Sacrament of Reconciliation at least once a year if you have committed a serious sin.

3. Receive Holy Communion at least once a year during Easter time.

4. Observe days of fasting and abstinence.

5. Give your time, gifts, and money to support the Church.

Connect Your Faith

Word Search

Find at least six words that relate to the teaching authority of the Church.

Use them in a sentence about your role in the Church.

F	A	I	T	H	O	P	E	A	P
B	P	R	E	C	E	P	T	S	E
H	O	L	Y	S	P	I	R	I	T
A	P	O	S	T	L	E	S	C	E
D	E	B	I	S	H	O	P	S	R

Nuestra vida católica

¿En qué puedes colaborar para apoyar a la Iglesia?

Cuando cada persona aporta tiempo, dones o dinero, la Iglesia puede satisfacer las necesidades de sus miembros y puede ayudar más a otros necesitados también.

Maneras de apoyar a tu parroquia

Dar tu tiempo ofreciéndote, por ejemplo, como voluntario para participar en una actividad que ayude a algún acontecimiento de la parroquia. Podrías ayudar a decorar la iglesia para una liturgia especial o donar tiempo a la guardería durante la Misa dominical.

Escribe una manera de dar tu tiempo a la Iglesia.

_____

Compartir tus dones o talentos con la comunidad de la Iglesia también es importante. Podrías usar tus habilidades informáticas para hacer participar a los demás, o cantar en el coro de niños, o recibir a la gente que viene a la Misa dominical.

Escribe una manera de compartir tus talentos con la Iglesia.

_____

Ofrecer una porción de tu dinero apoya la obra de la parroquia, como en la atención de los necesitados. El dinero se necesita para comprar alimentos y otras provisiones para los hogares. También hace falta para el mantenimiento de la parroquia. Por ejemplo, la parroquia tiene que pagar la energía eléctrica.

Aunque tu mesada sea pequeña, debes aportar lo que puedas a tu parroquia.

Escribe una manera de dar de tus dones para apoyar el trabajo de la Iglesia.

_____

Our Catholic Life

How can you help support the Church?

When each person gives time, gifts, or money, the Church can provide for the needs of her members and can grow in helping meet the needs of others as well.

Ways to Support Your Parish

Giving your time could include participating in any activity in which you volunteer your efforts to help with a parish event. You could help decorate the church for a special liturgy, or donate time to the nursery during Sunday Mass.

Write one way you can give your time to the Church.

_____

Sharing your gifts or talents with the Church community is also important. You could use your computer skills to get others involved, or sing in the children's choir or greet people before Sunday Mass.

Write one way you can share your talents with the Church.

_____

Offering some of your money supports the work of the parish, such as ministering to those who are in need. Money is needed to purchase food and other supplies for shelters. It is also needed to run the parish. For example, the parish has to pay for electricity.

Even if your allowance is small, you should give what you can to your parish.

Write one way you can give of your treasure to support the Church's work.

_____

Gente de fe

Santa María Magdalena Postel, 1756–1846

16 de julio

Santa María Magdalena Postel se educó en un convento benedictino. A los dieciocho años abrió una escuela para niñas en Francia. Fue inmediatamente antes de la Revolución Francesa. Durante la revolución, le cerraron la escuela. En aquella época, María Magdalena ayudó a proteger sacerdotes fugitivos. Ella conocía la importancia de enseñar acerca de la fe. Quería que todos supieran lo que la Iglesia enseña. Por eso, cuando terminó la revolución, siguió trabajando en el campo de la educación religiosa.

Comenta: ¿Cómo te ayuda tu parroquia a crecer en la fe?

Aprende más sobre Santa María Magdalena Postel en **vivosencristo.osv.com**

Vive tu fe

Piensa ¿Qué oportunidades tienes de usar tu tiempo, tu talento o tu dinero para ayudar a la Iglesia?

Escribe o dibuja algo que harás la semana que viene para compartir estas cosas con la Iglesia.

People of Faith

Saint Mary Magdalen Postel, 1756–1846

July 16

Saint Mary Magdalen Postel was educated in a Benedictine convent. At eighteen she opened a school for girls in France. It was just before the French Revolution. During the revolution, her school was closed. At that time, Mary Magdalen helped protect fugitive priests. She knew the importance of teaching people about the faith. She wanted everyone to know what the Church teaches. So after the revolution ended, she continued to work in the field of religious education.

Discuss: How does your parish help you to grow in faith?

Learn more about Saint Mary Magdalen Postel at **aliveinchrist.osv.com**

Live Your Faith

Think What chances do you have to use your time, talent, or money to help the Church?

Write or draw one thing you will do next week to share these things with the Church.

❤ Oremos

Oración de intercesión

En una intercesión, le pedimos a Dios que actúe de algún modo en la vida de los demás. Esta oración sigue el orden de la Oración de los Fieles, que rezamos en la Misa.

Reúnanse y comiencen con la Señal de la Cruz.

Líder: Nos reunimos sabiendo que Dios nos oye cuando oramos.

Lector 1: Por nuestra Iglesia, para que el Espíritu Santo continúe guiándola en su labor de enseñar la verdad que Jesús reveló, oremos al Señor.

Todos: Te rogamos, Señor.

Lector 2: Por los necesitados, para que experimenten nuestro cuidado cuando vivimos las Bienaventuranzas, oremos al Señor.

Todos: Te rogamos, Señor.

Lector 3: Por cada persona de nuestra comunidad, para que el Gran Mandamiento nos guíe, oremos al Señor.

Todos: Te rogamos, Señor.

Líder: ¿Para pedir qué más oraremos?

Mencionen determinadas oraciones.

Todos: Amén.

 Canten "Preparen el Camino"

♥ Let Us Pray

Prayer of Intercession

In an intercession, we ask God to act in some way in the lives of others. This prayer follows the order of the Prayer of the Faithful, which we pray at Mass.

Gather and begin with the Sign of the Cross.

Leader: We gather, knowing that God hears us when we pray.

Reader 1: For our Church, that the Holy Spirit will continue to guide her as she teaches the truth revealed by Jesus, let us pray to the Lord.

All: Lord, hear our prayer.

Reader 2: For those in need, that they will experience our care as we live the Beatitudes, let us pray to the Lord.

All: Lord, hear our prayer.

Reader 3: For each person in our community, that the Great Commandment guides us, let us pray to the Lord.

All: Lord, hear our prayer.

Leader: For what else shall we pray?

Name specific prayers.

All: Amen.

 Sing "The Church"

FAMILIA + FE

VIVIR Y APRENDER JUNTOS

SUS HIJOS APRENDIERON >>>

Este capítulo explica la función del Magisterio de continuar la labor de Pedro y de los Apóstoles de interpretar el mensaje de Jesús bajo la dirección del Espíritu Santo y de describir los Preceptos de la Iglesia.

La Sagrada Escritura

Lean **Efesios 4, 11-13** para aprender de la diversidad de dones usados para edificar la Iglesia.

Lo que creemos

- Jesús les dio a los líderes de la Iglesia la autoridad de interpretar la Sagrada Escritura y la Tradición para los fieles.
- El Espíritu Santo dirige a la Iglesia en enseñar y guiar al Pueblo de Dios.

Para aprender más, vayan al *Catecismo de la Iglesia Católica* #85-87 en **usccb.org.**

Gente de fe

Esta semana, su hijo aprendió acerca de Santa María Magdalena Postel, quien es conocida por su dedicación a la educación religiosa.

LOS NIÑOS DE ESTA EDAD >>>

Cómo comprenden la enseñanza de la Iglesia   Para la mayoría de los niños de esta edad, su experiencia con la enseñanza de la Iglesia se limita a su propia parroquia o escuela; por ejemplo, las cosas que aprenden en formación de la fe y que escuchan en la Misa. Sin embargo, lo más probable es que su hijo está creciendo en su capacidad de percibir a la Iglesia mundial más grande, y de comprender la función de los obispos y del Papa. El respeto de su hijo por estos líderes estará influenciado por el respeto que muestren los adultos a su alrededor.

CONSIDEREMOS ESTO >>>

¿Recuerdan cuándo fue la primera vez que se dieron cuenta de que no tenían todas las respuestas?

A medida que crecemos en sabiduría, nos damos cuenta de que estamos limitados en nuestra comprensión. La Iglesia, guiada por el Espíritu Santo, nos ofrece la plenitud de la verdad. Como católicos, sabemos que "Toda la comunidad de cristianos recibió la proclamación del Evangelio de los Apóstoles, y es por esto que la Iglesia en su totalidad es llamada 'apostólica'. Bajo la dirección del Espíritu Santo, la Iglesia permanece, y siempre permanecerá, en su totalidad fiel a las enseñanzas de los Apóstoles" (*CCEUA, p. 143*).

HABLEMOS >>>

- Pidan a su hijo que explique maneras en que la Iglesia nos enseña.
- Compartan una historia acerca de alguien que los ayudó a comprender una enseñanza de la Iglesia.

OREMOS >>>

Santa María Magdalena, ruega por nosotros para que abramos nuestro corazón y nuestra mente a aprender más, a medida que crecemos en nuestra fe y nuestro amor a Dios. Amén.

Visiten **vivosencristo.osv.com** para encontrar un glosario multimedia de Palabras católicas, lecturas dominicales, y recursos de Santos y tiempos festivos.

FAMILY+FAITH
LIVING AND LEARNING TOGETHER

YOUR CHILD LEARNED >>>

This chapter explains the role of Peter and the Apostles continued by the Magisterium and how it interprets Jesus' message through the direction of the Holy Spirit, and describes the Precepts of the Church.

Scripture

Read **Ephesians 4:11–13** to learn about the the diversity of gifts used to build up the Church.

Catholics Believe

- Jesus gave the leaders of the Church the authority to interpret Scripture and Tradition for the faithful.
- The Holy Spirit directs the Church in teaching and guiding the People of God.

To learn more, go to the *Catechism of the Catholic Church* #85–87 at **usccb.org**.

People of Faith

This week, your child learned about Saint Mary Magdalen Postel, who is known for her dedication to religious education.

CHILDREN AT THIS AGE >>>

How They Understand Church Teaching   For most children this age, the experience of the teaching Church is limited to their own parish or school; for example, the things they learn in faith formation and hear in the Mass. However, your child is likely growing in his or her ability to perceive the larger worldwide Church and to understand the role of the bishops and Pope. Your child's respect for these leaders will be influenced by the respect shown by adults around them.

CONSIDER THIS >>>

Do you recall when you first realized that you didn't have all the answers?

As we grow wiser, we realize we are limited in our understanding. The Church, guided by the Holy Spirit, brings us the fullness of truth. As Catholics, we know the "entire community of Christians received the Apostles' proclamation of the Gospel, and so the church in her entirety is called 'apostolic.' Under the guidance of the Holy Spirit, the church as a whole remains and will always remain faithful to the teaching of the Apostles" (*USCCA, p. 132*).

LET'S TALK >>>

- Ask your child to explain some ways the Church teaches us.
- Share a story about someone who helped you understand a Church teaching.

LET'S PRAY >>>

Saint Mary Magdalen, pray for us that we may open our hearts and minds to learn more as we grow in faith and in our love for God. Amen.

For a multimedia glossary of Catholic Faith Words, Sunday readings, seasonal and Saint resources, and chapter activities go to **aliveinchrist.osv.com**.

Capítulo 12 Repaso

 A **Trabaja con palabras** Completa cada oración con la palabra o las palabras correctas del Vocabulario.

1. Requisitos mínimos dados por la Iglesia para ayudarte a acercarte más a Dios y a la Iglesia se llaman _____ de la Iglesia.

2. Jesús le dio a la Iglesia la _____ de enseñar y conducir al Cuerpo de Cristo.

3. Tú tienes la obligación de _____ las reglas y las leyes de la Iglesia.

4. El _____ es el oficio educativo de la Iglesia, todos los obispos en unión con el Papa.

5. El _____ guía a la Iglesia y al Magisterio.

Vocabulario

Espíritu Santo

Preceptos

autoridad

vivir de acuerdo con

Magisterio

B **Confirma lo que aprendiste** Encierra en un círculo Verdadero si un enunciado es verdadero y encierra Falso si un enunciado es falso. Corrige cualquier enunciado falso.

6. Solamente la gente adinerada puede apoyar a la Iglesia. **(Verdadero/Falso)**

   _____

7. En Navidad, vino el Espíritu Santo y les dio a los discípulos el valor de ir a predicar la Buena Nueva. **(Verdadero/Falso)**

   _____

8. El Papa y los obispos son los principales maestros de la Iglesia. **(Verdadero/Falso)**

   _____

9. Cuando Juan fue el líder de la Iglesia, tomó buenas decisiones para sus miembros. **(Verdadero/Falso)**

   _____

10. Jesús envió a los Apóstoles a predicar, enseñar, perdonar y curar en su nombre. **(Verdadero/Falso)**

    _____

Chapter 12 Review

 A **Work with Words** Complete each sentence with the correct word or words from the Word Bank.

1. Minimum requirements given by the Church to help you grow closer to God and the Church are called

   _____ of the Church.

2. Jesus gave the Church the _____ to teach and lead the Body of Christ.

3. You have the duty to _____ the rules and laws of the Church.

4. The _____ is the teaching office of the Church, all the bishops in union with the Pope.

5. The _____ guides the Church and the Magisterium.

B **Check Understanding** Circle True if a statement is true, and circle False if a statement is false. Correct any false statements.

6. Only wealthy people can help support the Church. (**True / False**)

   _____

7. On Christmas, the Holy Spirit came and gave the disciples courage to go out and preach the Good News. (**True / False**)

   _____

8. The Pope and bishops are the chief teachers in the Church. (**True / False**)

   _____

9. When John became the leader of the Church, he made good decisions for the members. (**True / False**)

   _____

10. Jesus sent the Apostles out to preach, teach, forgive, and heal in his name. (**True / False**)

   _____

Repaso de la Unidad

A **Trabaja con palabras** Resuelve el crucigrama con los términos del Vocabulario.

Vocabulario

reino   María   monaguillo   Santo Patrón

canonización   Santo   vocación

Precepto   votos   laicado

Verticales

1. La _____ es el plan de Dios para nuestra vida.

2. Observar los días de ayuno es un _____ de la Iglesia.

3. Promesas solemnes que se hacen a Dios

4. También se llama "Nuestra Señora"

5. Todos los bautizados que no son sacerdotes ni hermanas o hermanos religiosos

Horizontales

6. Una persona a quien la Iglesia declara que ha llevado una vida santa

7. Un _____ asiste al sacerdote en la Misa.

8. El proceso por el cual la Iglesia declara oficialmente Santo a alguien

9. Santo que tiene una relación especial con una causa, lugar, trabajo o persona

10. El _____ de Dios ya está aquí, pero no ha alcanzado su plenitud.

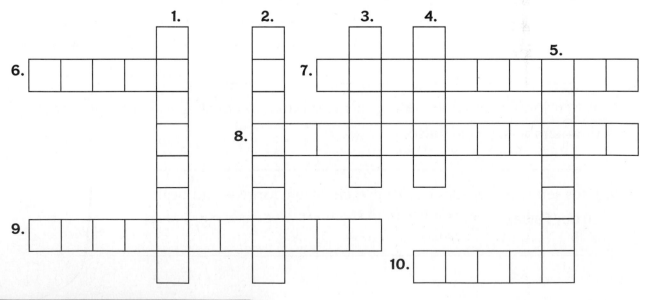

A Work with Words Solve the puzzle with terms from the Word Bank.

Word Bank

vocation   Magisterium   Saint   Kingdom   altar

Conception   canonization   Precept   patron Saint   laity

Down

1. _____ is God's plan for our lives. The purpose for which he made us.

2. God's _____ is here now, but has not yet come in its fullness.

3. Observing days of fasting and abstinence is a _____ of the Church.

4. The teaching office of the Church

6. The Immaculate _____ is the teaching that Mary was preserved from sin from the first moment of her life.

7. A person whom the Church declares has led a holy life

10. All the baptized who are not priests or religious brothers or sisters

Across

5. An _____ server assists the priest.

8. The process by which the Church officially declares someone a Saint

9. A Saint who has a particular connection to a cause, place, etc.

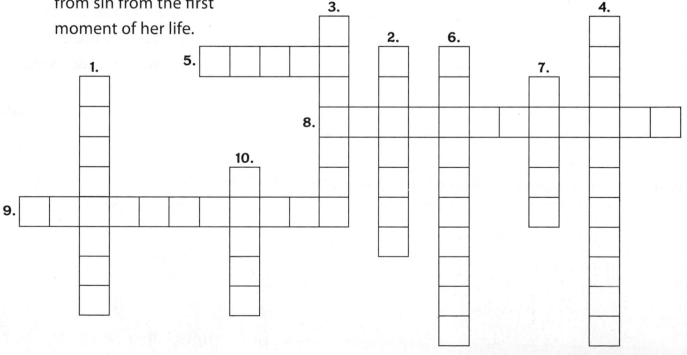

B Confirma lo que aprendiste Completa cada oración con la palabra correcta del Vocabulario.

11. En el relato sobre Catalina de Siena, aprendiste que Catalina respondió al

 _____ de Dios.

12. Una declaración del Papa que nombra Santa a una persona es una

 _____ .

13. María es el modelo perfecto de

 _____ .

14. Todos los _____ de la Iglesia tienen la obligación de aprender el mensaje de Jesús y compartirlo con los demás.

15. El _____ es el oficio educativo de la Iglesia conformado por todos los obispos en unión con el Papa.

Vocabulario

santidad

Magisterio

llamado

miembros

canonización

C Relaciona Escribe una respuesta a cada pregunta o enunciado.

16. Mediante el Bautismo, participas en la función de Jesús como sacerdote, profeta y rey. Piensa en lo que se relata de Jesús en la Biblia. Describe un relato de Jesús que lo muestre como sacerdote, como profeta o como rey.

 _____

 _____

 _____

 _____

 _____

B **Check Understanding** Complete each sentence with the correct word from the Word Bank.

Word Bank

holiness

Magisterium

call

members

canonization

11. In the story of Catherine of Siena, you learned that Catherine answered God's _____ .

12. A declaration by the Pope that names a person a Saint is called _____ .

13. Mary is the perfect model of _____ .

14. All _____ of the Church have a duty to learn Jesus' message and share it with others.

15. The _____ is the Church's teaching authority.

C **Make Connections** Write a response to each question or statement.

16. Through Baptism, you share in Jesus' role as priest, prophet, and king. Think about the accounts of Jesus in the Bible. Describe one account that shows Jesus acting as a priest, a prophet, or a king.

_____

_____

_____

_____

_____

17. Menciona dos maneras en que puedes crecer en santidad hoy.

_____

_____

_____

_____

18. Explica por qué apoyar a la Iglesia ofreciendo tu tiempo, tus dones y tu dinero fortalece a la comunidad de la Iglesia.

_____

_____

_____

_____

19. ¿Por qué es María tan importante para nuestra fe católica?

_____

_____

_____

_____

20. Explica la función educativa de la Iglesia.

_____

_____

_____

_____

17. Name two ways in which you can grow in holiness today.

_____

_____

_____

_____

18. Explain how supporting the Church by offering your time, gifts, and money strengthens the Church community.

_____

_____

_____

_____

19. Why is Mary so important to our Catholic faith?

_____

_____

_____

_____

20. Explain the Church's role as a teacher.

_____

_____

_____

_____

© Our Sunday Visitor

Moralidad

Nuestra Tradición Católica

- Las virtudes nos ayudan a hacer lo que está bien, a seguir los Mandamientos de Dios y a dar lo mejor de nosotros mismos. (CIC, 1803)

- Dios creó a los seres humanos para que vivieran en familias amorosas y comunidades llamadas a respetar la vida y vivir en la verdad. (CIC, 2207)

- Toda vida humana es sagrada. (CIC, 2319)

- Aprendemos maneras de amar a nuestro prójimo y de respetar a los demás al practicar desde el Cuarto al Décimo Mandamientos. (CIC, 2196)

¿Por qué es importante para las familias respetar la dignidad de cada persona en su familia y en el mundo?

© Our Sunday Visitor

Morality

Our Catholic Tradition

- The virtues help us do what is good, follow God's Commandments, and give the best of ourselves. (CCC, 1803)

- God created humans to live in loving families and communities that are called to respect life and live in the truth. (CCC, 2207)

- All human life is sacred. (CCC, 2319)

- We learn ways of loving our neighbor and respecting others by practicing the Fourth through Tenth Commandments. (CCC, 2196)

Why is it important for families to respect the dignity of each person in their family and in the world?

Amor de familia

♥ Oremos

Líder: Padre amoroso, gracias por nuestros padres y nuestra familia que nos aman y nos enseñan.

"Escucha, hijo mío, los consejos de tu padre, no rechaces las advertencias de tu madre".

Proverbios 1, 8

Todos: Dios amoroso, ayúdanos a crecer con respeto y florecer con amor. Amén.

📖 La Sagrada Escritura

Hijos, obedezcan a sus padres en todo, porque eso es lo correcto entre cristianos. Padres, no sean pesados con sus hijos, para que no se desanimen. **Basado en Colosenses 3, 20-21**

❓ ¿Qué piensas?

- ¿De qué maneras se ayudan entre sí los miembros de la familia?
- ¿Por qué es importante para Dios que obedezcas a tus padres?

CHAPTER 13

Family Love

❤ Let Us Pray

Leader: Loving Father, thank you for our parents and families who love us and teach us.

> "Hear, my son, your father's instruction,
> and reject not your mother's teaching."

Proverbs 1:8

All: Loving God, help us grow with respect and blossom with love. Amen.

📖 Scripture

Children, obey your parents in everything, for this is pleasing to the Lord. Fathers, support your children, so they may not be discouraged.   **Based on Colossians 3:20–21**

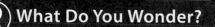

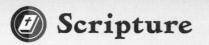

❓ What Do You Wonder?

- What are ways family members help one another?

- Why is obeying your parents important to God?

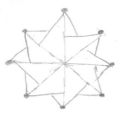

Honor y respeto

¿Qué exige el Cuarto Mandamiento?

Sería difícil imaginar nuestra vida sin nuestra familia. El amor de nuestros padres, abuelos, tíos y tías nos ayuda a sentirnos queridos y valorados. Dios creó a los seres humanos para que vivan en familias fuertes, que se protejan unos a otros y que vivan en paz y amor.

El Cuarto, Sexto y Noveno Mandamientos ofrecen leyes básicas sobre el amor y el respeto en la familia. El Cuarto Mandamiento es este: Honra a tu padre y a tu madre. Jesús es el ejemplo perfecto de cómo debemos vivir este Mandamiento.

La Sagrada Escritura

El joven Jesús y su familia

Cuando Jesús tenía doce años, fue a Jerusalén con su familia para celebrar la Pascua judía. Cuando María y José regresaban a casa, se dieron cuenta de que Jesús no estaba con ellos. Finalmente, lo hallaron en el Templo hablando con los maestros. María le dijo a Jesús lo preocupados que habían estado y Jesús regresó a Nazaret con sus padres.

Jesús era obediente al tiempo que crecía en sabiduría y en edad. Sus acciones agradaban a Dios y a todos los que lo conocían.

Basado en Lucas 2, 41-52

➜ ¿Cómo vivió Jesús el Cuarto Mandamiento?

Honor and Respect

What does the Fourth Commandment require?

It would be hard to imagine our lives without our families. The love of our parents, grandparents, aunts, and uncles helps us to feel cared for and valued. God created humans to live in families. God wants families to be strong, to protect one another, and to live in peace and love.

The Fourth, Sixth, and Ninth Commandments provide basic laws about family love and respect. The Fourth Commandment is this: Honor your father and mother. Jesus is the perfect example for living out this Commandment.

Scripture

The Boy Jesus and His Family

When Jesus was twelve, he went to Jerusalem with his family to celebrate Passover. As Mary and Joseph were returning home, they realized that Jesus was not with them. They finally found him talking with the teachers in the Temple. Mary told Jesus how worried they had been, and Jesus returned to Nazareth with his parents.

Jesus was obedient as he grew in wisdom and age. His actions were pleasing to God and to all who knew him.
Based on Luke 2:41–52

→ **How did Jesus live out the Fourth Commandment?**

381

Vivir el Cuarto Mandamiento

El Cuarto Mandamiento te enseña a honrar a tus padres y a tus tutores. Los honras cuando

- los escuchas y obedeces en todo lo que es bueno.

- muestras gratitud por todo lo que hacen por ti.

- los respetas y los cuidas a medida que envejecen.

- respetas a las personas con autoridad.

Tus padres y tutores deben ocuparse de satisfacer tus necesidades, servir de buenos ejemplos, amarte y compartir su fe contigo. Esta forma de compartir convierte a la familia en una Iglesia doméstica, donde aprendemos por primera vez a amar a los demás y a seguir a Cristo. Tus padres y tutores también te animan a crecer en la fe al compartir su propia fe y enseñarte las **Virtudes Cardinales**, hábitos buenos que nos ayudan a vivir como hijos de Dios. Ellos te ayudan a tomar buenas decisiones y a descubrir tu vocación.

Palabras católicas

Virtudes Cardinales las cuatro virtudes morales principales —prudencia, templanza, justicia y fortaleza— que nos ayudan a vivir como hijos de Dios y de las que fluyen otras virtudes morales. Fortalecemos estos buenos hábitos a través de la gracia de Dios y nuestros propios esfuerzos.

© Our Sunday Visitor

Comparte tu fe

Reflexiona Dibuja algo que a tu familia le guste hacer juntos.

Comparte con un compañero cómo esta actividad mantiene a tu familia fuerte y unida.

Living the Fourth Commandment

The Fourth Commandment teaches you to honor your parents and guardians. You honor them when you

- listen to and obey them in all that is good.
- show gratitude for all that they do for you.
- respect and care for them as they grow older.
- respect people in authority.

Parents and guardians are to provide for your needs, serve as good role models, love you, and share their faith with you. This sharing makes the family a domestic Church, where we first learn about loving others and following Christ. Parents and guardians also encourage you to grow in faith by sharing their own faith and teaching the **Cardinal Virtues**, good habits that help us live as children of God They help you make good choices and figure out your vocation.

© Our Sunday Visitor

Catholic Faith Words

Cardinal Virtues the four principal moral virtues—prudence, temperance, justice, and fortitude—that help us live as children of God and from which the other moral virtues flow. We strengthen these good habits through God's grace and our own efforts.

Share Your Faith

Reflect Draw something your family enjoys doing together.

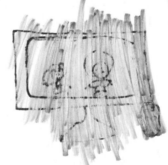

Share Talk with a partner about how this activity keeps your family strong and close.

Palabras católicas

templanza la Virtud Cardinal que nos ayuda a usar la moderación, a ser disciplinados y a tener continencia

fortaleza la Virtud Cardinal que nos ayuda a mostrar valor y ser fuertes para poder sobrellevar momentos difíciles y no rendirnos para hacer el bien

modestia una virtud moral y uno de los Frutos del Espíritu Santo que nos ayuda a vestirnos, hablar y comportarnos de manera apropiada

castidad una virtud moral que nos ayuda a actuar y a pensar de maneras puras y apropiadas

Amor fiel

¿Qué enseñan los Mandamientos acerca del amor?

El Sexto Mandamiento dice: No cometerás adulterio. El Noveno Mandamiento dice: No codicies la mujer de tu prójimo. Estos Mandamientos se refieren al amor fiel y el compromiso entre esposo y esposa.

Cuando un hombre y una mujer se casan, hacen promesas solemnes a Dios o ante Él, llamadas votos. Prometen amarse y honrarse mutuamente para siempre y recibir el don de los hijos.

Una parte de ser fiel consiste en respetar tus votos y los de otras parejas casadas. Las parejas casadas no deben actuar en formas que puedan debilitar su matrimonio. El adulterio significa ser infiel a estos votos. La gracia del Sacramento del Matrimonio fortalece a la pareja para que sea fiel y sincera.

➜ **¿Por qué es importante el Sacramento del Matrimonio?**

Las virtudes y tú

El Sexto y el Noveno Mandamientos se aplican a todas las personas. Tú puedes vivir estos Mandamientos cumpliendo las promesas hechas a tu familia, tus amigos y Dios.

Faithful Love

What do the Commandments teach about love?

The Sixth Commandment is: You shall not commit adultery. The Ninth Commandment is: You shall not covet your neighbor's wife. These Commandments are about the faithful love and commitment between husband and wife.

When a man and woman marry, they make solemn promises to or before God, called vows. They promise to love and honor each other always and to welcome the gift of children.

Part of being faithful is respecting your vows and those of other married couples. Married couples should not act in ways that would weaken their marriage. Adultery means being unfaithful to these vows. The grace of the Sacrament of Matrimony strengthens the couple to be faithful and true.

➜ **Why is the Sacrament of Matrimony important?**

Virtues and You

The Sixth and Ninth Commandments apply to everyone. You can live out these Commandments by keeping promises to family, friends, and God.

Catholic Faith Words

temperance the Cardinal Virtue that helps us use moderation, be disciplined, and have self-control

fortitude the Cardinal Virtue that helps you show courage, have strength to get through difficult times, and not give up on doing good

modesty a moral virtue and one of the Fruits of the Holy Spirit that helps us dress, talk, and move in appropriate ways

chastity a moral virtue that helps us to act and think in ways that are appropriate and pure

1. Subraya cómo nos ayudan las Virtudes Cardinales.

2. Encierra en un círculo las maneras en las que practicas la modestia y la castidad.

Las cuatro Virtudes Cardinales —prudencia, **templanza**, justicia y **fortaleza**— nos ayudan a actuar con sabiduría, usar la continencia, dar a los demás lo que les es debido, tener fortaleza y ser disciplinados en nuestros pensamientos y acciones.

La templanza nos ayuda a practicar la **modestia** y la **castidad**. Te vistes, hablas y te comportas de manera que honras tu propia dignidad y la de los demás. Respetas que las diferencias entre hombres y mujeres son dones de Dios.

El amor de Dios fortalece

A veces, a las familias les resulta difícil vivir como Dios quiere. Las peleas, hacerse daño y las decepciones pueden impedir que las familias sean signos del amor de Dios. Los padres y los hijos a veces se lastiman mutuamente. Algunas familias son lastimadas con separaciones, divorcios y muertes.

Pero Dios sigue amando a todas las familias y las sigue ayudando a fortalecerse. Cada vez que las familias son signos de amor, reflejan el amor que existe dentro de la Santísima Trinidad.

Practica tu fe

Crucigrama Completa el crucigrama usando las pistas.

Horizontal

1. Las _____ Cardinales te ayudan a vivir como hijo de Dios.

2. nos ayuda a usar la moderación y la continencia

3. nos ayuda a actuar y a pensar de manera pura

Vertical

4. nos ayuda a vestirnos, a hablar y a comportarnos de manera adecuada

5. mostrar valor y fuerza

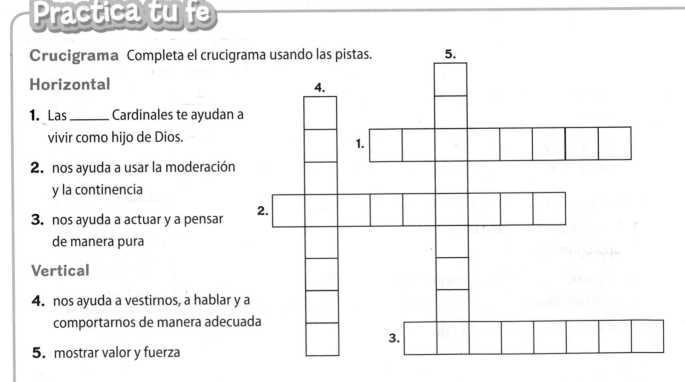

The four Cardinal Virtues—prudence, **temperance**, justice, and **fortitude**—help us to act wisely, use self-control, give others their due, stand strong, and be disciplined in our thoughts and actions.

Temperance helps us to practice **modesty** and **chastity**. You can dress, talk, and move in ways that honor your own dignity and that of others. You can respect that the differences between males and females are gifts from God.

God's Love Strengthens

Sometimes it is hard for families to live as God intends. Arguments, hurts, and disappointments can keep families from being signs of God's love. Parents and children sometimes hurt one another. Some families are hurt through separation, divorce, or even death.

But God continues to love all families and to help them grow stronger. Every time families are signs of love, they reflect the love that exists within the Holy Trinity.

1. Underline how the Cardinal Virtues help us.

2. Circle ways you practice modesty and chastity.

© Our Sunday Visitor

Connect Your Faith

Crossword Fill in the crossword using the clues.

Across

3. helps us to act and think in ways that are pure

5. helps us use moderation and self-control

Down

1. helps us dress, talk, and move appropriately

2. Cardinal _____ help you live as children of God

4. showing courage and strength

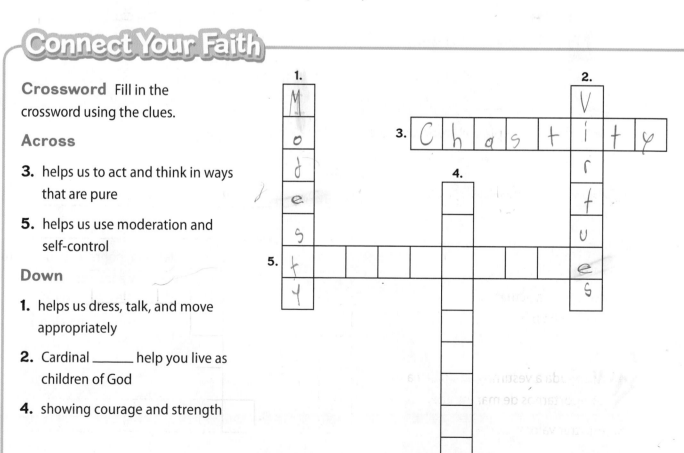

387

Nuestra vida católica

¿Cómo puedes cumplir los Mandamientos de Dios en tu vida familiar?

Dios te pide que muestres su amor a tu familia en todo momento. Esto no siempre resulta fácil, pero cumplir el Cuarto, el Sexto y el Noveno Mandamientos te ayudará.

1. **Dibuja una estrella junto a los corazones que muestran maneras de cumplir los Mandamientos ahora.**

2. **Comenta por qué seguir los Diez Mandamientos hace que tu vida familiar sea mejor.**

Recuerda que ser parte de una familia significa perdonarse unos a otros como Dios nos perdona cuando pecamos.

Cumple las promesas que haces a tu familia, a tus amigos y a Dios. Haz lo que hayas dicho que harías.

Practica la modestia al vestirte de manera decente y al evitar programas, películas, libros y música que no muestren respeto por el don de la sexualidad dado por Dios.

No sientas celos de otros miembros de la familia. Incluye a otras personas entre tus amistades.

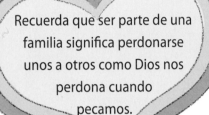

Comparte tus pertenencias, tu tiempo y tus dones con los miembros de tu familia.

Respeta, honra y obedece a tus padres y a los demás miembros de tu familia. Escúchalos y presta atención a sus necesidades.

Our Catholic Life

How can you follow God's Commandments in your family life?

God asks you to show his love to your family at all times. This is not always easy, but keeping the Fourth, Sixth, and Ninth Commandments will help you.

1. **Draw a star next to the hearts that show ways you keep the Commandments now.**

2. **Discuss how following the Ten Commandments makes family life better.**

Remember that being part of a family means forgiving one another as God forgives us when we sin.

Keep the promises you make to your family, friends, and God. Do what you have said you will do.

Practice modesty by dressing decently and by avoiding television programs, movies, books, and music that show disrespect for God's gift of sexuality.

Don't be jealous of other family members. Include others in your friendships.

Share your possessions, your time, and your gifts with family members.

Respect, honor, and obey your parents and other family members. Listen to them, and pay attention to their needs.

S.M. + D.S.

Gente de fe

12 de julio

San Luis Martin, 1823–1894
Santa Celia María Martin, 1831–1877

Dios ama a todas las familias y quiere que sean felices. Los Santos Luis Martin y Celia María Martin se enamoraron y se casaron. Luis era joyero y relojero. Celia María hacía un tipo especial de encaje. Ellos prometieron vivir una vida lo más santa posible y enseñar a sus hijos acerca de Jesús. Los Martin hicieron muchas cosas con su familia, como hacer caminatas y contar relatos. Todas sus cinco hijas se hicieron monjas. Una de ellas, Teresa de Lisieux, se convirtió en una santa.

Comenta: ¿Qué le gusta hacer juntos a tu familia?

Aprende más sobre los Santos Luis y Celia María en **vivosencristo.osv.com**

Vive tu fe

Construye con bases sólidas La familia es la base fundamental de la comunidad cristiana y de la sociedad. Escribe cuatro cualidades de las buenas amistades y del amor familiar en los bloques. Cuenta cómo tu familia les muestra a los demás una de estas cualidades.

People of Faith

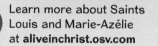

July 12

Saint Louis Martin, 1823–1894
Saint Marie-Azélie Martin, 1831–1877

God loves all families and wants them to be happy. Saints Louis Martin and Marie-Azélie Martin fell in love and got married. Louis was a jeweler and watchmaker. Marie-Azélie made a special kind of lace. They promised to live as holy a life as possible and teach their children about Jesus. The Martins did many things with their family, like take walks and tell stories. All of their five daughters became nuns. One, Thérèse de Lisieux, became a Saint.

Discuss: What does your family like to do together?

Learn more about Saints Louis and Marie-Azélie at **aliveinchrist.osv.com**

Live Your Faith

Build with Solid Blocks The family is the building block of the Christian community and of society. In the blocks, write four qualities of good friendships and family love. Tell how your family shows one of these qualities to others.

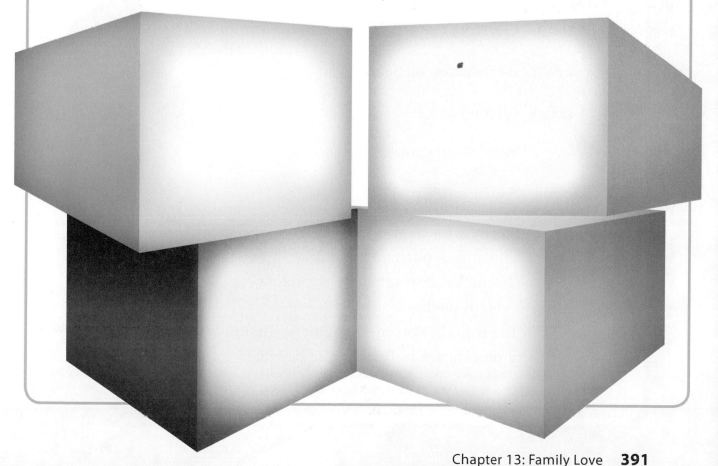

❤ Oremos

Oración de petición

Una oración de petición es aquella en la que le pedimos algo a Dios por otra persona o por la comunidad.

Reúnanse y comiencen con la Señal de la Cruz.

Líder: Dios, te pedimos que fortalezcas nuestras familias.

Todo: Escúchanos, oh Señor.

Lector 1: Que nuestros padres y quienes nos cuidan sean bendecidos en su compromiso de amarnos y de amarse.

Todos: Escúchanos, oh Señor.

Lector 2: Que nosotros y todos los niños encontremos apoyo y seguridad en nuestras familia.

Todos: Escúchanos, oh Señor.

Lector 3: Que todas las familias descubran tu amor fiel.

Todos: Escúchanos, oh Señor.

Líder: Oremos.

Inclinen la cabeza mientras el líder ora.

Todos: Amén.

Canten "Guíame, Señor"

Guíame, Señor, en mi caminar.
Tú me has consagrado, seré profeta
de los pueblos.
Envíame, Señor; adonde quieras Tú, iré
y proclamaré tu Palabra que da vida.

Letra y música © 2005, Estela García. Obra publicada por Spirit & Song®, una división de OCP. Derechos reservados. Con las debidas licencias.

♡ Let Us Pray

Prayer of Petition

A prayer of petition is a prayer in which we ask God for something for another person or for the community.

Gather and begin with the Sign of the Cross.

Leader: God, we ask you to strengthen our families.

All: Hear us, O Lord.

Reader 1: May our parents and those who care for us be blessed in their commitment to love us and each other.

All: Hear us, O Lord.

Reader 2: May we and all children find support and security in their families.

All: Hear us, O Lord.

Reader 3: May all families discover your faithful love.

All: Hear us, O Lord.

Leader: Let us pray.

Bow your heads as the leader prays.

All: Amen.

 Sing "Right and Just"
It is right—the proper thing to do.
It is just—giving God what's due.
When we come to praise our God,
It is right and just.

FAMILIA + FE

VIVIR Y APRENDER JUNTOS

SUS HIJOS APRENDIERON >>>

Este capítulo examina la importancia del Sacramento del Matrimonio, el papel de la familia en el plan de Dios y cómo las Virtudes Cardinales nos ayudan a actuar apropiadamente y a ser disciplinados.

La Sagrada Escritura

Lean **Colosenses 3, 20** para saber qué dice la Palabra de Dios sobre nuestros padres.

Lo que creemos

- Dios creó a los humanos para que vivan en familias fuertes y amorosas.
- El Cuarto, Sexto y Noveno Mandamientos ofrecen las leyes básicas de amor y respeto familiar.

Para aprender más, vayan al *Catecismo de la Iglesia Católica* #2197-2200, 2204-2206, 2380-2381, 2521-2524 en **usccb.org**.

Gente de fe

Esta semana, su hijo aprendió de los Santos Luis Martin y Celia María Martin, los padres de Santa Teresita del Niño Jesús.

LOS NIÑOS DE ESTA EDAD >>>

Cómo comprenden el amor familiar Por lo general, los niños de esta edad sienten un amor fuerte por sus padres. Si viven con ambos padres, casi siempre pueden percibir la calidad de la relación mutua de su padre y su madre. Un área en la que suelen tener dificultades es en su relación con sus hermanos. Las diferencias del desarrollo, así como las limitaciones del espacio y la atención, pueden causar rivalidades entre hermanos y hermanas. Cuando los niños comprenden que la familia es como una escuela en donde aprendemos a amarnos los unos a los otros, pueden llegar a superar estos retos con la ayuda de Dios.

CONSIDEREMOS ESTO >>>

¿Cómo ha cambiado su comprensión de lo que significa honrar a sus padres?

A medida que nuestros padres envejecen, tenemos la oportunidad de mostrar lo que ellos nos enseñaron sobre el amor. Como católicos, sabemos que "Mientras que los hijos adultos a veces experimentan una tensión entre criar a sus propios hijos y cuidar de sus propios padres, deben hacer todo lo posible para ayudar a sus padres…. Mientras que está bien que la sociedad cuide de sus ancianos, la familia sigue siendo la legítima fuente de apoyo" (*CCEUA, p. 400*).

HABLEMOS >>>

- Pidan a su hijo que mencione una cosa sobre el Cuarto, Sexto o Noveno Mandamientos.
- Comenten cómo los miembros de su familia se honran mutuamente.

OREMOS >>>

Querido Dios, por favor ayuda a nuestra familia a ser feliz, a amarnos mutuamente y a rezar por nosotros. Amén.

Visiten **vivosencristo.osv.com** para encontrar un glosario multimedia de Palabras católicas, lecturas dominicales, y recursos de Santos y tiempos festivos.

FAMILY+FAITH
LIVING AND LEARNING TOGETHER

YOUR CHILD LEARNED >>>

This chapter examines the importance of the Sacrament of Matrimony, the role of family in God's plan, and how the Cardinal Virtues help us to act appropriately and be disciplined.

Scripture

Read **Colossians 3:20** to find out what God's Word says about our parents.

Catholics Believe

- God created humans to live in strong, loving families.
- The Fourth, Sixth, and Ninth Commandments provide basic laws of family love and respect.

To learn more, go to the *Catechism of the Catholic Church* #2197–2200, 2204–2206, 2380–2381, 2521–2524 at **usccb.org**.

People of Faith

This week, your child learned about Saints Louis Martin and Marie-Azélie Martin, the parents of Saint Thérèse of Lisieux.

CHILDREN AT THIS AGE >>>

How They Understand Family Love Children at this age usually have a very strong love for their parents. If they live with both parents, they can often pick up on the quality of their mom and dad's relationship with one another. One area in which they often struggle is in their relationship with siblings. Developmental differences, as well as limited space and attention, can cause rivalries between brothers and sisters. When children understand that the family is like a school where we learn to love each other, they can rise to meet these challenges with God's help.

CONSIDER THIS >>>

How has your understanding of what it means to honor your parents changed?

As our parents age, we have an opportunity to show what they taught us about love. As Catholics, we know that "while adult children may sometimes experience a strain between raising their own children and caring for their parents, they must do what they can to help their parents. . . . While it is right for society to help care for the elderly, the family remains the rightful source of support" (*USCCA, pp. 377–378*).

LET'S TALK >>>

- Ask your child to name one thing about the Fourth, Sixth, or Ninth Commandments.
- Talk about ways your family honors one another.

LET'S PRAY >>>

Dear God, please help our family to be happy together, to love each other, and to pray for each other. Amen.

For a multimedia glossary of Catholic Faith Words, Sunday readings, seasonal and Saint resources, and chapter activities go to **aliveinchrist.osv.com**.

A **Trabaja con palabras** Completa cada oración con el término correcto del Vocabulario.

1–5. Dios creó a los seres humanos para que vivan

como _____ que se aman y respetan

unos a otros. Al seguir el _____

Mandamiento, los niños _____ y obedecen

a sus padres y tutores. El _____ y el Noveno

Mandamientos tratan sobre ser _____ en

el matrimonio, mantener las promesas y actuar de manera

adecuada.

B **Confirma lo que aprendiste** Escribe una definición para cada uno de los siguientes términos.

6. Obedecer:

_____

_____

7. Votos:

_____

_____

8. Modestia:

_____

_____

9. Adulterio:

_____

_____

10. Fiel

_____

_____

Chapter 13 Review

A **Work with Words** Complete each sentence with the correct word from the Word Bank.

1–5. God made humans to live as _____ who love and respect one another. By following the _____ Commandment, children _____ and obey their parents and guardians. The _____ and Ninth Commandments are about being _____ in marriage, keeping promises, and acting appropriately.

Word Bank

faithful

Fourth

families

Sixth

honor

B **Check Understanding** Write a definition for each of the following terms.

6. Obey:

_____

_____

7. Vows:

_____

_____

8. Modesty:

_____

_____

9. Adultery:

_____

_____

10. Faithful:

_____

_____

© Our Sunday Visitor

Respetar la vida

♥ Oremos

Líder: Dios, te damos gracias por el precioso don de la vida.

"En ti se halla la fuente de la vida, y es por tu luz que vemos la luz". **Salmo 36, 10**

Todos: Ilumina nuestra vida con un gran amor por la vida y con el valor para apreciarla y protegerla. Amén.

📖 La Sagrada Escritura

"Ustedes han escuchado lo que se dijo a sus antepasados: *'No matarás, el homicida tendrá que enfrentarse a un juicio.'* Pero yo les digo: si uno se enoja con su hermano, es cosa que merece juicio. El que ha insultado a su hermano, debe responder por sus palabras." **Basado en Mateo 5, 21-22**

❓ ¿Qué piensas?

- Si alguien te hace enojar, ¿qué debes hacer?
- ¿Está bien insultar a alguien que te insultó primero?

Respect Life

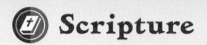 Let Us Pray

Leader: God, we thank you for the precious gift of life.

"For with you is the fountain of life,
and in your light we see light." **Psalm 36:10**

All: Brighten our lives with a great love of life and the
courage to cherish and protect it. Amen.

Scripture

"You have heard that it was said to your ancestors, 'You shall
not kill; and whoever kills will have to answer for his actions.'
But I say to you, whoever is angry with his brother will have to
answer for his actions, and whoever says anything mean will
have to answer for his words." **Based on Matthew 5:21–22**

What Do You Wonder?

- If someone makes you mad, what
should you do?

- Is it okay to be mean to someone
who was mean to you first?

Toda vida humana es sagrada

¿Cómo respetas la vida?

A veces nos sentimos inseguros con las personas que se ven o que hablan de manera diferente a nosotros. Y es posible que no sepamos tratar a las personas con enfermedades o discapacidades. Pero todas las personas en cualquier lugar merecen respeto. Esta es la historia de una mujer que no podía caminar, pero cuya vida es un ejemplo para todos nosotros.

Beata Margarita de Castello

La Beata Margarita de Castello no podía ver ni caminar. Tenía una gran joroba en la espalda, y los brazos y las piernas torcidos. Sus padres se avergonzaban de ella, así que la encerraban en una habitación y la dejaban sola y abandonada. Finalmente, una mujer bondadosa se llevó a Margarita con ella. Ella vivió el resto de su vida ayudando a personas enfermas y moribundas. Después de su muerte, otra niña que no podía caminar fue a su funeral… ¡y milagrosamente se curó! Aunque la Beata Margarita tenía muchos impedimentos físicos, ella sabía que toda vida es importante y que todos podemos ayudar a los demás.

Subraya cómo la Beata Margarita mostró respeto por los demás.

400

All Human Life Is Sacred

How do you respect life?

Sometimes we are unsure of people who look or talk differently than we do. And we may not know how to treat people who have illnesses or disabilities. But all people everywhere deserve respect. Here's the story of a woman who could not walk, but her life is an example for all of us.

Blessed Margaret of Castello

Blessed Margaret of Castello could not see or walk. She had a big lump on her back and twisted arms and legs. Her parents were ashamed of her, so they shut her up in a room and left her all alone. Finally, some kind women took Margaret in with them. She lived the rest of her life helping people who were sick and dying. After she died, another girl who could not walk came to her funeral and was miraculously cured! Even though Blessed Margaret had many things wrong with her, she knew that every life is important and that we all can do something to help others.

Highlight how Blessed Margaret showed respect for others.

Elige la vida

Toda vida humana es **sagrada**, digna de reverencia y devoción, y todas las acciones que respetan y protegen la vida sostienen el Quinto Mandamiento. Al final de su vida, Moisés le dijo al pueblo que recordara que la ley de Dios era vida para ellos.

Palabras católicas

sagrado digno de reverencia y devoción

🔖 La Sagrada Escritura

La elección

Que los cielos y la tierra escuchen y recuerden lo que acabo de decir; te puse delante la vida o la muerte, la bendición o la maldición. Escoge, pues, la vida para que vivas tú y tu descendencia. Ama a Yavé, escucha su voz, uniéndote a él, para que vivas y se prolonguen tus días... **Deuteronomio 30, 19-20**

Las leyes de Dios muestran el camino hacia la vida y la felicidad. El Quinto Mandamiento nos recuerda el respeto básico por la vida que se le debe a todos. Cada persona está hecha a imagen y semejanza de Dios y toda vida humana es sagrada desde el momento de la concepción hasta el momento de la muerte.

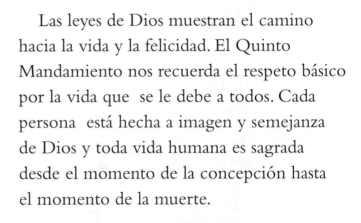

Comparte tu fe

Reflexiona Piensa en lo que el Quinto Mandamiento te dice. Ordena las palabras que están a continuación para completar la oración sobre lo que todos merecen.

t p e s r o e   d a i v   d a s a a r g

Toda _____

humana es _____, y

merece _____.

Comparte Habla con un compañero sobre cómo puedes seguir el Quinto Mandamiento.

Choose Life

All human life is **sacred**, worthy of reverence and devotion, and all actions that respect and protect life uphold the Fifth Commandment. At the end of his life, Moses told the people to remember that God's law was life for them.

Catholic
Faith Words

sacred worthy of reverence and devotion

 **Scripture**

The Choice

I call heaven and earth today to witness against you: I have set before you life and death, the blessing and the curse. Choose life, then, that you and your descendants may live, by loving the LORD, your God, obeying his voice, and holding fast to him. For that will mean life for you . . .

Deuteronomy 30:19–20

God's laws show the path to life and happiness. The Fifth Commandment reminds us of the fundamental respect for life that is owed to every person. Every person is made in God's image and likeness, therefore every human life is sacred from the moment of conception until the time of death.

Share Your Faith

Reflect Think about what the Fifth Commandment tells you. Unscramble the words below to fill in the sentence about what everyone deserves.

t c p e s r e   f e i l   d r e a s c

Every human _____

is _____ , and

deserves _____ .

Share Then, talk with a partner about how you can follow the Fifth Commandment.

Protege y respeta

¿Cómo cumples el Quinto Mandamiento?

Toda vida humana es sagrada, incluso la vida de quienes no han nacido y la de los ancianos. La vida de un niño no nacido es frágil y merece el mayor respeto y cuidado. Terminar intencionalmente la vida de un niño no nacido es un pecado grave.

Quitarse la propia vida es suicidio. Esto es contrario al don de vida y amor de Dios. Sin embargo, la responsabilidad propia puede estar atenuada por ciertos factores. El **asesinato**, matar intencionalmente a una persona inocente, es un pecado grave. Matar en defensa propia, sin embargo, está justificado, si es la única manera de proteger la propia vida.

La Iglesia Católica enseña que la pena de muerte, o pena capital, casi siempre está mal. Se prefieren alternativas como la cadena perpetua sin libertad condicional.

Respeto para el cuerpo

La Iglesia enseña que el cuerpo y el alma están unidos. Eres el templo donde mora el Espíritu de Dios. El Quinto Mandamiento te enseña a respetar tu cuerpo y el de los demás. Es importante comer alimentos sanos y ejercitarse para proteger la vida y la salud. A tu edad, consumir alcohol es una ofensa contra el Quinto Mandamiento. El consumo de tabaco y de drogas ilegales es dañino para el cuerpo. Tentar o alentar a otras personas a no respetar el don de la vida también está mal.

Palabras católicas

asesinato matar deliberadamente a otra persona cuando no es en defensa propia

© Our Sunday Visitor

Protect and Respect

How do you keep the Fifth Commandment?

All human life is sacred, including the life of the unborn and the elderly. The life of an unborn child is fragile, and it is deserving of the greatest respect and care. The intentional ending of the life of an unborn child is a grave sin.

The taking of one's own life is suicide. It is contrary to God's gift of life and love. However, one's responsibility may be lessened by certain factors. **Murder**, the intentional killing of an innocent person, is seriously sinful. To kill in self-defense, however, is justified, if it is the only way to protect one's own life.

The Catholic Church teaches that the death penalty, or capital punishment, is almost always wrong. Alternatives, such as life in prison without parole, are preferred.

Respect for the Body

The Church teaches that your body and soul are united. You are a temple in which God's Spirit dwells. The Fifth Commandment teaches you to respect your body and those of others. Eating healthy foods and exercising are important to protect your life and health. At your age, using alcohol is an offense against the Fifth Commandment. The use of tobacco and illegal drugs is harmful to the body. Tempting or encouraging others to disrespect the gift of life is wrong, too.

> ### Catholic Faith Words
>
> **murder** the deliberate killing of another person when the killing is not in self-defense

Evita la ira

Jesús dijo que la ira puede ser un pecado si no se controla. La ira puede convertirse en odio y llevar a la venganza, a vengarse de alguien o a la violencia.

Puede ser difícil mostrar amor y respeto por quienes te acosan o te maltratan. Jesús te llama a amar de esta manera.

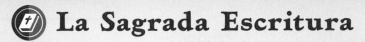

La Sagrada Escritura

Amar a los enemigos

"Ustedes han oído que se dijo: *'Amarás a tu prójimo y no harás amistad con tu enemigo.'* Pero yo les digo: Amen a sus enemigos y recen por sus perseguidores, para que así sean hijos de su Padre que está en los Cielos. Porque él hace brillar su sol sobre malos y buenos, y envía la lluvia sobre justos y pecadores." **Mateo 5, 43-45**

➜ **¿Qué quiso decir Jesús cuando dijo que Dios hace brillar su sol sobre los malos y los buenos?**

Practica tu fe

Elige la vida Completa las letras que faltan en los siguientes ejemplos de acciones que dan vida.

Proteger a los **n** ☐ ☐ ☐ **s** no nacidos

Ser un ☐ ☐ ☐ ☐ ejemplo para los demás

Perdonar a los **e** ☐ **e** ☐ **igos**

Piensa en una acción de vida que practicarás hoy.

Avoid Anger

Jesus said that anger can be sinful if it is not controlled. Anger can harden into hatred and lead to revenge, or getting back at someone, or to violence.

It can be difficult to show love and respect for those who bully or treat you unfairly. Jesus calls you to love in this way.

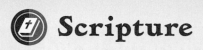 **Scripture**

Love of Enemies

"You have heard that it was said, 'You shall love your neighbor and hate your enemy.' But I say to you, love your enemies, and pray for those who persecute you, that you may be children of your heavenly Father, for he makes his sun rise on the bad and the good, and causes rain to fall on the just and the unjust." **Matthew 5:43–45**

➜ **What did Jesus mean when he said that God makes his sun rise on the bad and the good?**

Connect Your Faith

Choose Life Fill in the missing letters in these examples of life-giving actions.

Protect unborn c ☐ ☐ ☐ d ☐ ☐ n.

Set a ☐ ☐ ☐ ☐ example for others.

Forgive your e ☐ e ☐ ies.

Think of one life-giving action that you will practice today.

Nuestra vida católica

¿Cómo puedes actuar en el espíritu del Quinto Mandamiento?

El Quinto Mandamiento puede parecer sencillo de cumplir. Pero tal como has leído, este Mandamiento se refiere a mucho más que no matar. El Quinto Mandamiento también te pide que te cuides y respetes a ti mismo y a los demás.

1. Une los ejemplos con el final de oración correcto.

2. Dibuja una estrella junto a algo que hayas hecho esta semana para seguir el Quinto Mandamiento.

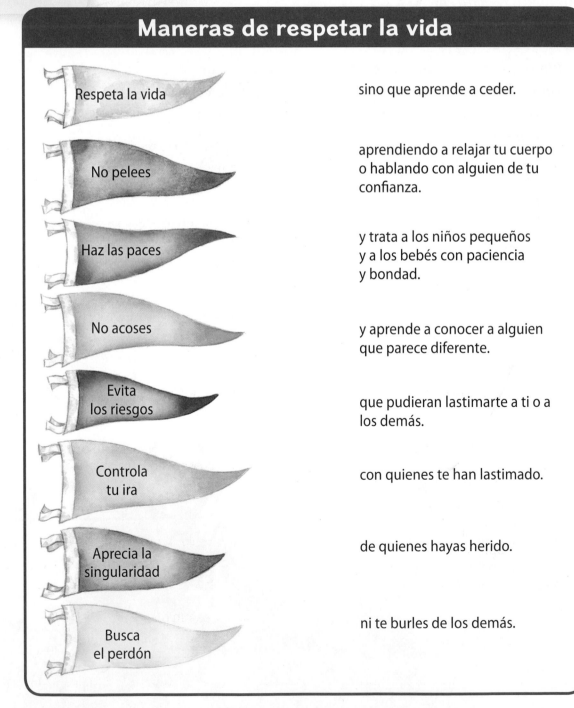

Maneras de respetar la vida

Respeta la vida — sino que aprende a ceder.

No pelees — aprendiendo a relajar tu cuerpo o hablando con alguien de tu confianza.

Haz las paces — y trata a los niños pequeños y a los bebés con paciencia y bondad.

No acoses — y aprende a conocer a alguien que parece diferente.

Evita los riesgos — que pudieran lastimarte a ti o a los demás.

Controla tu ira — con quienes te han lastimado.

Aprecia la singularidad — de quienes hayas herido.

Busca el perdón — ni te burles de los demás.

Our Catholic Life

How can you act in the spirit of the Fifth Commandment?

The Fifth Commandment may seem easy to follow. But as you have read, there is more to this Commandment than not killing. The Fifth Commandment also asks that you take care of and respect yourself and others.

1. Match the examples with the correct sentence ending.

2. Draw a star next to something you've done this week to follow the Fifth Commandment.

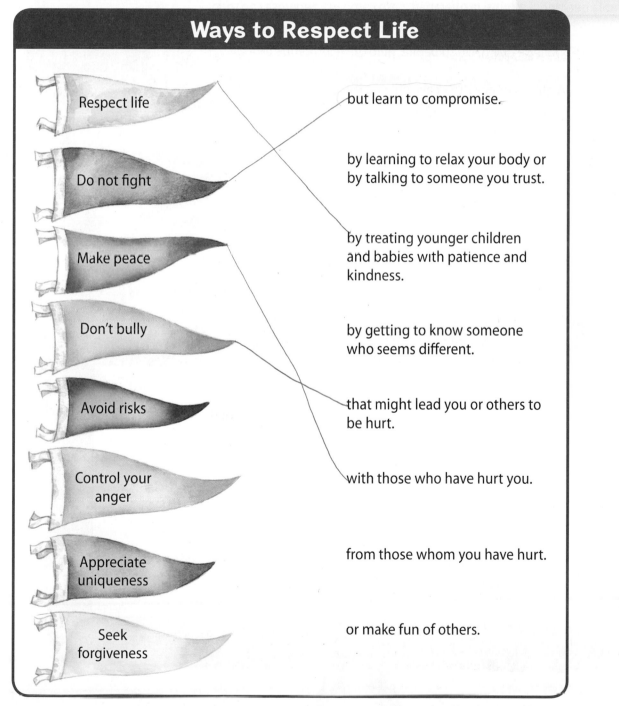

Ways to Respect Life

Respect life

Do not fight

Make peace

Don't bully

Avoid risks

Control your anger

Appreciate uniqueness

Seek forgiveness

but learn to compromise.

by learning to relax your body or by talking to someone you trust.

by treating younger children and babies with patience and kindness.

by getting to know someone who seems different.

that might lead you or others to be hurt.

with those who have hurt you.

from those whom you have hurt.

or make fun of others.

Gente de fe

Santa Juana Molla, 1922–1962

28 de abril

Santa Juana Molla era una doctora que vivía en Italia. Ella cuidaba a los bebés y a los niños y tenía cuatro hijos propios. Santa Juana sabía que la manera de ser feliz es dar a los demás, especialmente a la familia. Cuando estaba embarazada de su último bebé, tuvo una operación muy riesgosa. Ella sabía que podía morir si la operaban, pero como era generosa con todo lo que tenía, quería asegurarse de darle a su bebé el don de la vida. En efecto, ella murió después de que nació su bebita, pero fue feliz porque esta vivió.

Comenta: ¿A quién conoces que haya elegido la vida y vivir el Quinto Mandamiento?

 Aprende más sobre Santa Juana en **vivosencristo.osv.com**

 Vive tu fe

Escribe una nota a alguien a quien hayas tratado mal. En tu nota, explica algo que harás o harías de otra manera debido a lo que has aprendido esta semana.

People of Faith

Saint Gianna Molla, 1922–1962

April 28

Saint Gianna Molla was a doctor who lived in Italy. She took care of babies and children and had four children of her own. Saint Gianna knew that the way to be happy is to give to others, especially your family. When she was pregnant with her last baby, she had a very dangerous operation. She knew that she might die if she had the surgery, but because she was generous with everything she had, she wanted to make sure she gave her baby the gift of life. She did die after the baby was born, but she was happy her baby lived.

Discuss: Whom do you know who chose life and lived the Fifth Commandment?

Learn more about Saint Gianna at **aliveinchrist.osv.com**

Live Your Faith

Write a note to someone you have treated unfairly. In your note, explain one thing you will or would do differently because of what you've learned this week.

Oremos

Celebración de la Palabra

Reúnanse y comiencen con la Señal de la Cruz.

Lector 1: Lectura de la Primera Carta de Pedro.

Lean 1 Pedro 3, 9-12.

Palabra de Dios.

Todos: Te alabamos, Señor.

Lector 2: Cuando tenemos que elegir entre apartarnos
o quedarnos y luchar,

Todos: Ayúdanos a elegir tu camino, oh Señor.

Lector 3: Cuando tenemos la oportunidad de elegir ayudar
a los enfermos, los discapacitados o los ancianos,

Todos: Ayúdanos a elegir tu camino, oh Señor.

Líder: Oremos.

Inclinen la cabeza mientras el líder ora.

Todos: Amén.

 Canten "Cristo Está Conmigo"

Cristo está conmigo,
junto a mí va el Señor,
me acompaña siempre
en mi vida hasta el fin.

Let Us Pray

Celebration of the Word

Gather and begin with the Sign of the Cross.

Reader 1: A reading from the First Letter of Peter.

Read 1 Peter 3:9–12.

The word of the Lord.

All: Thanks be to God.

Reader 2: When we are given the choice to walk away or to stay and fight,

All: Help us choose your way, O Lord.

Reader 3: When we are given the chance to help people with illnesses or disabilities or an elderly person,

All: Help us choose your way, O Lord.

Leader: Let us pray.

Bow your heads as the leader prays.

All: Amen.

 Sing "Christ, Our Light"

Christ, our Light, you taught us to love.
Christ, our Light, you're always with us.
Together we learn, together we grow,
together we walk in your way.
© 2002, John Burland. All rights reserved.

FAMILIA + FE

VIVIR Y APRENDER JUNTOS

SUS HIJOS APRENDIERON >>>

Este capítulo trata sobre respetar y proteger la vida humana en todas sus etapas porque la vida es un don de Dios.

La Sagrada Escritura

Lean **Mateo 5, 21-22** para saber lo que Jesús nos enseña sobre el respeto mutuo.

Lo que creemos

- Todo tipo de vida humana es sagrada porque viene de Dios.
- El Quinto Mandamiento prohíbe cualquier cosa que acabe con una vida humana.

Para aprender más, vayan al *Catecismo de la Iglesia Católica* #2258, 2268-2269 en **usccb.org**.

Gente de fe

Esta semana, su hijo aprendió acerca de Santa Juana Molla, quien estuvo dispuesta a sacrificar su vida por la de su hija no nacida.

LOS NIÑOS DE ESTA EDAD >>>

Cómo comprenden el respeto por la vida El respeto por la vida humana es fundacional para la enseñanza católica. La mayoría de las discusiones sobre este principio, tanto dentro de la Iglesia como en la plaza pública, se enfocan en asuntos como el aborto y la pena de muerte. Es posible que los niños de esta edad no estén listos todavía para confrontar estos temas, debido a su crudeza, pero el respeto por la vida humana es también un principio más amplio que tiene implicaciones en la vida diaria de los niños. ¿Se burlan de algún niño porque es diferente? ¿Alguna vez los niños se han sentido tentados de golpear a alguien por sentir ira? Estas preguntas también son relevantes para el respeto por la vida.

CONSIDEREMOS ESTO >>>

¿Cómo reconoce y celebra su familia el hecho de que la vida de cada persona es un don de Dios?

La vida familiar es el ambiente perfecto para celebrar la condición única de cada persona. Es dentro del seno familiar donde vivimos y apreciamos que Dios nos haya creado a cada uno con imaginación y amor. Como católicos, sabemos que "la acción creativa de Dios está presente en cada vida humana y por eso es la fuente de su valor sagrado…. El Quinto Mandamiento nos llama a fomentar el bienestar físico, espiritual, emocional y social propio y de los demás" (*CCEUA, p. 411*).

HABLEMOS >>>

- Pidan a su hijo que comente cómo la ira, la burla y el hostigamiento se relacionan con el Quinto Mandamiento.
- Con su hijo, mencionen maneras en las que mostramos respeto por los demás y protegemos a los demás y a nosotros mismos, incluyendo nuestro cuerpo.

OREMOS >>>

Santa Juana Molla, ruega por nosotros para que seamos fieles al amor de Dios y siempre elijamos el camino de la vida y la esperanza. Amén.

Visiten **vivosencristo.osv.com** para encontrar un glosario multimedia de Palabras católicas, lecturas dominicales, y recursos de Santos y tiempos festivos.

FAMILY+FAITH
LIVING AND LEARNING TOGETHER

YOUR CHILD LEARNED >>>

This chapter is about respecting and protecting human life at all stages because life is a gift from God.

Scripture

Read **Matthew 5:21–22** to find out what Jesus teaches us about respecting one another.

Catholics Believe

- All human life is sacred because it comes from God.
- The Fifth Commandment forbids anything that takes a human life.

To learn more, go to the *Catechism of the Catholic Church* #2258, 2268–2269 at **usccb.org**.

People of Faith

This week, your child learned about Saint Gianna Molla, who was willing to sacrifice her life for that of her unborn daughter.

CHILDREN AT THIS AGE >>>

How They Understand Respect for Life Respect for human life is foundational to Catholic teaching. Much discussion on this principle, both within the Church and in the public square, focuses on issues such as abortion and the death penalty. Children at this age might not yet be ready to confront these issues head on, due to their graphic nature, but respect for human life is also a broader principle that has implications in their everyday lives. Is there a child who is teased because he or she looks different? Are there times when children feel tempted to hit someone else out of anger? These questions are also relevant to respect for life.

CONSIDER THIS >>>

How does your family acknowledge and celebrate that each person's life is a gift from God?

Family life is the perfect setting to celebrate each person's uniqueness. It is in the heart of family that we experience and appreciate that God creates each of us with imagination and love. As Catholics, we know that "God's creative action is present to every human life and is thus the source of its sacred value…. The Fifth Commandment calls us to foster the physical, spiritual, emotional, and social well-being of self and others" (*USCCA*, p. 389).

LET'S TALK >>>

- Ask your child to talk about how anger, teasing, and bullying relate to the Fifth Commandment.
- With your child, name ways we show respect for others and protect others and ourselves, including our bodies.

LET'S PRAY >>>

Saint Gianna Molla, pray for us that we may be faithful to God's love and always choose the path of life and hope. Amen.

For a multimedia glossary of Catholic Faith Words, Sunday readings, seasonal and Saint resources, and chapter activities go to **aliveinchrist.osv.com**.

Capítulo 14 Repaso

A **Trabaja con palabras** Completa los siguientes enunciados.

1. El Quinto Mandamiento dice: _____

_____ .

2. Toda vida humana es un don de _____ .

3. Un pecado grave contra el Quinto Mandamiento es _____

_____

_____ .

4. Toda vida humana es _____

_____ .

5. El odio lleva a la _____

_____ .

B **Confirma lo que aprendiste** Completa cada oración con el término
correcto del Vocabulario.

6. Una manera de vivir el Quinto Mandamiento es hacer

_____ .

7. Jesús dijo que amáramos a todos, incluso a tus

_____ .

8. Tentar o alentar a otros a no respetar el don de la vida

también está _____ .

9. Jesús explicó que no controlar la _____

está en contra del Quinto Mandamiento.

10. Las acciones que _____ y protegen la vida
sostienen el Quinto Mandamiento

Vocabulario
• • • • • • • • • • •

las paces

ira

mal

enemigos

respetan

Chapter 14 Review

A **Work with Words** Complete the following statements.

1. The Fifth Commandment says this: _____

   _____.

2. Every human life is a gift from _____

   _____.

3. One serious sin against the Fifth Commandment is _____

   _____.

4. All human life is _____

   _____.

5. Hatred can lead to _____

   _____.

B **Check Understanding** Complete each sentence with the correct word from the Word Bank.

6. One way to live the Fifth Commandment is to make

   _____.

7. Jesus said to love everyone, even your

   _____.

8. Tempting or encouraging others to disrespect the gift

   of life is _____.

9. Jesus explained that uncontrolled _____
   is against the Fifth Commandment.

10. Actions that _____ and protect life
    uphold the Fifth Commandment.

Word Bank

peace

anger

wrong

enemies

respect

Vivir en la verdad

♥ Oremos

Líder: Tus palabras, oh Señor, son preciosas y verdaderas.

"Tus caminos enséñame, Señor, para que así ande en tu verdad". **Salmo 86, 11**

Todos: Que nuestras palabras sean eco de las tuyas, oh Señor, para que tu verdad sea dicha. Amén.

La Sagrada Escritura

"Ustedes han oído lo que se dijo a sus antepasados: *'No jurarás en falso, y cumplirás lo que has jurado al Señor.'* Digan sí cuando es sí, y no cuando es no."

Basado en Mateo 5, 33. 37

? ¿Qué piensas?

- ¿Está bien no decir la verdad para no herir los sentimientos de alguien?
- ¿Es realmente tan malo mentir?

Live in the Truth

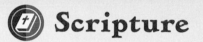 **Let Us Pray**

Leader: Your words, O Lord, are precious and true.
"Teach me, LORD, your way
that I may walk in your truth." **Psalm 86:11**

All: May our words echo yours, O Lord, so that your
truth may be told. Amen.

Scripture

"You have heard that it was said to those who came before
you, 'Do not tell lies to each other, but make good to the Lord all
that you promise.' Let your 'Yes' mean 'Yes,' and your 'No' mean
'No.'" **Based on Matthew 5:33, 37**

? What Do You Wonder?

- Is it okay not to tell the truth so you
  don't hurt someone's feelings?

- Is lying really all that bad?

Testigos de la verdad

¿Cómo muestran las personas que valoran la verdad?

Santo Tomás Moro, un funcionario importante de la Inglaterra del siglo XVI, fue encarcelado por negarse a decir una mentira.

Santo Tomás Moro

Santo Tomás tuvo que tomar una decisión importante. En una carta a su hija, comentó su dilema.

> Mi querida Meg:
>
> Tu padre te saluda con todo cariño, pero sin mucha esperanza. El dilema que enfrento no se desvanecerá pronto.
>
> Ya he estado encarcelado por varios meses. Todo lo que debo hacer para que me liberen es hacer el Juramento de Supremacía. Pero ¿cómo podría hacerlo? Si hago el juramento, estaría diciendo que Enrique VIII es el jefe supremo de la Iglesia católica en Inglaterra. Sabes que mi fe católica es fuerte, y creo que el Papa es el verdadero jefe de la Iglesia católica.
>
> El Rey Enrique está enojado. Teme que si estoy en su contra, otras personas seguirán mi ejemplo. Me obligan a tomar una decisión: ser honesto y que me maten, o mentir y vivir.
>
> Ora por mí.
>
> Tu padre que te ama,
> Tomás Moro

➜ ¿Qué decisión importante tuvo que tomar Tomás Moro?

➜ ¿Qué harías si estuvieras en el lugar de Tomás?

Witness to the Truth

How do people show that they value truth?

Saint Thomas More, an important official in England in the sixteenth century, was imprisoned for refusing to tell a lie.

Saint Thomas More

Saint Thomas had an important decision to make. In a letter to his daughter, he discussed his dilemma.

My dearest Meg,

Your father greets you with all his affection but not much hope. The dilemma I face will not soon go away.

I have been imprisoned now for some months. All I have to do to be set free is to take the Oath of Supremacy. But how can I? If I take the oath, I will be saying that Henry VIII is the supreme head of the Catholic Church in England. You know that my Catholic faith is strong, and I believe that the Pope is the true head of the Catholic Church.

King Henry is angry. He is afraid that if I go against him, other people will follow my example. I am being forced to make a choice: be honest and be killed, or tell a lie and live.

Pray for me.

Your loving father,
Thomas More

➜ What important decision did Saint Thomas More have to make?

➜ What would you do if you were in Thomas' position?

Hablar y actuar con la verdad

Santo Tomás Moro eligió mantenerse fiel a su fe y decir la verdad. Como resultado, el rey lo hizo matar, pero la Iglesia católica lo hizo Santo. Muchos Santos han sufrido torturas y la muerte en nombre de su fe. Se llama **mártir** a una persona que se mantiene fiel a Cristo, y prefiere sufrir y morir antes que negar la verdad. Los mártires viven la verdad al apoyar sus palabras con acciones.

Palabras católicas

mártir una persona que entrega su vida para dar testimonio de la verdad de Cristo y la fe. La palabra mártir significa "testigo".

Jean Donovan fue una misionera y mártir estadounidense. Ella fue asesinada junto a otras tres mujeres en 1980 cuando trabajaba como integrante de un Proyecto Misionero Diocesano en El Salvador.

Es probable que no estés llamado a convertirte en un mártir. Pero todo seguidor de Jesús está llamado a vivir en la verdad. Por medio de tus acciones, muestras tu fidelidad a Jesús y a la verdad de su mensaje.

El Arzobispo Oscar Romero también fue martirizado por su fe y su intervención a favor de los pobres en el Salvador, en 1980. El Papa San Juan Pablo II lo nombró un "Siervo de Dios" en 1997.

Comparte tu fe

Reflexiona Piensa acerca de por qué es siempre mejor decir la verdad.

Comparte Crea con un compañero una lista de las tres razones más importantes para decir la verdad.

Speak and Act the Truth

Saint Thomas More chose to remain true to his beliefs and speak the truth. As a result, the king had him killed, but the Catholic Church named him a Saint. Many Saints have suffered torture and death for the sake of their faith. A person who stays faithful to Christ and suffers and dies rather than denying the truth is called a **martyr**. Martyrs live the truth by backing up their words with actions.

You will probably not be called on to be a martyr. But every follower of Jesus is called to live in the truth. By your actions, you show your faithfulness to Jesus and the truth of his message.

Catholic Faith Words

martyr a person who gives up his or her life to witness to the truth of Christ and the faith. The word *martyr* means "witness."

Jean Donovan was an American missionary martyr. She was killed with three other women in 1980 while working as part of a Diocesan Mission Project in El Salvador.

Archbishop Oscar Romero was also martyred for his beliefs and intervention for the poor in El Salvador in 1980. Pope Saint John Paul II named him a "Servant of God" in 1997.

Share Your Faith

Reflect Think about why it is always best to tell the truth.

Share With a partner, create a Top Three list of reasons for telling the truth.

El Octavo Mandamiento

¿Qué te llama a hacer el Octavo Mandamiento?

Dios es la fuente de toda verdad. Su Palabra y su ley llaman a las personas a vivir en la verdad. El Octavo Mandamiento dice esto: No darás testimonio falso contra tu prójimo.

El Octavo Mandamiento prohíbe mentir, o no decir la verdad a propósito. La mentira puede tomar muchas formas. Si una persona miente bajo juramento en un tribunal, comete perjurio o falso testimonio. Las habladurías, o chismes, se refieren a hablar de otra persona a sus espaldas. Sea o no sea mentira, las habladurías pueden dañar la buena reputación de otra persona.

Todas las mentiras son injustas y contrarias al amor. Todas exigen una **reparación**. La reparación puede ser tan sencilla como pedir disculpas o puede necesitar más trabajo, como ayudar a que la persona recupere la reputación que has lastimado.

➤ **¿Por qué es importante la reparación?**

Palabras católicas

reparación una acción tomada para arreglar el daño hecho por el pecado

prudencia la Virtud Cardinal que nos ayuda a ser prácticos y a tomar las decisiones correctas sobre lo que es correcto y bueno, con la ayuda del Espíritu Santo y una conciencia bien formada

Cuando tomamos una mala decisión y mentimos, afectamos a otras personas.

Una manera de reparar el daño es ofrecer disculpas y pedir perdón.

The Eighth Commandment

What does the Eighth Commandment call you to do?

God is the source of all truth. His Word and his law call people to live in the truth. The Eighth Commandment says this: You shall not bear false witness against your neighbor.

The Eighth Commandment forbids lying, or purposely not telling the truth. Lying can take many forms. If a person lies in court when under oath, he or she commits perjury, or false witness. Gossip is talking about another person behind his or her back. Gossip may or may not be a lie, but all gossip can harm the good reputation of another person.

All lies are unjust and unloving. All require **reparation**, or repair. Reparation may be as simple as an apology, or it may take more work, such as trying to help a person get back the reputation you have hurt.

➔ **Why is reparation important?**

> ## Catholic Faith Words
>
> **reparation** an action taken to repair the damage done from sin
>
> **prudence** the Cardinal Virtue that helps us be practical and make correct decisions on what is right and good, with the help of the Holy Spirit and a well-formed conscience

When we make a bad choice and lie, it affects others.

One way to repair the harm is to apologize and ask forgiveness.

Jesús es la verdad

Vivir en el espíritu del Octavo Mandamiento es más que no mentir. Debes elegir actuar con **prudencia** y tomar decisiones correctas sobre lo que es correcto y bueno. Cuando eres veraz, estás viviendo como seguidor de Jesús, que siempre dijo la verdad.

📖 La Sagrada Escritura

La verdad los hará libres

[Jesús decía]: "Ustedes serán verdaderos discípulos míos si perseveran en mi palabra; entonces conocerán *la verdad, y la verdad los hará libres*... Yo soy el Camino, la Verdad y la Vida. Nadie va al Padre sino por mí." **Juan 8, 31-32; 14, 6**

Las personas confiaban en lo que Jesús decía y hacía. Cuando eres veraz, las personas confían en ti. Cuando prometes decir la verdad, tienes un deber especial. Di "sí" cuando sea "sí" y di "no" cuando sea "no." Decir la verdad te hará libre de seguir a Jesús y vivir en el amor.

Practica tu fe

Vivir la verdad Lee la lista y marca con una X el enunciado que habla acerca de vivir en la verdad y con una O la oración que no lo haga. Para cada enunciado marcado con una O, di una manera en que una persona podría reparar su mala decisión.

_____ Juanita oyó una historia desagradable acerca de un compañero de clase. Ella no la repitió.

_____ Scott presumió falsamente acerca de lo bueno que era en deporte.

_____ Samantha les dijo a sus padres que iba a la biblioteca, pero en cambio se fue al parque.

_____ Matt descubrió que su amigo robó en una tienda, pero no se lo dijo a los otros amigos.

Jesus Is the Truth

Living in the spirit of the Eighth Commandment is more than not lying. You must choose to act with **prudence** and make correct decisions on what is right and good. When you are truthful, you are living as a follower of Jesus, who always told the truth.

ⓣ Scripture

The Truth Will Set You Free

[Jesus said] "If you remain in my word, you will truly be my disciples, and you will know the truth, and the truth will set you free. . . . I am the way and the truth and the life. No one comes to the Father except through me." John 8:31–32, 14:6

People trusted what Jesus did and said. When you are truthful, people trust you. When you promise to tell the truth, you have a special duty. Let your "yes" mean "yes" and your "no" mean "no." Telling the truth will set you free to follow Jesus and to live in love.

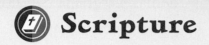

Connect Your Faith

Live the Truth Mark an X if a statement talks about living in truth and an O if it does not. For each statement marked with an O, tell one way the person could make up for his or her wrong choice.

_____ Juanita heard an unkind story about a classmate. She did not repeat it.

_____ Scott bragged falsely about how good he was at sports.

_____ Samantha told her parents that she was going to the library, but instead she went to the park.

_____ Matt discovered that his friend had shoplifted but he did not gossip about it.

© Our Sunday Visitor

Nuestra vida católica

¿Cómo puedes vivir en el espíritu del Octavo Mandamiento?

A veces resulta difícil ser honesto. Nunca es fácil admitir que has hecho algo malo cuando sabes que te pueden castigar. Pero ser honesto con los demás y contigo mismo es lo que Dios te pide en el Octavo Mandamiento.

Imagina lo que sería tu vida si nadie confiara en ti. Ningún amigo te contaría un secreto. Nadie creería nada de lo que dijeras.

Suena solitario, ¿no es cierto? Además, la deshonestidad va en contra de la ley de Dios y lleva a lastimar a los demás. La gracia de Dios y practicar las virtudes nos ayudan a elegir la honestidad

Usa palabras de la primera columna para completar las oraciones de la segunda columna.

Elegir la verdad

acciones	• Usa palabras que muestren _____ por los demás.
respeto	• No caigas en _____ ni digas mentiras acerca de las demás personas.
rumores	• Asegúrate de que tus _____ reflejen tu verdadero yo. No exageres, presumas ni quieras actuar mejor que los demás.
prejuicioso	• Di la _____, especialmente cuando has prometido hacerlo.
habladurías	• No difundas _____ sobre otras personas.
verdad	• Evita ser _____ con quienes sean diferentes.

Our Catholic Life

How can you live in the spirit of the Eighth Commandment?

Sometimes being honest can be difficult. It is never easy to admit to having done something wrong when you know that you may be punished. But being honest with others and yourself is what God asks of you in the Eighth Commandment.

Imagine what your life would be like if no one trusted you. No friend would tell you a secret. No one would believe anything that you said.

Sounds lonely, doesn't it? Besides, dishonesty is against God's law, and it can lead to hurting others. God's grace and practicing virtues can help us choose honesty.

> ⭐ Use words from the first column to fill in the sentences in the second column.

Choosing Truth

actions	• Use words that show _____ for other people.
respect	• Do not _____ or tell lies about someone else.
rumors	• Make sure that your _____ reflect your true self. Don't exaggerate, brag, or act better than others.
prejudiced	• Tell the _____, especially when you have promised to do so.
gossip	• Do not spread _____ about others.
truth	• Avoid being _____ against those who are different.

Gente de fe

30 de mayo

Santa Juana de Arco, 1412–1431

No siempre es fácil decir la verdad. Santa Juana de Arco se convirtió en mártir por decir la verdad. Juana era adolescente cuando tenía visiones y escuchaba voces. Las voces le decían que liderara un ejército para pelear por la verdad y salvar a Francia de los invasores. Con valentía, ella dijo la verdad sobre sus visiones y las voces, y salvó a Francia en muchas batallas. Sin embargo, Juana fue acusada de estar en contra de la Iglesia y de ser bruja. Fue quemada en la hoguera. Se han escrito muchos libros y hecho muchas películas acerca de ella.

Comenta: Habla de algún momento en el que hayas dicho la verdad aunque fuera difícil.

 Aprende más sobre Santa Juana en **vivosencristo.osv.com**

Diseña un cartel que explique la importancia de decir la verdad. Incluye un lema para que tu mensaje sea claro y explica tu cartel a tu familia y amigos. Quizá quieras escribir tu lema en un trozo de papel para tenerlo en el bolsillo como recordatorio.

People of Faith

May 30

Saint Joan of Arc, 1412–1431

It isn't always easy to tell the truth. Saint Joan of Arc became a martyr because she told the truth. Joan was a teenager when she had visions and heard voices. They told her to lead an army to fight for truth and save France from invaders. She bravely told the truth about her visions and voices and saved France in many battles. However, Joan was accused of being against the Church and of being a witch. She was burned at the stake. Many books and movies have been written about her.

Discuss: Talk about a time when you told the truth even though it was difficult.

 Learn more about Saint Joan at **aliveinchrist.osv.com**

Live Your Faith

Design a poster that explains the importance of telling the truth. Include a slogan to make your message clear, and explain your poster to your family and friends. You may also want to write your slogan on a piece of paper to keep with you in your pocket as a reminder.

Oremos

Oración al Espíritu Santo

Reúnanse y comiencen con la Señal de la Cruz.

Líder: Cuando tengamos miedo de decir la verdad,

Todos: Espíritu de la Verdad, ¡guíanos!

Líder: Cuando estemos tentados de hablar de los demás,

Todos: Espíritu de la Verdad, ¡guíanos!

Líder: Cuando enfrentemos decisiones sobre decir la verdad,

Todos: Espíritu de la Verdad, ¡guíanos!

Líder: Cuando juzguemos a otro falsamente,

Todos: Espíritu de la Verdad, ¡guíanos!

Líder: Dios de toda verdad, cuando enfrentemos decisiones sobre decir la verdad, guíanos hacia tu luz. Danos la fortaleza para tomar buenas decisiones. Te lo pedimos en el nombre de Jesús.

Todos: Amén.

 Canten "Ven, Espíritu de Dios"
Ven, Espíritu de Dios,
danos tu luz, ilumínanos.
Amor que encendió las estrellas,
enciende en nosotros tu fuego.

♡ Let Us Pray

Prayer to the Holy Spirit

Gather and begin with the Sign of the Cross.

Leader: Whenever we are afraid to tell the truth,

All: Spirit of Truth, guide us!

Leader: Whenever we are tempted to gossip,

All: Spirit of Truth, guide us!

Leader: Whenever we are faced with choices about telling the truth,

All: Spirit of Truth, guide us!

Leader: Whenever we falsely judge another,

All: Spirit of Truth, guide us!

Leader: God of all truth, whenever we face choices about telling the truth, guide us to your light. Give us strength to make good choices. We ask this in Jesus' name.

All: Amen.

 Sing "Spirit, Come Down"
Spirit, Spirit, Spirit,
come down from Heaven.
Spirit, Spirit,
and seal us with your love.
© 2001, Janet Vogt and Mark Friedman.
Published by OCP. All rights reserved.

© Our Sunday Visitor

SUS HIJOS APRENDIERON >>>

Este capítulo explica el Octavo Mandamiento y explora el llamado de Jesús a vivir en la verdad y a reparar el daño hecho por el pecado.

La Sagrada Escritura

Lean **Mateo 5, 33. 37** para aprender de la relación entre gracia y verdad.

Lo que creemos

- Como Dios es verdad, su Pueblo está llamado a vivir en la verdad.
- El Octavo Mandamiento prohíbe mentir.

Para aprender más, vayan al *Catecismo de la Iglesia Católica* 1741, 2465-2470 en **usccb.org**.

Gente de fe

Esta semana, su hijo aprendió acerca de Santa Juana de Arco. Como resultado de sus visiones, ella salvó a Francia en muchas batallas. Ella es la patrona de las mujeres en el ejército.

LOS NIÑOS DE ESTA EDAD >>>

Cómo comprenden decir la verdad Es probable que su hijo tenga un pensamiento concreto y entienda la relación entre causa y efecto. A diferencia de los niños de preescolar, los niños de esta edad saben que la verdad no cambia solo porque queramos. Saben también que los adultos no lo saben todo y que a veces nos pueden engañar. Es importante que los niños vean la conexión entre la verdad, la confianza y las relaciones. No podemos ser muy amigos de las personas si les mentimos, aunque sean mentiras pequeñas, porque una relación supone confianza.

CONSIDEREMOS ESTO >>>

¿Qué importancia tiene la verdad en sus relaciones?

La mayoría de nosotros espera honestidad en nuestras relaciones, aunque no siempre nos guste. La verdad es central en nuestra relación con Dios. Como católicos, sabemos que "Dios es la fuente de la verdad. Jesús no solo enseñó la verdad; sino que él también dijo: 'Yo soy la verdad' (cf. Jn 14:6). La palabra hebrea para verdad, *emeth*, se refiere tanto a la verdad en las palabras como a la veracidad en las acciones. Jesús hizo las dos cosas, personalizó la verdad y dijo nada más que la verdad" (*CCEUA, p. 459*).

HABLEMOS >>>

- Pidan a su hijo que explique el Octavo Mandamiento.
- Compartan una ocasión en que tuvieron que decidir si decir la verdad o mentir, o cuando alguien más les mintió. ¿Qué sintieron? ¿Qué hicieron?

OREMOS >>>

Santa Juana de Arco, ruega por nosotros para que seamos fuertes en nuestra fe y siempre tengamos el valor de hablar y vivir en la verdad. Amén.

Visiten **vivosencristo.osv.com** para encontrar un glosario multimedia de Palabras católicas, lecturas dominicales, y recursos de Santos y tiempos festivos.

FAMILY+FAITH
LIVING AND LEARNING TOGETHER

YOUR CHILD LEARNED >>>

This chapter explains the Eighth Commandment and explores Jesus' call to live in the truth and repair the damage done from sin.

Scripture

Read **Matthew 5:33, 37** to find out about the relationship between grace and truth.

Catholics Believe

- Because God is truth, his People are called to live in the truth.
- The Eighth Commandment forbids lying.

To learn more, go to the *Catechism of the Catholic Church* #1741, 2465–2470 at **usccb.org**.

People of Faith

This week, your child learned about Saint Joan of Arc. As a result of her visions, she saved France in many battles. She is the patron of women in the military.

CHILDREN AT THIS AGE >>>

How They Understand Telling the Truth Your child is probably a concrete thinker who understands cause and effect. Unlike preschoolers, children this age know that the truth doesn't change just because we want it to. They also know that adults don't know everything, and that sometimes we can be fooled. It's important for children to see the connection between truth, trust, and relationship. We cannot really be close to people if we tell them lies, no matter how small the lies, because relationship implies trust.

CONSIDER THIS >>>

How important is truth in your relationships?

Most of us expect honesty in our relationships even if we do not always welcome it. Truth is central to our relationship with God. As Catholics, we know that "God is the source of truth. Jesus not only taught the truth; he also said, 'I am the truth' (cf. John 14:6). The Hebrew word for truth, *emeth*, refers to truth in words and truthfulness in deeds. Jesus both personalized truth and spoke nothing but the truth" (*USCCA, p. 431*).

LET'S TALK >>>

- Ask your child to explain the Eighth Commandment.
- Share a time when you had to decide to lie or tell the truth, or when someone else lied to you. How did it feel? What did you do?

LET'S PRAY >>>

Saint Joan of Arc, pray for us that we may be strong in our faith and always have the courage to speak and live the truth. Amen.

For a multimedia glossary of Catholic Faith Words, Sunday readings, seasonal and Saint resources, and chapter activities go to **aliveinchrist.osv.com**.

Capítulo 15 Repaso

A **Trabaja con palabras** Rellena el círculo junto a la mejor respuesta.

1. Un _____ es una persona que entrega su vida para dar testimonio de Cristo y de la verdad de la fe.
   - ○ sacerdote
   - ○ diácono
   - ○ mártir

2. _____ son pecados contra el Octavo Mandamiento.
   - ○ La mentira y las habladurías
   - ○ Robar y mentir
   - ○ Las habladurías y el asesinato

3. _____ es arreglar el daño hecho por el pecado.
   - ○ El perjurio
   - ○ El pecado
   - ○ La reparación

4. El Octavo Mandamiento dice "No _____".
   - ○ matarás
   - ○ darás testimonio falso contra tu prójimo
   - ○ santificarás el Día del Señor

5. _____ están llamados a vivir en la verdad.
   - ○ Solo los mártires
   - ○ Solo los sacerdotes y diáconos
   - ○ Todos los hombres

B **Confirma lo que aprendiste** Completa cada oración con el término correcto del Vocabulario.

> ### Vocabulario
> ● ● ● ● ● ● ● ● ● ● ● ● ● ● ● ● ●
> mártir   verdad
> prudencia   habladurías
> mentir

6. Jesús te llama a vivir en la _____.

7. Tomás Moro fue un _____ y un santo.

8. _____ es no decir la verdad a propósito.

9. Las _____ se refieren a hablar de otra persona a sus espaldas.

10. La _____ es ser práctico y tomar decisiones correctas con la ayuda del Espíritu Santo y una conciencia bien formada.

© Our Sunday Visitor

Chapter 15 Review

A Work with Words Fill in the circle next to the best answer.

1. A _____ is someone who gives up his or her life to witness the truth of Christ and the faith.
   - ○ priest
   - ○ deacon
   - ○ martyr

2. _____ are sins against the Eighth Commandment.
   - ○ Lying and gossip
   - ○ Stealing and lying
   - ○ Gossip and murder

3. _____ is the action taken to repair the damage done by sin.
   - ○ Perjury
   - ○ Sin
   - ○ Reparation

4. The Eighth Commandment is "You shall not _____."
   - ○ kill
   - ○ bear false witness against your neighbor
   - ○ keep holy the Lord's Day

5. _____ are called to live in the truth.
   - ○ Only martyrs
   - ○ Only priests and deacons
   - ○ All of us

B Check Understanding Complete each sentence with the correct word from the Word Bank.

Word Bank

martyr   truth

prudence   gossip

lying

6. Jesus calls you to live in the _____.

7. Thomas More was a _____ and a Saint.

8. _____ is purposely not telling the truth.

9. _____ is talking about another person behind his or her back.

10. _____ is being practical and making correct decisions with the help of the Holy Spirit.

A **Trabaja con palabras** Usa las pistas para resolver el crucigrama.

1. S i x t h

Horizontal

1. Este Mandamiento dice: No matarás.

3. Matar deliberadamente a otra persona

6. Hacer las cosas o actuar de cierta manera según lo exijan las autoridades

8. La virtud que ayuda a que las personas se vistan, hablen o se comporten de manera apropiada

9. La acción tomada para reparar el daño cometido por el pecado

Vertical

2. La virtud que nos ayuda a ser prácticos y tomar decisiones correctas

4. Este Mandamiento se dirige específicamente a los hijos.

5. Este Mandamiento dice: No darás testimonio falso contra tu prójimo.

7. Continuar el ciclo de ira y odio

10. Una persona que entrega su vida para dar testimonio de la verdad de Cristo y de la fe

A **Work with Words** Use the clues to solve the puzzle.

Across

1. This Commandment says: You shall not kill.

3. The deliberate killing of another person

5. This Commandment says: You shall not bear false witness against your neighbor.

6. To do things or act in certain ways that are requested by those in authority

8. The virtue that helps people dress, talk, and move in appropriate ways

9. Action taken to repair the damage done from sin

Down

2. The virtue that helps us be practical and make correct decisions

4. This Commandment specifically addresses sons and daughters.

7. Continuing the cycle of anger and hatred

10. Someone who gives up his or her life to witness to the truth of Christ and the faith

 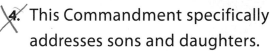

B **Confirma lo que aprendiste** Rellena el círculo que está junto a la respuesta correcta.

11. Jesús dijo: "Yo soy el Camino, _____ y la Vida".

    ○ Luz

    ○ la Verdad

    ○ el líder

12. Santo Tomás Moro fue asesinado por negarse a decir que el rey de Inglaterra era el jefe de la Iglesia católica. Moro creía que el verdadero jefe de la Iglesia era _____.

    ○ el Papa

    ○ el obispo

    ○ la reina

13. El plan de Dios para los seres humanos incluye vivir _____ las familias.

    ○ sin

    ○ con

    ○ cerca de

14. Todas las acciones que respetan y protegen la vida obedecen el _____ Mandamiento.

    ○ Noveno

    ○ Sexto

    ○ Quinto

15. Cuando eres _____, vives como seguidor de Jesús.

    ○ pecador

    ○ veraz

    ○ avaro

B **Check Understanding** Fill in the circle next to the best answer.

11. Jesus said, "I am the way and the _____ and the life."

    ○ light
    ○ truth
    ○ leader

12. Saint Thomas More was killed for refusing to say that the king of England was the head of the Catholic Church. More believed that the _____ was the true head of the Church.

    ○ Pope
    ○ bishop
    ○ queen

13. God's plan for humans includes living _____ families.

    ○ without
    ○ with
    ○ around

14. All actions that respect and protect life obey the _____ Commandment.

    ○ Ninth
    ○ Sixth
    ○ Fifth

15. When you are _____, you are living as a follower of Jesus.

    ○ sinful
    ○ truthful
    ○ greedy

C **Relaciona** Escribe una respuesta breve para cada pregunta o enunciado.

16. Enumera dos maneras como la escuela te ayuda a respetar y cuidar tu cuerpo.

_____

_____

_____

17. Enumera dos maneras en las que respetas y cuidas tu cuerpo en casa.

_____

_____

_____

18. ¿Por qué el romper el Octavo Mandamiento a la larga te dejará sintiéndote solitario?

_____

_____

_____

19. Explica lo que has aprendido acerca de la familia.

_____

_____

_____

20. ¿Qué has aprendido acerca de ser un fiel servidor de Cristo?

_____

_____

_____

C Make Connections Write a brief response to each question or statement.

16. List two ways that school helps you respect and take care of your body.

_____

_____

_____

17. List two ways that you respect and take care of your body at home.

_____

_____

_____

18. Why will breaking the Eighth Commandment eventually leave you feeling lonely?

_____

_____

_____

19. Explain what you have learned about family.

_____

_____

_____

20. What have you learned about being a faithful follower of Christ?

_____

_____

_____

Sacramentos

Nuestra Tradición Católica

- El Misterio Pascual se celebra en los tiempos del año litúrgico y a través de los Sacramentos. (CIC, 1171)

- Cristo instituyó los Siete Sacramentos como signos eficaces de la vida y el amor de Dios que nos dan la gracia. (CIC, 1131)

- La Eucaristía es el corazón de la vida de la Iglesia. (CIC, 1407)

- Los Sacramentos de Curación se refieren a la conversión, el perdón y la curación. (CIC, 1421)

¿Cómo continúa la obra salvadora de Jesús a través de los Siete Sacramentos y la celebración del año litúrgico?

UNIT 6

Sacraments

© Our Sunday Visitor

Our Catholic Tradition

- The Paschal Mystery is celebrated in the seasons of the liturgical year and through the Sacraments. (CCC, 1171)

- Christ instituted the Seven Sacraments as effective signs of God's life and love that give us grace. (CCC, 1131)

- The Eucharist is the heart of the Church's life. (CCC, 1407)

- The Sacraments of Healing are about conversion, forgiveness, and healing. (CCC, 1421)

How does Jesus' saving work continue through the Seven Sacraments and the celebration of the liturgical year?

El año litúrgico

♡ Oremos

Líder: Amoroso Señor, te alabamos y te damos gracias en todo momento, en todo tiempo.

"Bendeciré al Señor en todo tiempo, no cesará mi boca de alabarlo". **Salmo 34, 2**

Todos: Amoroso Señor, te alabamos y te damos gracias en todo momento, en todo tiempo.

📖 La Sagrada Escritura

En Dios están mi salvación y mi gloria,
él es mi roca y mi fuerza, en él me abrigo.
Pueblo mío, confíen siempre en él,
abran su corazón delante de él,
Dios es nuestro refugio.

Salmo 62, 8-9

❓ ¿Qué piensas?

- ¿Por qué la Iglesia relata la historia de la vida de Jesús una y otra vez?

- ¿Realmente está Jesús contigo en cada momento del día?

The Liturgical Year

♡ Let Us Pray

Leader: Loving Lord, we praise you and give you thanks no matter the time, no matter the season.

"I will bless the LORD at all times;
   his praise shall be always in my mouth." **Psalm 34:2**

All: Loving Lord, we praise you and give you thanks no matter the time, no matter the season.

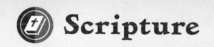 Scripture

My deliverance and honor are with God,
   my strong rock;
   my refuge is with God.
Trust God at all times, my people!
   Pour out your hearts to God our refuge!
Psalm 62:8–9

❓ What Do You Wonder?

- Why does the Church tell the story of Jesus' life over and over again?

- Is Jesus really with you in each moment of your day?

Un tiempo para todo

¿Qué es el Misterio Pascual?

Todos los seres vivos siguen un patrón. Nacen, crecen y se desarrollan y, por último, mueren. Este patrón se llama ciclo de vida. Cada año, a medida que cambian las estaciones, ves cambios en el mundo que te rodea. Dios nos habla acerca de la importancia de los tiempos y los ciclos en uno de los Libros Sapiensales de la Biblia.

🔖 La Sagrada Escritura

El tiempo correcto

Hay bajo el sol un momento para todo,
y un tiempo para hacer cada cosa:
   Tiempo para nacer, y tiempo para morir;
tiempo para plantar, y tiempo para arrancar lo plantado...
   tiempo para llorar y tiempo para reír;
tiempo para gemir y tiempo para bailar...
   tiempo para buscar y tiempo para perder;
tiempo para conservar y tiempo para tirar fuera...
   tiempo para amar y tiempo para odiar;
tiempo para la guerra y tiempo para la paz.
Eclesiastés 3, 1-8

➤ ¿Qué mensaje nos dio Dios en este poema?

A Time for Everything

What is the Paschal Mystery?

All living things follow a pattern. They come to life, they grow and develop, and finally they die. This pattern is called a life cycle. Every year, as the seasons change, you see changes in the world around you. God tells us about the importance of seasons and cycles in one of the Wisdom Books in the Bible.

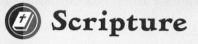

Scripture

The Right Time

There is an appointed time for everything,
and a time for every affair under the heavens.
A time to give birth, and a time to die;
a time to plant, and a time to uproot the plant . . .
A time to weep, and a time to laugh;
a time to mourn, and a time to dance . . .
A time to seek, and a time to lose;
a time to keep, and a time to cast away . . .
A time to love, and a time to hate;
a time of war, and a time of peace. **Ecclesiastes 3:1–8**

➔ **What message was God giving us in this poem?**

Palabras católicas

Ascensión cuando Jesús Resucitado fue llevado al Cielo para estar con Dios Padre para siempre

Misterio Pascual el misterio del sufrimiento, Muerte, Resurrección y Ascensión de Jesús

año litúrgico las fiestas y los tiempos del calendario de la Iglesia que celebran el Misterio Pascual de Cristo

El Misterio Pascual

Jesús experimentó el ciclo natural de la vida, pero su ciclo no terminó con su Muerte en la Cruz. Dios Padre resucitó a Jesús de entre los muertos hasta una vida nueva. Entonces, Jesús ascendió al Cielo para reunirse con su Padre. El sufrimiento, Muerte, Resurrección y **Ascensión** de Jesús se llama **Misterio Pascual**. Este misterio revela que Jesús salvó a todos los seres humanos del poder del pecado y de la muerte eterna.

La Iglesia celebra este misterio en cada Sacramento y especialmente en cada Eucaristía. Cada domingo nos reunimos con la comunidad parroquial para celebrar la vida nueva que nos da la Resurrección de Jesús.

El año litúrgico

De semana a semana, puedes notar diferentes lecturas, himnos y colores en la Misa. Esto marca los tiempos del año de la Iglesia, llamado año litúrgico. El año litúrgico comienza el primer domingo de Adviento, generalmente alrededor del 1 de diciembre, y termina con la fiesta de Cristo Rey.

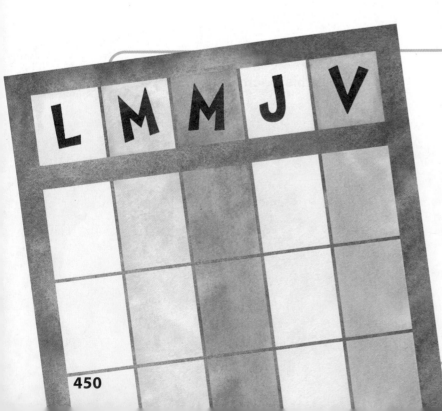

Comparte tu fe

Reflexiona Piensa en lo que hiciste la semana pasada. En los recuadros, dibuja uno de los símbolos de los "tiempos" de tu vida. Si el lunes fue un día feliz, dibuja una cara sonriente para mostrar que estabas feliz. Usa símbolos diferentes para representar tus "tiempos".

Comparte con un compañero algunos de los mejores y peores momentos que tuviste la semana pasada.

The Paschal Mystery

Jesus experienced the natural cycle of life, but his cycle did not end with his Death on the Cross. God the Father raised Jesus from the dead and to new life. Then Jesus ascended to join his Father in Heaven. The suffering, Death, Resurrection, and **Ascension** of Jesus are called the **Paschal Mystery**. This mystery reveals that Jesus saved all humans from the power of sin and everlasting death.

The Church celebrates this mystery in every Sacrament and especially at every Eucharist. Every Sunday we gather with the parish community to celebrate the new life that Jesus' Resurrection gives us.

The Liturgical Year

From week to week at Mass, you may notice different readings, hymns, and colors. These mark the seasons of the Church's year, called the **liturgical year**. The liturgical year begins on the first Sunday of Advent, usually around December 1, and ends with the feast of Christ the King.

> ## Catholic Faith Words
>
> **Ascension** when the Risen Jesus was taken up to Heaven to be with God the Father forever
>
> **Paschal Mystery** the mystery of Jesus' suffering, Death, Resurrection, and Ascension
>
> **liturgical year** the feasts and seasons of the Church calendar that celebrate the Paschal Mystery of Christ

Share Your Faith

Reflect Think about what you did last week. In the boxes, sketch one of the symbols for the "times" of your life. If Monday was a happy time, draw a smiling face to show that you were happy. Use different symbols to represent your "times."

Share With a partner, share some of the best and worst times you had last week.

Los tiempos de la Iglesia

¿Cuáles son los tiempos del año litúrgico?

Así como las estaciones del año marcan los ciclos de la vida y la muerte en la naturaleza, los tiempos del año litúrgico marcan y celebran los sucesos del Misterio Pascual.

➜ **¿Cuál es tu tiempo litúrgico preferido? ¿Por qué?**

Adviento

Adviento es el comienzo del año litúrgico. Las cuatro semanas antes de Navidad son un tiempo de preparación para la llegada de Jesús. La Iglesia le pide al Espíritu Santo que ayude a las personas a dar todos los días la bienvenida a Jesús en su corazón. El color del tiempo es el morado, signo de espera.

Navidad

El tiempo de Navidad va desde la Víspera de Navidad hasta el domingo después de la Epifanía, que es doce días después de la Navidad. Es un tiempo de alegrarse y dar gracias a Dios Padre por enviar a su Hijo para convertirse en uno de nosotros. Los colores dorado y blanco son recordatorios de la celebración del don de Jesús.

Cuaresma

La Cuaresma dura cuarenta días. Comienza el Miércoles de Ceniza y termina el Jueves Santo. La Cuaresma es un tiempo de preparación para la Pascua, siguiendo a Jesús más de cerca. El color de este tiempo, el morado, se usa como signo de penitencia.

The Church's Seasons

What are the seasons of the liturgical year?

Just as the seasons of the year mark the cycles of life and death in nature, the seasons of the liturgical year mark and celebrate the events of the Paschal Mystery.

➤ **What is your favorite liturgical season? Why?**

Advent

Advent is the beginning of the Church year. The four weeks before Christmas are a time of preparation for the coming of Jesus. The Church asks the Holy Spirit to help people welcome Jesus into their hearts every day. The seasonal color is violet, a sign of waiting.

Christmas

The Christmas season lasts from Christmas Eve through the Sunday after Epiphany, which is twelve days after Christmas. It is a time to be joyful and to thank God the Father for sending his Son to become one of us. White and gold colors are reminders to celebrate the gift of Jesus.

Lent

Lent lasts for forty days. It begins on Ash Wednesday and ends on Holy Thursday. Lent is a time to prepare for Easter by following Jesus more closely. The seasonal color of violet is used as a sign of penance.

Practica tu fe

Recuerda su amor En la tabla de los tiempos de estas páginas, diseña símbolos o escribe frases para ilustrar las acciones salvadoras de Jesús que celebra cada tiempo.

Triduo Pascual

El tiempo de Pascua está precedido de una celebración del Misterio Pascual que dura tres días, llamada Triduo Pascual. Comienza con la celebración de la Cena del Señor, el Jueves Santo, y finaliza con la oración de las vísperas del Domingo de Pascua.

Pascua

El tiempo de Pascua continúa por cincuenta días, hasta Pentecostés. Es un tiempo para recordar tu Bautismo y para dar gracias por la Resurrección de Jesús que salvó a todas las personas del poder del pecado y de la muerte eterna. Durante este tiempo se usan los colores dorado y blanco como signo de gran alegría.

Tiempo Ordinario

El Tiempo Ordinario es un tiempo dividido en dos partes. La primera se ubica entre el tiempo de Navidad y el primer Domingo de Cuaresma. La segunda, entre el tiempo de Pascua y de Adviento. El Tiempo Ordinario es el momento de recordar las obras de Jesús y de escuchar sus enseñanzas. Durante este tiempo se usa el color verde como signo de esperanza y crecimiento.

Connect Your Faith

Remember His Love On the chart of seasons on these pages, design symbols or write phrases to illustrate the saving actions of Jesus that each season celebrates.

Easter

The Easter Season continues for fifty days until Pentecost. It is a time to remember your Baptism and to give thanks for the Resurrection of Jesus that saved all people from the power of sin and everlasting death. White or gold colors are used during this season as a sign of great joy.

Ordinary Time

Ordinary Time is a season in two parts. The first is between the Christmas season and the First Sunday of Lent. The second is between the Easter season and Advent. Ordinary Time is the time to remember the works of Jesus and listen to his teachings. The color green is used during this season as a sign of hope and growth.

Triduum

The Easter Season is preceded by a three-day celebration of the Paschal Mystery called the Triduum. It starts with the celebration of the Lord's Supper on Holy Thursday and ends with evening prayer on Easter Sunday.

© Our Sunday Visitor

Nuestra vida católica

¿Cómo celebras los tiempos del año litúrgico?

Los tiempos de la naturaleza afectan tu manera de pensar y actuar. Por ejemplo, no irías a pescar en el hielo en pleno verano. La Iglesia también quiere que pienses y actúes según sus tiempos.

Cada tiempo del año litúrgico te ofrece una manera distinta de ver a Jesús, a las personas y al mundo que te rodea. Estas son algunas maneras de orar y vivir de acuerdo con los tiempos.

Escribe en cada uno de los recuadros otra manera en la que celebras ese tiempo de la Iglesia.

Celebrar los tiempos

Navidad	Celebra el nacimiento de Jesús buscando el amor de Jesús en todas las personas que conoces.
Tiempo Ordinario	Aprende más acerca de Jesús leyendo la Biblia. Imita su amor por los pobres, los que sufren y los enfermos.
Adviento	Prepárate para la llegada de Jesús en tu corazón practicando la paciencia.
Cuaresma	Ora, ayuna y centra tu atención en actos de penitencia. Estas acciones te preparan para celebrar la Pascua.
Pascua	Celebra la maravillosa noticia de que has sido salvado. Comparte tu experiencia de cómo Dios ha obrado en tu vida.

Our Catholic Life

How do you celebrate the seasons of the Church year?

The seasons in nature affect the way you think and act. For example, you would not try to go ice fishing in the middle of summer. The Church also wants you to think and act according to her seasons.

Each season of the Church year gives you a different way to look at Jesus and the people and the world around you. Here are some ways to pray and live according to the seasons.

 In each of the boxes, write one other way you can celebrate that Church season.

Celebrating the Seasons

Christmas	Celebrate Jesus' birth by looking for the love of Jesus in everyone you meet. _____
Ordinary Time	Learn more about Jesus by reading the Bible. Imitate his love for those who are poor, suffering, or sick. _____
Advent	Prepare for Jesus' coming into your heart by practicing patience. _____
Lent	Pray, fast, and focus your attention upon acts of penance. These actions will prepare you to celebrate Easter. _____
Easter	Celebrate the wonderful news that you have been saved. Share your experiences of how God has worked in your life. _____

Gente de fe

9 de diciembre

San Juan Diego, 1474–1548

La Iglesia y el año tienen tiempos. A veces Dios hace que sucedan cosas especiales fuera de tiempo para mostrar su amor. San Juan Diego vivió en México. Un día de diciembre, mientras caminaba hacia la iglesia, encontró una mujer que decía que era la Madre de Dios y que su hijo era Jesús, el Salvador. Ella dijo que su título era Nuestra Señora de Guadalupe. Cuando Juan le pidió una señal para estar seguro, florecieron rosas aunque hacía un frío invernal. Juan le llevó las rosas a su obispo, que hizo construir un altar en el lugar donde Juan había visto a María.

Comenta: ¿Cuándo te ha mostrado Dios una señal de amor?

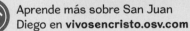

Aprende más sobre San Juan Diego en **vivosencristo.osv.com**

Vive tu fe

Recuerda el tiempo litúrgico que la Iglesia está celebrando actualmente. Nombra y dibuja algo que haces ahora para celebrar ese tiempo.

People of Faith

Saint Juan Diego, 1474–1548

December 9

The Church and the year both have seasons. Sometimes God makes special things happen out of season to show his love. Saint Juan Diego lived in Mexico. One December day, while walking to church, he met a woman who said she was the Mother of God and her Son was Jesus, the Savior. She said her title was Our Lady of Guadalupe. When Juan asked for a sign to be sure, roses bloomed even though it was cold and wintery. Juan brought the roses to his bishop, who had a shrine built at the site where Juan had seen Mary.

Discuss: When has God shown you a sign of love?

 Learn more about Saint Juan Diego at **aliveinchrist.osv.com**

Live Your Faith

Recall the liturgical season the Church is currently celebrating. Name and draw one thing you can do to celebrate this season now.

Oremos

Oración de alabanza

Reúnanse y comiencen con la Señal de la Cruz.

Líder: Dios, nuestro Padre bueno, enviaste a Jesús, tu hijo, para rescatarnos del poder del pecado y de la muerte eterna.

Todos: Proclamamos tu Muerte, oh Señor.

Líder: Jesús, viniste a este mundo de oscuridad como la luz. Tus palabras de amor tocaron a los enfermos y los débiles. Perdonaste a los pecadores y los liberaste de la vergüenza.

Todos: Jesús vive con nosotros.

Líder: Jesús, moriste en la Cruz, un sacrificio de amor que nos liberó de nuestros pecados.

Todos: Jesús murió por nosotros.

Líder: Jesús, resucitaste de entre los muertos y ascendiste al Cielo. Enviaste al Espíritu Santo para que siempre esté con nosotros. Esperamos compartir contigo la vida eterna.

Todos: ¡Esperamos en alegre esperanza!

Líder: Oremos.

Inclinen la cabeza
mientras el líder ora.

Todos: Amén.

 Canten "We Venerate Your Cross/ Tu Cruz Adoramos"

♥ Let Us Pray

Prayer of Praise

Gather and begin with the Sign of the Cross.

Leader: God, our good Father, you sent Jesus, your Son, to rescue us from the power of sin and everlasting death.

All: We proclaim your Death, O Lord.

Leader: Jesus, you came into this world of darkness as the light. Your words of love touched those who were sick and weak. You forgave sinners and freed them from shame.

All: Jesus lives with us.

Leader: Jesus, you died on the Cross, a sacrifice of love to set us free from our sins.

All: Jesus died for us.

Leader: Jesus, you were raised from the dead and ascended into Heaven. You sent the Holy Spirit to be with us always. We hope to share eternal life with you.

All: We wait in joyful hope!

Leader: Let us pray.

Bow your heads as the leader prays.

All: Amen.

 Sing "We Proclaim Your Death, O Lord"

SUS HIJOS APRENDIERON >>>

Este capítulo explica que el Misterio Pascual es el misterio del sufrimiento, Muerte, Resurrección y Ascensión de Cristo, y que las fiestas y los tiempos del año litúrgico celebran el Misterio Pascual de Cristo.

La Sagrada Escritura

Lean **Salmo 62, 8-9** para aprender la importancia de dar gracias a Dios.

Lo que creemos

- El año litúrgico celebra el Misterio Pascual.
- Los tiempos del año litúrgico son Adviento, Navidad, Cuaresma, Triduo Pascual, Pascua y el Tiempo Ordinario.

Para aprender más, vayan al *Catecismo de la Iglesia Católica* 1067-1068, 1168-1171 en **usccb.org**.

Gente de fe

Esta semana, su hijo aprendió acerca de San Juan Diego. Nuestra Señora de Guadalupe se le apareció una mañana, cuando caminaba a la iglesia.

LOS NIÑOS DE ESTA EDAD >>>

Cómo comprenden el año litúrgico Su hijo tiene un "calendario interno" mejor que cuando estaba en edad de preescolar. Por ejemplo, los niños de esta edad pueden calcular cuánto tiempo falta para Navidad o Pascua. A medida que aprenden del año litúrgico, su habilidad para comprender el tiempo puede ser útil para que participen en las celebraciones y los tiempos del año litúrgico. Esto es especialmente cierto cuando tenemos la oportunidad de indicar la festividad en el hogar con un espacio sagrado que refleje el tiempo actual (por ejemplo, manteles en verde, morado, rojo o blanco e íconos apropiados).

CONSIDEREMOS ESTO >>>

¿En qué momento han deseado que una flor permanezca en botón o que un niño no crezca con demasiada rapidez?

Todos los seres vivos tienen un ciclo. Nacen, crecen y se desarrollan, y por último mueren. El ritmo de los tiempos litúrgicos de la Iglesia fluye a través de nuestra vida igual que el ciclo de la vida. Como católicos, sabemos que "en el año litúrgico, la Iglesia celebra la totalidad del misterio de Cristo, desde la Encarnación hasta Pentecostés y la ansiosa espera de la segunda venida de Cristo. La cima del año litúrgico es el Triduo Pascual, desde la noche del Jueves Santo hasta la noche del Domingo de Pascua de Resurrección" (*CCEUA, p. 185*).

HABLEMOS >>>

- Pidan a su hijo que les hable del año litúrgico.
- Compartan recuerdos de cómo su familia ha celebrado los diferentes días festivos de la Iglesia.

OREMOS >>>

Oh Dios, ayúdanos a acercarnos a Ti por medio de nuestra adoración de la Eucaristía, nuestro aprendizaje de la fe católica y nuestra devoción a la oración. Amén.

Visiten **vivosencristo.osv.com** para encontrar un glosario multimedia de Palabras católicas, lecturas dominicales, y recursos de Santos y tiempos festivos.

FAMILY+FAITH
LIVING AND LEARNING TOGETHER

YOUR CHILD LEARNED >>>

This chapter explains that the Paschal Mystery is the mystery of Christ's suffering, Death, Resurrection, and Ascension, and that the feasts and seasons of the liturgical year celebrate the Paschal Mystery of Christ.

Scripture

 Read **Psalm 62:8–9** to find out about the importance of giving thanks to God.

Catholics Believe

• The liturgical year celebrates the Paschal Mystery.

• The seasons of the liturgical year include Advent, Christmas, Lent, Triduum, Easter, and Ordinary Time.

To learn more, go to the *Catechism of the Catholic Church* #1067–1068, 1168–1171 at **usccb.org**.

People of Faith

This week, your child learned about Saint Juan Diego. Our Lady of Guadalupe appeared to him as he walked to church one morning.

CHILDREN AT THIS AGE >>>

How They Understand the Church Year Your child has a better "internal calendar" than he or she did as a preschooler. Children this age can calculate how long it will be until Christmas or Easter, for example. As they learn about the Church year, their ability to understand time can help them feel involved in the celebrations and seasons of the Church calendar. This is especially true when they have an opportunity to mark time in the home with a sacred space that reflects the current season (for example, cloths of green, purple, red or white and icons that fit the season).

CONSIDER THIS >>>

When have you longed for a flower to remain in bloom or for a child to not grow up too quickly?

All living things follow a cycle. They come to life, grow and develop, and finally die. The rhythm of the liturgical seasons of the Church flow through our lives just as the cycle of life. As Catholics, we know that "in the Liturgical Year, the Church celebrates the whole mystery of Christ from the Incarnation until the day of Pentecost and the expectation of Christ's second coming. The summit of the Liturgical Year is the Easter Triduum— from the evening of Holy Thursday to the evening of Easter Sunday" (*USCCA, p. 173*).

LET'S TALK >>>

• Ask your child to tell you about the liturgical year.

• Share memories of the ways your family has celebrated different Church holidays.

LET'S PRAY >>>

O God, help us grow closer to you by our worship at the Eucharist, our learning of our Catholic faith, and our devotion to prayer. Amen.

For a multimedia glossary of Catholic Faith Words, Sunday readings, seasonal and Saint resources, and chapter activities go to **aliveinchrist.osv.com**.

A **Trabaja con palabras** Une cada descripción de la Columna A con el término correcto de la Columna B.

Columna A	Columna B
1. tiempo de penitencia	Adviento
2. celebra el nacimiento de Jesús	Navidad
3. se centra en la Resurrección de Jesús	Tiempo Ordinario
4. prepara para la llegada de Jesús	Cuaresma
5. se centra en la obra y las enseñanzas de Jesús	Pascua

B **Confirma lo que aprendiste** Completa cada oración con el término correcto del Vocabulario.

> ### Vocabulario
> . . . .
> litúrgico Pascual Jueves
> obras Triduo

6. El Misterio _____ es el misterio del sufrimiento, Muerte, Resurrección y Ascensión de Jesús.

7. El año _____ es el ciclo de días festivos y tiempos que celebran el Misterio Pascual de Cristo.

8. El _____ Pascual es la celebración de la Pasión, Muerte y Resurrección de Cristo.

9. Durante el año litúrgico, el Triduo comienza el _____ Santo y termina la noche del Domingo de Pascua.

10. El Tiempo Ordinario es el momento de recordar las _____ de Jesús y de escuchar sus enseñanzas.

Chapter 16 Review

A **Work with Words** Match each description in Column A with the correct term in Column B.

Column A

1. a time of penance

2. celebrates the birth of Jesus

3. focuses on the Resurrection of Jesus

4. prepares for the coming of Jesus

5. focuses on Jesus' work and teachings

Column B

Advent

Christmas

Ordinary Time

Lent

Easter

B **Check Understanding** Complete each statement with the correct term from the Word Bank.

> **Word Bank**
>
> liturgical   Paschal   Thursday
> works   Triduum

6. The _____ Mystery is the mystery of Jesus' suffering, Death, Resurrection, and Ascension.

7. The _____ year is the cycle of feasts and seasons that celebrate the Paschal Mystery of Christ.

8. _____ is a celebration of the Passion, Death, and Resurrection of Christ.

9. In the Church year, the Triduum begins on Holy _____ evening and concludes on Easter Sunday night.

10. Ordinary Time is the time to remember the _____ of Jesus and listen to his teachings.

© Our Sunday Visitor

Los Siete Sacramentos

♡ Oremos

Líder: Con alegría y gozo, Señor, celebramos los signos de tu gran amor.

"¡Aclame al Señor la tierra entera,
sirvan al Señor con alegría, lleguen a él,
con cánticos de gozo!". **Salmo 100, 1-2**

Todos: Con maravillosos signos de tu amor,
tú nos bendices, Señor. Con razón aclamamos:
"¡Alabanzas y gracias!". Amén.

📖 La Sagrada Escritura

¡Bendito sea Dios; Padre de Cristo Jesús nuestro Señor, que nos ha bendecido en el cielo, en Cristo, con toda clase de bendiciones espirituales! … En él… fuimos rescatados, y se nos dio el perdón de los pecados, fruto de su generosidad inmensa que se derramó sobre nosotros. **Efesios 1, 3. 7-8**

❓ ¿Qué piensas?

• ¿Cómo continúas recibiendo bendiciones espirituales?

• ¿Cuándo celebras la vida y el amor de Jesús?

The Seven Sacraments

♥ Let Us Pray

Leader: With joy and gladness, Lord, we celebrate the signs of your great love.

"Shout joyfully to the LORD, all you lands;
  serve the LORD with gladness;
  come before him with joyful song." **Psalm 100:1–2**

All: With wonderful signs of your love, you bless us, Lord. No wonder we shout, "Praise and thanks!" Amen.

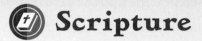 Scripture

Blessed be the God and Father of our Lord Jesus Christ, who has blessed us in Christ with every spiritual blessing in the heavens…. In him we have redemption… the forgiveness of transgressions, in accord with the riches of his grace that he lavished upon us. **Ephesians 1:3, 7–8**

❓ What Do You Wonder?

- How do you continue to receive spiritual blessings?

- When do you celebrate Jesus' life and love?

Presente a través del tiempo

¿Qué es un Sacramento?

Tu vida está llena de muchos signos. Sin embargo, algunos signos tienen un significado más profundo, como un trofeo que te esforzaste por ganar o una bandera de Estados Unidos. Los cristianos recibieron el signo más precioso de todos en la **Encarnación**, cuando el Hijo de Dios se hizo hombre. Dios Padre envió a su Hijo, Jesús, como signo de su amor por todas las personas. Él señaló el camino hacia Dios a todos los que lo siguieron.

Jesús dio la bienvenida a personas como Pedro y Zaqueo, y ellos cambiaron sus vidas por Él. Jesús mostró a las personas el perdón de Dios Padre. Él sanó a algunos y llamó a otros a servir. Por medio de las palabras y las acciones de Jesús, muchas personas experimentaron el amor salvador de Dios. Como Él es humano y divino a la vez, Jesús hizo presente a Dios y su amor.

"Nadie va al Padre sino por mí", dijo Jesús a sus Apóstoles en la Última Cena. "Si me conocen a mí, también conocerán al Padre. Pero ya lo conocen y lo han visto" (**Juan 14, 6-7**).

Palabras católicas

Encarnación el misterio en el que el Hijo de Dios se hizo hombre para salvar a todas las personas

Siete Sacramentos signos eficaces de la vida de Dios, instituidos por Cristo y confiados a la Iglesia. En la celebración de cada Sacramento, hay signos visibles y acciones Divinas que conceden la gracia y permiten que participemos de la obra de Dios.

Sacramentos de la Iniciación

Bautismo
Perdón del pecado y vida nueva en Cristo

Confirmación
Ser sellado y fortalecido en el Espíritu Santo

Eucaristía
Unidad y salvación en Cristo a través del Cuerpo y la Sangre de Cristo

Present Through Time
What is a Sacrament?

Your life is filled with many signs. However, some signs have a deeper meaning, like a trophy that you worked hard to win or an American flag. Christians received the most precious sign of all in the **Incarnation**, when the Son of God became man. God the Father sent his Son, Jesus, as a sign of his love for all people. He pointed the way to God for all who followed him.

Jesus welcomed people like Peter and Zacchaeus, and they changed their lives for him. Jesus showed people God the Father's forgiveness. He healed some and called others to serve. Through Jesus' words and actions, many people experienced God's saving love. Because he is both Divine and human, Jesus made God and his love present.

"No one comes to the Father except through me," Jesus said to his Apostles at the Last Supper. "If you know me, then you will also know my Father. From now on you do know him and have seen him" (**John 14:6–7**).

Catholic Faith Words

Incarnation the mystery that the Son of God became man in order to save all people

Seven Sacraments effective signs of God's life, instituted by Christ and given to the Church. In the celebration of each Sacrament, there are visible signs and Divine actions that give grace and allow us to share in God's work.

Sacraments of Initiation

Eucharist Unity and salvation in Christ through the Body and Blood of Christ

Confirmation Being sealed and strengthened in the Holy Spirit

Baptism Forgiveness of sin and new life in Christ

Signos visibles y acciones Divinas

Fue solo después de la Resurrección de Jesús que sus Apóstoles comenzaron a entender que Jesús era realmente Dios. Jesús había prometido a sus seguidores que siempre estaría con ellos y que continuaría su obra salvadora. Una manera muy importante en la que Jesús hace esto es a través de los **Siete Sacramentos**. Los Sacramentos son signos eficaces de la vida de Dios. Son acciones del Espíritu Santo que obra en el Cuerpo de Cristo, la Iglesia. Jesús está presente en cada uno de los Sacramentos.

En cada Sacramento, hay signos visibles y acciones Divinas que conceden la gracia y permiten que participemos de la obra de Dios. Cada uno celebra cómo la obra salvadora de Jesús continúa en el mundo.

> Subraya lo que Jesús prometió a los discípulos y una manera en la que Él cumple hoy esta promesa.

Comparte tu fe

Reflexiona Elige un Sacramento que hayas recibido.

Comparte Explica a un compañero cómo Jesús estuvo contigo en ese Sacramento.

Sacramentos al Servicio de la Comunidad

Matrimonio
Alianza matrimonial como signo de la alianza de Cristo con su Iglesia

Orden Sagrado
Ministerio al Cuerpo de Cristo, la Iglesia

Sacramentos de Curación

Penitencia y Reconciliación
Conversión y perdón a través de Cristo

Unción de los Enfermos
Curación física y espiritual en Cristo

Visible Signs and Divine Actions

It was only after Jesus' Resurrection that his Apostles began to understand that Jesus was really God! Jesus had promised his followers that he would always be with them and that they would continue his saving work. A very important way that Jesus does this is through the **Seven Sacraments.** The Sacraments are effective signs of God's life, instituted by Christ and given to the Church. They are actions of the Holy Spirit at work in Christ's Body, the Church. Jesus is present in each of the Sacraments.

In each of the Sacraments, there are visible signs and Divine actions that give grace and allow us to share in God's work. Each one celebrates a way that Jesus' saving work continues in the world.

Underline what Jesus promised the disciples and one way he fulfills this promise today.

Share Your Faith

Reflect Choose a Sacrament you have received.

Share Explain to a partner how Jesus was with you in that Sacrament.

Sacraments at the Service of Communion

Matrimony
Marriage covenant as a sign of Christ's covenant with his Church

Holy Orders
Ministry to Christ's Body, the Church

Penance and Reconciliation
Conversion and forgiveness through Christ

Sacraments of Healing

Anointing of the Sick
Spiritual and physical healing in Christ

*La Última Cena,
de Remigio
Cantagallina*

La Eucaristía

¿Cuál es el corazón de nuestra vida católica?

Jesús comía con sus amigos a menudo. La noche antes de morir, Jesús compartió la comida de la Pascua judía con sus Apóstoles.

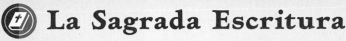 **La Sagrada Escritura**

La Última Cena

Jesús recibió una copa, dio gracias y les dijo: "Tomen esto y repártanlo entre ustedes, porque les aseguro que ya no volveré a beber del jugo de la uva hasta que llegue el Reino de Dios." Después tomó pan y, dando gracias, lo partió y se lo dio diciendo: "Esto es mi cuerpo, que es entregado por ustedes. Hagan esto en memoria mía." Hizo lo mismo con la copa después de cenar, diciendo: "Esta copa es la alianza nueva sellada con mi sangre, que es derramada por ustedes." **Lucas 22, 17-20**

Después de que Jesús fue resucitado a la vida nueva y regresó al Padre, sus seguidores se reunieron todas las semanas para "partir el pan". Sabían, como lo saben los católicos de hoy, que Jesús estaba presente cuando bendecían y partían juntos el pan. Esta celebración se llama **Eucaristía**, el Sacramento en el que Jesús se da a sí mismo, y el pan y el vino se convierten en su Cuerpo y Sangre.

The Last Supper, by Remigio Cantagallina

The Eucharist

What is the heart of our Catholic life?

Jesus often ate meals with his friends. On the night before he died, Jesus shared a Passover meal with his Apostles.

Scripture

The Last Supper

Then [Jesus] took a cup, gave thanks, and said, "Take this and share it among yourselves; for I tell you [that] from this time on I shall not drink of the fruit of the vine until the kingdom of God comes." Then he took the bread, said the blessing, broke it, and gave it to them, saying, "This is my body, which will be given for you; do this in memory of me." And likewise the cup after they had eaten, saying, "This cup is the new covenant in my blood, which will be shed for you."   **Luke 22:17–20**

After Jesus was raised to new life and returned to the Father, his followers gathered weekly for the "breaking of the bread." They knew, as Catholics do today, that Jesus was present when they blessed and broke bread together. This celebration is called the **Eucharist**, the Sacrament in which Jesus gives himself and the bread and wine become his Body and Blood.

Acción de gracias

En la Eucaristía, recordamos, damos gracias y participamos de la vida, Muerte y Resurrección de Jesús. La palabra *Eucaristía* significa "acción de gracias". Al comienzo de la Misa, pides la misericordia de Dios por tus pecados. Tus pecados veniales pueden ser perdonados por tu participación en la Eucaristía. Escuchas la Palabra de Dios. Das gracias a Dios Padre por el gran don de su Hijo. Cuando recibes a Jesús en la Sagrada Comunión, estás unido a los demás miembros del Cuerpo de Cristo.

Cuando Jesús dijo a los Apóstoles: "Hagan esto en memoria mía", no quiso decir solamente que debían partir juntos el pan. Quiso decir que debían vivir su vida como Él. Vivir la Eucaristía significa amar, dar la bienvenida y perdonar a los demás. Tú vives la Eucaristía cuando compartes con los que no tienen lo que tú tienes.

➜ **¿Cuándo recibiste por primera vez a Jesús en la Sagrada Comunión? Cuenta qué recuerdas de ese día.**

© Our Sunday Visitor

Palabras católicas

Eucaristía el Sacramento en el que Jesús se da a sí mismo, y el pan y el vino se convierten en su Cuerpo y Sangre

Practica tu fe

Los Sacramentos Usa algunos de estos términos en un párrafo acerca de los Sacramentos.

_____

_____

_____

_____

_____

Lista de palabras
. . . .
Eucaristía
Palabra de Dios
Sagrada Comunión
acción Divina
Cuerpo de Cristo

Act of Thanksgiving

In the Eucharist, we remember, give thanks for, and share in the life, Death, and Resurrection of Jesus. The word *Eucharist* means "thanksgiving." At the beginning of Mass, you ask God's mercy because of your sins. Your venial sins can be forgiven by your participation in the Eucharist. You listen to the Word of God. You thank God the Father for the great gift of his Son. When you receive Jesus in Holy Communion, you are united with the other members of the Body of Christ.

When Jesus told the Apostles to "do this in memory of me," he did not mean only that they should break bread together. He meant that they should live their lives as he did. Living the Eucharist means loving, welcoming, and forgiving others. You live the Eucharist when you share with those who do not have what you do.

➤ **When did you first receive Jesus in Holy Communion? Tell what you remember about the day.**

> ### Catholic
> ## Faith Words
>
> **Eucharist** the Sacrament in which Jesus gives himself and the bread and wine become his Body and Blood

Connect Your Faith

The Sacraments Use some of these terms in a paragraph about the Sacraments.

_____

_____

Word List
• • • • • • • • • •
Eucharist
God's Word
Holy
Communion
Divine action
Body of Christ

_____

_____

_____

_____

_____

© Our Sunday Visitor

Nuestra vida católica

¿Cómo puedes participar activamente en la Misa?

¿Vas a Misa o participas en la Misa? ¿Conoces la diferencia? Si llegas a la iglesia el domingo, te sientas en un banco de la iglesia y sueñas despierto durante la hora siguiente, solo vas a Misa.

La Misa es un momento excelente para que tomes un rol activo en tu relación con Dios. Es tu oportunidad de unirte al resto de tu parroquia para levantar las voces y almas en alabanza a Dios.

1. Coloca una estrella junto a la parte de la Misa en la que te sientes especialmente cerca de Dios.

2. Dibuja un corazón junto a una parte en la que te concentrarás más la próxima semana.

Participa

- Únete al canto de los himnos y las respuestas. ☐

- Escucha la Palabra de Dios cuando es proclamada en las Sagradas Escrituras y en la homilía. ☐

- Ora con el sacerdote cuando dice la Oración Eucarística. Piensa en el significado de las palabras, especialmente las que Jesús usó en la Última Cena. ☐

- Ofrece un saludo de paz a las personas que te rodean. ☐

- Abre tu corazón a Jesús y la Iglesia cuando recibes la Sagrada Comunión. ☐

- Piensa en una manera de vivir la Eucaristía durante la próxima semana. ☐

Miembros de una familia comparten una señal de la paz.

Our Catholic Life

How can you participate actively in Mass?

Do you go to Mass or do you participate in Mass? Do you know the difference? If you arrive at church on Sunday, slink into the pew, and daydream for the next hour, you are only going to Mass.

Mass is an excellent time for you to take an active role in your relationship with God. It is your chance to join with the rest of your parish in lifting your voices and souls in praise of God.

1. **Put a star beside a part of the Mass in which you feel especially close to God.**
2. **Draw a heart next to one part you will concentrate on more next week.**

Take Part

- Join in singing the hymns and responses. ☐

- Listen to the Word of God as it is proclaimed in the Scriptures and the homily. ☐

- Pray with the priest as he says the Eucharistic Prayer. Think about the meaning of the words, especially those Jesus used at the Last Supper. ☐

- Offer a greeting of peace to the people around you. ☐

- Open your heart to Jesus and the Church as you receive Holy Communion. ☐

- Think of one way to live the Eucharist during the following week. ☐

Family members share a sign of peace.

Gente de fe

16 de octubre

Santa Margarita María de Alacoque, 1647–1690

Santa Margarita María de Alacoque nació en una familia de granjeros en Francia. Desde que era pequeña, sentía un amor especial por Jesús en la Eucaristía. Cuando creció, ingresó a un convento. Mientras oraba, tuvo varias visiones en las que Jesús le hablaba acerca de su amoroso corazón. Él le dijo que les daría amor y misericordia a todos los que los pidieran. Santa Margarita María enseñó a las personas acerca de la Devoción al Sagrado Corazón de Jesús. Esta incluye ir a Misa y recibir la Eucaristía el primer viernes de cada mes.

Comenta: ¿Cómo muestras tu devoción por la Eucaristía?

 Aprende más sobre Santa Margarita María en **vivosencristo.osv.com**

Hacer un cartel de la Eucaristía Crea un cartel para la entrada de tu parroquia o iglesia para que las personas lo vean cuando entran a Misa. Dibuja en tu cartel algunas maneras en las que las personas viven la Eucaristía.

People of Faith

Saint Margaret Mary Alacoque, 1647–1690

October 16

Saint Margaret Mary Alacoque was born into a peasant family in France. From the time she was little, she had a special love for Jesus in the Eucharist. When she grew up, she joined a convent. While she was praying, she had several visions in which Jesus told her about his loving heart. He told her that he will give love and mercy to everyone who asks. Saint Margaret Mary taught people about the Devotion to the Sacred Heart of Jesus. It includes going to Mass and receiving the Eucharist on the first Friday of each month.

Discuss: How do you show your devotion to the Eucharist?

Learn more about Saint Margaret Mary at **aliveinchrist.osv.com**

Live Your Faith

Make a Eucharist Poster Create a poster for your parish hall or church entrance for people to see as they come to Mass. On your poster, draw some ways people can live the Eucharist.

♥ Oremos

Oración de petición

Esta es una oración tradicional de San Francisco de Sales. Le pide a Dios que nos ayude a prepararnos para recibirlo cuando celebramos la Eucaristía.

Todos: Divino Salvador,
venimos a Tu mesa sagrada
para nutrirnos, no con el pan,
sino Contigo, verdadero Pan de vida eterna.
Ayúdanos todos los días a preparar una comida
buena y perfecta con este alimento Divino.
Permítenos refrescarnos continuamente
con el perfume de Tu generosidad y bondad.
Que el Espíritu Santo nos llene de su amor.
Mientras tanto, déjanos vaciar nuestro
corazón y preparar un lugar para
este alimento sagrado.
Amén.

Canten "El Señor Nos Invita"
El Señor nos invita junto a su mesa.
Como hermanos venimos para la cena.
Como hermanos venimos para la cena.
Haya paz y alegría que hoy es su fiesta.

Let Us Pray
Prayer of Petition

This is a traditional prayer by Saint Francis de Sales. It asks God to help us prepare to receive him when we celebrate the Eucharist.

All: Divine Savior,
we come to Your sacred table
to nourish ourselves,
not with bread but with Yourself,
true Bread of eternal life.
Help us daily to make a good and perfect meal
of this Divine food.
Let us be continually refreshed
by the perfume of Your kindness and goodness.
May the Holy Spirit fill us with his love.
Meanwhile, let us prepare a place
for this holy food by emptying our hearts.
Amen.

 Sing "We Come to the Table"
We come to the table of the Lord,
as one body formed in your love.

FAMILIA + FE
VIVIR Y APRENDER JUNTOS

SUS HIJOS APRENDIERON >>>

Este capítulo explica que, en la celebración de cada Sacramento, hay signos invisibles y acciones Divinas que nos dan gracia y nos permiten participar de la obra de Dios.

La Sagrada Escritura

Lean **Efesios 1, 3. 7-8** para hallar una bendición para Dios por todas las bendiciones que recibieron los cristianos primitivos.

Lo que creemos

• Los Siete Sacramentos son signos efectivos, instituidos por Cristo, que conceden la gracia y continúan su obra salvadora en el mundo.

El Sacramento de la Eucaristía es el centro de la vida cristiana. Para aprender más, vayan al *Catecismo de la Iglesia Católica* #1210, 1407 en **usccb.org**.

Gente de fe

Esta semana, su hijo aprendió acerca de Santa Margarita María de Alacoque, la promotora de la Devoción al Sagrado Corazón de Jesús.

LOS NIÑOS DE ESTA EDAD >>>

Cómo comprenden los Sacramentos Los niños de esta edad, aunque todavía se orientan por sus cinco sentidos, son más capaces que niños más pequeños de ver la conexión entre los rituales y su significado. Esto puede ser útil para que aprecien con mayor profundidad los Siete Sacramentos, puesto que saben que lo que ven y escuchan en las celebraciones sacramentales es tanto un signo de algo invisible como la participación en el mismo.

CONSIDEREMOS ESTO >>>

¿A quién conocen que entienda la Eucaristía como un don sagrado y no como una obligación?

Tal vez la viéramos de la misma manera si estuviéramos más conscientes de que el don de la vida de Jesús se nos entrega cada vez que recibimos la Eucaristía. Necesitamos abrir nuestro corazón para recibir el don que anhelamos: el don de conocer que somos amados con tanta perfección y por completo. Como católicos, "debemos recordar que la Eucaristía es la cumbre y fuente de nuestra vida Cristiana. ¿Por qué? Porque en la Eucaristía se encuentra todo el Tesoro de la Iglesia: Jesucristo" (*CCEUA*, p. 241).

HABLEMOS >>>

• Pidan a su hijo que nombre los Siete Sacramentos.

• Hablen de los diferentes Sacramentos que los miembros de la familia han celebrado.

OREMOS >>>

 Santa Margarita María de Alacoque, ruega por nosotros para que aprendamos a amar a Jesús en la Eucaristía tanto como lo amaste tú. Amén.

Visiten **vivosencristo.osv.com** para encontrar un glosario multimedia de Palabras católicas, lecturas dominicales, y recursos de Santos y tiempos festivos.

FAMILY + FAITH

· LIVING AND LEARNING TOGETHER

YOUR CHILD LEARNED >>>

This chapter explains that in the celebration of each Sacrament, there are visible signs and Divine actions that give grace and allow us to share in God's work.

Scripture

 Read **Ephesians 1:3, 7–8** to find a blessing for God for all the blessings the early Christians received.

Catholics Believe

- The Seven Sacraments are effective signs, instituted by Christ, that give grace and continue his saving work in the world.

- The Sacrament of the Eucharist is at the heart of Christian life.

To learn more, go to the *Catechism of the Catholic Church* #1210, 1407 at **usccb.org**.

People of Faith

This week, your child learned about Saint Margaret Mary Alacoque, the promoter of the Devotion to the Sacred Heart of Jesus.

CHILDREN AT THIS AGE >>>

How They Understand the Sacraments Children at this age, while still bound to their five senses, are better able than younger children to see the connections between rituals and their meanings. This can help them gain a deeper appreciation of the Seven Sacraments as they know that what they are seeing and hearing in sacramental celebrations is a sign of, and participation in, something invisible as well.

CONSIDER THIS >>>

Who do you know who understands the Eucharist as a sacred gift and not an obligation?

Perhaps we might see it the same way if we became more aware that Jesus' gift of his life is given again for us each time we receive the Eucharist. We need to open our hearts to receive the gift we long for: the gift of knowing we are loved that perfectly, that completely. As Catholics, "we need to remember that the Eucharist is the summit and source of our Christian life. Why? Because in the Eucharist is found the entire treasure of the Church—Jesus Christ" (*USCCA, p.228*).

LET'S TALK >>>

- Ask your child to name the Seven Sacraments.

- Talk about the different Sacraments family members have celebrated.

LET'S PRAY >>>

Saint Margaret Mary Alacoque, pray for us that we may learn to love Jesus in the Eucharist as much as you did. Amen.

For a multimedia glossary of Catholic Faith Words, Sunday readings, seasonal and Saint resources, and chapter activities go to **aliveinchrist.osv.com**.

Capítulo 17 Repaso

A **Trabaja con palabras** Rellena el círculo que está junto a la respuesta que mejor completa cada enunciado.

1. Hay _____ Sacramentos.
   ○ siete
   ○ ocho
   ○ nueve

2. _____ está presente en cada uno de los Sacramentos.
   ○ El agua
   ○ Jesús
   ○ La Biblia

3. Los primeros cristianos _____ la Eucaristía.
   ○ celebraban
   ○ no celebraban
   ○ inventaron

4. *Eucaristía* significa "_____."
   ○ moralidad
   ○ Cielo
   ○ acción de gracias

5. Cuando _____, continúas la obra de Jesús en el mundo.
   ○ vas a clase de religión
   ○ cantas himnos
   ○ vives la Eucaristía

B **Confirma lo que aprendiste** Completa cada oración encerrando en un círculo la respuesta correcta.

6. Después de la Resurrección de Jesús, los Apóstoles comenzaron a comprender que (**Él era Dios/ Él se había ido para siempre**).

7. Los Sacramentos son acciones del (**sacerdote/Espíritu Santo**) que obran en el Cuerpo de Cristo, la Iglesia.

8. Cuando recibes a Jesús en la Sagrada Comunión, (**perdonas/ estás unido**) a los demás miembros del Cuerpo de Cristo.

Responde las siguientes preguntas.

9. ¿De qué manera vives la Eucaristía?

   _____

   _____

   _____

   _____

10. ¿De qué manera participas activamente en la Misa?

    _____

    _____

    _____

    _____

Chapter 17 Review

A **Work with Words** Fill in the circle next to the answer that best completes each statement.

1. There are _____ Sacraments.
   - ○ seven
   - ○ eight
   - ○ nine

2. _____ is present in all of the Sacraments.
   - ○ Water
   - ○ Jesus
   - ○ The Bible

3. The early Christians _____ the Eucharist.
   - ○ celebrated
   - ○ did not celebrate
   - ○ invented

4. *Eucharist* means "_____."
   - ○ morality
   - ○ Heaven
   - ○ thanksgiving

5. When you _____, you continue Jesus' work in the world.
   - ○ go to religion class
   - ○ sing hymns
   - ○ live the Eucharist

B **Check Understanding** Complete each sentence by circling the correct answer.

6. After Jesus' Resurrection, the Apostles began to understand that (**he was God/he was gone forever**).

7. The Sacraments are actions of the (**priest/Holy Spirit**) at work in Christ's Body, the Church.

8. When you receive Jesus in Holy Communion, you (**forgive/are united with**) the other members of the Body of Christ.

Answer the following questions.

9. What are some ways you can live the Eucharist?

   _____

   _____

   _____

   _____

10. What are some ways you can participate actively in the Mass?

    _____

    _____

    _____

    _____

Curación y Reconciliación

♥ Oremos

Líder: Dios misericordioso, acompáñanos
siempre cuando oramos.

"Acuérdate que has sido compasivo y generoso
desde toda la eternidad". **Salmo 25, 6**

Todos: Jesús, sin importar cuántas veces podamos pecar,
Tú nos llamas a tu lado. Ayúdanos a admitir
nuestro pecado y pedir tu perdón. Amén.

📖 La Sagrada Escritura

"Dichoso el que es absuelto de pecado
   y cuya culpa le ha sido borrada.
Dichoso el hombre aquel
   a quien Dios no le nota culpa alguna
   y en cuyo espíritu no se halla engaño.
Hasta que no lo confesaba,
   se consumían mis huesos,
   gimiendo todo el día...
Te confesé mi pecado,
   no te escondí mi culpa.
Yo dije: 'Ante el Señor confesaré mi falta.'
Y tú, tú perdonaste mi pecado,
   condonaste mi deuda."

Salmo 32, 1-3. 5

❓ ¿Qué piensas?

- ¿Hay un límite para el perdón de Dios?

- ¿Por qué te sentirías nervioso al contarle tus
pecados al sacerdote?

Healing and Reconciliation

 Let Us Pray

Leader: Merciful God, be always with us as we pray.

"Remember your compassion and your mercy,
O Lord,
for they are ages old." **Psalm 25:6**

All: Jesus, no matter how many times we sin, you call us back to you. Help us to admit our sin and ask for your forgiveness. Amen.

 **Scripture**

"Blessed is the one whose fault is removed,
whose sin is forgiven.
Blessed is the man to whom the LORD imputes no guilt,
in whose spirit [there] is no deceit.
Because I kept silent, my bones wasted away;
I groaned all day long.
Then I declared my sin to you;
my guilt I did not hide.
I said, 'I confess my transgression to the LORD,'
and you took away the guilt of my sin."
Psalm 32:1–3, 5

? What Do You Wonder?

- Is there a limit to how much God will forgive?
- Why might you feel nervous telling your sins to the priest?

El perdón de Dios
¿Quién es perdonado?

Jesús mostró el perdón de Dios a los demás con sus palabras y acciones. En este relato, Jesús encuentra a un recaudador de impuestos adinerado que decide **arrepentirse** y convertirse en su seguidor.

Palabras católicas

arrepentirse apartar nuestra vida del pecado y encaminarla hacia Dios

Sacramento de la Penitencia y de la Reconciliación el Sacramento en que el perdón de Dios por los pecados es administrado a través de la Iglesia

confesión un elemento esencial del Sacramento de la Penitencia y de la Reconciliación, cuando le cuentas tus pecados al sacerdote; otro nombre para el Sacramento

tentación la atracción hacia el pecado; querer hacer algo que no debemos, o no hacer algo que debemos hacer

La Sagrada Escritura

El relato de Zaqueo

Un día, Jesús estaba atravesando la ciudad de Jericó. Zaqueo, un rico recaudador de impuestos, quería ver a Jesús y aprender de Él. Zaqueo era de baja estatura, así que se subió a un árbol para ver por encima de la multitud.

Jesús notó que Zaqueo estaba en el árbol. Le dijo: "Zaqueo, baja en seguida, pues hoy tengo que quedarme en tu casa." Zaqueo bajó con alegría.

La multitud se quejó, diciendo que Jesús no debía quedarse con Zaqueo porque era un pecador.

Zaqueo le dijo a Jesús que daría dinero a los pobres. Ofreció a quien le hubiera exigido dinero injustamente le devolvería cuatro veces lo que le debía.

"Hoy ha llegado la salvación a esta casa," dijo Jesús. "El Hijo del Hombre ha venido a buscar y a salvar lo que estaba perdido." **Basado en Lucas 19, 1-10**

➜ **¿Quién te ha enseñado más acerca del perdón? ¿Qué hizo o dijo esa persona?**

God's Forgiveness

Who is forgiven?

Jesus showed God's forgiveness to others through his words and actions. In this story, Jesus meets a wealthy tax collector who decides to **repent** and become his follower.

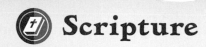

Scripture

The Story of Zacchaeus

One day, Jesus was passing through the town of Jericho. Zacchaeus, a rich tax collector, wanted to see Jesus and learn about him. Zacchaeus was short, so he climbed a tree to see over the crowd.

Jesus noticed Zacchaeus in the tree. He said, "Zacchaeus, come down quickly, for today I must stay at your house." Zacchaeus came down happily.

The crowd complained, saying that Jesus should not stay with Zacchaeus because Zacchaeus was a sinner.

Zacchaeus told Jesus that he would give money to those who were poor. He offered to give anyone he had cheated four times the amount of money that he owed to that person.

"Today salvation has come to this house," said Jesus. "For the Son of Man has come to seek and to save what was lost." **Based on Luke 19:1–10**

Catholic Faith Words

repent to turn our lives away from sin and toward God

Sacrament of Penance and Reconciliation the Sacrament in which God's forgiveness for sin is given through the Church

confession an essential element of the Sacrament of Penance and Reconciliation, when you tell your sins to the priest; another name for the Sacrament

temptation an attraction to sin; wanting to do something we should not or not do something we should

➜ **Who has taught you the most about forgiveness? What did the person or persons say or do?**

La conversión

Dios siempre está listo y dispuesto a perdonar. Él te vuelve a dar la bienvenida, igual que Jesús le dio la bienvenida a Zaqueo. Cuando te apartas del pecado y respondes al amor y al perdón de Dios, experimentas la conversión. La conversión consiste en convertirnos en la persona que Dios quiere que seamos.

Durante su vida, Jesús perdonó a muchas personas en el nombre de su Padre. Después de su Resurrección, Jesús les dijo a sus discípulos que les enviaría el Espíritu Santo, quien les daría el poder de perdonar los pecados. Hoy la Iglesia continúa celebrando el perdón de Dios en el **Sacramento de la Penitencia y de la Reconciliación**. A veces este Sacramento se lo llama **confesión** por el elemento del Sacramento cuando le contamos nuestros pecados al sacerdote. En este Sacramento, recibes el perdón de Dios por los pecados a través de la Iglesia. La gracia de este Sacramento te fortalece para hacer las paces con aquellos que hayas lastimado. También te fortalece contra la atracción a pecar llamada **tentación**.

© Our Sunday Visitor

Comparte tu fe

Reflexiona Piensa en alguien que te haya perdonado o a quien hayas perdonado. ¿Por qué tú o esa persona necesitaban el perdón?

Comparte Comenta con un compañero maneras de mostrar que estás arrepentido y de hacer las paces con los demás. Luego, di una manera de de ser más misericordioso con los demás.

Conversion

God is always ready and waiting to forgive. He welcomes you back, just as Jesus welcomed Zacchaeus. When you turn away from sin and respond to God's love and forgiveness, you are experiencing conversion. Conversion is about becoming the people God intends us to be.

During his life, Jesus forgave many people in his Father's name. After his Resurrection, Jesus told his disciples that he would send the Holy Spirit, who would give them the power to forgive sins. Today, the Church continues to celebrate God's forgiveness in the **Sacrament of Penance and Reconciliation**. Sometimes this Sacrament is called **confession** for the element of the Sacrament when we tell our sins to the priest. In this Sacrament, you receive God's forgiveness of sins through the Church. The grace of this Sacrament strengthens you to make peace with those whom you may have hurt. It also strengthens you against the attraction to sin called **temptation**.

Share Your Faith

Reflect Think of someone who has forgiven you or you have forgiven. Why did you or that person need forgiveness?

Share With a partner, discuss ways to show you are sorry and make peace with others. Then, tell one way that you can be more forgiving of others.

Los Sacramentos de Curación

¿Cómo celebra la Iglesia el perdón y la curación?

Celebrar el Sacramento de la Penitencia y de la Reconciliación es un signo público de que deseas apartarte del pecado y acercarte al amor de Dios y a la comunidad.

Comienza con un examen de conciencia, una reflexión devota sobre cómo has vivido los Diez Mandamientos, las Bienaventuranzas y otras enseñanzas de la Iglesia. Esto nos ayuda a saber si lo que hemos hecho está bien o está mal.

Cuando confieses tus pecados a un sacerdote, pides el perdón de Dios a través del poder que el Espíritu Santo da a la Iglesia. El sacerdote no puede contarle a nadie los pecados confesados en el Sacramento. Esto se llama **sigilo sacramental** o sello de confesión.

La contrición es arrepentirse por los pecados cometidos y querer vivir mejor. Dios perdonará todos los pecados, incluso el pecado mortal, si estás verdaderamente arrepentido y deseas cambiar tu corazón.

Dios perdona tus pecados, pero los efectos de tus pecados siguen todavía en el mundo. Debes hacer lo que puedas para reparar el daño causado por tu pecado. Parte de enmendar lo que hizo tu pecado es hacer la oración, la ofrenda o la obra de bien que el sacerdote te da como **penitencia**.

Cuando el sacerdote dice las palabras de **absolución**, te concede el perdón de los pecados en el nombre de Dios.

Palabras católicas

sigilo sacramental una regla por la que el sacerdote no puede decir nada de lo que escucha durante la confesión

penitencia la oración, ofrenda u obra de bien que el sacerdote te da en el Sacramento de la Reconciliación

absolución palabras pronunciadas por el sacerdote durante el Sacramento de la Penitencia y de la Reconciliación para otorgar el perdón de los pecados en nombre de Dios

⭐ Subraya lo que Dios hará por nosotros cuando confesemos nuestros pecados y estemos verdaderamente arrepentidos durante el Sacramento de la Reconciliación.

The Sacraments of Healing

How does the Church celebrate forgiveness and healing?

Celebrating the Sacrament of Penance and Reconciliation is a public sign that you are willing to turn away from sin and toward the love of God and the community.

Begin with an examination of conscience, a prayerful reflection on how you have lived the Ten Commandments, the Beatitudes, and other Church teachings. It helps us know whether what we've done is right or wrong.

When you confess your sins to a priest, you ask for God's forgiveness through the power the Holy Spirit gives to the Church. The priest cannot tell anyone the sins confessed in the Sacrament. This is called the **sacramental seal**, or seal of confession.

Contrition is being sorry for your sins and wanting to live better. God will forgive all sins, even mortal sins, if you are truly sorry and want to change your heart.

God forgives your sins, but the effects of your sins are still in the world. You must do what you can to repair the harm your sin has caused. Part of making up for your sin is to do the prayer, offering, or good work that the priest gives you as a **penance**.

When the priest says the words of **absolution**, he grants you forgiveness of sins in God's name.

> **Catholic Faith Words**
>
> **sacramental seal** a rule that a priest is not to share anything he hears in confession
>
> **penance** the prayer, offering, or good work the priest gives you in the Sacrament of Reconciliation
>
> **absolution** words spoken by the priest during the Sacrament of Penance and Reconciliation to grant forgiveness of sins in God's name

⭐ Underline what God will do for us when we confess our sins and are truly sorry during the Sacrament of Reconciliation.

© Our Sunday Visitor

493

Palabras católicas

Sacramento de la Unción de los Enfermos el Sacramento que trae el toque sanador de Jesús para fortalecer, consolar y perdonar los pecados de aquellos que están gravemente enfermos o a punto de morir

El amor sanador de Dios

Hoy, la Iglesia unge al enfermo o al moribundo a través del **Sacramento de la Unción de los Enfermos**. Este Sacramento fortalece a quienes lo celebran y les recuerda el amor sanador de Dios. El amor y la misericordia de Dios están al alcance de todos los que lo buscan a Él.

En los tiempos de Jesús, las personas pensaban que la enfermedad era un castigo de Dios por los pecados. Pero Jesús enseñó que no era así.

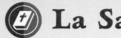

La Sagrada Escritura

El ciego de nacimiento

Un día Jesús vio a un hombre que era ciego de nacimiento. Sus discípulos le preguntaron: "¿Por qué está ciego? ¿Es por su propio pecado o por el de sus padres?"

Jesús respondió: "No es por haber pecado él o sus padres, sino para que unas obras de Dios se hagan en él y de forma clarísima."

Jesús untó lodo en los ojos del hombre y le dijo que fuera a cierto lugar y se lavara. Cuando el hombre lo hizo, ¡veía claramente!

Muchos no creyeron que Jesús había hecho esto. Cuando el hombre regresó, Jesús le preguntó: "¿Tú crees en el Hijo del Hombre? ... Tú lo has visto, y es el que está hablando contigo."

El hombre respondió: "Creo, Señor".   **Basado en Juan 9, 1-38**

Practica tu fe

Piensa en la sanación Nombra algunas cosas que Dios nos ha dado para la sanación.

God's Healing Love

Today, the Church anoints the sick or dying through the **Sacrament of the Anointing of the Sick**. This Sacrament strengthens those who celebrate it and reminds them of God's healing love. God's love and mercy are available to all who turn to him.

In Jesus' time, people thought that sickness was God's punishment for someone's sin. But Jesus taught that this is not the case.

> ### Catholic
> ### Faith Words
>
> **Sacrament of the Anointing of the Sick** the Sacrament that brings Jesus' healing touch to strengthen, comfort, and forgive the sins of those who are seriously ill or close to death

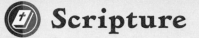 **Scripture**

The Man Born Blind

One day, Jesus saw a man who had been blind from birth. His disciples asked him, "Why is this man blind? Is it because of his own sin or that of his parents?"

Jesus answered, "Neither he nor his parents sinned; it is so that the works of God might be made more visible through him."

Jesus rubbed clay on the man's eyes and told him to go to a certain place and wash it off. When the man did, he could see!

Many did not believe that Jesus had done this. When the man came back, Jesus asked the man, "Do you believe in the Son of Man? . . . You have seen him and the one speaking with you is he."

The man answered, "I do believe, Lord." **Based on John 9:1–38**

Connect Your Faith

Think About Healing Name some things God has provided us for healing.

Nuestra vida católica

¿Cómo te preparas para recibir el perdón de Dios?

Quizá no te sientas cómodo al contarle tus pecados a un sacerdote. Recuerda que el sacerdote no está ahí para asustarte o castigarte. Él actúa como un siervo de Dios. Sabrá de tu arrepentimiento y te concederá el perdón de Dios.

¿Te preguntas cómo sabrás qué decir? Aquí tienes algunas sugerencias útiles para prepararte para celebrar el Sacramento de la Penitencia y de la Reconciliación.

Une el paso con su explicación.

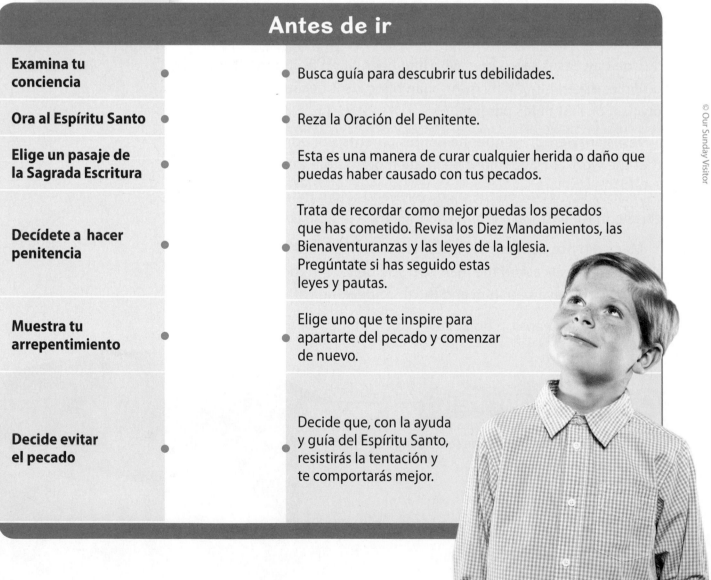

Antes de ir

Examina tu conciencia	Busca guía para descubrir tus debilidades.
Ora al Espíritu Santo	Reza la Oración del Penitente.
Elige un pasaje de la Sagrada Escritura	Esta es una manera de curar cualquier herida o daño que puedas haber causado con tus pecados.
Decídete a hacer penitencia	Trata de recordar como mejor puedas los pecados que has cometido. Revisa los Diez Mandamientos, las Bienaventuranzas y las leyes de la Iglesia. Pregúntate si has seguido estas leyes y pautas.
Muestra tu arrepentimiento	Elige uno que te inspire para apartarte del pecado y comenzar de nuevo.
Decide evitar el pecado	Decide que, con la ayuda y guía del Espíritu Santo, resistirás la tentación y te comportarás mejor.

Our Catholic Life

How can you prepare to receive God's forgiveness?

You may feel uncomfortable about telling your sins to a priest. Remember that the priest is not there to scare or punish you. He is acting as a servant of God. He will know your sorrow and grant you God's forgiveness.

Are you wondering how you will know what to say? Here are some suggestions to help you prepare to celebrate the Sacrament of Penance and Reconciliation.

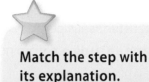

Match the step with its explanation.

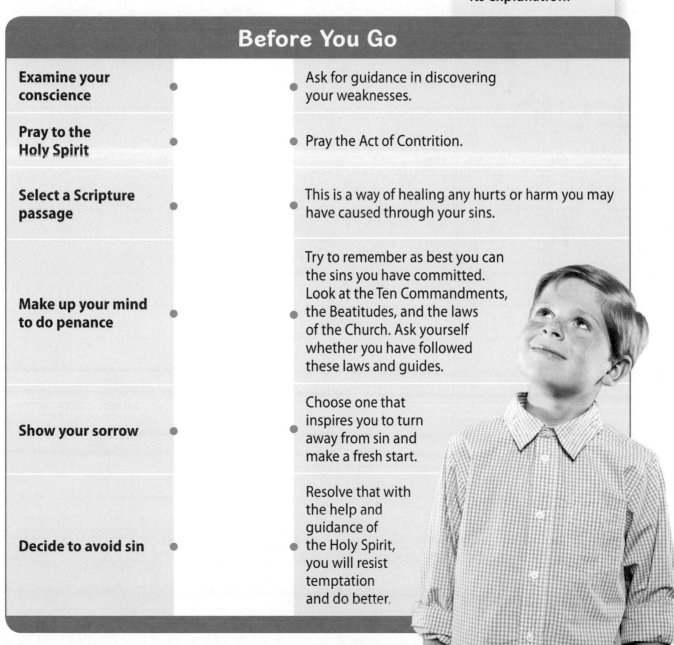

Before You Go

Examine your conscience	Ask for guidance in discovering your weaknesses.
Pray to the Holy Spirit	Pray the Act of Contrition.
Select a Scripture passage	This is a way of healing any hurts or harm you may have caused through your sins.
Make up your mind to do penance	Try to remember as best you can the sins you have committed. Look at the Ten Commandments, the Beatitudes, and the laws of the Church. Ask yourself whether you have followed these laws and guides.
Show your sorrow	Choose one that inspires you to turn away from sin and make a fresh start.
Decide to avoid sin	Resolve that with the help and guidance of the Holy Spirit, you will resist temptation and do better.

Gente de fe

Venerable Mateo Talbot, 1856–1925

Mateo Talbot nació en Dublín, Irlanda. Muchos miembros de su familia bebían demasiado. Mateo comenzó a beber desde joven. Después de años de beber en exceso, decidió parar. Se dio cuenta de que había dañado a muchas personas y había hecho muchas cosas malas. Le pidió perdón a cada persona. También recibió el Sacramento de la Penitencia y le pidió a Dios que perdonara todos sus pecados. No volvió a beber por el resto de su vida. Donó gran parte de su dinero y oró por todas las personas a las que había herido.

Comenta: Habla acerca de un momento en el que heriste a alguien y debiste pedir perdón.

 Aprende más sobre el Venerable Mateo en **vivosencristo.osv.com**

Nombra un amigo o un miembro de tu familia que necesite oír un mensaje de perdón de ti. Escribe un borrador de tu mensaje en el espacio a continuación.

_____

_____

_____

_____

_____

_____

_____

_____

_____

_____

Crea una tarjeta con un mensaje escrito a mano y llévasela a esa persona.

People of Faith

Venerable Matt Talbot, 1856–1925

Matt Talbot was born in Dublin, Ireland. Many people in his family drank too much. Matt started drinking when he was young. After years of heavy drinking, he decided to stop. He realized that he had hurt many people and done many bad things. He asked for forgiveness from each person. He also received the Sacrament of Penance and asked God to forgive all his sins. For the rest of his life, he never drank again. He gave away much of his money and prayed for all those that he had hurt.

Discuss: Talk about a time when you hurt someone and had to ask forgiveness.

 Learn more about Venerable Matt at **aliveinchrist.osv.com**

Live Your Faith

Name one friend or family member who needs to hear a message of forgiveness from you. Draft your message in the space below.

_____

_____

_____

_____

_____

_____

_____

_____

_____

_____

_____

Create a card with a handwritten message, and deliver it to that person.

Oremos

Nuestra Señora, Reina de la Paz

Todos: Virgen santísima e inmaculada,
Madre de Jesús y amable Madre nuestra, por ser su
Madre, tú compartiste su realeza universal.
Los profetas y los ángeles lo proclamaron Rey de la paz.
Con amoroso fervor en nuestros corazones, te saludamos
y honramos como Reina de la paz.
Oramos para que tu intercesión nos proteja del odio y
la discordia a nosotros y a todas las personas, y que dirija
nuestros corazones hacia los caminos de la paz
y la justicia que tu Hijo enseñó y ejemplificó.
Pedimos tu cuidado maternal para nuestro Santo Padre,
quien trabaja para reconciliar a las naciones en paz.
Buscamos tu guía para nuestro Presidente y otros líderes
que luchan por la paz mundial.
Gloriosa Reina de la paz, concédenos la paz
en nuestros corazones, la armonía en
nuestras familias y la concordia
en todo el mundo.
Madre inmaculada, como patrona
de nuestro amado país, cuídanos y
protégenos con tu amor maternal.
Amén.

 Canten "Madre de Amor"
María, Madre de amor,
Madre de la Luz,
guíanos, oh Madre,
llévanos a Jesús.

© 2007, Diego Correa y Damaris Thillet. Obra publicada por OCP.
Derechos reservados. Con las debidas licencias.

♥ Let Us Pray

Our Lady, Queen of Peace

All: Most holy and immaculate Virgin,
Mother of Jesus and our loving Mother,
being his Mother, you shared in his universal kingship.
The prophets and angels proclaimed him King of peace.
With loving fervor in our hearts we salute and honor
you as Queen of peace.
We pray that your intercession may protect us and all
people from hatred and discord,
and direct our hearts into the ways of peace and justice
which your Son taught and exemplified.
We ask your maternal care for our Holy Father
who works to reconcile the nations in peace.
We seek your guidance for our President and other
leaders as they strive for world peace.
Glorious Queen of peace, grant us peace in
our hearts, harmony in our families, and
concord throughout the world.
Immaculate Mother, as patroness of our
beloved country, watch over us and protect us
with your motherly love.
Amen.

 Sing "Salve Regina (A Litany to Mary)"
Salve, Regína, Mater misericórdiae:
Vita dulcédo et spes nostra, salve.
Hail, Queen of Heaven, our Mother,
kind and merciful:
Pray for your children. Hail, our sweetness
and our hope.
Arrangement © 2005, Mark Friedman and Janet Vogt.
Published by OCP. All rights reserved.

SUS HIJOS APRENDIERON >>>

Este capítulo explora la Reconciliación y su relación con el efecto del pecado del mundo, y explica la necesidad de confesar los pecados a un sacerdote y confiar en el poder de Jesús de perdonar y curar.

La Sagrada Escritura

 Lean **Salmo 32, 1–3. 5** para aprender de la bendición de la Reconciliación.

Lo que creemos

- Dios ofrece su perdón a todos los que realmente se arrepienten y buscan el perdón.
- Los Sacramentos de la Reconciliación y de la Unción de los Enfermos celebran el amor sanador de Dios.

Para aprender más, vayan al *Catecismo de la Iglesia Católica* #1420–1421, 1489-1490 en **usccb.org**.

Gente de fe

Esta semana, su hijo aprendió acerca del Venerable Mateo Talbot, conocido por darle un cambio a su vida con la oración y el auto-sacrificio.

LOS NIÑOS DE ESTA EDAD >>>

Cómo comprenden la Curación y la Reconciliación Para los niños de esta edad, lo correcto y lo incorrecto son conceptos mucho más profundos que antes. La moralidad no solo se trata de lo que los demás ven que hacemos. También se refiere a quiénes somos y qué hacemos cuando parece que nadie nos ve. Es importante que, a medida que los niños crecen en su habilidad de formar su conciencia, tengan oportunidades continuas de buscar el perdón de Dios a través del Sacramento de la Penitencia y de la Reconciliación.

CONSIDEREMOS ESTO >>>

¿Alguna vez han deseado curar una relación?

Somos humanos y no somos perfectos. Nuestro ego o nuestros sentimientos heridos pueden interponerse en la curación de una relación. Sin embargo, Dios nos ama perfectamente y ofrece Su perdón a todos aquellos que no han amado como Él pide y, en consecuencia, nos hemos herido a nosotros mismos, a los demás y a nuestra relación con Él. Como católicos, sabemos que "el pecado nunca debe ser entendido como una cuestión privada o personal, puesto que daña nuestra relación con los demás e incluso puede romper nuestra comunión de amor con la Iglesia. El sacramento de la Penitencia repara esta ruptura y tiene un efecto renovador en la vitalidad de la Iglesia misma" (*CCEUA, p. 257*).

HABLEMOS >>>

- Pidan a su hijo que nombre las partes del Sacramento de la Reconciliación (contrición, confesión, penitencia, absolución).
- Comenten cómo comparten entre sí el amor sanador de Dios en su familia.

OREMOS >>>

Oh Dios, me arrepiento de corazón por haberte ofendido. Amén.

Visiten **vivosencristo.osv.com** para encontrar un glosario multimedia de Palabras católicas, lecturas dominicales, y recursos de Santos y tiempos festivos.

FAMILY+FAITH
LIVING AND LEARNING TOGETHER

YOUR CHILD LEARNED >>>

This chapter explores Reconciliation as it relates to the effect of sin in the world, and explains the necessity of confessing sins to a priest and trusting in Jesus' power to forgive and heal.

Scripture

Read **Psalm 32:1–3, 5** to find out about the blessing of Reconciliation.

Catholics Believe

- God's forgiveness is offered to all who are truly sorry and seek it.
- The Sacraments of Reconciliation and the Anointing of the Sick celebrate God's healing love.

To learn more, go to the *Catechism of the Catholic Church* #1420–1421, 1489–1490 at **usccb.org**.

People of Faith

This week, your child learned about Venerable Matt Talbot, who is known for turning his life around with prayer and self-sacrifice.

CHILDREN AT THIS AGE >>>

How They Understand Healing and Reconciliation For children at this age, right and wrong are deeper concepts than they were before. Morality is not just about what other people see us doing. It is also about who we are and what we do when no one seems to be watching. It is important that as children grow in their ability to form their consciences, they have continued opportunity to seek God's forgiveness through the Sacrament of Penance and Reconciliation.

CONSIDER THIS >>>

Have you ever yearned for a relationship to be healed?

We are human, and are not perfect. Our egos or hurt feelings can get in the way of healing a relationship. Yet, God loves perfectly and offers forgiveness to all who have not loved as he asked and therefore hurt ourselves, others, and our relationship with him. As Catholics, we know that "sin should never be understood as a private or personal matter, because it harms our relationship with others and may even break our loving communion with the Church. The Sacrament of Penance repairs this break and has a renewing effect of the vitality of the Church itself" (*USCCA, p. 242*).

LET'S TALK >>>

- Ask your child to name the parts of the Sacrament of Reconciliation (contrition, confession, penance, absolution).
- Discuss how your family shares God's healing love with one another.

LET'S PRAY >>>

O God, I am heartily sorry for having offended you. Amen.

For a multimedia glossary of Catholic Faith Words, Sunday readings, seasonal and Saint resources, and chapter activities go to **aliveinchrist.osv.com**.

Capítulo 18 Repaso

A Confirma lo que aprendiste Resuelve el crucigrama.

Vertical

1. Ellos te apartan de Dios y de los demás

2. Elemento esencial de la Reconciliación cuando le cuentas tus pecados al sacerdote

3. Las palabras que dice el sacerdote para perdonar los pecados en nombre de Dios

4. Oración, ofrenda u obra de bien que el sacerdote te da en el Sacramento de la Reconciliación

5. Esto se hace por los enfermos o moribundos

Horizontal

6. Dar la bienvenida nuevamente a alguien después de que ha cometido un error

7. El Sacramento que celebra el perdón de Dios por los pecados es el Sacramento de la Penitencia y de la _____.

8. La decisión de apartarse del pecado y buscar a Dios

9. El amor de Dios está disponible para todos los que lo _____ a Él.

10. Cuando le cuentas tus pecados al sacerdote, realmente _____ con Dios.

© Our Sunday Visitor

Chapter 18 Review

A **Check Understanding** Solve the crossword puzzle.

Down

1. Welcoming someone back after a wrong has been done
2. These separate you from God and others
3. This is done for those who are very sick or dying
4. God's love is available to all who _____ to him.
6. When you tell the priest your sins, you are really _____ to God.

Across

5. The Sacrament that celebrates God's forgiveness of sins is the Sacrament of Penance and _____.
7. Words spoken by the priest to forgive sin in God's name
8. Deciding to turn away from sin and turn back to God
9. The prayer, offering, or good work the priest gives you in the Sacrament of Reconciliation
10. An essential element of Reconciliation when you tell your sins to the priest

A **Trabaja con palabras** Completa cada oración con el término correcto del Vocabulario.

1. El Sacramento de la Penitencia y de la Reconciliación te fortalece para hacer las _____ con los que podrías haber herido.

2. La absolución son las palabras dichas por un sacerdote para conceder el _____ de Dios por los pecados.

3. El toque sanador de Jesús perdona los pecados y fortalece a los que están gravemente enfermos en el Sacramento de la _____ de los Enfermos.

4. La _____ es el Sacramento en el que Jesús se da a sí mismo, y el pan y el vino se convierten en su Cuerpo y Sangre.

5. El ciclo de las fiestas y tiempos de la Iglesia que celebran el Misterio Pascual es el año _____.

6. A través del _____ Pascual, el sufrimiento, Muerte, Resurrección y Ascensión, somos salvados del pecado y de la muerte.

7. La _____ es la oración, ofrenda u obra de bien que el sacerdote te da para ayudarte a enmendar los efectos de tus pecados.

8. Los _____ son signos eficaces de la vida de Dios, instituidos por Cristo y entregados a la Iglesia para dar la gracia.

9. El _____ Pascual celebra la Pasión, Muerte y Resurrección de Cristo.

10. El Tiempo _____ es un tiempo del año litúrgico.

Vocabulario

Triduo

Penitencia

Eucaristía

paces

Unción

Misterio

Ordinario

perdón

Sacramentos

litúrgico

© Our Sunday Visitor

A **Work with Words** Complete each sentence with the correct word from the Word Bank.

© Our Sunday Visitor

1. The Sacrament of Penance and Reconciliation strengthens you to make _____ with those whom you may have hurt.

2. Absolution are the words spoken by a priest to grant God's _____ of sins.

3. Jesus' healing touch strengthens and forgives the sins of those who are seriously ill in the Sacrament of the _____ of the Sick.

4. _____ is the Sacrament in which Jesus gives himself and the bread and wine become his Body and Blood.

5. The cycle of the Church's feasts and seasons which celebrate the Paschal Mystery is the _____ year.

6. Through the Paschal _____ , the suffering, Death, Resurrection, and Ascension, we are saved from sin and death.

7. _____ is the prayer, offering, or good work the priest gives you to help you make up for the effects of your sins.

8. The _____ are effective signs of God's life, instituted by Christ and given to the Church, to give grace.

9. The _____ celebrates the Passion, Death, and Resurrection of Christ.

10. _____ Time is a season of the Church year.

Word Bank

Triduum

Penance

Eucharist

peace

Anointing

Mystery

Ordinary

forgiveness

Sacraments

liturgical

Repaso de la Unidad

B **Confirma lo que aprendiste** Rellena el círculo que está junto a la respuesta que mejor completa la oración.

11. Los primeros cristianos honraron a Jesús al "partir el pan". Hoy se lo conoce como _____ .

○ la partición en la mesa

○ un día festivo

○ la Eucaristía

12. Jesús mostró que el don más generoso es _____ .

○ gastar todo tu dinero en regalos

○ hacer tus propias tarjetas de saludo

○ dar tu vida por los demás

13. Dos de los Siete Sacramentos son _____ .

○ la Contrición y el Orden Sagrado

○ la Eucaristía y el Estudio

○ el Bautismo y el Matrimonio

14. El color del tiempo de Adviento y de Cuaresma es el _____ .

○ verde

○ morado

○ rojo

15. Los colores del tiempo de _____ son blanco y dorado.

○ Navidad y Pascua

○ Tiempo Ordinario y Cuaresma

○ Pentecostés y Adviento

B **Check Understanding** Fill in the circle next to the answer that best completes the sentence.

11. Early Christians honored Jesus with "the breaking of the bread." Today this is known as _____ .

   ○ the breaking at the table
   ○ a feast day
   ○ the Eucharist

12. Jesus showed that the most generous gift is to _____ .

   ○ spend all your money on presents
   ○ make your own greeting cards
   ○ give your life for others

13. Two of the Seven Sacraments are _____ .

   ○ Contrition and Holy Orders
   ○ Eucharist and Study
   ○ Baptism and Matrimony

14. The seasonal color for Advent and Lent is _____ .

   ○ green
   ○ violet
   ○ red

15. The seasonal colors for _____ are white and gold.

   ○ Christmas and Easter
   ○ Ordinary Time and Lent
   ○ Pentecost and Advent

C **Relaciona** Escribe respuestas en las líneas que están a continuación.

16. Nombra dos tiempos diferentes del año litúrgico y di una manera de acercarte más a Dios durante cada uno de ellos.

_____

_____

_____

_____

17. ¿Por qué es importante participar activamente en la Misa?

_____

_____

_____

18. Nombra tres cosas que haces para prepararte para el Sacramento de la Penitencia y de la Reconciliación.

_____

_____

_____

19. ¿Por qué es importante celebrar el Sacramento de la Penitencia y de la Reconciliación?

_____

_____

_____

20. ¿Cómo te ayudan los Sacramentos a crecer en la fe?

_____

_____

_____

© Our Sunday Visitor

C **Make Connections** Write responses on the lines below.

16. Name two different seasons of the Church year, and tell one way you can grow closer to God during each.

_____

_____

_____

_____

17. Why is it important to participate actively in Mass?

_____

_____

_____

18. Name three things you can do to prepare for the Sacrament of Penance and Reconciliation.

_____

_____

_____

19. Why is it important to celebrate the Sacrament of Penance and Reconciliation?

_____

_____

_____

20. How do the Sacraments help you grow in faith?

_____

_____

_____

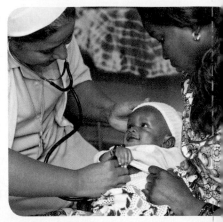

El Reino de Dios

Nuestra Tradición Católica

- Todos los miembros de la Iglesia participan en su misión de difundir el mensaje de Jesús acerca del amor y el Reino de Dios. (CIC, 863)

- Hacemos esto al proclamar el Evangelio y siendo un signo de Cristo para los demás. (CIC, 942)

- Estamos llamados a ser corresponsables generosos de nuestras posesiones y a trabajar por el bien de todos. (CIC, 2238)

- Vivimos en el amor de Dios y hacemos Su voluntad para poder vivir con Él por siempre en el Cielo. (CIC, 1821)

¿Cómo el vivir el Reino de Dios en la Tierra nos prepara para el Reino de Dios en el Cielo?

© Our Sunday Visitor

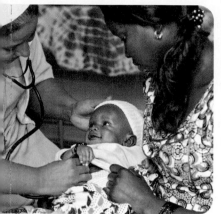

Kingdom of God

Our Catholic Tradition

- All Church members share in her mission to spread Jesus' message of God's love and promote the Kingdom of God. (CCC, 863)

- We do this by proclaiming the Gospel and being a sign of Christ to others (CCC, 942)

- We are called to be generous stewards of our possessions and to work for the good of all people. (CCC, 2238)

- We live in God's love and do his will so that we can live forever with him in Heaven. (CCC, 1821)

How does living in God's Kingdom on Earth prepare us for God's Kingdom in Heaven?

513

Un espíritu generoso

❤ Oremos

Líder: Crea en nosotros, oh Dios, un espíritu generoso,
un corazón bondadoso y solidario.

"Feliz el que tiene piedad de los desgraciados.
El que tiene piedad de los indigentes le rinde
homenaje [a Dios]." **Basado en Proverbios 14, 21. 31**

Todos: Crea en nosotros, oh Dios, un espíritu generoso,
un corazón bondadoso y solidario. Amén.

📖 La Sagrada Escritura

"Den, y se les dará; se les echará en su
delantal una medida colmada, apretada y
rebosante. Porque con la medida que ustedes
midan serán medidos ustedes." **Lucas 6, 38**

❓ ¿Qué piensas?

• ¿Cómo compartes tus dones con
los demás?

• ¿Cuál de los Diez Mandamientos te
ayuda a crecer en generosidad?

A Generous Spirit

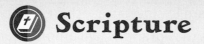 Let Us Pray

Leader: Create in us, O God, a generous spirit, a kind and caring heart.

"Happy is the one who is kind to the poor!
Those who are kind to the needy honor [God]."
Based on Proverbs 14:21, 31

All: Create in us, O God, a generous spirit, a kind and caring heart. Amen.

📖 Scripture

"Give and gifts will be given to you; a good measure, packed together, shaken down, and overflowing, will be poured into your lap. For the measure with which you measure will in return be measured out to you." Luke 6:38

❓ What Do You Wonder?

- How do you share your gifts with others?

- Which of the Ten Commandments helps you grow in generosity?

Lo que realmente importa

¿Qué quiere Jesús que aprendas sobre las riquezas?

La diferencia entre necesidades y deseos no siempre es clara. Los comerciales constantemente nos muestran cosas que no necesitamos realmente. A veces podría parecer que necesitamos todo lo que deseamos para ser felices. Jesús nos ayuda a comprender cuánto es demasiado con su parábola.

📖 La Sagrada Escritura

La parábola del rico loco

Había un hombre rico, al que sus campos le habían producido mucho. Pensaba: "¿Qué voy a hacer? No tengo dónde guardar mis cosechas." Y se dijo: "Haré lo siguiente: echaré abajo mis graneros y construiré otros más grandes; allí amontonaré todo mi trigo, todas mis reservas. Entonces yo conmigo hablaré: Alma mía, tienes aquí muchas cosas guardadas para muchos años: descansa, come, bebe, pásalo bien."

Pero Dios le dijo: "¡Pobre loco! Esta misma noche te van a reclamar tu alma. ¿Quién se quedará con lo que has preparado?"

Esto vale para toda persona que amontona para sí misma en vez de acumular para Dios.   **Basado en Lucas 12, 16-21**

➜ **¿Cómo pudo el rico loco haber acumulado riquezas en lo que realmente importa para Dios?**

What Really Matters

What does Jesus want you to know about riches?

The difference between needs and wants is not always clear. Commercials constantly show us things that we don't really need. Sometimes it can feel like we need everything we want to make us happy. Jesus helps us to understand how much is too much through this parable.

Scripture

The Parable of the Rich Fool

There was a rich man whose land produced a bountiful harvest. He asked himself, "What shall I do? I do not have space to store my harvest." And he said, "This is what I will do. I will tear down my barns and build larger ones. There I will store all my grain and other goods. Afterward, I will say to myself, 'You have so many good things stored up for many years. It is time to rest, eat, drink, and be merry!'"

But God said to him, "You fool. Tonight your life will be taken from you. The things you have stored, to whom will they belong?"

Thus will it be for the one who stores up treasure for himself but is not rich in what matters to God.   **Based on Luke 12:16–21**

➜ **How could the Rich Fool have been richer in what matters to God?**

El espíritu del pobre

Todo lo que Dios hizo es bueno. Las personas son buenas. Las cosas que las personas crean con amor y cuidado son buenas. Pero Jesús enseñó que las posesiones no son lo más importante. ¿Recuerdan la historia de Mateo 19, 16–22 sobre el joven rico? Jesús lo amaba y quería que fuera feliz.

A veces, las personas necesitan dejar atrás sus posesiones materiales para tener el tiempo y la energía para hacer el bien. Los Apóstoles dejaron sus hogares, sus familias y sus empleos para seguir a Jesús y ayudarlo a difundir la Palabra de Dios.

La primera Bienaventuranza dice: "Felices los que tienen el espíritu del pobre, porque de ellos es el Reino de los Cielos" (**Mateo 5, 3**). Los que no están demasiado apegados a sus posesiones pueden trabajar por el amor y la paz en el mundo y ayudar a realizar el Reino de Dios.

Comparte tu fe

Reflexiona Describe una decisión correcta y otra incorrecta para cada una de las siguientes situaciones.

Comparte En un grupo pequeño, dramaticen la decisión correcta para una de estas situaciones.

Un videojuego que deseas está sobre una mesa en una venta de garaje.

Correcto _____

Incorrecto _____

Otra persona gana un premio que tú deseabas.

Correcto _____

Incorrecto _____

Poor in Spirit

Everything that God made is good. People are good.
The things that people create with love and care are
good. But Jesus taught that possessions are not the most important things.
Do you remember the story found in Matthew 19:16–22 about the rich young man? Jesus loved him and wanted him to be happy.

Sometimes people need to leave behind their material possessions in order to have the time and energy to do good. The Apostles left their homes, families, and jobs in order to follow Jesus and help him spread God's Word.

The first Beatitude says, "Blessed are the poor in spirit, for theirs is the kingdom of heaven" (**Matthew 5:3**). Those who do not become too attached to their possessions are able to work for love and peace in the world and help bring about God's Kingdom.

Share Your Faith

Reflect Describe a right and wrong choice for each of the following situations.

Share In a small group, role-play the right choice in one of these situations.

A video game that you want is on an outdoor table during a sidewalk sale.

Right _____

Wrong _____

Someone else wins an award that you wanted.

Right _____

Wrong _____

Generosidad y humildad

¿Qué te enseñan el Séptimo y el Décimo Mandamientos?

Hay dos Mandamientos que nos enseñan a tener la actitud correcta con respecto a las posesiones materiales. El Séptimo Mandamiento dice esto: No robarás. El Décimo Mandamiento nos dice: No codiciarás nada que sea de tu prójimo.

El robo, la avaricia y la envidia son todos pecados contra el Séptimo y Décimo Mandamientos. Robar es tomar lo que no te pertenece. Cuando sientes **envidia**, estás resentido o triste porque alguien posee algo que deseas mucho. La envidia lastima el Cuerpo de Cristo porque más que unir, divide al Pueblo de Dios. La **avaricia** es el deseo de ganar bienes terrenales sin preocuparte por lo que es razonable o correcto.

Llamados a compartir

La **humildad** nos ayuda a saber que Dios es la fuente de todo lo bueno. Puede ayudarnos a superar tanto la envidia y la codicia. El cuidar demasiado sobre las posesiones materiales casi siempre trae la infelicidad y la decepción.

La **justicia** es darles a Dios y a los demás lo que les es debido. Como todo viene de Dios, todas las personas tienen derecho a lo que necesitan para vivir cómodamente. Como miembro del Cuerpo de Cristo, estás llamado a compartir tus posesiones con los demás, especialmente con aquellos que no tienen comida, vivienda o vestimenta decente.

→ **¿Cómo están tentados los jóvenes a sentir envidia o avaricia?**

Palabras católicas

envidia el pecado de sentir rencor por lo que otros tienen o entristecernos por querer para nosotros lo que pertenece a otros

avaricia el pecado de desear ganar bienes terrenales sin límites o más allá de lo que necesitas

humildad la virtud moral que nos ayuda a entender que Dios es la fuente de todo lo bueno. La humildad nos ayuda a evitar que seamos orgullosos.

justicia darle a Dios lo que le es debido y a cada persona lo que se merece por ser hijos de Dios

Generosity and Humility

What do the Seventh and Tenth Commandments teach you?

There are two Commandments that teach us about the right attitude to have toward our material possessions. The Seventh Commandment says this: You shall not steal. The Tenth Commandment tells us: You shall not covet your neighbor's goods.

Theft, greed, and envy are all sins against the Seventh and Tenth Commandments. Theft is taking what is not yours. When you have **envy**, you resent or are sad because someone else possesses something that you really want. Envy harms the Body of Christ because it divides God's People rather than bringing everyone together. **Greed** is the desire to gain earthly possessions without concern for what is reasonable or right.

Called to Share

Humility helps us to know that God is the source of everything good. It can help us overcome both envy and greed. Caring too much about material possessions almost always brings unhappiness and disappointment.

Justice is giving God and others what is their due. Because everything comes from God, all people have a right to what they need to live comfortably. As a member of the Body of Christ, you are called to share your possessions with others, especially those who do not have food, shelter, or decent clothing.

➡ **In what ways are people your age tempted to be envious or greedy?**

Catholic Faith Words

envy the sin of resenting what others have or being sad from wanting for yourself what belongs to others

greed the sin of desiring to gain earthly goods without limits or beyond what you need

humility the moral virtue that helps us to know that God is the source of everything good. Humility helps us to avoid being prideful.

justice giving God what is due him, and giving each person what he or she is due because that person is a child of God

© Our Sunday Visitor

521

Llamado a mostrar corresponsabilidad

El Séptimo y el Décimo Mandamientos nos piden que seamos generosos con los demás. Ser generosos significa dar más de lo necesario.

Dios creó el mundo para todas las criaturas y llamó a los seres humanos a su **corresponsabilidad**. Esto significa que las personas están llamadas a usar bien los recursos naturales y a proteger el ambiente para todos, ahora y en el futuro; a respetar toda forma de vida como un don de Dios, y a compartir tiempo, dinero y talento para ayudar a los demás.

Palabras católicas

corresponsabilidad la manera en que valoramos y usamos los dones de Dios, incluidos nuestro tiempo, talento y tesoros y los recursos de la creación

En el rótulo de la moneda, escribe el nombre de alguien que conozcas que tenga un espíritu generoso.

📖 La Sagrada Escritura

La ofrenda de la viuda

Jesús podía ver cómo la gente echaba dinero para el tesoro del Templo. Muchos ricos echaban grandes cantidades de dinero. Una viuda pobre echó dos moneditas de muy poco valor. Jesús les dijo a sus discípulos: "Yo les aseguro que esta viuda pobre ha dado más que todos los otros. Todos han echado de lo que les sobraba, mientras ella ha dado todo lo que tenía." **Basado en Marcos 12, 41-44**

➡ **¿Por qué piensas que la viuda dio más que los demás?**

Practica tu fe

Muestra corresponsabilidad Une las categorías de corresponsabilidad de la izquierda con los ejemplos de la derecha.

Tiempo ●	● Cantar en el coro
Talento ●	● Poner dinero en la canasta de la colecta
Tesoro ●	● Enseñar la fe a los niños como catequista

Called to Stewardship

The Seventh and Tenth Commandments require us to be generous with others. Being generous means giving more than is necessary.

God created the world for all creatures and called humans to **stewardship**. This means people are called to use natural resources well and protect the environment for everyone now and in the future; to respect all life as a gift from God; and to share time, money, and talent to help others.

> **Catholic Faith Words**
>
> **stewardship** the way we appreciate and use God's gifts, including our time, talent, and treasure, and the resources of creation

 **Scripture**

The Poor Widow's Contribution

Jesus watched people put money into the Temple treasury. Many rich people put in large sums of money. A poor widow put in two small coins worth only a few cents. Jesus said to his disciples, "I say to you, this poor widow put in more than all the others. They contributed their extra money, but the widow has given all she had." **Based on Mark 12:41–44**

On the coin label, write the name of someone you know who has a generous spirit.

➜ **Why do you think the widow contributed more than the rest?**

Connect Your Faith

Be a Good Steward Match the categories of stewardship on the left to the examples on the right.

Time	●	● Singing in the choir
Talent	●	● Putting money in the collection basket
Treasure	●	● Handing on faith to children as a catechist

Nuestra vida católica

¿Cómo puedes aprender a tener un espíritu más generoso?

Dios sabía que sería más fácil ayudarse y cuidarse unos a otros si no dejas que las posesiones interfieran. Él te dio el Séptimo y Décimo Mandamientos para estimular los buenos hábitos y ayudarte a construir un mundo de paz, amor y justicia.

Tienes la habilidad de ser todo lo generoso que Dios quiere que seas. Estas son algunas ideas que pueden ayudarte a ser más generoso cada día.

En las secciones vacías, escribe maneras de seguir estas sugerencias.

Si tienes un libro o un videojuego que a alguien le gustaría, préstaselo a esa persona. Quizá no puede comprar este artículo.

COMPARTIR

Antes de pedir o comprar algo nuevo, piensa: "¿Realmente lo necesito, o solo lo deseo?"

SEPARAR NECESIDADES DE DESEOS

Reduce el desorden en tu habitación. Busca cosas que ya no uses, y dónalas a la Sociedad de San Vicente de Paúl, las agencias Goodwill o cualquier otra beneficencia local.

VIVIR CON SENCILLEZ

Cuando veas a alguien que tiene algo que deseas, alégrate por esa persona en vez de sentir envidia.

NO ENVIDIAR A LOS DEMÁS; ALEGRARSE POR LO QUE TIENEN

Our Catholic Life

How can you learn to have a more generous spirit?

God knew that it would be easier for you to help and care for one another if you did not let possessions get in the way. He gave you the Seventh and Tenth Commandments to encourage good habits and help build a world of peace, love, and justice.

You have the ability to be as generous as God wants you to be. Here are some ideas that can help you be more generous every day.

In the open sections, write ways you can follow some of these suggestions this week.

If you have a book or video game that someone else would enjoy, lend it to that person. Perhaps he or she cannot afford to buy this item.

SHARE

Before you ask for or buy something new, stop and think, "Do I really need that, or do I just want it?"

SEPARATE NEEDS FROM WANTS

Reduce the clutter in your room. Look for things that you no longer use, and give them to the Saint Vincent de Paul society, Goodwill Industries, or another local charity.

LIVE SIMPLY

When you see someone who has something you want, be happy for that person rather than being envious.

DO NOT ENVY OTHERS; BE GLAD FOR WHAT THEY HAVE

Gente de fe

Santa Margarita de Escocia, 1045–1093

16 de noviembre

Santa Margarita fue una princesa que naufragó cerca de Escocia junto a su familia. Se casó con Malcolm, el rey de Escocia, y se convirtió en reina. Margarita era rica, pero usó su dinero para ayudar a los demás. Cuidó niños huérfanos. Ayudó a reparar iglesias que se estaban cayendo. Incluso construyó un puente para que las personas no tuvieran que vadear un río para cruzarlo. Santa Margarita sabía que los bienes de la Tierra eran para el beneficio de toda la familia humana, no solo para algunas personas.

Comenta: ¿Cómo te sientes cuando regalas algo tuyo?

Aprende más sobre Santa Margarita en **vivosencristo.osv.com**

 Vive tu fe

Diseña y decora En el espacio siguiente, diseña y decora un anuncio que les recuerde a las personas ser generosas con los demás.

© Our Sunday Visitor

People of Faith

Saint Margaret of Scotland, 1045–1093

November 16

Saint Margaret was a princess who was shipwrecked with her family near Scotland. She married Malcolm, the Scottish king, and became a queen. Margaret was rich, but she used her money to help others. She took care of children who didn't have parents. She helped repair churches that were falling down. She even built a bridge so people didn't have to wade in a river to cross it. Saint Margaret knew that the Earth's goods were meant for the benefit of the whole human family, not just for some people.

Discuss: How does it feel when you give away something you own?

Learn more about
Saint Margaret
at **aliveinchrist.osv.com**

Live Your Faith

Design and Decorate In the space below, design and decorate an ad that will remind people to be generous with one another.

❤ Oremos

Bienaventuranzas para los pobres de espíritu

Esta oración nos llama a recordar que nuestras relaciones son mucho más importantes que las cosas. Le pedimos a Dios por la fortaleza que nos ayude a ponerlo a Él y a su Pueblo en primer lugar en nuestras vidas.

Reúnanse y comiencen con la Señal de la Cruz.

Líder: Jesús nos llama a tener el espíritu del pobre. Te pedimos, Dios, la gracia que nos permita ver las necesidades de los demás y un corazón que desee ayudar.

Lado 1: Felices los que tienen el espíritu del pobre,

Lado 2: porque de ellos es el Reino de los Cielos.

Lado 1: Felices los que

Lado 2: comparten sus posesiones.

Todos: Ayúdanos a amar y cuidar de los demás.

Lado 2: Felices los que tienen el espíritu del pobre,

Lado 1: porque de ellos es el Reino de los Cielos.

Lado 2: Felices los que

Lado 1: hallan maneras de cuidar a los que tienen poco.

Todos: Ayúdanos a amar y cuidar a los demás.

Canten "Dios Es Amor"

Dios es amor, aleluya; viva el amor. ¡Aleluya!
Cantemos muy alegres
esta canción, canción de amor.

Letra basada en Daniel 3, 56-88; © 1976 OCP. Derechos reservados.
Con las debidas licencias.

Let Us Pray

Beatitudes for the Poor in Spirit

This prayer calls us to remember that our relationships are far more important than things. We ask God for the strength to help us to put him and his People first in our lives.

Gather and begin with the Sign of the Cross.

Leader: Jesus calls us to be poor in spirit. We ask you, God, for the grace to allow us to see the needs of others and a heart that wants to help.

Side 1: Blessed are the poor in spirit,

Side 2: for theirs is the Kingdom of Heaven.

Side 1: Blessed are those who

Side 2: share their possessions.

All: Help us to love and care for others.

Side 2: Blessed are the poor in spirit,

Side 1: for theirs is the Kingdom of Heaven.

Side 2: Blessed are those who

Side 1: find ways to care for those who have little.

All: Help us to love and care for others.

▶ Sing "God's Greatest Gift"
Love, love, Jesus is love.
God's greatest gift is the gift of love.
All creation sings together,
praising God for love.
© 1995, 1999, Owen Alstott. Published by OCP.
All rights reserved.

FAMILIA + FE

VIVIR Y APRENDER JUNTOS

SUS HIJOS APRENDIERON >>>

Este capítulo examina la generosidad y la humildad y comenta el robo, la avaricia y la envidia con relación al Séptimo y Décimo Mandamientos, profundizando la comprensión de que los bienes de la Tierra deben ser para todos.

La Sagrada Escritura

 Lean **Lucas 6, 38** para aprender sobre la importancia de la generosidad.

Lo que creemos

- Los Mandamientos llaman a ser generosos y a tener la actitud correcta hacia las posesiones.

- La corresponsabilidad es la manera como apreciamos y usamos los dones de Dios, incluyendo nuestro tiempo, talento y tesoro, y los recursos de la creación.

Para aprender más, vayan al *Catecismo de la Iglesia Católica* #299, 2402–2405 en **usccb.org**.

Gente de fe

Esta semana, su hijo aprendió acerca de Santa Margarita de Escocia, quien usó su riqueza para beneficiar al pueblo escocés.

LOS NIÑOS DE ESTA EDAD >>>

Cómo comprenden ser generosos Como todavía tienen un pensamiento concreto, los niños de esta edad pueden ser muy materialistas. Sin embargo, también les encantan las oportunidades de dar a los demás. Enseñarles maneras prácticas de ser generosos los ayuda a tener un propósito en la vida y puede ser una base importante para seguir su vocación, dada por Dios, a medida que crecen.

CONSIDEREMOS ESTO >>>

¿Piensan que su familia tiene muchas cosas?

La mayoría de los deseos, tales como comida, abrigo y relaciones amorosas, son buenos y naturales. Pero cuando nos enfocamos demasiado en las cosas materiales, nos podemos volver egoístas e incluso codiciosos. Como católicos, sabemos que "el Décimo Mandamiento nos llama a practicar la pobreza de espíritu y la generosidad del corazón. Estas virtudes nos liberan de la esclavitud del dinero y de las posesiones materiales. Hacen posible que tengamos un amor preferencial por los pobres y que demos testimonio de la justicia y la paz en el mundo" (*CCEUA, pp. 479-480*).

HABLEMOS >>>

- Pidan a su hijo que explique cómo se relacionan la envidia, ser pobre de espíritu y la humildad con el Séptimo y Décimo Mandamientos.

- Comenten cómo su familia podría cambiar su actitud hacia las posesiones y ser aún más generosos mutuamente.

OREMOS >>>

 Santa Margarita, ruega por nosotros para que siempre seamos generosos con todo lo que tenemos. Amén.

Visiten **vivosencristo.osv.com** para encontrar un glosario multimedia de Palabras católicas, lecturas dominicales, y recursos de Santos y tiempos festivos.

FAMILY+FAITH
LIVING AND LEARNING TOGETHER

YOUR CHILD LEARNED >>>

This chapter examines generosity and humility and discusses theft, greed, and envy in relationship to the Seventh and Tenth Commandments, deepening the understanding that the Earth's good are meant for all.

Scripture

 Read **Luke 6:38** to find out about the importance of generosity.

Catholics Believe

- The Commandments call you to be generous and to have the right attitude toward possessions.

- Stewardship is the way we appreciate and use God's gifts, including our time, talent, and treasure, and the resources of creation.

To learn more, go to the *Catechism of the Catholic Church* #299, 2402–2405 at **usccb.org**.

People of Faith

This week, your child learned about Saint Margaret of Scotland, who used her wealth to benefit the Scottish people.

CHILDREN AT THIS AGE >>>

How They Understand Being Generous Because they are still concrete thinkers, children at this age can be very materialistic. However, they also love opportunities to give to others. Giving them practical ways to be generous helps them feel a sense of purpose and can be an important foundation for pursuing their God-given vocation as they grow.

CONSIDER THIS >>>

Do you think your family has too much stuff?

Most desires such as for food, shelter, and loving relationships are good and natural. But when we focus too much on material things, we can become selfish and even greedy. As Catholics, we know that "the Tenth Commandment calls us to practice poverty of spirit and generosity of heart. These virtues liberate us from being slaves to money and possessions. They enable us to have a preferential love for the poor and to be witnesses of justice and peace in the world" (*USCCA pp. 449–450*).

LET'S TALK >>>

- Ask your child to explain what envy, being poor in spirit, and humility have to do with the Seventh and Tenth Commandments.

- Talk about ways your family might change its attitude toward possessions and be even more generous with one another.

LET'S PRAY >>>

Saint Margaret, pray for us that we may always be generous with everything we have. Amen.

For a multimedia glossary of Catholic Faith Words, Sunday readings, seasonal and Saint resources, and chapter activities go to **aliveinchrist.osv.com**.

Capítulo 19 Repaso

A **Trabaja con palabras** Rellena el círculo que está junto a la respuesta que completa mejor cada enunciado.

1. El _____ Mandamiento establece que no robarás.
   - ○ Sexto
   - ○ Séptimo
   - ○ Octavo

2. La manera en la que apreciamos y usamos los dones de Dios se llama _____.
   - ○ corresponsabilidad
   - ○ conciencia
   - ○ generosidad

3. El _____ Mandamiento establece que no desearás lo que tienen los demás.
   - ○ Octavo
   - ○ Noveno
   - ○ Décimo

4. _____ es estar resentido cuando alguien posee algo que tú deseas.
   - ○ Robar
   - ○ Generosidad
   - ○ Envidia

5. _____ es la acumulación ilimitada de posesiones materiales.
   - ○ Avaricia
   - ○ Generosidad
   - ○ Corresponsabilidad

B **Confirma lo que aprendiste** Los siguientes son ejemplos de cómo puedes cumplir el Séptimo y Décimo Mandamientos. En el espacio dado, escribe el número del Mandamiento al que se refiere el ejemplo.

6. ☐ Donar a la caridad la ropa que no queda.

7. ☐ Hallar un juguete en el estacionamiento de una tienda y llevarlo a objetos perdidos.

8. ☐ Compartir tus posesiones con un hermano o hermana.

9. ☐ No comer en un supermercado hasta que hayas pagado por la comida.

10. ☐ Estar agradecido por lo que tienes.

Chapter 19 Review

A **Work with Words** Fill in the circle next to the answer that best completes each statement.

1. The _____ Commandment states that you should not steal.
   - ○ Sixth
   - ○ Seventh
   - ○ Eighth

2. The way we appreciate and use God's gifts is called _____.
   - ○ stewardship
   - ○ conscience
   - ○ generosity

3. The _____ Commandment states that you should not desire what others have.
   - ○ Eighth
   - ○ Ninth
   - ○ Tenth

4. _____ is being sad or resentful when someone else possesses something you want.
   - ○ Stealing
   - ○ Generosity
   - ○ Envy

5. _____ is the unlimited gathering of material possessions.
   - ○ Greed
   - ○ Generosity
   - ○ Stewardship

B **Check Understanding** Below are examples of how you can keep the Seventh and Tenth Commandments. In the space provided, write the number of the Commandment that the example refers to.

6. ☐ Donating your outgrown clothing to charity

7. ☐ Finding a toy in the parking lot of a store, and turning it in to the lost and found

8. ☐ Sharing your possessions with a brother or sister

9. ☐ Not eating food in a grocery store until after you have paid for it

10. ☐ Being thankful for what you have

La Iglesia en el mundo

❤ Oremos

Líder: Señor Dios, tú nos invitas a formar parte de la misión de Tu Hijo de compartir la Buena Nueva con todo el mundo.

"Y oí la voz del Señor que decía: "¿A quién enviaré, y quién irá por nosotros?" Y respondí: 'Aquí me tienes, mándame a mí.'" **Isaías 6, 8**

Todos: Aquí nos tienes, Señor. Envíanos a ser tus testigos. Amén.

📖 La Sagrada Escritura

[Jesús dijo:] "Pero recibirán la fuerza del Espíritu Santo cuando venga sobre ustedes, y serán mis testigos en Jerusalén, en toda Judea, en Samaria y hasta los extremos de la tierra."

Hechos de los Apóstoles 1, 8

❓ ¿Qué piensas?

- ¿Qué cosa quisieras contarle a alguien acerca de Jesús?

- ¿Qué unifica a los católicos de todo el mundo?

The Church in the World

 Let Us Pray

Leader: Lord God, you invite us to take part in the mission of your Son to share the Good News with all the world.

"I heard the voice of the Lord saying, 'Whom shall I send? Who will go for us?' 'Here I am,' I said; 'send me!'" **Isaiah 6:8**

All: Here we are, Lord. Send us to be your witnesses. Amen.

Scripture

[Jesus said,] "You will receive power when the holy Spirit comes upon you, and you will be my witnesses in Jerusalem, throughout Judea and Samaria, and to the ends of the earth."
Acts of the Apostles 1:8

? **What Do You Wonder?**

- What is one thing you want to tell someone about Jesus?
- What unifies Catholics around the world?

Que todos los pueblos sean mis discípulos

¿Cómo llega la Iglesia al mundo?

En la Última Cena, Jesús les dijo a sus Apóstoles que el Espíritu Santo vendría a fortalecerlos y a guiarlos cuando Él se hubiera ido. Después de su Resurrección, antes de ascender al Cielo, Jesús les dio a sus Apóstoles el siguiente mandamiento.

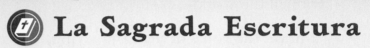

La Sagrada Escritura

Jesús envía a sus Apóstoles

"Me ha sido dada toda autoridad en el Cielo y en la tierra. Vayan, pues, y hagan que todos los pueblos sean mis discípulos. Bautícenlos en el Nombre del Padre y del Hijo y del Espíritu Santo, y enséñenles a cumplir todo lo que yo les he encomendado a ustedes. Yo estoy con ustedes todos los días hasta el fin de la historia." **Mateo 28, 18-20**

Jesús quería que sus seguidores fueran a todas partes y compartieran el mensaje del **Evangelio** de la Buena Nueva del Reino de Dios. Hoy, sin importar a qué parte del mundo vayas, hallarás seguidores de Jesús. La **misión** universal, o mundial, de Jesús en la Tierra fue compartir el amor de Dios con todas las personas. Todos los católicos participan de la misión de la Iglesia de anunciar esta Buena Nueva y compartirla a través de palabras y acciones de su obra de **evangelización**.

➤ Piensa en tres lugares que visitarás esta semana. ¿Cómo vivirás la misión de Jesús en cada lugar?

Palabras católicas

Evangelio palabra que significa "Buena Nueva". El mensaje del Evangelio es la Buena Nueva del Reino de Dios y su amor salvador.

misión un trabajo o propósito. La misión de la Iglesia es anunciar la Buena Nueva del Reino de Dios.

evangelización compartir la Buena Nueva de Jesús a través de palabras y acciones en una manera que invite a las personas a aceptar el Evangelio

Make Disciples of All Nations

How does the Church reach out to the world?

At the Last Supper, Jesus told his Apostles that the Holy Spirit would come to strengthen them and guide them when he was gone. After his Resurrection, before he ascended into Heaven, Jesus gave his Apostles the following command.

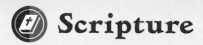

Scripture

The Commissioning of the Disciples

"All power in heaven and on earth has been given to me. Go, therefore, and make disciples of all nations, baptizing them in the name of the Father, and of the Son, and of the holy Spirit, teaching them to observe all that I have commanded you. And behold, I am with you always, until the end of the age." **Matthew 28:18–20**

Catholic Faith Words

Gospel a word that means "Good News." The Gospel message is the Good News of God's Kingdom and his saving love.

mission a job or purpose. The Church's mission is to announce the Good News of God's Kingdom.

evangelization sharing the Good News of Jesus through words and actions in a way that invites people to accept the Gospel

Jesus wanted his followers to go out to all places and share the **Gospel** message of the Good News of God's Kingdom. Today, no matter where you go in the world, you will find followers of Jesus. Jesus' universal, or worldwide, **mission** on Earth was to share God's love with all people. All Catholics share in the Church's mission to announce this Good News and to share it in words and actions through her work of **evangelization**.

➔ Think about three places you will go this week. How will you live out Jesus' mission in each place?

La misión universal de Jesús

Jesús se acercó a todas las personas, especialmente a los pobres y a los que eran rechazados por los demás. Él sanaba, perdonaba y amaba a las personas, especialmente a los que eran considerados pecadores. Jesús trataba a todos con dignidad y respeto. Una parte importante de la misión de Jesús fue la justicia, la virtud de dar a Dios y a los demás lo que les corresponde.

Unidad en la Iglesia

Hay diferencias en las maneras en las que las personas de otros países y otras culturas practican su fe. Incluso en tu parroquia puedes notar una diversidad, o variedad, en la manera en que las personas expresan su fe. Estas diferencias culturales fortalecen a la Iglesia. Ella está unida por su fidelidad a la creencia común transmitida por los Apóstoles a través de sus sucesores, los obispos. La Iglesia está unida en la celebración de la Misa, en los Sacramentos, en la oración y cuando las personas de todas las culturas ayudan a traer justicia al mundo. Tú traes justicia al mundo al trabajar para darles a los demás lo que les corresponde.

Comparte tu fe

Reflexiona Piensa en todo lo que enseñó Jesús y en cómo trabajó por la justicia. Escribe un titular del periódico que describa cómo Jesús trajo justicia al mundo.

_____

_____

Comparte Con un compañero, hablen sobre algunas maneras en las que pueden traer justicia al mundo como hizo Jesús.

Jesus' Universal Mission

Jesus reached out to all people, especially people who were poor and those who were left out by others. He healed, forgave, and loved people, especially those who were considered sinners. Jesus treated everyone with dignity and respect. An important part of Jesus' mission was justice, the virtue of giving to God and people what is due to them.

Unity in the Church

There are differences in the ways the people of other countries and cultures practice their faith. Even in your parish you may notice a diversity, or variety, in the ways that people express their faith. These cultural differences strengthen the Church. She is united because of her faithfulness to the common belief handed down from the Apostles through their successors, the bishops. The Church is united in the celebration of the Mass, in the Sacraments, in prayer, and when people in every culture help bring justice to the world. You bring justice to the world by working to give others what is rightfully theirs.

Share Your Faith

Reflect Think of all the ways that Jesus taught about and worked for justice. Write a newspaper headline that describes how Jesus brought justice to the world.

_____

_____

Share With a partner, talk about ways that you can bring justice into the world like Jesus did.

La Iglesia en Bolivia

¿Cómo incluye la Iglesia a diferentes culturas?

Los misioneros católicos llevan la fe católica a las personas de todo el mundo. Tienen cuidado de respetar e incluir las costumbres de diferentes grupos en la oración y en el culto. Los misioneros predican el Evangelio de Jesús en palabra y obra.

En el siguiente relato, narrado por un misionero, hallarás algunas maneras en las que la Iglesia de Bolivia es como tu parroquia y otras en las que es diferente de tu parroquia.

Una iglesia flotante

Trabajo con otros misioneros en la región de la selva al noreste de Bolivia. Viajamos en el bote de nuestra parroquia para visitar a las personas que viven en un apartado lugar a orillas del Río Beni. La mayoría de esas personas trabaja en lo profundo de la selva. Algunos trabajan con los árboles del caucho, y otros cosechan nueces de Brasil.

Mientras navegamos río arriba, les decimos a todos los que estén en sus hogares que reúnan a sus vecinos el día que regresemos corriente abajo para las Misas, los Bautismos y las bodas. Cuando volvemos, las personas se reúnen cerca del río. Allí bautizamos, celebramos Misa y oficiamos bodas.

ANDES

CHILE

ANDES

The Church in Bolivia

How does the Church include different cultures?

Catholic missionaries bring the Catholic faith to people all over the world. They are careful to respect and include the customs of different groups in prayer and worship. Missionaries preach the Gospel of Jesus in word and deed.

In the following story told by a missionary, you will find some ways that the Church in Bolivia is like your parish and some ways that it is different from your parish.

A Floating Church

I work with other missionaries in the jungle region of northeast Bolivia. We travel in our parish boat to visit the people who live far apart along the Beni River. Most of the people work deep in the jungle. Some work with rubber trees, and others harvest Brazilian nuts.

On our way up the river, we tell whoever is home to gather their neighbors together for Mass, Baptisms, and marriages on the day we will return downstream. When we return, the people gather near the river. There we baptize people, celebrate Mass, and perform marriages.

CHILE

Las personas y la misión

Las personas se alegran de que vayamos a celebrar los Sacramentos junto a ellos. El noventa y cinco por ciento de los bolivianos son católicos. Sus ancestros se convirtieron a la cristiandad hace mucho tiempo. Muchas de las personas que encontramos a orillas del río aún hablan sus lenguas nativas indígenas. Las personas que encontramos también llevan a su vida religiosa algunas de sus costumbres nativas.

Mis compañeros y yo hemos aprendido las lenguas de estos pueblos. Pasamos tiempo hablando con las personas y escuchándolas. Podemos ayudarlos a atender su salud en una clínica, y los educamos en una escuela. Ayudamos a los agricultores a hacer una compañía llamada una *cooperativa* para que pudieran obtener precios justos para sus cosechas de caucho y nueces.

Bolivia tiene muchos problemas. Una vez hubo un levantamiento en un pueblo, y me pidieron que fuera el alcalde por cuatro meses. Otra vez fui arrestado, junto a otro sacerdote, porque habíamos ayudado a las personas a formar una cooperativa.

➜ **¿Cuáles son las diferencias entre la experiencia de los misioneros en Bolivia y la experiencia en tu parroquia?**

➜ **¿Cómo incluye la Iglesia diferentes culturas?**

Practica tu fe

Apoya a las misiones Investiga cómo se relaciona tu parroquia con el trabajo misionero. Escribe una oración breve para apoyar a los misioneros del mundo.

_____

_____

_____

The People and the Mission

The people are happy to have us come and celebrate the Sacraments with them. Ninety-five percent of Bolivians are Catholic. Their ancestors converted to Christianity a long time ago. Many of the people we meet along the river still speak their native Indian languages. The people we meet also bring some of their native customs into their religious life.

My coworkers and I have learned the languages of the people. We spend time talking and listening to the people. We are able to help them take care of their health in a clinic, and we educate them in a school. We helped the farmers set up a company called a *cooperative* so that they could get fair prices for their rubber and nut crops.

Bolivia has a lot of troubles. Once, there was an uprising in a town, and I was asked to be mayor for four months. Another time, I was arrested with another priest because we had helped the people form a cooperative.

➤ **What about the missionaries' experience in Bolivia is different from the experience in your parish?**

➤ **How does the Church include different cultures?**

Connect Your Faith

Support the Missions Research what connections your parish has to mission work. Write a short prayer to support missionaries around the world.

_____

_____

_____

Nuestra vida católica

¿Cómo puedes ayudar a los misioneros?

Jesús les dijo a sus Apóstoles que fueran a difundir su mensaje. Hoy, los misioneros continúan esta obra en todos los rincones del mundo.

Los misioneros renuncian a vidas de comodidad para ayudar a los necesitados. Las misiones proporcionan comida, atención médica, educación y difunden la Palabra de Dios. Muchas misiones tienen muy poco dinero. Las siguientes son algunas maneras en las que puedes ayudar a los misioneros con sus buenas obras.

Maneras de ayudar

Coloca una marca junto a algo que puedes hacer esta semana para apoyar a las misiones. Subraya lo que podrías hacer en el futuro.

Reunir suministros médicos
Reúne vendas, crema para primeros auxilios, o anteojos usados.

Recaudar dinero
Organiza proyectos para recaudar dinero para ayudar a los misioneros a comprar suministros.

Enviar apoyo
Escribe una carta a un misionero, agradeciéndole por hacer la obra de Dios.

Reunir Biblias
Reúne Biblias o libros de himnos viejos para ayudar a las misiones a compartir la Palabra de Dios.

Orar por un misionero
Di una oración para bendecir a un misionero y la obra que realiza.

Our Catholic Life

How can you help missionaries?

Jesus told his Apostles to go and spread his message. Today, missionaries continue this work in all corners of the world.

Missionaries give up lives of comfort to live with and help people in need. The missions provide food, medical care, education and spread the Word of God. Many missions have very little money. Below are some ways you can help missionaries in their good work.

Ways to Help

Put a check mark next to one thing you could do this week to help support missions. Underline what you might do in the future.

Collect Medical Supplies
Collect bandages, first aid cream, or used eyeglasses.

Raise Money
Organize projects to raise money to help missionaries purchase supplies.

Send Your Support
Write a letter to a missionary, thanking him or her for doing God's work.

Gather Bibles
Collect Bibles or old hymnbooks to help missions share the Word of the Lord.

Pray for a Missionary
Say a prayer to bless a missionary and the work that he or she is doing.

Gente de fe

1 de julio

San Junípero Serra, 1713–1784

Pensamos que los misioneros van a lugares lejanos, ¡pero hace doscientos años, Estados Unidos era un lugar lejano! San Junípero Serra, un sacerdote español, llegó a América y vivió en lo que hoy es California. Él construyó muchas iglesias y les puso nombres de Santos. Muchas ciudades conservan esos nombres, como San Diego y Santa Mónica. El Padre Serra caminaba de una misión a otra. Una vez lo mordió una serpiente. Aunque el pie le dolió por el resto de su vida, siguió caminando hasta sus iglesias.

Comenta: ¿Cómo has ayudado a apoyar las misiones?

Aprende más sobre San Junípero en **vivosencristo.osv.com**

Vive tu fe

Haz una lista A menudo, los misioneros se van de sus hogares por mucho tiempo. ¿Qué podrían necesitar? Haz una lista de artículos que incluirías en un envío de provisiones para un misionero.

People of Faith

Saint Junípero Serra, 1713–1784

July 1

We think missionaries go to faraway places, but two hundred years ago, the United States *was* a faraway place! Saint Junípero Serra, a Spanish priest, came to America and lived in what is now California. He built many churches and named them after Saints. Many cities still have those names, like San Diego (Saint Diego) and Santa Monica (Saint Monica). Father Serra walked from mission to mission. Once he was bitten by a snake! Although his foot hurt for the rest of his life, he still kept walking to his churches.

Discuss: How have you helped support missions?

Learn more about
Saint Junípero
at **aliveinchrist.osv.com**

Live Your Faith

Make a List Missionaries are often gone from home for a long time. What might they need? Make a list of items you would include in a care package to a missionary.

♥ Oremos

Oración de alabanza

Esta oración nos ayuda a reflexionar y apreciar la diversidad del pueblo de Dios, un don de Dios para cada uno de nosotros.

Reúnanse y comiencen con la Señal de la Cruz.

Líder: Señor de las naciones, todos los pueblos del mundo te glorifican. Somos tu familia única, todos hermanos y hermanas.

Oraciones por nuestros hermanos y hermanas del mundo:

• Oro por las personas de _____, quienes _____.

• Doy gracias por las personas de _____, quienes _____.

• Dios creó a las personas de _____, quienes _____.

• El Pueblo de Dios de _____ alaba a Dios por _____.

Líder: Dios bueno, nos maravillamos ante la diversidad del mundo, de las personas, de toda la creación, que muestran tu grandeza. Que cada uno de nosotros siempre lleve tu amor y tu Buena Nueva dondequiera que estemos.

Todos: Amén.

Canten "Somos el Cuerpo de Cristo/We Are the Body of Christ"

Somos el cuerpo de Cristo.

We are the body of Christ.

Hemos oído el llamado;

we've answered "Yes" to the call of the Lord.

Somos el cuerpo de Cristo.

We are the body of Christ.

Traemos su santo mensaje.

We come to bring the Good News to the world.

© Our Sunday Visitor

♡ Let Us Pray

Prayer of Praise

This prayer helps us reflect on and appreciate the diversity of God's people, a gift of God to each of us.

Gather and begin with the Sign of the Cross.

Leader: Lord of the Nations, all the people of the world glorify you. We are your one family, all sisters and brothers.

Prayer statements about our sisters and brothers around the world:

- I pray for the people of _____, who _____.
- I give thanks for the people of _____, who _____.
- God created the people of _____, who _____.
- The People of God in _____ praise God by _____.

Leader: Loving God, we marvel at the diversity of the world, all people, all creation, showing your greatness. May each of us always bring your love and your Good News with us wherever we are.

All: Amen.

 Sing "Somos el Cuerpo de Cristo/We Are the Body of Christ"
Somos el cuerpo de Cristo.
We are the body of Christ.
Hemos oído el llamado;
we've answered "Yes" to the call of the Lord.
Somos el cuerpo de Cristo.
We are the body of Christ.
Traemos su santo mensaje.
We come to bring the Good News to the world.

FAMILIA + FE

VIVIR Y APRENDER JUNTOS

SUS HIJOS APRENDIERON >>>

Este capítulo comenta la misión de la Iglesia Católica y su unidad en la diversidad.

La Sagrada Escritura

 Lean Hechos de los Apóstoles 1, 8 para saber qué prometió enviar Jesús.

Lo que creemos

- La misión del Pueblo de Dios es proclamar el Evangelio y obrar por el bien de todas las personas.

- La Iglesia está formada por personas de muchas culturas, pero todas están unidas por su fe en Cristo.

Para aprender más, vayan al *Catecismo de la Iglesia Católica* #849, 858–859, 1807, 1934–1938 en **usccb.org**.

Gente de fe

Esta semana, su hijo aprendió acerca de San Junípero Serra, el fundador de la cadena de misiones de California.

LOS NIÑOS DE ESTA EDAD >>>

Cómo comprenden la misión Probablemente, su hijo está aprendiendo más acerca del mundo y sus diversas culturas. Casi todos los niños de esta edad están creciendo en su habilidad para comprender las distancias, las diferentes experiencias y las condiciones de vida de la gente en todo el mundo. Por esta razón, su hijo está listo para aprender más sobre la actividad misionera de la Iglesia y las maneras en que puede participar, a través de la oración y el apoyo a los misioneros, y buscando el llamado de Dios a difundir el Evangelio en la vida diaria.

CONSIDEREMOS ESTO >>>

¿Creen que es posible la unidad en la diversidad?

Las diferencias son parte de la belleza de la creación. Imaginen si todas las rosas en el mundo fueran rojas. La Iglesia está formada por muchas culturas, pero todos estamos unidos por nuestra fe en Cristo. Como católicos, sabemos que "la palabra *católica* significa 'universal'. La Iglesia Católica ha vivido y continúa viviendo en una diversidad de culturas y lenguajes porque es guiada por el Espíritu de Cristo para llevar el Evangelio a todas las gentes" (*CCEUA, p. 141*).

HABLEMOS >>>

- Pidan a su hijo que explique cómo la fe católica llega a todo el mundo.

- Comenten cómo su familia participa en la misión de Jesús de difundir la Buena Nueva.

OREMOS >>>

 Querido Dios, gracias por los misioneros como San Junípero Serra, quien enseñó a los demás acerca de Dios y la gracia salvadora de Jesús. Amén.

Visiten **vivosencristo.osv.com** para encontrar un glosario multimedia de Palabras católicas, lecturas dominicales, y recursos de Santos y tiempos festivos.

FAMILY + FAITH
LIVING AND LEARNING TOGETHER

YOUR CHILD LEARNED >>>

This chapter discusses the mission and unity in diversity of the Catholic Church.

Scripture

 Read **Acts of the Apostles 1:8** to find out what Jesus promises to send.

Catholics Believe

- The mission of the People of God is to proclaim the Gospel and to work for the good of all people.

- The Church is made up of people of many cultures, but all are united by their belief in Christ.

To learn more, go to the *Catechism of the Catholic Church* #849, 858–859, 1934–1938 at **usccb.org**.

People of Faith

This week, your child learned about Saint Junípero Serra, the founder of the California mission chain.

CHILDREN AT THIS AGE >>>

How They Understand Mission Your child is probably learning more about the world and its diverse cultures. Children this age often are growing in their ability to understand distances and the different experiences and living conditions of people around the world. For this reason, your child is ready to learn more about the Church's missionary activity and ways in which they can participate, through praying and supporting missionaries and looking for God's call to share the Gospel in everyday life.

CONSIDER THIS >>>

Do you believe unity in diversity is a possibility?

Differences are part of the beauty of creation. Imagine if all the roses in the world were red. The Church is made up of many cultures, but we are all united in our belief in Christ. As Catholics, we know that "the word *catholic* means 'universal.' The Catholic Church has lived and continues to live in a diversity of cultures and languages because she is led by the Spirit of Christ to bring the Gospel to all peoples" (*USCCA*, p. 129).

LET'S TALK >>>

- Ask your child to explain how the Catholic faith is brought to the whole world.

- Talk about how your family participates in Jesus' mission to spread the Good News.

LET'S PRAY >>>

 Dear God, thank you for the missionaries like Saint Junípero Serra who teach others about God and the saving grace of Jesus. Amen.

For a multimedia glossary of Catholic Faith Words, Sunday readings, seasonal and Saint resources, and chapter activities go to **aliveinchrist.osv.com**.

Capítulo 20 Repaso

A **Trabaja con palabras** Completa cada oración con la palabra correcta del Vocabulario.

1. La _____ de Jesús fue compartir el amor de Dios con todas las personas.

2. La Iglesia es un solo cuerpo, formado por una gran _____ de miembros.

3. La misión de cada persona en la Iglesia es llevar la Buena Nueva de Jesús al _____.

4. La virtud de la _____ desafía a los seguidores de Jesús a trabajar para satisfacer las necesidades y derechos de los demás.

5. Los misioneros deben _____ la cultura y las costumbres locales.

Vocabulario

justicia

mundo

misión

diversidad

respetar

B **Confirma lo que aprendiste** Escribe una lista con cinco cosas que hacen los misioneros por las personas a las que sirven.

6. _____
_____

7. _____
_____

8. _____
_____

9. _____
_____

10. _____
_____

Chapter 20 Review

 A **Work with Words** Complete each sentence with the correct word from the Word Bank.

Word Bank
....

justice

world

mission

diversity

respect

1. Jesus' _____ was to share God's love with all people.

2. The Church is one body, made up of a great _____ of members.

3. The mission of every person in the Church is to bring the Good News of Jesus to the _____.

4. The virtue of _____ challenges followers of Jesus to work to provide for the needs and rights of others.

5. Missionaries must _____ the culture and customs of the local people.

B **Check Understanding** List five things that missionaries do for the people they serve.

6. _____

_____

7. _____

_____

8. _____

_____

9. _____

_____

10. _____

_____

La vida eterna con Dios

❤ Oremos

Líder: Dios, enséñanos a vivir de manera tal que algún día podamos compartir la vida eterna contigo.

"Apártate del mal y haz el bien, busca la paz y ponte a perseguirla". **Salmo 34, 15**

Todos: Danos dones que nos ayuden a verte, amarte y seguirte, Señor, hasta el día en el que Tu Reino venga en su plenitud. Amén.

📖 La Sagrada Escritura

Todo el que cree que Jesús es el Mesías ha nacido de Dios, y todo el que ama al padre también ama al hijo. Sabemos que amamos a los hijos de Dios cuando amamos a Dios y obedecemos Sus Mandamientos. Pues el amor de Dios es esto, que obedezcamos Sus Mandamientos. Y sus Mandamientos no son pesados. Pues bien, éste es el testimonio: que Dios nos ha dado la vida eterna, y que dicha vida está en su Hijo. El que tiene al Hijo, tiene la vida; el que no tiene al Hijo de Dios, no tiene la vida.

Basado en 1 Juan 5, 1-3. 11-12

? ¿Qué piensas?

- ¿Crees que ir al Cielo está en la mente de la mayoría de las personas mientras viven su vida diaria?

- ¿Tendrás tu cuerpo en el Cielo?

Eternal Life with God

♥ Let Us Pray

Leader: God, teach us to live so that some day we might share eternal life with you.

"Turn from evil and do good;
   seek peace and pursue it." **Psalm 34:15**

All: Give us gifts to help us see you, love you, and follow you, Lord, until the day your Kingdom comes in fullness. Amen.

📖 Scripture

Everyone who believes that Jesus is the Christ has been born of God, and everyone who loves the father also loves the child. We know that we love the children of God when we love God and obey his Commandments. For the love of God is this, that we obey his Commandments. And his Commandments are not burdensome. And this is the testimony: God gave us eternal life, and this life is in his Son. Whoever has the Son has life; whoever does not have the Son of God does not have life. **Based on 1 John 5:1–3, 11–12**

❓ What Do You Wonder?

- Is going to Heaven on the minds of most people as they go through their day?

- Will you have your body In Heaven?

Estar con Dios

¿Cómo te ayudan los Dones del Espíritu Santo a vivir en amistad con Dios?

El Cielo no es un lugar en el aire, entre las nubes. El **Cielo** es la vida que todas las personas santas que han vivido en la gracia de Dios compartirán con Él para siempre.

Para pasar la eternidad con Dios, primero debes crecer en amistad con Dios. A través del Espíritu Santo, Dios te ayuda a crecer en amistad con Él y con los demás. Recibes los **Dones del Espíritu Santo** en el Bautismo, y en la Confirmación estos dones se fortalecen en ti. Los siete Dones del Espíritu Santo son sabiduría, entendimiento, consejo, fortaleza, ciencia, piedad y temor de Dios.

Estos siete dones poderosos te ayudan a mostrar amor y respeto hacia Dios y las personas y cosas santas, y a seguir a Jesús más de cerca. Ellos abren tu corazón para que el Espíritu Santo pueda guiarte a tomar decisiones buenas y generosas y vivir la vida cristiana. Cuando permitimos que los Dones del Espíritu Santo trabajen en nuestros corazones, los Frutos del Espíritu Santo (busca la página 618 de la sección Nuestra Tradición Católica en tu libro) pueden verse en nosotros.

Palabras católicas

Cielo la felicidad plena de vivir eternamente en la presencia de Dios

Dones del Espíritu Santo siete dones poderosos que Dios nos da para seguir la guía del Espíritu Santo y vivir la vida cristiana

Being with God

How do the Gifts of the Holy Spirit help you live in friendship with God?

Heaven is not a place in the sky among the clouds. **Heaven** is the full joy that all holy people who have lived in God's grace will share with him forever.

To spend eternity with God, you first must grow in friendship with God. Through the Holy Spirit, God helps you grow in friendship with him and with others. You receive the **Gifts of the Holy Spirit** at Baptism, and in Confirmation these gifts are strengthened in you. The seven Gifts of the Holy Spirit are wisdom, understanding, counsel, fortitude, knowledge, piety, and fear of the Lord.

These seven powerful gifts help you show care and respect to God and holy persons and things, and to follow Jesus more closely. They open your heart so that the Holy Spirit can guide you to make good and unselfish choices and live the Christian life. When we allow the Gifts of the Holy Spirit to work in our hearts, the Fruits of the Holy Spirit (see page 619 in the Our Catholic Tradition section of your book) can be seen in us.

Catholic Faith Words

Heaven the full joy of living eternally in God's presence

Gifts of the Holy Spirit seven powerful gifts God gives us to follow the guidance of the Holy Spirit and live the Christian life

Los Dones del Espíritu Santo

El Don de	Te ayuda a
SABIDURÍA	• verte como Dios te ve y comportarte como quiere que te comportes • vivir a imagen y semejanza de Dios
Entendimiento	• comprender las verdades de la fe • conocer mejor a Dios, a ti mismo y a los demás • ver por qué a veces tomas decisiones equivocadas • aprender a tomar mejores decisiones y a perdonar más libremente
CONSEJO	• dar buenos consejos a los demás • oír al Espíritu Santo, que te habla a través de los buenos consejos y el buen ejemplo de los demás
FORTALEZA	• defender lo correcto incluso cuando sea difícil hacerlo • enfrentar y superar tu miedo, que a veces te lleva a tomar malas decisiones o a no tener amor
Ciencia	• estar abiertos a la comunicación amorosa de Dios • conocer a Dios de la manera en que llegas a conocer a alguien a quien amas y que te ama
Piedad	• mostrar amor y honor fieles a Dios • reconocer la importancia de dedicar tiempo a hablar con Dios y escucharlo en la oración
Temor de Dios	• saber que Dios es más grande y más maravilloso que cualquier cosa creada • recordar que debes estar abierto a la bondad sorprendente y poderosa de Dios

Comparte tu fe

Reflexiona Piensa y escribe sobre un momento en el que hayas usado uno de los Dones del Espíritu Santo.

_____

_____

Comparte Comenta con un compañero este momento de tu vida.

The Gifts of the Holy Spirit

The Gift of	Helps You
WISDOM	• see yourself as God sees you and act as God wants you to act • live in the image and likeness of God
Understanding	• understand the truths of faith • get to know God, yourself, and other people better • see why you sometimes make wrong choices • learn to make better choices and forgive more freely
COUNSEL	• give good advice to others • hear the Holy Spirit, who speaks to you through the good advice and good example of others
FORTITUDE	• stand up for what is right even when doing so is difficult • face and overcome your fear, which sometimes leads to making a bad choice or failing to love
Knowledge	• be open to God's loving communication • know God in the way that you come to know someone you love and someone who loves you
Piety	• show faithful love and honor to God • recognize the importance of spending time talking and listening to God in prayer
Fear of the Lord	• know that God is greater and more wonderful than any created thing • remember to be open to the surprising and powerful goodness of God

Share Your Faith

Reflect Think and write about a time when you used one of the Gifts of the Holy Spirit.

_____

_____

Share With a partner, discuss this time in your life.

El Juicio Final

¿Cómo se prepara para el Juicio Final?

Los Dones del Espíritu Santo te ayudan a apartarte de las acciones egoístas y te preparan para estar con Dios para siempre. Durante toda tu vida, puedes elegir entre aceptar o rechazar la gracia ofrecida a través de Jesús. En el momento de tu muerte, Dios juzgará si aceptaste y usaste bien sus dones. Esto se llama el **Juicio Particular**.

Jesús te pide que ames a Dios por sobre todas las cosas y a tu prójimo como a ti mismo. Si tienes fe en Dios y estás abierto a la gracia que te da para vivir Su plan para tu vida, la felicidad eterna del Cielo finalmente será tuya. A veces las personas están en amistad con Dios pero necesitan ser purificadas para estar con Él en el Cielo. Este período de purificación final se llama **Purgatorio**. Algunas personas pecan mucho y rechazan el amor de Dios. Rechazan su gracia y su perdón. Estos pecadores estarán separados para siempre de Dios a causa de sus propias elecciones. Esa separación se llama **Infierno**.

Palabras católicas

Juicio Particular el juicio individual que hace Dios en el momento de la muerte de una persona; cuando Dios decide, después de la muerte de la persona, dónde pasará la eternidad según su fe y sus obras

Purgatorio un estado de purificación final después de la muerte y antes de entrar al Cielo

Infierno estar separado de Dios para siempre por una decisión de apartarse de Él y no buscar perdón

Habla del significado de *siempre* y *eterna* en nuestra vida con Dios.

Las celebraciones del Día de Todos los Fieles Difuntos recuerdan a los que han fallecido y celebran sus vidas.

The Last Judgment

How does a person prepare for the Last Judgment?

The Gifts of the Holy Spirit help you turn away from selfish actions and prepare you to be with God forever. All through your life, you have the choice of accepting or rejecting the grace offered through Jesus. At the time of your death, God will judge how well you have accepted and used his gifts. This is called the **Particular Judgment**.

Jesus asks you to love God above all things and your neighbor as yourself. If you have faith in God and are open to the grace he gives you to live his plan for your life, the everlasting happiness of Heaven will eventually be yours. Sometimes people are in friendship with God but need to be purified to be with him in Heaven. This period of final cleansing is called **Purgatory**. Some people sin greatly and reject God's love. They refuse his grace and forgiveness. These sinners will be separated forever from God because of their own choices. That separation is called **Hell**.

Catholic Faith Words

Particular Judgment the individual judgment by God at the time of a person's death; when God decides, after a person's death, where that person will spend eternity according to his or her faith and works

Purgatory a state of final cleansing after death and before entering Heaven

Hell being separated from God forever because of a choice to turn away from him and not seek forgiveness

Talk about the meaning of *forever* and *everlasting* in our life with God.

All Souls Day celebrations remember those who have died and celebrate their lives.

Palabras católicas

Juicio Final el triunfo final de Dios sobre el mal que ocurrirá al final de los tiempos, cuando Cristo regrese y juzgue a todos los vivos y muertos

Al final de los tiempos, todas las personas que hayan vivido alguna vez resucitarán y aparecerán ante Dios para ser juzgadas. Este **Juicio Final** no cambiará el Juicio Particular de cada persona. Más bien, marcará la venida del Reino de Dios en su plenitud. Este es el momento en el que Cristo vendrá de nuevo con gloria.

La Sagrada Escritura

El juicio final

"Entonces el Rey dirá a los que están a su derecha: '… tomen posesión del reino que ha sido preparado para ustedes… Porque tuve hambre y ustedes me dieron de comer; tuve sed y ustedes me dieron de beber. Fui forastero y ustedes me recibieron en su casa. Anduve sin ropas y me vistieron. Estuve enfermo y fueron a visitarme. Estuve en la cárcel y me fueron a ver.' Entonces los justos dirán: 'Señor, ¿cuándo te vimos hambriento y te dimos de comer, o sediento y te dimos de beber? ¿Cuándo te vimos forastero y te recibimos, o sin ropa y te vestimos? ¿Cuándo te vimos enfermo o en la cárcel y fuimos a verte?' El Rey responderá: 'En verdad les digo que, cuando lo hicieron con alguno de los más pequeños de estos mis hermanos, me lo hicieron a mí.'" **Mateo 25, 34-40**

➜ **¿Quién es el rey en esta historia? ¿Quiénes son los justos?**

Practica tu fe

Exprésate Diseña un marcapáginas que tenga una frase sobre vivir de acuerdo a cómo serás juzgado.

At the end of time, all people who have ever lived will rise again and appear before God for judgment. This **Last Judgment** will not change each person's Particular Judgment. Rather, it will mark the coming of God's Kingdom in its fullness. This is the time when Christ will come again in glory.

© Our Sunday Visitor

Catholic Faith Words

Last Judgment God's final triumph over evil that will occur at the end of time, when Christ returns and judges all the living and the dead

Scripture

The Judgment of the Nations

"Then the king will say to those on his right, '. . . Inherit the kingdom prepared for you. . . . For I was hungry and you gave me food, I was thirsty and you gave me drink, a stranger and you welcomed me, naked and you clothed me, ill and you cared for me, in prison and you visited me.' Then the righteous will answer him and say, 'Lord, when did we see you hungry and feed you, or thirsty and give you drink? When did we see you a stranger and welcome you, or naked and clothe you? When did we see you ill or in prison, and visit you?' And the king will say to them in reply, 'Amen, I say to you, whatever you did for one of these least brothers of mine, you did for me.'"

Matthew 25:34–40

➜ **Who is the king in this story? Who are the righteous?**

Connect Your Faith

Express Yourself Design a bookmark with a saying about living according to how you will be judged.

Nuestra vida católica

¿Cómo puedes crecer en amistad con Dios?

Dios nuestro Padre, por el Espíritu Santo, te ha dado siete poderosos dones para ayudarte a crecer en tu amistad con Él. Él siempre está junto a ti para ayudarte y darte ánimos a medida que usas estos dones en tu vida.

Es posible que a veces te sientas solo o inseguro sobre lo que deberías hacer. En esos momentos, puedes acercarte a Dios o a los demás. Estos son ejemplos.

> En los siguientes espacios, escribe sobre un momento en el que hayas hecho estas cosas.

Usar los Dones del Espíritu

Busca orientación
Cuando enfrentas una decisión difícil, recuerda los Dones del Espíritu Santo. Ora por la ayuda del Espíritu.

Ofrece tu ayuda
Cuando encuentras una persona que está sola, asustada o que sufre, tiéndele la mano con palabras y acciones de amor.

_____

_____

Haz una pausa para orar
Cuando estés apresurado o agobiado, detente y ora. Siente la presencia de Dios y halla consuelo.

_____

_____

Observa la belleza
Cuando sientas tristeza, mira la belleza de la creación de Dios a tu alrededor y las bendiciones que has recibido.

_____

_____

Da gracias
Cuando sientas alegría o felicidad, da gracias a Dios, fuente de toda bondad.

Our Catholic Life

How can you grow in friendship with God?

God our Father, by the Holy Spirit, has given you seven powerful gifts to help you grow in friendship with him.

He is always there to help and encourage you as you use these gifts in your life.

Sometimes you might feel lonely or unsure of what you should do. During these times, you can reach out to God and to others. Here are some examples.

In the spaces below, write about a time when you did these things.

Using the Gifts of the Spirit

Look for Guidance
When you are faced with a difficult choice, remember the Gifts of the Holy Spirit. Pray for the Spirit's help.

Reach Out
When you meet a person who is lonely, afraid, or suffering, reach out with words and actions of love.

_____

_____

Stop and Pray
When you are rushed or stressed, stop and pray. Feel God's presence and find comfort.

_____

_____

Notice the Beauty
When you experience sadness, look around at the beauty of God's creation and the blessings you have been given.

_____

_____

Give Thanks
When you feel joy or happiness, thank God, the source of all goodness.

Gente de fe

San Martín de Porres, 1579–1639

3 de noviembre

San Martín de Porres nació en Lima, Perú. Su padre era español, y su madre era una esclava negra liberada. Martín se convirtió en hermano dominico. Él pasó su vida haciendo buenas obras. Recorría la ciudad, cuidando a los enfermos y a los pobres. Era una bendición para todos los que encontraba, incluso para los animales. Como era humilde y puro de corazón, vio que el trabajo más sencillo honraba a Dios si servía a los demás. También pedía donaciones para ayudar a los pobres. San Martín vivió las Bienaventuranzas y trabajó por el Reino durante toda su vida.

Comenta: ¿Cómo te prepararás para la vida eterna con Dios?

Aprende más sobre San Martín de Porres en **vivosencristo.osv.com**

Vive tu fe

Nombra y describe Mira las ilustraciones y nombra el Don del Espíritu Santo que representa cada una. Luego, en el espacio de abajo, describe cómo podrías usar estos dones en tu vida diaria.

_____ me ayuda a _____ en mi hogar.

_____ me ayuda a _____ en la escuela.

Cuando me siento _____, _____ me

ayuda a _____ .

People of Faith

Saint Martin de Porres, 1579–1639

November 3

Saint Martin de Porres was born in Lima, Peru. His father was Spanish, and his mother was a freed black slave. Martin became a Dominican brother. He spent his life doing good works. He went throughout the city, caring for those who were sick and poor. He was a blessing to all he met, even animals. Because he was meek and pure of heart, he saw that the simplest work honored God if it served others. He would ask people for donations to help the poor, as well. Saint Martin lived the Beatitudes and worked for the Kingdom his whole life.

Discuss: How will you prepare for eternal life with God?

Learn more about Saint Martin de Porres at **aliveinchrist.osv.com**

Live Your Faith

Name and Describe Look at the pictures and name the Gift of the Holy Spirit represented in each one. Then, in the space below, describe how you could use these gifts in your everyday life.

_____ helps me _____ at home.

_____ helps me _____ at school.

When I feel _____, _____ helps

me _____ .

Oremos

Oración por el Reino

Reúnanse y comiencen con la Señal de la Cruz.

Líder: Porque tú nos llamas, Dios Amoroso, queremos vivir cada día trabajando por la justicia, el amor y la paz de Tu Reino.

Todos: Seremos seguidores de Jesús, orando y viviendo cada día: "Venga a nosotros tu reino".

Recordando
nuestra promesa del verano

Líder: Venga a nosotros tu Reino.

Lado 1: Que venga tu Reino

Lado 2: a nuestro corazón y a nuestro mundo.

Lado 1: Abre nuestro corazón

Lado 2: a los pobres, los enfermos, los que están solos y los que sufren.

Lado 1: Conviértenos en un solo Cuerpo en Cristo

Lado 2: a través de los dones de tu Espíritu.

Todos: Ayúdanos a prepararnos para el banquete celestial. Amén.

 Canten "El Reino de la Vida"

♥ Let Us Pray

Prayer for the Kingdom

Gather and begin with the Sign of the Cross.

Leader: Because you call us, All-Loving God, we want to live each day working for the justice, love, and peace of your Reign.

All: We will be followers of Jesus, praying and living each day: "Your Kingdom come."

Remembering
Our Summer Promise

Leader: Your Kingdom come.

Side 1: May your Kingdom come

Side 2: into our hearts and into our world.

Side 1: Open our hearts

Side 2: to those who are poor, sick, lonely, and suffering.

Side 1: Make us one Body in Christ

Side 2: through the gifts of your Spirit.

All: Help us ready ourselves for the banquet of Heaven. Amen.

 Sing "Holy Spirit"

SUS HIJOS APRENDIERON >>>

Este capítulo examina los Dones del Espíritu Santo, define el Cielo como un estado de felicidad eterna con Dios y reconoce que actuar como miembros del Reino de Dios en la Tierra nos prepara para la plenitud del Reino de Dios en el Cielo.

La Sagrada Escritura

Lean **1 Juan 5, 1–3. 11–12** para aprender más sobre la conexión entre el Hijo de Dios y la vida eterna.

Lo que creemos

- Para estar en la eternidad con Dios, debemos primero crecer en nuestra amistad con Él y aceptar Su gracia.
- El Juicio Final marcará el triunfo final de Dios sobre el mal, cuando Cristo regrese en gloria a juzgar a todos los vivos y muertos.

Para aprender más, vayan al *Catecismo de la Iglesia Católica* #681–682 en **usccb.org**.

Gente de fe

Esta semana, su hijo aprendió acerca de San Martín de Porres, quien dedicó su vida a trabajar por el Reino.

LOS NIÑOS DE ESTA EDAD >>>

Cómo comprenden la muerte y la Resurrección Es probable que su hijo tenga una idea clara de que la muerte es un estado irreversible y que sepa que todos moriremos en algún momento. El miedo a la muerte de sus padres es uno de los temores más comunes de los niños de esta edad, aunque rara vez lo expresen. Algunos niños han tenido experiencia con la muerte de sus abuelos, tíos abuelos y tíos. Es bueno que sepan que la muerte no es el fin, y que por la fe sabemos que nos reuniremos con aquellos que amamos y que podemos esperar con ilusión la eternidad con Dios.

CONSIDEREMOS ESTO >>>

¿Cuántas veces han pensado: "Por qué nadie lo hace responsable"?

Una lección importante que ustedes enseñarán a sus hijos es la necesidad de que haya consecuencias. Somos responsables por nuestras decisiones y las consecuencias que siguen a nuestras palabras y acciones. La necesidad de ser responsables se extiende más allá de esta vida hasta el otro mundo. Dios, nuestro Padre perfecto, nos permite las consecuencias de una vida de decisiones. Como católicos, comprendemos que "inmediatamente después de la muerte, cada persona se presenta ante Dios y es juzgado individualmente (el juicio particular) e ingresa en el cielo, el Purgatorio o el infierno" (*CCEUA, p. 167*).

HABLEMOS >>>

- Pidan a su hijo que les hable de los siete Dones del Espíritu Santo.
- Comenten cómo estos dones los ayudan a seguir a Jesús.

OREMOS >>>

San Martín, ayúdanos a hacer las cosas sencillas con amor, para que siempre estemos preparados para encontrarnos con Dios al final de los tiempos. Amén.

Visiten **vivosencristo.osv.com** para encontrar un glosario multimedia de Palabras católicas, lecturas dominicales, y recursos de Santos y tiempos festivos.

FAMILY+FAITH
LIVING AND LEARNING TOGETHER

YOUR CHILD LEARNED >>>

This chapter examines the Gifts of the Holy Spirit, defines Heaven as the state of eternal happiness with God, and recognizes that acting as members of God's Kingdom on Earth prepares us for the fullness of God's Kingdom in Heaven.

Scripture

 Read **1 John 5:1–3, 11–12** to find out more about the connection between the Son of God and eternal life.

Catholics Believe

- To spend eternity with God, we first must grow in friendship with him and accept his grace.

- The Last Judgment will mark God's final triumph over evil when Christ returns in glory and judges all the living and the dead.

To learn more, go to the *Catechism of the Catholic Church* #681–682 at **usccb.org**.

People of Faith

This week, your child learned about Saint Martin de Porres, who spent his life working for the Kingdom.

CHILDREN AT THIS AGE >>>

How They Understand Death and Resurrection Your child probably has a clear sense of death as an irreversible state and knows that everyone will eventually die. Fear of their parents' death is one of the most common fears of children this age, though they rarely voice it. Some children have had experience with the deaths of grandparents and great aunts and uncles. It is helpful for them to know that death is not the end, and that by faith we know that we will be reunited with those we love and can look forward to an eternity with God.

CONSIDER THIS >>>

How many times have you thought, "Why isn't someone holding him accountable?"

An important lesson that you will teach your children is the need for consequences. We are accountable for what we choose and the consequences that follow our words and actions. The need for accountability stretches past this lifetime into the next world. God our perfect parent will allow us the consequences of a lifetime of choices. As Catholics, we understand that "immediately after death, each person comes before God and is judged individually (the particular judgment) and enters into heaven, Purgatory, or hell" (*USCCA, p. 156*).

LET'S TALK >>>

- Ask your child to tell you about the seven Gifts of the Holy Spirit.

- Share how these gifts help you to follow Jesus.

LET'S PRAY >>>

Saint Martin, help us do simple things with love, so that we may always be prepared to meet God at the end of time. Amen.

For a multimedia glossary of Catholic Faith Words, Sunday readings, seasonal and Saint resources, and chapter activities go to **aliveinchrist.osv.com**.

Capítulo 21 Repaso

A Trabaja con palabras Rellena el círculo de la opción correcta.

1. El Juicio _____ es el juicio individual de Dios en el momento de la muerte de una persona.
   - ○ Final
   - ○ Particular
   - ○ Fuerte

2. El Juicio _____ ocurrirá cuando Jesús regrese para juzgar a todos los que hayan vivido alguna vez.
   - ○ Final
   - ○ Particular
   - ○ del Padre

3. Separarse de Dios para siempre se llama _____ .
   - ○ pecado
   - ○ Infierno
   - ○ Purgatorio

4. El Juicio Final _____ cambiar tu Juicio Particular.
   - ○ va a
   - ○ no va a
   - ○ debería

5. El Cielo es el _____ de felicidad plena, viviendo eternamente en la presencia de Dios.
   - ○ estado
   - ○ lugar
   - ○ espacio

B Confirma lo que aprendiste
Escribe el Don del Espíritu Santo correcto en cada enunciado.

6. Josh le da buenos consejos a su mejor amigo, y le dice que no debe robar.

   _____

   _____

7. Kim no hizo su tarea, pero decide decirle la verdad a su maestro.

   _____

   _____

8. Tasha estaba a punto de robar un DVD. Cuando recordó lo que había aprendido en la clase de religión, devolvió el DVD.

   _____

   _____

9. Madison se siente impactada por la belleza del cielo nocturno y piensa en Dios.

   _____

   _____

10. Amelia lucha con una decisión. Piensa en lo que haría Jesús.

   _____

   _____

© Our Sunday Visitor

Chapter 21 Review

A **Work with Words** Fill in the circle of the correct answer.

1. _____ Judgment is the individual judgment by God at the time of a person's death.
   - ○ Last
   - ○ Particular
   - ○ Strong

2. The _____ Judgment will occur when Jesus returns to judge all who have ever lived.
   - ○ Last
   - ○ Particular
   - ○ Lord's

3. A separation from God forever is called _____ .
   - ○ sin
   - ○ Hell
   - ○ Purgatory

4. The Last Judgment _____ change your Particular Judgment.
   - ○ will
   - ○ will not
   - ○ should

5. Heaven is the _____ of full joy, living eternally in God's presence.
   - ○ state
   - ○ place
   - ○ room

B **Check Understanding** For each statement, write the correct Gift of the Holy Spirit being used.

6. Josh gives his best friend good advice, telling him not to shoplift.

   _____

   _____

7. Kim didn't do her homework, but she decides to tell her teacher the truth.

   _____

   _____

8. Tasha was ready to steal a DVD. When she remembered what she learned in religion class, she put the DVD back.

   _____

   _____

9. Madison is overwhelmed with the beauty of the night sky, and she thinks of God.

   _____

   _____

10. Amelia is struggling with a decision. She thinks about what Jesus would do.

    _____

    _____

A **Trabaja con palabras** Completa cada oración con el término correcto.

1. _____ o querer para ti lo que pertenece a otros se llama envidia.

2. La variedad, especialmente entre las personas, se conoce como _____ .

3. El _____ _____ ocurrirá al fin de los tiempos, cuando Cristo regrese para juzgar a los vivos y a los muertos.

4. La virtud de dar a Dios y a las personas lo que les corresponde se llama _____ .

5. La _____ es el deseo de poseer bienes terrenales sin límite o más allá de lo que necesitas.

6. Los que tienen el _____ _____ _____ son aquellos que no se apegan demasiado a sus posesiones y pueden ayudar a traer el Reino de Dios.

7. El propósito de compartir la Buena Nueva de Jesús y el Reino de Dios se conoce como _____ .

8. La _____ es la manera en que valoramos los dones de Dios y los recursos de la creación.

9. La felicidad plena de vivir eternamente en la presencia de Dios es el _____ .

10. El _____ _____ es el juicio individual de Dios en el momento de la muerte de una persona.

A Work with Words Complete each sentence with the correct term.

1. To _____ or want for yourself what belongs to others is called envy.

2. Variety, especially among people, is known as _____.

3. The _____ _____ will occur at the end of time, when Christ returns to judge the living and the dead.

4. The virtue of giving to God and people what is due them is called

   _____.

5. _____ is the desire to gain earthly goods without limits or beyond what you need.

6. The _____ _____ _____ are those who do not become too attached to their possessions and are able to help bring about God's reign.

7. The job or purpose of sharing the Good News of Jesus and the Kingdom of God is known as _____.

8. _____ is the way we appreciate and use God's gifts and the resources of creation.

9. The full joy of living eternally in God's presence is _____.

10. _____ _____ is the individual judgment by God at the time of a person's death.

B **Confirma lo que aprendiste** Rellena el círculo que está junto a la respuesta que completa mejor cada enunciado.

11. En la parábola del rico loco, Jesús enseña que al hombre rico no le interesa _____ .

   ○ **acumular para Dios**

   ○ **ser alegre**

   ○ **tener muchas riquezas**

12. _____ dejaron sus hogares, sus familias y sus empleos para seguir a Jesús y ayudarlo a difundir la Palabra de Dios.

   ○ **Los israelitas**

   ○ **Adán y Eva**

   ○ **Los Apóstoles**

13. Los misioneros siguen el ejemplo de Jesús tendiendo la mano a _____ las personas, especialmente a los enfermos y los pobres.

   ○ **la mayoría de**

   ○ **todas**

   ○ **algunas de**

14. La separación de Dios para siempre como resultado de elegir el pecado y rechazar el perdón de Dios se llama _____ .

   ○ **Infierno**

   ○ **avaricia**

   ○ **Cielo**

15. Recibes los Dones del Espíritu Santo en el Bautismo y la Confirmación, incluyendo _____ .

   ○ **sabiduría**

   ○ **piedad**

   ○ **sabiduría y piedad**

© Our Sunday Visitor

B **Check Understanding** Fill in the circle next to the answer that best completes each statement.

11. In the Parable of the Rich Fool, Jesus teaches that the rich man is not concerned with _____ .

○ what matters to God

○ being merry

○ riches

12. _____ left their homes, families, and jobs in order to follow Jesus and help him spread God's Word.

○ The Israelites

○ Adam and Eve

○ The Apostles

13. Missionaries follow Jesus' example by reaching out to _____ people, especially those who are sick and those who are poor.

○ most

○ all

○ some

14. Being separated from God forever as a result of a person's choice to sin and reject God's forgiveness is called _____ .

○ Hell

○ greed

○ Heaven

15. You receive the Gifts of the Holy Spirit in Baptism and Confirmation, including _____ .

○ wisdom

○ piety

○ both wisdom and piety

C **Relaciona** Usa las cinco palabras del Vocabulario para escribir un breve párrafo que responda la siguiente pregunta: ¿Qué puedes hacer en tu vida ahora para prepararte para cuando veas a Dios?

16–20. _____

_____

_____

_____

_____

_____

_____

_____

_____

_____

_____

_____

_____

_____

_____

_____

_____

_____

Vocabulario

generoso

misión

Cielo

juicio

Espíritu Santo

C **Make Connections** Use the five words in the Word Bank to write a brief paragraph that answers the following question: What can you do in your life now to prepare for when you will see God?

Word Bank
• • • • • • • • • •
generous

mission

Heaven

judgment

Holy Spirit

16–20. _____

_____

_____

_____

_____

_____

_____

_____

_____

_____

_____

_____

_____

_____

_____

_____

_____

_____

_____

La vida y la dignidad de la persona humana

En la Sagrada Escritura Dios nos dice: "Antes de formarte en el seno de tu madre, ya te conocía" (**Deuteronomio 24, 14**). Dios creó a cada uno de nosotros. Cada persona es única e irrepetible. Dios tiene un plan especial para cada una de nuestras vidas. Él sabe qué nos destinó a ser.

Porque Dios nos creó, debemos tratar a cada persona con dignidad. Cada vida es valiosa para Dios. Debemos cuidar el cuerpo y la mente que Dios nos dio y usarlos para hacer cosas buenas. Dios nos llama para que seamos amables con los demás y resolvamos problemas de forma pacífica en vez de pelear. Si vemos que acosan, molestan o se burlan de alguien, necesitamos defenderlo y buscar la ayuda de un adulto si fuera necesario. Debemos ayudar a proteger a los demás porque cada vida es importante para Dios.

Life and Dignity of the Human Person

In Scripture God tells us, "Before I formed you in the womb I knew you" (**Jeremiah 1:5**). God created each of us. Every person is unique and unrepeatable. God has a special plan for each of our lives. He knows what he made us to be.

Because God made each person, we should treat each person with dignity. Every life is valuable to God. We should take care of the bodies and minds God gave us and use them to do good things. God calls us to be kind toward others and to solve problems peacefully instead of fighting. If we see someone being bullied, teased, or disrespected, we need to speak up and get help from an adult if necessary. We should help protect others because every life is important to God.

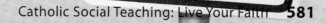

La vida y la dignidad

Todos los seres humanos tienen un lugar especial en el plan de Dios. Como seguidores de Jesús, todos tienen la tarea de ayudarse mutuamente a usar los dones de Dios para vivir como Él los ha llamado a vivir.

Dios quiere que todas las personas tengan la comida, el agua y la vivienda que necesitan para vivir vidas felices y sanas. Él también quiere que trates a todos con respeto. Parte de mostrar respeto por las personas es preguntarles lo que necesitan y luego ayudarlos a ayudarse a sí mismos.

> ≫ **¿Cómo puedes respetar la vida y la dignidad humanas?**

Las necesidades del mundo

¿Qué clase de ayuda necesitan los pobres del mundo? ¿Cómo podrían estas ayudas mejorar sus vidas? Comenta estos temas con un compañero y luego responde las siguientes preguntas.

1. Cuando ayudamos a los pobres, también aprendemos lecciones valiosas. ¿Qué podemos aprender de ayudar a los demás?

   _____

   _____

2. ¿Cómo podría esta lección ayudarnos a ser mejores seguidores de Jesús?

   _____

   _____

Life and Dignity

All humans have a special place in God's plan. As followers of Jesus, you have a duty to help one another use God's gifts to live as he has called you to live.

God wants all people to have the food, water, and shelter they need to live happy and healthy lives. He also wants you to treat all people with respect. Part of showing respect for people is asking them what they need and then helping them to help themselves.

≫ **What are some ways you can show respect for human life and dignity?**

Needs Around the World

What types of aid are needed by people who are poor around the world? How would these types of aid improve the people's lives? Discuss these issues with a partner and then answer the following questions.

1. When we help the poor, we also learn valuable lessons. What is something we can learn from helping others?

   _____

   _____

2. How might this lesson help us be better followers of Jesus?

   _____

   _____

El llamado a la familia, la comunidad y la participación

Desde el principio, Dios creó a las personas para que se relacionen mutuamente. En (**Génesis 2, 18**), la Sagrada Escritura nos dice: "Dijo Yavé Dios: "No es bueno que el hombre esté solo. Le daré, pues, un ser semejante a él para que lo ayude." Dios nos dio comunidades para que pudiéramos cuidarnos.

La familia es un tipo de comunidad muy especial. Nuestra Iglesia nos enseña que la familia es la "escuela de santidad" y la "Iglesia doméstica". Estos nombres reflejan la enseñanza católica de que en la familia es donde aprendemos quién es Dios y cómo vivir una vida cristiana. Es el primer lugar donde aprendemos a vivir en comunidad. La familia es donde aprendemos a amar a los demás.

© Our Sunday Visitor

It's a Boy!!

Call to Family, Community, and Participation

From the very beginning, God made people to be in relationship with one another. In (**Genesis 2:18**), Scripture tells us, "The LORD God said: It is not good for the man to be alone. I will make a helper suited to him." God gave us communities so that we could take care of one another.

The family is a very special type of community. Our Church teaches that the family is the "school of holiness" and the "domestic Church." These names reflect the Catholic teaching that the family is where we learn who God is and how to live a Christian life. It is the first place where we learn what it means to live in a community. The family is where we learn how to love others.

© Our Sunday Visitor

El llamado a la comunidad

Dios creó a las personas para que vivieran con y por los demás. Los seres humanos se pertenecen el uno al otro porque Dios es el Padre de todos, y Jesús es el hermano y Salvador de todos.

Una comunidad es un grupo de personas que comparten creencias y actividades en común. La primera comunidad a la que perteneces es tu familia. Perteneces a la comunidad de la Iglesia a través del Bautismo. También perteneces a otras comunidades, como vecindarios, pueblos o ciudades, y al mundo. Los cristianos bautizados tienen la responsabilidad de participar en todas estas comunidades.

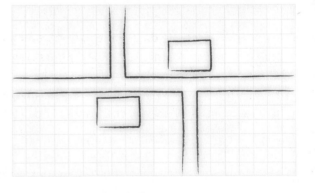

Una comunidad ideal

Usa el diagrama para diseñar una comunidad ideal. El diagrama representa la calle principal y dos calles transversales en un vecindario. Dibuja viviendas, escuelas, parques, tiendas y servicios que la comunidad podría necesitar.

1. ¿Cómo pueden tú y tus amigos hacerse más responsables por tu comunidad?

_____

2. ¿Qué estás dispuesto a hacer para ayudar a que los demás, en el vecindario o en la comunidad del mundo, vivan mejor?

_____

Call to Community

God made people to live with and for others. Humans belong to one another because God is Father of all, and Jesus is everyone's brother and Savior.

A community is a group of people who share common beliefs and activities. The first community you belong to is your family. You belong to the Church community through Baptism. You also belong to other communities, such as neighborhoods, towns or cities, and the world. Baptized Christians have a responsibility to participate in all of these communities.

An Ideal Community

Use the diagram to design an ideal community. The diagram represents the main street and two cross streets in a neighborhood. Draw housing, schools, parks, stores and services the community might need.

1. How can you and your friends take more responsibility for your community?

   _____

2. What are you willing to do to help others in the neighborhood or world community live better lives?

   _____

Los derechos y las responsabilidades de la persona humana

Porque Dios creó a cada persona, todos tenemos derechos y responsabilidades. Los derechos son las libertades o cosas que cada persona necesita y debería tener. Las responsabilidades son nuestros deberes, o lo que debemos hacer.

Jesús nos dice: "Amarás a tu prójimo como a ti mismo" (**Marcos 12, 31**). El Catecismo enseña que "El respeto de la persona humana considera al prójimo como 'otro yo'" (CIC, 1944). Respetamos los derechos que provienen de la dignidad de las personas como seres humanos. Todos tienen derecho a comida, vivienda, vestimenta, descanso y el derecho de ver a un médico si lo necesitan. También tenemos la responsabilidad de tratar bien a los demás y de trabajar juntos por el bien de todos.

Rights and Responsibilities of the Human Person

Because God made every person, everyone has rights and responsibilities. Rights are the freedoms or things every person needs and should have. Responsibilities are our duties, or the things we must do.

Jesus tells us to "love your neighbor as yourself" (**Mark 12:31**). The *Catechism* teaches that "respect for the human person considers the other 'another self'" (CCC, 1944). We respect the rights that come from people's dignity as human beings. Everyone has a right to food, shelter, clothing, rest, and the right to see a doctor if they need one. We also have a responsibility to treat others well and work together for the good of everyone.

Los derechos y las responsabilidades

El plan de Dios es que cada persona debe ser tratada con dignidad. Cada persona, en cualquier parte, tiene el derecho a la vida y a las cosas necesarias para vivir.

Con los derechos humanos vienen las responsabilidades humanas. Parte de tu misión de seguir a Jesús es trabajar por los derechos humanos de todos. No es justo que algunos tengan cosas que no necesitan mientras otros no tienen nada.

Todos los cristianos tienen la responsabilidad de ver que todas las personas, en todas partes, sean tratadas con justicia y tengan lo que necesitan para vivir. La Iglesia Católica llama a todos sus miembros a hallar maneras de luchar contra el hambre y el desamparo. Una manera de trabajar por los derechos humanos es atender las necesidades de los que no tienen un techo.

≫ **¿Qué derechos y responsabilidades puedes nombrar?**

DONACIONES

DONACIONES

Compartir alimentos

Otra manera de trabajar por los derechos humanos es reunir comida para un banco de alimentos local. Para lograr esto, necesitarás un plan. Tacha cada tarea a medida que la completas.

1. ☐ Halla un banco de alimentos cercano y pregunta qué clase de alimentos necesitan.

2. ☐ Decide cuándo y dónde recolectarás la comida, y cómo harás para que las personas sepan sobre tu campaña de alimentos.

3. ☐ Consigue recipientes para la comida, y anima a miembros de la clase para que la recolecten y organicen el envío.

4. ☐ Haz tarjetas para agradecer a los que hayan donado, y piensa en cómo recolectar comida otras veces durante el año.

Haz tu parte Pregúntate: ¿Cuál de las tareas del proyecto pude hacer mejor? ¿Puedo ganar dinero para comprar comida para los pobres?

Rights and Responsibilities

God's plan is that every person should be treated with dignity. Every person, everywhere, has a right to life and to the things needed to live, such as food, clothing, shelter, and education.

With human rights come human responsibilities. Part of your mission to follow Jesus is to work for the human rights of all people. It is not fair that some people have things they do not need while others have nothing. All Christians have the responsibility to see that people everywhere are treated fairly and have what they need to live. The Catholic Church calls all of its members to find ways to fight hunger and homelessness. One way to work for human rights is to care for the needs of those who are homeless.

≫ **What human rights and responsibilities can you name?**

Sharing Food

Another way to work for human rights is to gather food for a local food bank. To accomplish this, you will need a plan. Check off each task as you complete it.

1. ☐ Find a food bank nearby and ask what kinds of food are needed.

2. ☐ Decide when and where you will collect the food, and how you will let people know about your food drive.

3. ☐ Get containers for the food, and encourage class members to collect and arrange to have it delivered.

4. ☐ Make cards to thank those who have donated, and think about how to collect food other times during the year.

Do Your Part Ask yourself: Which of the project jobs could I do best? Can I earn money to buy food for the poor?

La opción por los pobres e indefensos

En la Sagrada Escritura, Jesús dice: "cuando lo hicieron con alguno de los más pequeños de estos mis hermanos, me lo hicieron a mí" **(Mateo 25, 40)**. Lo que hayamos hecho por los pobres o los indefensos, también lo hemos hecho por Él; y lo que no hayamos hecho, no lo hemos hecho por Jesús. Esto significa que debemos tratar a los necesitados de la misma manera en que trataríamos al mismo Jesús. Debemos darles prioridad especial a los hambrientos, sedientos, desamparados o los que están solos.

Santa Rosa de Lima dijo: "Cuando servimos a los pobres y a los enfermos, servimos a Jesús". Nuestra Iglesia enseña que debemos amar y cuidar especialmente a los pobres y poner sus necesidades en primer lugar. Esto se llama la opción preferencial por los pobres. El Catecismo enseña que "Dios bendice a los que ayudan a los pobres y reprueba a los que se niegan a hacerlo... Jesucristo reconocerá a sus elegidos en lo que hayan hecho por los pobres" (CIC, 2443).

Option for the Poor and Vulnerable

In Scripture, Jesus says, "whatever you did for one of these least brothers of mine, you did for me" **(Matthew 25:40)**. Whatever we have done for people who are poor or needy, we have also done for him, and what we have not done for them, we haven't done for Jesus. This means we should treat people in need the same way we would treat Jesus himself. We should give special priority to people who are hungry, thirsty, homeless, or alone.

Saint Rose of Lima said, "When we serve the poor and the sick, we serve Jesus." Our Church teaches that we should have special love and care for those who are poor, and put their needs first. This is called the preferential option for the poor. The *Catechism* teaches that "God blesses those who come to the aid of the poor and rebukes those who turn away from them … It is by what they have done for the poor that Jesus Christ will recognize his chosen ones" (CCC, 2443).

La opción por los pobres

Entre las multitudes que acudían a escuchar las prédicas de Jesús, había muchos pobres y enfermos. Jesús quería que su Iglesia fuera una Iglesia para los pobres. Jesús les decía a los pobres que eran benditos a los ojos de Dios. El Reino de Dios les pertenecía.

Para los católicos, las necesidades de los pobres están en primer lugar. Cada parroquia católica está llamada a servir a los pobres. Esta es una tarea que los feligreses deben cumplir para vivir su fe.

Una familia con mucho dinero o posesiones tiene el deber de compartir su buena fortuna y ayudar a satisfacer las necesidades de los que tienen menos. Cada país tiene el deber de usar su riqueza para ayudar a sus ciudadanos pobres. Los países ricos tienen el deber de ayudar a los países que no tienen tanto.

≫ **¿De qué manera las familias, parroquias y países podrían demostrar que ponen las necesidades de los pobres en primer lugar?**

¿Cómo puedes ayudar?

Cuenta sobre un momento en el que pusiste las necesidades de los demás antes de las tuyas. ¿Qué cosa buena sucedió a causa de tu acción?

_____

_____

Piensa en maneras en que tú, y/o un grupo al que perteneces, podrían ayudar en las siguientes situaciones:

1. Un amigo se lastima en el camino de la escuela a su casa.

2. Una mujer es pobre y tiene un niño enfermo.

3. Una persona sin techo está afuera en una noche fría.

4. A un refugio se le acaban las provisiones como mantas y ropa.

Option for the Poor

The crowds that came to hear Jesus preach included many people who were poor or sick. Jesus wanted his Church to be a Church for the poor. Jesus told people who were poor that they were blessed in God's eyes. God's Kingdom belonged to them.

For Catholics, the needs of those who are poor come first. Every Catholic parish is called to serve people who are poor. This is a job that parishioners must do in order to live their faith.

A family that has plenty of money or belongings has a duty to share its good fortune and help meet the needs of those who have less. Every country has a duty to use its wealth to help its citizens who are poor. Rich countries have a duty to help countries that do not have as much.

≫ **What are some ways that families, parishes, and countries could show that they put the needs of the poor first?**

How Can You Help?

Tell about a time when you put the needs of others before your own. What good thing happened because of your action?

_____

_____

Think of ways that you, or a group to which you belong, might help in the following situations:

1. A friend hurt themselves on the way home from school.

2. A woman is poor and has a sick child.

3. A homeless person is outside on a cold night.

4. A shelter is running low on supplies such as blankets and clothes.

La dignidad del trabajo y los derechos de los trabajadores

Todos los adultos tienen el derecho y la responsabilidad de trabajar. El trabajo ayuda a las personas a ganar dinero para comprar comida y otras necesidades. También ayuda a darles sentido a sus vidas al cooperar con la creación de Dios. Todos deben tener acceso a un trabajo significativo, ya sea dentro o fuera de sus hogares.

La Sagrada Escritura y la Tradición Católica enseñan que los trabajadores merecen ser tratados con justicia por sus empleadores: "No explotarás al jornalero humilde y pobre" (**Deuteronomio 24, 14**). Los trabajadores tienen derecho a un salario justo por su trabajo (ver Levítico 19, 13; Deuteronomio 24, 15). Cuando haya un conflicto entre los trabajadores y los empleadores, los trabajadores tienen el derecho de unirse y expresar sus opiniones. Los trabajadores y sus empleadores deben tratarse mutuamente con respeto y resolver los conflictos de manera pacífica.

The Dignity of Work and Rights of Workers

All adults have a right and responsibility to work. Work helps people earn money to buy food and other necessities. It also helps to give their lives meaning as they cooperate with God's creation. Everyone should have access to meaningful work, whether that work is within the home or outside the home.

Scripture and Catholic Tradition teach that workers deserve to be treated with justice by their employers: "you shall not exploit a poor and needy hired servant" (**Deuteronomy 24:14**). Workers have a right to a fair wage for their work (see Leviticus 19:13; Deuteronomy 24:15). When there is a conflict between workers and employers, workers have a right to get together and express their opinions. Workers and their employers should treat one another with respect and solve conflicts peacefully.

La dignidad del trabajo

Trabajar es más que solo una manera de hacer dinero o completar una tarea. Dios te llama a descubrir tus dones y talentos únicos y a usarlos en tu trabajo. Cuando haces esto, tu trabajo forma parte de la obra continua de la creación de Dios. Con el trabajo, las personas pueden ver que tienen dignidad y dones como hijos de Dios.

》 **¿Cuándo has usado tus dones y talentos junto con los de los demás?**

Un tipo de trabajo no es más importante que otro. El trabajo de cada persona puede ayudar a su comunidad y a las personas que viven allí. Lo que un trabajo pague no es importante. Cada trabajador y cada tipo de trabajo es importante y merece respeto.

》 **¿Qué tipos de trabajo respetas más? ¿Por qué?**

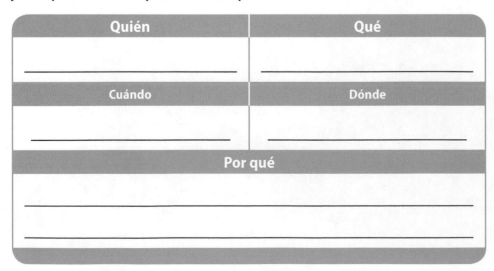

Diseña un plan de acción

En tu grupo puede haber personas con muchos dones y talentos diferentes; todos son importantes y merecen respeto. Estos dones pueden usarse para el bien en un ministerio de una parroquia o en un centro de ayuda a la comunidad. Trabajen juntos para diseñar un plan de acción que beneficie a su comunidad.

Quién	Qué
_____	_____

Cuándo	Dónde
_____	_____

Por qué
_____
_____

The Dignity of Work

Work is more than just a way to make money or complete a task. God calls you to discover your unique gifts and talents and to use them in your work. When you do this, your work becomes part of God's continuing work of creation. Through work, people can see that they have dignity as gifted children of God.

≫ **When have you used your gifts and talents along with those of others?**

One kind of work is no more important than another. Each person's work can help his or her community and the people who live there. How much a job pays is not important. Every worker and every kind of work is important and worthy of respect.

≫ **What kinds of work do you respect most? Why?**

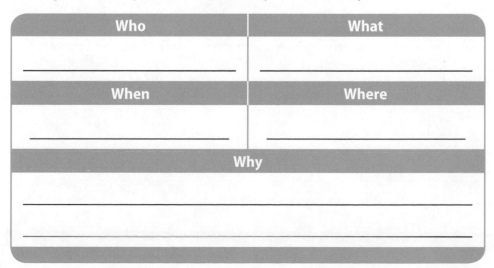

Design an Action Plan

In your group, you may have people with several different gifts and talents, all of which are important and deserve respect. These gifts can be put to good use in a parish ministry or community outreach to help others. Work together to design an action plan that will benefit your community.

Who	What
_____	_____
When	**Where**
_____	_____
Why	
_____	

La solidaridad de la familia humana

Nuestro mundo incluye personas de diferentes naciones, razas, culturas, creencias y niveles económicos. Pero Dios creó a cada uno de nosotros. Somos uno. De hecho, la Sagrada Escritura nos dice que "Dios no hace distinción de personas" (**Romanos 2, 11**). Las diferencias que vemos entre los demás y nosotros no son importantes para Él. Dios nos llama a todos a ser sus hijos.

Porque Dios nos creó a todos, tenemos la obligación de tratar a todos con amor, bondad y justicia. En Las Bienaventuranzas, Jesús dice: "Felices los que trabajan por la paz, porque serán reconocidos como hijos de Dios" (**Mateo 5, 9**). Trabajar por la justicia entre las personas nos ayudará a vivir en paz con los demás.

Solidarity of the Human Family

Our world includes people of different nations, races, cultures, beliefs, and economic levels. But God created each one of us. We are one. In fact, Scripture tells us that "there is no partiality with God" (**Romans 2:11**). The differences that we see between others and ourselves are not important to him. God calls everyone to be his children.

Because God created all people, we have an obligation to treat everyone with love, kindness, and justice. In the Beatitudes, Jesus says, "blessed are the peacemakers, for they will be called children of God" (**Matthew 5:9**). Working for justice between people will help us to live in peace with one another.

La solidaridad

Cuando miras la palabra *solidaridad*, puedes ver la palabra *sólida*. Ser solidarios con los demás significa pararse firme, o sólidamente, junto a ellos, ayudándolos con sus problemas y compartiendo sus alegrías. Unidos, ambos grupos de personas se convierten en hermanos y hermanas de la familia única de Dios.

El llamado a la unidad

Es posible que a veces sea difícil ver el plan de Dios para la solidaridad y la unidad. Los países se enfrentan en guerras. Los miembros de la familia discuten. Pero los cristianos están llamados a buscar maneras de crecer en la unidad y la paz. Reunir a las personas para resolver los problemas es una manera.

≫ **¿Cómo puedes ayudar a que tu familia viva en unidad? ¿Cómo puedes ayudar a que el mundo viva en solidaridad?**

Construirla

Construir una casa es un trabajo difícil. Lleva mucho tiempo, muchas personas y herramientas especiales. Construir la solidaridad también puede ser un trabajo difícil. Las personas deben trabajar juntos para construir la solidaridad y tener las herramientas adecuadas. Di como cada una de estas "herramientas" puede ayudar construir la solidaridad.

1. enseñar y aprender

_____

2. escuchar y hablar

_____

3. orar

_____

4. ayudar

_____

5. recibir ayuda

_____

Solidarity

When you look at the word solidarity, you can see the word solid. To stand in solidarity with others means to stand strong, or solid, next to them, helping them with their problems and sharing their joys. United, both groups of people become brothers and sisters in the one family of God.

The Call to Unity

Sometimes it may be difficult to see God's plan for solidarity and unity. Countries fight one another in wars. Family members argue. But Christians are called to look for ways to grow in unity and peace. Bringing people together to solve problems is one way.

≫ **How can you help your family live in unity? How can you help the world live in solidarity?**

Building It Up

Building a house is hard work. It takes lots of time, many people, and special tools. Building solidarity can be hard work, too. People must work together to build solidarity and must have the right tools. Tell how each of these "tools" help build solidarity.

1. teaching and learning

   _____

2. listening and talking

   _____

3. praying

   _____

4. helping

   _____

5. receiving help

   _____

Vive tu fe
Enseñanza Social Católica

El cuidado de la creación de Dios

Cuando Dios creó al mundo —los animales, las plantas y todas las cosas naturales—, miró su obra y dijo que era "muy buena" (**Génesis 1, 31**). Dios les dio autoridad a las personas sobre "los peces del mar, sobre las aves del cielo y sobre todo ser viviente que se mueve sobre la tierra" (**Génesis 1, 28**). Esto significa que los seres humanos tienen la responsabilidad de cuidar toda la creación de Dios.

La Tradición Católica nos enseña que Dios creó la tierra y todos los seres vivientes para el bien común: el bien de todos. Dios nos pide que cuidemos el ambiente y todos los seres vivos para que todos puedan disfrutarlos hoy y también puedan hacerlo las generaciones futuras. El Catecismo nos enseña que debemos ser amables con los animales porque le dan gloria a Dios solo por ser lo que son.

Care for God's Creation

When God created the world—the animals, plants, and all natural things—he looked at what he had made and called it "very good" (Genesis 1:31). God made people the stewards of the "fish of the sea, the birds of the air, and all the living things that crawl on the earth" (Genesis 1:28). That means humans have a responsibility to care for all of God's creation.

Catholic Tradition teaches us that God created the Earth and all living things for the common good—the good of everyone. God asks us to take care of the environment and all living things, so that they can be enjoyed by everyone today and in future generations. The *Catechism* teaches us that we owe animals kindness, because they give glory to God just by being what they were made to be.

El cuidado de la creación

Tú muestras que te preocupas por la creación cuidando los recursos, como la tierra y las plantas, y usándolos correctamente. Esta es una manera de dar gracias a Dios por los muchos dones que te ha dado.

Los seres humanos también son parte de la creación. De hecho, los seres humanos son una parte muy especial de la creación porque Dios creó a las personas a su imagen.

Cuando cuidas a otras personas y las tratas con amor, estás haciendo tu parte en el plan de Dios. Ayudar a los demás demuestra que reconoces su creación de la vida humana como un don especial y precioso.

Tipos de cuidado

En los siguientes espacios, enumera algunas cosas que la creación de Dios necesita para crecer.

1. ¿Qué necesita una planta para crecer sana y fuerte?

   _____

2. ¿Qué necesita una persona para crecer sana y fuerte?

   _____

3. ¿Qué necesita una mascota para crecer sana y fuerte?

   _____

Compara las listas. ¿Qué cosas son iguales?

_____

Care for Creation

You show that you care for creation by taking care of resources such as land and plants and by using them well. This is a way to thank God for the many gifts he has given you.

Humans are part of creation, too. In fact, humans are a very special part of creation because God created people in his image.

When you take care of other people and treat them with love, you are doing your part in God's plan. Helping other people shows that you recognize his creation of human life as a special and precious gift.

Kinds of Care

In the spaces below, list some things that are necessary for God's creation to grow.

1. What does a plant need to grow healthy and strong?

   _____

2. What does a person need to grow healthy and strong?

   _____

3. What does a pet need to grow healthy and strong?

   _____

Compare the lists. Which items are the same?

   _____

La Sagrada Escritura

El Antiguo Testamento

El Pentateuco son los cinco primeros libros del Antiguo Testamento: Génesis, Éxodo, Levítico, Números y Deuteronomio. La palabra *pentateuco* significa "cinco envases". En un principio el Pentateuco estaba escrito en cuero o en papiro, y cada libro se guardaba en un envase aparte. Los judíos llaman a estos libros la Torá. Los libros del Pentateuco narran los comienzos de la relación de los seres humanos con Dios. También relatan las acciones amorosas de Dios para los seres humanos.

Los libros Sapienciales del Antiguo Testamento ofrecen una guía del comportamiento humano. La sabiduría es un don espiritual que permite a una persona conocer el propósito y el plan de Dios. Estos libros nos recuerdan que la sabiduría de Dios es siempre mayor que el conocimiento humano.

Muchos profetas fueron autores de los libros del Antiguo Testamento. Un profeta es una persona enviada por Dios para devolver a otras a su alianza con Dios.

El Nuevo Testamento

Etapas de formación

1 La vida y la enseñanza de Jesús: La vida completa y las enseñanzas de Jesús proclamaron la Buena Nueva. Como católicos, estamos llamados a seguir las huellas de Cristo. Para seguir su ejemplo y ser más parecidos a Él, necesitamos conocerlo: aprender acerca de su vida y sus enseñanzas.

2 La tradición oral: Después de la Resurrección, los Apóstoles predicaron la Buena Nueva. Luego los primeros cristianos transmitieron lo que los Apóstoles habían predicado. Ellos repitieron las enseñanzas de Jesús y la historia de su vida, Muerte y Resurrección.

3 Los cuatro Evangelios y otros escritos: Los relatos, enseñanzas y dichos de Jesús fueron reunidos y escritos en los cuatro Evangelios. Las acciones y lecciones de la Iglesia primitiva fueron registradas en los Hechos de los Apóstoles y en las Epístolas.

Scripture

The Old Testament

The Pentateuch is the first five books of the Old Testament—Genesis, Exodus, Leviticus, Numbers, and Deuteronomy. The word *pentateuch* means "five containers." In the beginning the Pentateuch was written on leather or papyrus and each book was kept in a separate container. Jewish people call these books the Torah. The books of the Pentateuch tell of the beginning of human relationship with God. They also tell us the story of God's loving actions for humans.

The Wisdom books of the Old Testament provide guidance in human behavior. Wisdom is a spiritual gift that allows a person to know God's purpose and plan. These books remind us that God's wisdom is always greater than human knowledge.

Many prophets were authors of Old Testament books. A prophet is a person sent by God to call people back to their covenant with God.

The New Testament

Stages of Formation

1 The life and teaching of Jesus—Jesus' whole life and teaching proclaimed the Good News. As Catholics, we are called to walk in Christ's footsteps. To follow his example and to become more like him, we need to get to know him—to learn about his life and teachings.

2 The oral tradition—After the Resurrection the Apostles preached the Good News. Then the early Christians passed on what the Apostles had preached. They retold the teachings of Jesus and the story of his life, Death, and Resurrection.

3 The four Gospels and other writings— The stories, teachings, and sayings of Jesus were collected and written down in the four Gospels. The actions and lessons of the early Church were recorded in the Acts of the Apostles and Epistles.

La alianza

La alianza es el acuerdo sagrado entre Dios y los seres humanos. Cuando Dios estableció la alianza con Noé después del diluvio, prometió no volver a destruir la Tierra. Dios renovó la alianza con Abram (Abrahán) prometiéndole que los descendientes de Abrahán serían tan numerosos "como las estrellas del cielo" (**Génesis 26, 4**).

Años después, cuando los descendientes de Abrahán eran esclavos en Egipto, Dios hizo que Moisés condujera su Pueblo en el Éxodo, o "la salida". En el monte Sinaí la alianza se renovó con Moisés. Dios guió a los israelitas a la Tierra Prometida. A cambio, los israelitas fueron llamados a amar solo a Dios y a seguir su Ley, los Diez Mandamientos.

Por último, a través del Misterio Pascual —la vida, Muerte, Resurrección y Ascensión de Jesús— se cumplió la alianza y se creó una nueva alianza. La nueva alianza está abierta a todos los que permanecen fieles a Dios.

Dios renovó su alianza con Abrahán y con Moisés, y finalmente estableció la nueva alianza en Jesús.

The Covenant

The covenant is the sacred agreement joining God and humans. When God made the covenant with Noah after the flood, he promised never to destroy the Earth again. God renewed the covenant with Abram (Abraham), promising him that his descendants would be "as numerous as the stars in the sky" (**Genesis 26:4**).

Years later, when the descendants of Abraham were slaves in Egypt, God used Moses to lead his People away in the Exodus, or "the road out." At Mount Sinai the covenant was renewed with Moses. God guided the Israelites to the Promised Land. In return, the Israelites were called to love only God and to follow his Law, the Ten Commandments.

Finally, through the Paschal Mystery—Jesus' life, Death, Resurrection, and Ascension—the covenant was fulfilled and a new covenant was created. The new covenant is open to all who remain faithful to God.

God renewed his covenant with Abraham and Moses, ultimately establishing the new covenant in Jesus.

Los credos

Un credo es una declaración de las creencias de la Iglesia.

Credo de los Apóstoles

Este es uno de los credos más antiguos de la Iglesia. Es un resumen de las creencias cristianas enseñadas desde los tiempos de los Apóstoles. Este credo se usa en la celebración del Bautismo y, generalmente, en la Misa durante el tiempo de Pascua y en las Misas con niños. Este credo es parte del Rosario.

Creo en Dios, Padre todopoderoso,
Creador del cielo y de la tierra.

Creo en Jesucristo, su único Hijo,
nuestro Señor,

En las palabras que siguen, hasta María Virgen, todos se inclinan.

que fue concebido por obra y gracia del
    Espíritu Santo,
nació de santa María Virgen,
padeció bajo el poder de Poncio
    Pilato,
fue crucificado, muerto y sepultado,
descendió a los infiernos,
al tercer día resucitó de entre los
    muertos,
subió a los cielos
y está sentado a la derecha de Dios,
    Padre todopoderoso.
Desde allí ha de venir a juzgar a vivos
    y muertos.

Creo en el Espíritu Santo,
    la santa Iglesia católica,
    la comunión de los santos,
    el perdón de los pecados,
    la resurrección de la carne
    y la vida eterna.
Amén.

The Creeds

A creed is a statement of the Church's belief.

Apostles' Creed

This is one of the Church's oldest creeds. It is a summary of Christian beliefs taught since the time of the Apostles. This creed is used in the celebration of Baptism and is often used at Mass during the Season of Easter and in Masses with children. This creed is part of the Rosary.

I believe in God,
the Father almighty,
Creator of heaven and earth,
and in Jesus Christ, his only Son,
   our Lord,

At the words that follow, up to and including the Virgin Mary, *all bow.*

who was conceived by the Holy Spirit,
born of the Virgin Mary,
suffered under Pontius Pilate,
was crucified, died and was buried;
he descended into hell;
on the third day he rose again from the
   dead;
he ascended into heaven,
and is seated at the right hand
of God the Father almighty;
from there he will come to judge
the living and the dead.
I believe in the Holy Spirit,
the holy catholic Church,
the communion of Saints,
the forgiveness of sins,
the resurrection of the body,
and life everlasting. Amen.

© Our Sunday Visitor

Credo de Nicea

Este credo, que se reza en la Misa, fue escrito hace más de dos mil años por los líderes de la Iglesia que se reunieron en una ciudad llamada Nicea. Es un resumen de las creencias básicas acerca de Dios Padre, Dios Hijo y Dios Espíritu Santo, y la Iglesia otras enseñanzas de nuestra fe.

Creo en un solo Dios,
   Padre Todopoderoso, Creador del
     cielo y de la tierra,
   de todo lo visible y lo invisible.

Creo en un solo Señor, Jesucristo, Hijo
     único de Dios,
   nacido del Padre antes de todos los
     siglos:
   Dios de Dios, Luz de Luz,
   Dios verdadero de Dios verdadero,
   engendrado, no creado,
   de la misma naturaleza del Padre,
   por quien todo fue hecho;
   que por nosotros, los hombres,
   y por nuestra salvación bajó del cielo,

En las palabras que siguen, hasta se hizo hombre, *todos se inclinan.*

   y por obra del Espíritu Santo
   se encarnó de María, la Virgen, y se
     hizo hombre;

   y por nuestra causa fue crucificado
   en tiempos de Poncio Pilato;
   padeció y fue sepultado,
   y resucitó al tercer día, según las
     Escrituras,

y subió al cielo, y está sentado a la
     derecha del Padre;
y de nuevo vendrá con gloria
para juzgar a vivos y muertos,
y su reino no tendrá fin.

Creo en el Espíritu Santo, Señor y
     dador de vida,
   que procede del Padre y del Hijo,
   que con el Padre y el Hijo
   recibe una misma adoración y gloria,
   y que habló por los profetas.

Creo en la Iglesia,
   que es una, santa, católica y apostólica.
Confieso que hay un solo bautismo
   para el perdón de los pecados.
Espero la resurrección de los muertos
   y la vida del mundo futuro.
Amén.

Nicene Creed

This creed, which is prayed at Mass, was written over a thousand years ago by leaders of the Church who met at a city named Nicaea. It is a summary of basic beliefs about God the Father, God the Son, and God the Holy Spirit, the Church, and other teachings of our faith.

I believe in one God,
the Father almighty,
maker of heaven and earth,
of all things visible and invisible.

I believe in one Lord Jesus Christ,
the Only Begotten Son of God,
born of the Father before all ages.
God from God, Light from Light,
true God from true God,
begotten, not made, consubstantial
   with the Father;
through him all things were made.
For us men and for our salvation
he came down from heaven,

At the words that follow up to and including and became man, *all bow.*

and by the Holy Spirit was incarnate
   of the Virgin Mary,
and became man.

For our sake he was crucified under
   Pontius Pilate,
he suffered death and was buried,

and rose again on the third day
in accordance with the Scriptures.
He ascended into heaven
and is seated at the right hand of
   the Father.
He will come again in glory
to judge the living and the dead
and his kingdom will have no end.

I believe in the Holy Spirit, the Lord,
   the giver of life,
who proceeds from the Father and
   the Son,
who with the Father and the Son is
   adored and glorified,
who has spoken through the prophets.

I believe in one, holy, catholic and
   apostolic Church.
I confess one Baptism for the
   forgiveness of sins
and I look forward to the resurrection
   of the dead
and the life of the world to come.
   Amen.

La Santísima Trinidad

Dios se revela en tres Personas Divinas: Dios Padre, nuestro Creador y nuestra fortaleza; Dios Hijo, nuestro Salvador; y Dios Espíritu Santo, nuestro guía. Cada una de las Personas de la Santísima Trinidad está separada de las otras Personas. Sin embargo, el Padre, el Hijo y el Espíritu Santo son un único y el mismo Dios. La Santísima Trinidad es el misterio central de la fe católica.

La misión de Dios Hijo y Dios Espíritu Santo es llevar a las personas al amor de la Santísima Trinidad: el amor perfecto que existe en el Padre, el Hijo y el Espíritu Santo.

La Santísima Trinidad se representa con frecuencia con un triángulo equilátero, tres círculos entrelazados, un círculo de tres peces o un trébol.

© Our Sunday Visitor

Dios Padre

Dios creó todas las cosas. La belleza de la creación refleja la belleza del Creador. Él cuida y ama a todos. En su Divina providencia, Dios guía todas las cosas hacia Él.

Dios Hijo

Jesús es el Hijo de Dios. El Hijo de Dios se hizo hombre para salvar a todas las personas del poder del pecado y la muerte eterna. Jesús era un hombre verdadero aunque era Dios verdadero, plenamente divino a la vez que plenamente humano. Se hizo hombre y nació de la Virgen María. Excepto por el pecado, Jesús era humano en todo sentido.

A través de las enseñanzas de Jesús, las personas llegan a conocer el Reino de Dios y a saber cómo se debe vivir para el reino de Dios. Con el Sermón de la montaña y otras enseñanzas, se aprende a vivir en el amor. Jesús enseñó a todos cómo se viven los Diez Mandamientos: amando a Dios y a toda su creación.

The Holy Trinity

God is revealed in three Divine Persons: God the Father, our Creator and sustainer; God the Son, our Savior; and God the Holy Spirit, our guide. Each of the Persons of the Trinity is separate from the other Persons. However, the Father, Son, and Holy Spirit are one and the same God. The Holy Trinity is the central mystery of the Catholic faith.

The mission of God the Son and God the Holy Spirit is to bring people into the love of the Trinity—the perfect love that exists in the Father, Son, and Holy Spirit.

The Holy Trinity is often represented by an equilateral triangle, three interwoven circles, a circle of three fish, or a shamrock.

God the Father

God created all things. The beauty of creation reflects the beauty of the Creator. He cares for and loves all. In his Divine providence, God guides everything toward himself.

God the Son

Jesus is the Son of God. The Son of God became man in order to save all people from the power of sin and everlasting death. Jesus was truly man and yet was truly God, fully divine while fully human. He became human, being born of the Virgin Mary. Except for sin, Jesus was human in every way.

Through the teachings of Jesus, people come to know about the Kingdom of God and how to live for God's reign. From the Sermon on the Mount and other teachings, people learn to live in love. Jesus taught everyone how to live the Ten Commandments—by loving God and all of his creation.

La Resurrección de Jesús lo mostró como el Mesías, el Salvador. Con su Muerte, Jesús derrotó al pecado. Al resucitar a la nueva vida, Jesús derrotó a la muerte y de esta manera salvó a todos los seres humanos del poder del pecado y la muerte eterna.

La Ascensión ocurrió cuarenta días después de la Resurrección, cuando Jesús ascendió al Cielo a unirse a la gloria de Dios Padre. En la Ascensión Jesús ordenó a los Apóstoles que continuaran su misión enseñando a las personas y guiándolas hacia el Reino de Dios.

Dios Espíritu Santo

El Espíritu Santo guía a las personas en la vida cristiana. A través de las enseñanzas de Jesús, aprendemos a vivir en el amor. A través de la fortaleza y la sabiduría del Espíritu Santo, somos capaces de llevar esta vida de amor. El Espíritu Santo infunde sus Dones en los fieles.

Dones del Espíritu Santo	Frutos del Espíritu Santo
Recibes los Dones del Espíritu Santo a través de los Sacramentos del Bautismo y de la Confirmación. Estos dones te ayudan a crecer en tu relación con Dios y con los demás.	Estas cualidades pueden encontrarse en nosotros cuando permitimos al Espíritu Santo trabajar en nuestro corazón.
Sabiduría Entendimiento Buen juicio (Consejo) Valor (Fortaleza) Ciencia Reverencia (Piedad) Admiración y veneración (Temor de Dios) 	Caridad (Amor) Gozo (Alegría) Paz Longanimidad Paciencia Bondad Mansedumbre Fidelidad Modestia Continencia (Dominio de sí mismo) Castidad Fortaleza 

Jesus' Resurrection showed him as the Messiah, the Savior. By his Death Jesus conquered sin. By rising to new life, Jesus conquered death and so saved all humans from the power of sin and everlasting death.

The Ascension happened forty days after the Resurrection, when Jesus ascended to Heaven to join the glory of God the Father. At the Ascension Jesus commanded the Apostles to continue his mission by teaching and guiding people toward God's Kingdom.

God the Holy Spirit

The Holy Spirit continues to guide people in the Christian life. Through the teachings of Jesus, we learn how to live in love. Through the strength and wisdom of the Holy Spirit, we are able to lead this life of love. The Holy Spirit breathes into the faithful his Gifts.

Gifts of the Holy Spirit	Fruits of the Holy Spirit
You receive the Gifts of the Holy Spirit through the Sacraments of Baptism and Confirmation. These gifts help you grow in relationship with God and others.	The qualities that can be seen in us when we allow the Holy Spirit to work in our hearts.
Wisdom Understanding Right judgment (Counsel) Courage (Fortitude) Knowledge Reverence (Piety) Wonder and awe (Fear of the Lord) 	Charity Joy Peace Kindness Patience Goodness Gentleness Faithfulness Modesty Self-Control Chastity Fortitude 

La Iglesia

La autoridad de la Iglesia se basa en la autoridad que Jesús otorgó a Pedro cuando le dio "las llaves del Reino" (**Mateo 16, 19**) y la autoridad que Jesús otorgó a sus discípulos para perdonar pecados en su nombre (ver Juan 20, 23). La autoridad de la Iglesia también fluye del mandamiento de Jesús a sus Apóstoles de hacer que todos los pueblos sean sus discípulos, enseñarles a vivir como Jesús enseñó y bautizarlos en el nombre del Padre, del Hijo y del Espíritu Santo. (Ver Mateo 28, 18-20). Al hablarles a sus Apóstoles, Jesús también prometió enviar al Espíritu Santo como el Espíritu de la Verdad para guiarlos "en todos los caminos de la verdad". La autoridad educativa oficial de la Iglesia es el Magisterio, que se compone del Papa y los obispos. El Magisterio enseña con la autoridad dada por Jesús y la guía del Espíritu Santo.

La misión

La Iglesia tiene la misión de ayudar a llevar la justicia a todas las personas. Los principios de justicia social son el respeto y la igualdad para todas las personas, y la unidad de la familia de Dios con responsabilidad de los unos por los otros. Estos principios pueden cumplirse mediante una distribución justa de los bienes, trabajos con salarios justos y resolución justa de los conflictos.

El Papa

El título del Papa de "Siervo de los Siervos" se usó en un principio con el Papa Gregorio el Grande. La Biblia se establece que " [E]l que quiera ser el primero, se hará esclavo de todos" (**Marcos 10, 44**). Entre los muchos títulos del Papa, están: Primado de Italia y Sucesor de San Pedro.

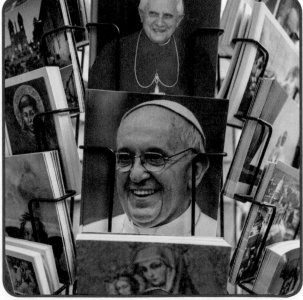

Church

Church authority is based on the authority Jesus gave to Peter when he gave him the "keys to the kingdom" (**Matthew 16:19**) and the authority Jesus gives his disciples to forgive sins in his name (see John 20:23). Church authority also flows from the command from Jesus to his Apostles to make disciples of people everywhere, teaching them to live as Jesus taught and baptizing them in the name of the Father, Son, and Holy Spirit. (See Matthew 28:18–20). Speaking to his Apostles, Jesus also promised to send the Holy Spirit as the Spirit of Truth that would guide them "into all truth." The official teaching authority of the Church is the Magisterium, which is made up of the Pope and the bishops. The Magisterium teaches with the authority given by Jesus and the guidance of the Holy Spirit.

Mission

The Church has the mission to help bring justice to everyone. The principles of social justice are respect for all persons, equality for all persons, and oneness in the family of God with responsibility for one another. These principles can be accomplished with the fair distribution of goods, fair wages for work, and fair resolution in conflicts.

Pope

The Pope's title of "Servant of the Servants" began with Pope Gregory the Great. The Bible says that "[W]hoever wishes to be first among you will be the slave of all (Mark 10:44)." The many titles for the Pope include: Primate of Italy and Successor of Saint Peter.

© Our Sunday Visitor

Los Santos

La canonización es el proceso mediante el cual la Iglesia reconoce a los fieles como Santos. Durante cada una de las tres etapas para convertirse en Santo, se le da al fiel un título distinto: primero Venerable, luego Beato y, por último, Santo.

La santidad de María es especial. Tenemos muchas enseñanzas sobre ella. La Inmaculada Concepción significa que María fue protegida del Pecado Original desde el primer momento de su concepción. La Solemnidad de la Inmaculada Concepción es el 8 de diciembre. En esta fecha, los católicos de Paraguay celebran el día de la Virgen de Caacupé. Siglos atrás, la Virgen María se apareció en la campiña paraguaya. En el lugar donde ella apareció se construyó una iglesia, y muchos peregrinos que fueron ahí han experimentado milagros. Hoy, el 8 de diciembre es una celebración tan especial como la Navidad para los católicos de Paraguay. Muchos honran a María todos los años con una peregrinación, o caminata larga, a la iglesia de la Virgen de Caacupé.

Las realidades últimas

El Purgatorio

Al morir, la mayoría de las personas no están preparadas para el Cielo y la amistad eterna de Dios. Sin embargo, no han roto su relación con Dios. Estas almas deben pasar un tiempo en el Purgatorio. *Purgatorio* significa "purificación". El Purgatorio ayuda al alma a prepararse para la vida con Dios. El alma se hace más fiel y amorosa.

El Juicio Particular

Cuando las personas mueren, son juzgadas por lo plenamente que hayan respondido al llamado de Dios y a la gracia que Él les ha ofrecido a través de Jesús. Este juicio se llama Juicio Particular. En ese momento, a las almas se les da una recompensa o un castigo.

El Juicio Universal

El Juicio Universal, o Juicio Final, ocurrirá en la Segunda Venida de Cristo. Este juicio representa el triunfo de Dios sobre el mal. El Juicio Universal marcará la llegada del Reino de Dios en su plenitud. El Juicio Universal se aplicará a todas las personas, vivas y muertas. Sin embargo, este juicio no cambiará el Juicio Particular que cada alma haya recibido.

Saints

Canonization is the process by which the Church recognizes faithful people as Saints. During each of the three stages of becoming a Saint, the faithful person has a different title—first Venerable, then Blessed, and finally Saint.

Mary is the greatest of Saints. We have many teachings about her. The Immaculate Conception means that Mary was preserved from Original Sin from the first moment of conception. The Feast of the Immaculate Conception is December 8. On this date, the Catholics of Paraguay celebrate the feast day of the Virgin of Caacupe. Centuries ago, the Virgin Mary appeared in the Paraguayan countryside. A church was built in the place where she had appeared, and many pilgrims to that church have experienced miracles. Today December 8 is as special a celebration to the Catholics of Paraguay as Christmas is. Many honor Mary every year by making a pilgrimage, or long walk, to the church of the Virgin of Caacupe.

Last Things

Purgatory

At death most people are not ready for Heaven and God's eternal friendship. However, they have not broken their relationship with God. These souls are given time in Purgatory. Purgatory means "purifying." Purgatory helps the soul prepare for life with God. The soul becomes more faithful and loving.

Particular Judgment

When people die, they are judged by how fully they have responded to God's call and the grace he has offered through Jesus. This judgment is called Particular Judgment. Souls will be given reward or punishment at this time.

General Judgment

General Judgment, or the Last Judgment, will occur at the Second Coming of Christ. This judgment represents God's triumph over evil. General Judgment will mark the arrival of God's Kingdom in its fullness. General Judgment will happen to all people, living and dead. However, this judgment will not change the Particular Judgment received by each soul.

El año litúrgico

Adviento

Cuatro Domingos de Adviento

Navidad

Día de Navidad
Fiesta de la Sagrada Familia
Solemnidad de la Epifanía

Tiempo Ordinario

Domingos entre la Epifanía y el Miércoles de Ceniza

Antes del comienzo de la Cuaresma, las palmas del Domingo de Ramos del año anterior se recolectan y se queman. Las cenizas se usan luego para el servicio del Miércoles de Ceniza.

Cuaresma

La Cuaresma es un tiempo de ayuno, oración y limosna. Los cuarenta días de la Cuaresma recuerdan a los cristianos el número de días que Jesús ayunó mientras estaba en el desierto. También representan el número de años que los israelitas deambularon en el desierto después del Éxodo.

La Cuaresma comienza con el Miércoles de Ceniza, un día de penitencia. El último viernes de Cuaresma, el Viernes Santo, también es un día de penitencia. Todos los católicos de entre dieciocho y cincuenta y nueve años de edad deben ayunar los días de penitencia: hacer comidas ligeras y no comer entre comidas. El Miércoles de Ceniza y todos los viernes durante la Cuaresma, la abstinencia es obligatoria para todos los católicos mayores de catorce años. Esto significa que no pueden comer carne. El ayuno, la abstinencia y la reflexión personal durante la Cuaresma ayudan a los católicos a prepararse para la celebración de la Pascua.

The Liturgical Year

Advent

Four Sundays of Advent

Christmas

Christmas Day
Feast of the Holy Family
Feast of Epiphany

Ordinary Time

Sundays between Epiphany and
Ash Wednesday

Before Lent begins, the palms from Palm Sunday from the prior year are collected and burned. The ashes are then used for the Ash Wednesday service.

Lent

Lent is a time of fasting, prayer, and almsgiving. The forty days of Lent remind Christians of the number of days Jesus spent fasting in the desert. The forty days also represent the number of years the Israelites spent wandering in the desert after the Exodus.

Lent begins with Ash Wednesday, a day of penance. The last Friday in Lent, Good Friday, is also a day of penance. All Catholics from their eighteenth to their fifty-ninth birthdays must fast on days of penance: They eat light meals and have no food between meals. On Ash Wednesday and on all Fridays during Lent, abstinence is required for Catholics fourteen years of age or older. This means that they may not eat meat. Fasting, abstinence, and personal reflection during Lent help prepare Catholics for the celebration of Easter.

El Triduo Pascual

El Triduo, que significa "tres días", comienza el Jueves Santo con la celebración de la Cena del Señor. El Viernes Santo se observa con una Liturgia de la Palabra, la Adoración de la Cruz y un servicio de Comunión. En la noche del Sábado Santo se celebra la Vigilia Pascual. El Triduo Pascual finaliza con la oración nocturna del Domingo de Pascua. Como el Triduo celebra el Misterio Pascual —la vida, Muerte y Resurrección de Jesús—, es el momento culminante de todo el año litúrgico.

Tiempo de Pascua

El tiempo de Pascua comienza el Domingo de Pascua, continúa del segundo al séptimo Domingo de Pascua y termina el Domingo de Pentecostés (cincuenta días después de Pascua).

El Cirio Pascual es un símbolo de Cristo y de la Pascua. Este cirio se enciende en el fuego Pascual durante la Vigilia Pascual. A lo largo de los cincuenta días del Tiempo de Pascua, el cirio arde durante la liturgia. Después del Tiempo de Pascua, se usa en los Bautismos y en los funerales como símbolo de Resurrección.

Tiempo Ordinario

Domingos comprendidos entre Pentecostés y el primer Domingo de Adviento

Triduum

The Triduum, which means "three days," starts with the celebration of the Lord's Supper on Holy Thursday. Good Friday is observed with a Liturgy of the Word, Veneration of the Cross, and a Communion service. On Holy Saturday evening the Easter Vigil is celebrated. The Triduum ends with evening prayer on Easter Sunday. Because the Triduum celebrates the Paschal Mystery—the life, Death, and Resurrection of Jesus—it is the high point of the entire Church year.

Easter Season

The Easter season begins on Easter Sunday and continues with the Second through Seventh Sundays of Easter, culminating with Pentecost Sunday (fifty days after Easter).

The Paschal Candle is a symbol of Christ and of Easter. This candle is lit from the Easter fire during the Easter Vigil. Throughout the fifty days of the Easter Season, the candle burns during the liturgy. After the Easter Season it is used during Baptisms and funerals as a symbol of the Resurrection.

Ordinary Time

Sundays between Pentecost and the First Sunday of Advent

Los Siete Sacramentos

La Iglesia Católica celebra Siete Sacramentos: signos y celebraciones especiales de la presencia de Jesús. Jesús nos dio los Sacramentos para permitirnos participar de la vida y la obra de Dios. Hay tres grupos de Sacramentos.

Sacramentos

Sacramentos de la Iniciación

Estos son los tres Sacramentos que celebran hacerse miembros de la Iglesia Católica.	• Bautismo • Confirmación • Eucaristía

Sacramentos de Curación

En estos Sacramentos, se les da el perdón y curación de Dios a quienes sufren enfermedades físicas y espirituales.	• Penitencia y Reconciliación • Unción de los Enfermos

Sacramentos al Servicio de la Comunidad

Estos Sacramentos celebran el compromiso de las personas de servir a Dios y a la comunidad, y de ayudar a construir el Pueblo de Dios.	• Orden Sagrado • Matrimonio

El agua bendita es agua que ha sido bendecida. Se usa durante el Sacramento del Bautismo, así como para la bendición de personas u objetos. Las fuentes de agua bendita están colocadas en la entrada de las iglesias para que las personas puedan bendecirse y recordar el significado del Bautismo mientras hacen la Señal de la Cruz.

The Seven Sacraments

The Catholic Church celebrates Seven Sacraments—special signs and celebrations of Jesus' presence. Jesus gave us the Sacraments to allow us to share in God's life and work. There are three groups of Sacraments.

Sacraments

Sacraments of Initiation

These are the three Sacraments that celebrate membership into the Catholic Church.	• Baptism • Confirmation • Eucharist

Sacraments of Healing

In these Sacraments, God's forgiveness and healing are given to those suffering physical and spiritual sickness.	• Penance and Reconciliation • Anointing of the Sick

Sacraments at the Service of Communion

These Sacraments celebrate people's commitment to serve God and the community and help build up the People of God.	• Holy Orders • Matrimony (Marriage)

Holy water is water that has been blessed. It is used during the Sacrament of Baptism as well as for the blessing of people or objects. Fonts of holy water are placed at the entrances of churches so that people may bless themselves and recall the meaning of Baptism as they make the Sign of the Cross.

El Sacramento de la Penitencia y de la Reconciliación

En este Sacramento, se perdonan los pecados y el que ha pecado se reconcilia con Dios, consigo mismo y con la comunidad de la Iglesia. Los elementos esenciales de la Reconciliación son la contrición (arrepentimiento por haber pecado), la confesión, la absolución del sacerdote y la satisfacción (tratar de corregir o deshacer lo que se hizo mal).

Rito de Reconciliación para un solo penitente

1. Bienvenida
2. Lectura de la Sagrada Escritura
3. Confesión de los pecados y aceptación de la penitencia
4. Oración del penitente (Ver página 648).
5. Absolución
6. Oración final

Rito de Reconciliación para varios penitentes

1. Saludo
2. Celebración de la Palabra
3. Homilía
4. Examen de Conciencia
5. Confesión general de pecados/ Letanía de Contrición
6. Padre Nuestro
7. Confesión individual de los pecados, Aceptación de la Penitencia y Absolución:

Oración de absolución

Dios, Padre misericordioso, que reconcilió al mundo consigo por la muerte y la resurrección de su Hijo y envió al Espíritu Santo para el perdón de los pecados, te conceda, por el ministerio de la Iglesia, el perdón y la paz.
Y YO TE ABSUELVO DE TUS PECADOS, EN EL NOMBRE DEL PADRE, Y DEL HIJO, Y DEL ESPÍRITU SANTO.
Amén.

8. Oración final

Examen de conciencia

Como ayuda para examinar tu conciencia, usa los siguientes pasos:

1. Ora por la ayuda del Espíritu Santo para volver a empezar.
2. Analiza tu vida a la luz de las Bienaventuranzas, los Diez Mandamientos, el Gran Mandamiento y los Preceptos de la Iglesia.
3. Hazte las siguientes preguntas: ¿En qué no he estado a la altura de lo que Dios quiere de mí? ¿Qué he hecho sabiendo que estaba mal? ¿He hecho lo necesario para cambiar los malos hábitos? ¿Con qué tengo problemas todavía? ¿Estoy sinceramente arrepentido de todos mis pecados?

© Our Sunday Visitor

The Sacrament of Penance and Reconciliation

In this Sacrament, sin is forgiven and the one who has sinned is reconciled with God, with himself or herself, and with the Church community. The essential elements for Reconciliation are contrition (sorrow for the sin), confession, absolution by the priest, and satisfaction (attempting to correct or undo the wrong done).

Rite for Reconciliation of Individual Penitents

1. Welcome
2. Reading from Scripture
3. Confession of Sins and Acceptance of a Penance
4. Act of Contrition (See page 324.)
5. Absolution
6. Closing Prayer

Rite for Reconciliation of Several Penitents

1. Greeting
2. Celebration of the Word
3. Homily
4. Examination of Conscience
5. General Confession of Sin/ Litany of Contrition
6. The Lord's Prayer
7. Individual Confession of Sins, Acceptance of a Penance, and Absolution:

Prayer of Absolution

God, the Father of mercies,
through the death and resurrection
   of his Son
has reconciled the world to himself
and sent the Holy Spirit among us
for the forgiveness of sins;
through the ministry of the Church
may God give you pardon and peace,
and I absolve you from your sins
in the name of the Father, and of
   the Son,
and of the Holy Spirit.

8. Closing Prayer

Examination of Conscience

For help with examining your conscience, use the following steps:

1. Pray for the Holy Spirit's help in making a fresh start.
2. Look at your life in the light of the Beatitudes, the Ten Commandments, the Great Commandment, and the Precepts of the Church.
3. Ask yourself these questions: Where have I fallen short of what God wants for me? What have I done that I knew was wrong? Have I made the necessary changes in bad habits? What areas am I still having trouble with? Am I sincerely sorry for all my sins?

Las leyes de Dios

Dios nos da leyes para ayudarnos a vivir de acuerdo con la alianza. Estas leyes nos guían para amar a Dios y a nuestro prójimo.

Las leyes son reglas que ayudan a las personas a vivir como miembros de una comunidad y a comportarse de una manera aceptable.

La ley divina es la ley eterna de Dios. Incluye la ley física y la ley moral. La ley de la gravedad es un ejemplo de ley física. Una ley moral es una ley que los seres humanos comprenden mediante el razonamiento (no robarás) y mediante la Revelación Divina (santificarás el Día del Señor).

La ley moral natural consiste en esas decisiones y deberes que todos los seres humanos aceptan como correctos. Por ejemplo, todo el mundo comprende que nadie puede matar a otra persona injustamente. Todos deben obedecer la ley moral natural.

Los Diez Mandamientos

1. Yo soy Yavé, tu Dios: no tendrás otros dioses fuera de mí.

2. No tomes en vano el nombre de Yavé, tu Dios.

3. Acuérdate del día del Sábado, para santificarlo.

4. Respeta a tu padre y a tu madre.

5. No mates.

6. No cometas adulterio.

7. No robes.

8. No atestigües en falso contra tu prójimo.

9. No codicies la mujer de tu prójimo.

10. No codicies nada de lo que le pertenece a tu prójimo.

God's Laws

God gives us laws to help us live by the covenant. These laws guide us in loving God and our neighbor.

Laws are rules that help people live as members of a community and behave in an acceptable manner.

Divine law is the eternal law of God. It includes physical law and moral law. The law of gravity is an example of physical law. A moral law is one that humans understand through reasoning (you may not steal) and through Divine Revelation (keep holy the Lord's Day).

Natural moral law consists of those decisions and duties that all humans accept as right. For example, people everywhere understand that no one may kill another unjustly. Everyone must obey natural moral law.

The Ten Commandments

1. I am the Lord your God: you shall not have strange gods before me.
2. You shall not take the name of the Lord your God in vain.
3. Remember to keep holy the Lord's Day.
4. Honor your father and your mother.
5. You shall not kill.
6. You shall not commit adultery.
7. You shall not steal.
8. You shall not bear false witness against your neighbor.
9. You shall not covet your neighbor's wife.
10. You shall not covet your neighbor's goods.

Las Bienaventuranzas

Las Bienaventuranzas son los dichos de Jesús que muestran el camino a la felicidad verdadera en el Reino de Dios. Las Bienaventuranzas están enumeradas en el Evangelio según Mateo (ver Mateo 5, 3-10). Ver también Capítulo 7.

El Mandamiento Nuevo

Jesús también dio a sus seguidores un Mandamiento Nuevo: "que se amen los unos a los otros. Ustedes deben amarse unos a otros como yo los he amado" (**Juan 13, 34**).

Obras de Misericordia Corporales y Espirituales

Las Obras de Misericordia Corporales llevan a los católicos a atender las necesidades físicas de los demás. Las Obras de Misericordia Espirituales nos guían para cuidar de las necesidades espirituales de las personas.

Corporales

- Dar de comer al hambriento
- Dar de beber al sediento
- Vestir al desnudo
- Dar posada al peregrino
- Visitar y cuidar a los enfermos
- Redimir al cautivo

Espirituales

- Corregir al que yerra
- Enseñar al que no sabe
- Dar buen consejo al que lo necesita
- Consolar al triste
- Sufrir con paciencia los defectos de los demás
- Perdonar las injurias
- Rogar a Dios por vivos y difuntos

Preceptos de la Iglesia

Los siguientes preceptos son deberes importantes de todos los católicos.

1. Participar en la Misa los domingos y los días de precepto. Guardar estos días para santificarlos y evitar realizar trabajos innecesarios.

2. Celebrar el Sacramento de la Reconciliación al menos una vez al año.

3. Recibir la Sagrada Comunión al menos una vez al año durante el Tiempo de Pascua.

4. Hacer ayuno o abstinencia los días de penitencia.

5. Dar tu tiempo, tus dones y tu dinero para apoyar a la Iglesia.

© Our Sunday Visitor

The Beatitudes

The Beatitudes are sayings of Jesus that show us the way to true happiness in God's Kingdom. The Beatitudes are listed in the Gospel according to Matthew (see Matthew 5:3–10). See also Chapter 7.

The New Commandment

Jesus also gave his followers a New Commandment: "love one another. As I have loved you, so you also should love one another" (**John 13:34**).

Corporal and Spiritual Works of Mercy

The Corporal Works of Mercy draw Catholics to the care of the physical needs of others. The Spiritual Works of Mercy guide us to care for the spiritual needs of people.

Corporal

- Feed the hungry
- Give drink to the thirsty
- Clothe the naked
- Shelter the homeless
- Visit the sick
- Visit the imprisoned

Spiritual

- Warn the sinner
- Teach the ignorant
- Counsel the doubtful
- Comfort the sorrowful
- Bear wrongs patiently
- Forgive injuries
- Pray for the living and the dead

Precepts of the Church

The following precepts are important duties of all Catholics.

1. Take part in the Mass on Sundays and holy days. Keep these days holy and avoid unnecessary work.

2. Celebrate the Sacrament of Reconciliation at least once a year.

3. Receive Holy Communion at least once a year during the Easter Season.

4. Fast and abstain on days of penance.

5. Give your time, gifts, and money to support the Church.

El libre albedrío y la conciencia

La imagen de Dios es el parecido que tienes con Él porque tú eres su creación. Estás llamado a respetar la dignidad de todas las personas porque todas están hechas a imagen de Dios.

- La libertad significa que puedes elegir y actuar con muy pocas limitaciones. Hemos recibido de Dios libertad para que podamos elegir hacer cosas buenas.

- El libre albedrío es el don de Dios que permite a los seres humanos tomar sus propias decisiones. Como eres libre para elegir entre el bien y el mal, eres responsable de tus decisiones y acciones.

- La conciencia es un don de Dios que nos ayuda a juzgar si una acción es buena o mala. Es importante que conozcamos las leyes de Dios para que nuestra conciencia nos ayude a tomar buenas decisiones. La conciencia te ayuda a elegir lo que es bueno. Para eso deben trabajar juntos el libre albedrío y el razonamiento. Debes formar tu conciencia de manera apropiada. Si tu conciencia no está bien formada, puede conducirte a elegir el mal.

La formación de la conciencia es un proceso que dura toda la vida. Requiere practicar las virtudes y evitar el pecado y las personas o situaciones que pueden llevarte a pecar. Puedes buscar a personas buenas para que te den consejos, a la Iglesia para que te oriente y a Dios para que te ayude a educar tu conciencia.

La gracia

Dios te da dos tipos de gracia. La gracia santificante es el don de la vida de Dios en ti. Te da el deseo de vivir y de actuar según el plan de Dios.

La gracia actual es el don de la vida de Dios en ti que te ayuda a pensar o actuar en una situación particular de acuerdo con el plan de Dios. La gracia actual te abre a la comprensión y fortalece tu voluntad.

© Our Sunday Visitor

Free Will and Conscience

God's image is his likeness that is present in you because you are his creation. You are called to respect the dignity of all people because everyone is made in God's image.

- Freedom means you are able to choose and act with few limitations. We are given freedom by God that we may choose to do good things.

- Free will is the gift from God that allows humans to make their own choices. Because you are free to choose between right and wrong, you are responsible for your choices and actions.

- Conscience is a gift from God that helps us judge whether actions are right or wrong. It is important for us to know God's laws so our conscience can help us make good decisions. Conscience helps you choose what is right. It involves free will and reason working together. You must form your conscience properly. If not formed properly, your conscience can lead you to choose what is wrong.

Forming your conscience is a lifelong process. It involves practicing virtues and avoiding sin and people or situations that may lead you to sin. You can turn to good people for advice, to Church teachings for guidance, and to God for help in educating your conscience.

Grace

God gives you two types of grace. Sanctifying grace is the gift of God's life in you. It gives you the desire to live and act within God's plan.

Actual grace is the gift of God's life in you that helps you think or act in a particular situation according to God's plan. Actual grace opens you to understanding and strengthens your will.

La virtud y el pecado

Las virtudes son cualidades buenas o hábitos de bondad. La palabra *virtud* significa "fortaleza". Practicar la virtud puede darte la fortaleza para tomar decisiones amorosas.

Hay dos tipos de virtudes: Teologales y Cardinales. Las Virtudes Teologales son la fe, la esperanza y la caridad (amor). Las Virtudes Cardinales son la prudencia (juicio cuidadoso), la fortaleza (valor), la justicia (dar a las personas lo que les es debido) y la templanza (moderación, equilibrio).

El pecado es apartarse de Dios y faltar al amor. El pecado afecta tanto al individuo como a la comunidad. Una persona puede arrepentirse de su pecado, pedir perdón, aceptar el castigo y decidir actuar mejor. En este caso, la experiencia puede ayudarla, realmente, a desarrollarse como cristiana y a evitar pecar en el futuro. Sin embargo, el que tiene el hábito de pecar daña su desarrollo, da un mal ejemplo y causa dolor a los demás. La sociedad sufre cuando las personas desobedecen la ley de Dios y las leyes justas de la sociedad. Hay muchos tipos de pecado.

- El Pecado Original es la condición humana de debilidad y la tendencia al pecado ocasionada por la decisión de Adán y Eva, nuestros primeros padres, de desobedecer a Dios. El Bautismo restaura la relación de gracia amorosa con la que todas las personas fueron creadas.

- El pecado actual es cualquier pensamiento, palabra, acción u omisión que va en contra de la ley de Dios. El pecado es siempre una elección; nunca un error.

- El pecado mortal rompe la relación de la persona con Dios. Un pecado mortal es una acción grave, como un asesinato. Para que el pecado sea mortal, debe ser una decisión deliberada de cometer el acto; nunca es un accidente.

- El pecado venial debilita la relación de la persona con Dios, pero no la destruye. El pecado venial surge, con frecuencia, de los malos hábitos. Puede llevar al pecado mortal.

- El pecado social se comete cuando el pecado de una persona afecta a la gran comunidad. La pobreza y el racismo son ejemplos del pecado social.

Virtue and Sin

Virtues are good qualities or habits of goodness. The word virtue means "strength." Practicing virtue can give you the strength to make loving choices.

There are two types of virtues: Theological and Cardinal. The Theological Virtues are faith, hope, and charity (love). The Cardinal Virtues are prudence (careful judgment), fortitude (courage), justice (giving people their due), and temperance (moderation, balance).

Sin is a turning away from God and a failure to love. Sin affects both the individual and the community A person may be sorry for his or her sin, ask forgiveness for it, accept punishment for it, and resolve to do better. In this case, the experience may actually help the person develop as a Christian and avoid sin in the future. However, a person who makes a habit of sin will harm his or her development, set a poor example, and bring sorrow to others. Society suffers when people disobey God's law and the just laws of society. There are many types of sin.

- Original Sin is the human condition of weakness and the tendency toward sin that resulted from the choice of Adam and Eve, our first parents, to disobey God. Baptism restores the relationship of loving grace in which all people were created.

- Actual sin is any thought, word, act, or failure to act that goes against God's law. Sin is always a choice, never a mistake.

- Mortal sin causes a person's relationship with God to be broken. A mortal sin is a serious act, such as murder. In order for it to be a mortal sin, there must be a deliberate choice to commit the act, it is never an accident.

- Venial sin weakens a person's relationship with God but does not destroy it. Venial sin often comes from bad habits. It can lead to mortal sin.

- Social sin happens when one person's sins affect the larger community. Poverty and racism are examples of social sin.

Oraciones tradicionales

Estas son las oraciones básicas que todo católico debe conocer. El latín es el idioma universal oficial de la Iglesia. Como miembros de la Iglesia Católica, por lo general rezamos en el idioma que hablamos, pero a veces rezamos en latín, el lenguaje común de la Iglesia.

Señal de la Cruz

En el nombre del Padre
y del Hijo
y del Espíritu Santo.
Amén.

Signum Crucis

In nómine Patris
et Fílii
et Spíritus Sancti.
Amen.

Padre Nuestro

Padre nuestro, que estás en el cielo,
santificado sea tu Nombre;
venga a nosotros tu reino;
hágase tu voluntad
   en la tierra como en el cielo.
Danos hoy nuestro pan de cada día;
perdona nuestras ofensas,
como también nosotros perdonamos
a los que nos ofenden;
no nos dejes caer en la tentación,
y líbranos del mal.
Amén.

Pater Noster

Pater noster qui es in cælis:
santificétur Nomen Tuum;
advéniat Regnum Tuum;
fiat volúntas Tua,
sicut in cælo, et in terra.
Panem nostrum
cotidiánum da nobis hódie;
et dimítte nobis débita nostra,
sicut et nos
dimíttus debitóribus nostris;
et ne nos indúcas in tentatiónem;
sed líbera nos a Malo.

Basic Prayers

These are essential prayers that every Catholic should know. Latin is the official, universal language of the Church. As members of the Catholic Church, we usually pray in the language that we speak, but we sometimes pray in Latin, the common language of the Church.

Sign of the Cross

In the name of the Father,
and of the Son,
and of the Holy Spirit.
Amen.

Signum Crucis

In nómine Patris
et Fílii
et Spíritus Sancti.
Amen.

The Lord's Prayer

Our Father, who art in heaven,
hallowed be thy name;
thy kingdom come,
thy will be done
on earth as it is in heaven.
Give us this day our daily bread,
and forgive us our trespasses,
as we forgive those who trespass
   against us;
and lead us not into temptation,
but deliver us from evil.
Amen.

Pater Noster

Pater noster qui es in cælis:
santificétur Nomen Tuum;
advéniat Regnum Tuum;
fiat volúntas Tua,
sicut in cælo, et in terra.
Panem nostrum
cotidiánum da nobis hódie;
et dimítte nobis débita nostra,
sicut et nos
dimíttus debitóribus nostris;
et ne nos indúcas in tentatiónem;
sed líbera nos a Malo.

Ave María

Dios te salve, María, llena eres de gracia;
el Señor es contigo.
Bendita Tú eres entre todas las mujeres,
y bendito es el fruto de tu vientre, Jesús.
Santa María, Madre de Dios,
ruega por nosotros, pecadores,
ahora y en la hora de nuestra muerte.
Amén.

Ave Maria

Ave, María, grátia plena,
Dóminus tecum.
Benedícta tu in muliéribus,
et benedíctus fructus ventris
    tui, Iesus.
Sancta María, Mater Dei,
ora pro nobis peccatóribus,
nunc et in hora mortis nostræ.
    Amen.

Gloria al Padre

Gloria al Padre
y al Hijo
y al Espíritu Santo.
Como era en el principio,
ahora y siempre,
por los siglos de los siglos.
Amén.

Gloria Patri

Gloria Patri
et Filio
et Spíritui Sancto.
Sicut erat in princípio
et nunc et semper
et in sæcula sæculorum.
Amen.

Ángelus

V. El Ángel del Señor anunció a María.
R. Y concibió por obra y gracia del
Espíritu Santo.
Dios te salve, María...
V. He aquí la esclava del Señor.
R. Hágase en mí según tu palabra.
Dios te salve, María...
V. Y el Verbo de Dios se hizo carne.
R. Y habitó entre nosotros.
Dios te salve, María...
V. Ruega por nosotros, Santa Madre de
Dios.

R. Para que seamos dignos de alcanzar
las promesas de Jesucristo.
Oremos.

Infunde, Señor,
tu gracia en nuestras almas,
para que, los que hemos conocido, por
el anuncio del Ángel,
la Encarnación de tu Hijo, Jesucristo,
lleguemos por los Méritos de su
Pasión y su Cruz, a la gloria de la
Resurrección.
Por Jesucristo Nuestro Señor.
R. Amén.

The Hail Mary

Hail, Mary, full of grace,
the Lord is with thee.
Blessed art thou among women
and blessed is the fruit of thy womb,
  Jesus.
Holy Mary, Mother of God,
pray for us sinners,
now and at the hour of our death.
Amen.

Glory Be

Glory be to the Father
and to the Son
and to the Holy Spirit,
as it was in the beginning
is now, and ever shall be
world without end.
Amen.

Ave Maria

Ave, María, grátia plena,
Dóminus tecum.
Benedícta tu in muliéribus,
et benedíctus fructus ventris
    tui, Iesus.
Sancta María, Mater Dei,
ora pro nobis peccatóribus,
nunc et in hora mortis nostræ.
    Amen.

Gloria Patri

Gloria Patri
et Filio
et Spíritui Sancto.
Sicut erat in princípio
et nunc et semper
et in sæcula sæculorum.
Amen.

Angelus

V. The angel spoke God's message to
Mary,
R. and she conceived of the Holy
Spirit.
Hail, Mary . . .
V. "I am the lowly servant of the Lord:
R. let it be done to me according to
your word."
Hail, Mary . . .
V. And the Word became flesh,
R. and lived among us.
Hail, Mary . . .
V. Pray for us, holy Mother of God,

R. that we may become worthy of the
promises of Christ.
Let us pray.

Lord,
fill our hearts with your grace:
once, through the message of an angel
you revealed to us the Incarnation of
your Son;
now, through his suffering and death
lead us to the glory of his resurrection.

We ask this through Christ our Lord.
Amen.

Acordaos

Acordaos, oh piadosísima Virgen María,
que jamás se ha oído decir que ninguno
de los que haya acudido a tu protección,
implorando tu asistencia y reclamando
tu socorro, haya sido abandonado de
ti. Animado con esta confianza, a ti
también acudo, oh Madre, Virgen de
las vírgenes, y aunque gimiendo bajo
el peso de mis pecados, me atrevo a
comparecer ante tu presencia soberana.
No deseches mis humildes súplicas,
oh Madre del Verbo divino, antes bien,
escúchalas y acógelas benignamente.
Amén.

Salve Regina

Dios te salve, Reina y Madre de
misericordia,
vida, dulzura y esperanza nuestra;
Dios te salve.
A ti llamamos los desterrados hijos de
Eva;
a ti suspiramos, gimiendo y llorando
en este valle de lágrimas.
Ea, pues, Señora, abogada nuestra,
vuelve a nosotros esos tus ojos
misericordiosos;
y después de este destierro, muéstranos
a Jesús,
fruto bendito de tu vientre.
¡Oh, clementísima, oh piadosa, oh dulce
Virgen María!

Invocación al Espíritu Santo

V. Ven, Espíritu Santo, llena los
corazones de tus fieles,
R. y enciende en ellos el fuego de tu
amor.
V. Envía tu Espíritu Creador y serán
creadas todas las cosas
R. y renovarás la faz de la tierra.
Oremos:
¡Oh Dios, que has instruido
los corazones de tus fieles
con la luz del Espíritu Santo!,
concédenos que sintamos rectamente
con el mismo Espíritu
y gocemos siempre
de su divino consuelo.
Por Jesucristo Nuestro Señor. Amén.

Memorare

Remember, most loving Virgin Mary, never was it heard that anyone who turned to you for help was left unaided. Inspired by this confidence, though burdened by my sins, I run to your protection for you are my mother. Mother of the Word of God, do not despise my words of pleading but be merciful and hear my prayer. Amen.

Hail, Holy Queen

Hail, Holy Queen, Mother of Mercy, our life, our sweetness and our hope.
To you do we cry,
poor banished children of Eve.
To you do we send up our sighs,
mourning and weeping in this valley
 of tears.
Turn then, most gracious advocate,
your eyes of mercy toward us,
and after this exile
show unto us the blessed fruit of thy
 womb, Jesus.
O clement, O loving,
O sweet Virgin Mary.

Prayer to the Holy Spirit

Come, Holy Spirit, fill the hearts of
your faithful.
And kindle in them the fire of your
love.
Send forth your Spirit and they will be
created.
And you will renew the face of the
earth.
Let us pray.
Lord, by the light of the Holy Spirit
you have taught the
hearts of your faithful. In the same
Spirit help us to relish
what is right and always rejoice in your
consolation. We ask
this through Christ our Lord. Amen.

Oraciones de los Sacramentos

Gloria

Gloria a Dios en el cielo,
  y en la tierra paz a los hombres
  que ama el Señor.
Por tu inmensa gloria
  te alabamos, te bendecimos,
  te adoramos, te glorificamos,
  te damos gracias,
  Señor Dios, Rey celestial,
  Dios Padre todopoderoso.
  Señor, Hijo único, Jesucristo.
Señor Dios, Cordero de Dios,
  Hijo del Padre;

tú que quitas el pecado del mundo,
  ten piedad de nosotros;
  tú que quitas el pecado del mundo,
  atiende nuestra súplica;
  tú que estás sentado a la derecha del
Padre,
  ten piedad de nosotros;
  porque sólo tú eres Santo,
  sólo tú, Señor,
  sólo tú Altísimo, Jesucristo,
  con el Espíritu Santo
  en la gloria de Dios Padre.
Amén."

Santo, Santo, Santo

Santo, Santo, Santo es el Señor,
Dios del Universo.
Llenos están el cielo y la tierra de tu
gloria.
    Hosanna en el cielo.
Bendito el que viene en nombre del
Señor.
    Hosanna en el cielo.

Sanctus, Sanctus, Sanctus

Sanctus, Sanctus, Sanctus
Dominus Deus Sabaoth.
Pleni sunt coeli et terra gloria tua.
Hosanna in excelsis.
Benedictus qui venit in nomine
    Domini.
Hosanna in excelsis.

Oración de Jesús

Señor Dios,
Hijo de Dios vivo,
ten piedad de mí,
este pobre pecador.

Credo de los Apóstoles

Ver página 612 para esta oración.

Credo de Nicea

Ver página 614 para esta oración.

Prayers from the Sacraments

Gloria

Glory to God in the highest,
and on earth peace to people of
good will.
We praise you, we bless you, we adore
you, we glorify you, we give you
thanks for your great glory,
Lord God, heavenly King, O God,
almighty Father.
Lord Jesus Christ,
Only Begotten Son,
Lord God, Lamb of God,
you take away the sins of the world,
have mercy on us;
you take away the sins of the world,
receive our prayer;
you are seated at the right hand of
the Father, have mercy on us.
For you alone are the Holy One,
you alone are the Lord,
you alone are the Most High,
Jesus Christ, with the Holy Spirit,
in the glory of God the Father.
Amen.

Holy, Holy, Holy Lord

Holy, Holy, Holy Lord God of hosts.
Heaven and earth are full of your glory.
Hosanna in the highest.
Blessed is he who comes in the name of
   the Lord.
Hosanna in the highest.

Sanctus, Sanctus, Sanctus

Sanctus, Sanctus, Sanctus
Dominus Deus Sabaoth.
Pleni sunt coeli et terra gloria tua.
Hosanna in excelsis.
Benedictus qui venit in nomine
   Domini.
Hosanna in excelsis.

The Jesus Prayer

Lord Jesus Christ, Son of God,
have mercy upon me, a sinner.

The Apostles' Creed

See page 613 for this prayer.

The Nicene Creed

See page 615 for this prayer.

Cordero de Dios

Cordero de Dios, que quitas el pecado del mundo,
ten piedad de nosotros.
Cordero de Dios, que quitas el pecado del mundo,
ten piedad de nosotros.
Cordero de Dios, que quitas el pecado del mundo,
danos la paz.

Oración del Penitente

La contrición es el arrepentimiento que surge en el alma, haciendo que te arrepientas de los pecados cometidos y que te propongas no volver a pecar. Arrepentirse es alejarse del pecado y pedir la misericordia de Dios.

Dios mío, me arrepiento de todo corazón de todo lo malo que he hecho y de todo lo bueno que he dejado de hacer, porque pecando te he ofendido a ti, que eres el sumo bien y digno de ser amado sobre todas las cosas.

Propongo firmemente, con tu gracia, cumplir la penitencia, no volver a pecar y evitar las ocasiones de pecado.

Perdóname, Señor, por los méritos de la pasión de nuestro Salvador Jesucristo.

Agnus Dei

Agnus Dei, qui tollis peccata mundi:
miserere nobis.
Agnus Dei, qui tollis peccata mundi:
miserere nobis.
Agnus Dei, qui tollis peccata mundi:
dona nobis pacem.

Yo Confieso o *Confíteor*

Yo confieso ante Dios todopoderoso
y ante vosotros, hermanos,
que he pecado mucho
de pensamiento, palabra, obra y
omisión.

Golpeándose el pecho, dicen

Por mi culpa, por mi culpa, por mi gran
culpa.

Luego, prosiguen:

Por eso ruego a santa María, siempre
Virgen,
a los ángeles, a los santos
y a vosotros, hermanos,
que intercedáis por mí ante Dios,
nuestro Señor.
Amén.

Lamb of God

Lamb of God, you take away the
sins of the world,
have mercy on us.
Lamb of God, you take away the
sins of the world,
have mercy on us.
Lamb of God, you take away the
sins of the world,
grant us peace.

Agnus Dei

Agnus Dei, qui tollis peccata mundi:
miserere nobis.
Agnus Dei, qui tollis peccata mundi:
miserere nobis.
Agnus Dei, qui tollis peccata mundi:
dona nobis pacem

Act of Contrition

Contrition is the sorrow that rises up in
the soul, making you repent past sins and
plan not to sin again. To repent is to turn
back from the sin and ask God's mercy.

My God, I am sorry for my sins with all
my heart.
In choosing to do wrong
and failing to do good,
I have sinned against you
whom I should love above all things.
I firmly intend, with your help,
to do penance,
to sin no more,
and to avoid whatever leads me to sin.
Our Savior Jesus Christ
suffered and died for us.
In his name, my God, have mercy.

I Confess/*Confiteor*

I confess to almighty God
and to you, my brothers and sisters,
that I have greatly sinned,
in my thoughts and in my words,
in what I have done and in what I have
failed to do,

Gently strike your chest with a closed fist.

through my fault, through my fault,
through my most grievous fault;

Continue:

therefore I ask blessed Mary ever-
Virgin,
all the Angels and Saints,
and you, my brothers and sisters,
to pray for me to the Lord our God.

Oraciones familiares y personales

Acto de fe

Dios mío, porque eres verdad infalible, creo firmemente todo aquello que has revelado y la Santa Iglesia nos propone para creer.

Creo expresamente en ti, único Dios verdadero en tres Personas iguales y distintas, Padre, Hijo y Espíritu Santo.

Y creo en Jesucristo, Hijo de Dios, que se encarnó, murió y resucitó por nosotros, el cual nos dará a cada uno,

según los méritos, el premio o el castigo eterno.

Conforme a esta fe quiero vivir siempre.

Señor, acrecienta mi fe. Amén.

Acto de esperanza

Señor Dios mío, espero por tu gracia la remisión de todos mis pecados; y después de esta vida, alcanzar la eterna felicidad, porque tú lo prometiste que eres infinitamente poderoso, fiel, benigno y lleno de misericordia. Quiero vivir y morir en esta esperanza. Amén.

Acto de caridad

Dios mío, te amo sobre todas las cosas y al prójimo por ti, porque Tú eres el infinito, sumo y perfecto Bien, digno de todo amor. En esta caridad quiero vivir y morir.

Oración de la mañana

Al comenzar el nuevo día, Señor, te pido
que me ayudes, que me liberes de todo mal, de todo peligro y de todo pecado;
que sean buenas mis palabras, mis miradas,
mis sentimientos, mis acciones y el fondo
de mi corazón.

Te ofrezco, Señor, todos mis pensamientos,
obras y trabajos de este día. Bendícelos a fin de que no haya ninguno que no sea
hecho por tu amor. Amén.

Oración de la noche

Te adoro, Dios mío, y Te doy gracias por haberme creado, por haberme hecho cristiano y cuidado de mí en el día de hoy. Te amo con todo mi corazón y me arrepiento de haber pecado contra Tí, porque Tú eres Amor infinito e infinita Bondad. Protégeme mientras descanso y haz que tu Amor siempre esté conmigo. Amén.

Personal and Family Prayers

Act of Faith

O God, we firmly believe that you are one God in three Divine Persons, Father, Son, and Holy Spirit; we believe that your Divine Son became man and died for our sins, and that he will come to judge the living and the dead. We believe these and all the truths that the holy Catholic Church teaches because you have revealed them, and you can neither deceive nor be deceived.

Act of Hope

O God, relying on your almighty power and your endless mercy and promises, we hope to gain pardon for our sins, the help of your grace, and life everlasting, through the saving actions of Jesus Christ, our Lord and Redeemer.

Act of Love

O God, we love you above all things, with our whole heart and soul, because you are all good and worthy of all love. We love our neighbor as ourselves for the love of you. We forgive all who have injured us and ask pardon of all whom we have injured.

Morning Prayer

God be in my head, and in my understanding;
God be in my eyes, and in my looking;
God be in my mouth, and in my speaking;
God be in my heart, and in my thinking;
God be at my end, and at my departing.
Amen.

Evening Prayer

Lord, from the rising of the sun to its setting your name is worthy of all praise. Let our prayer come like incense before you. May the lifting up of our hands be as an evening sacrifice acceptable to you,
Lord our God.
Amen.

Oramos con los Santos

Cuando oramos con los Santos, les pedimos que rueguen a Dios por nosotros y que recen con nosotros. Los Santos están junto a Cristo. Ellos hablan por nosotros cuando necesitamos ayuda. Una de las devociones más populares a María es el Rosario.

Cómo rezar el Rosario

1. Haz la Señal de la Cruz y di el Credo de los Apóstoles.

2. Reza un Padre Nuestro, tres Ave Marías y un Gloria al Padre.

3. Di el primer misterio; luego reza un Padre Nuestro.

4. Reza diez Ave Marías mientras meditas sobre el misterio.

5. Reza un Gloria al Padre.

6. Di el segundo misterio; luego reza un Padre Nuestro.

Repite los pasos 4 y 5, y continúa con el tercer, cuarto y quinto misterios de la misma forma.

7. Reza el Salve Regina.

Misterios gozosos

La encarnación del Hijo de Dios

La visitación de Nuestra Señora a su
  prima Santa Isabel

El nacimiento del Hijo de Dios

La presentación de Jesús en el templo

El Niño Jesús perdido y hallado en
  el templo

Misterios dolorosos

La oración de Jesús en el huerto

La flagelación del Señor

La coronación de espinas

Jesús con la Cruz a cuestas camino
  del Calvario

La Crucifixión y Muerte de
  Nuestro Señor

Misterios luminosos

El Bautismo de Jesús en el Jordán

La autorrevelación de Jesús en las
  bodas de Caná

El anuncio del Reino de Dios
  invitando a la conversión

La Transfiguración

La Institución de la Eucaristía

Misterios gloriosos

La Resurrección del Hijo de Dios

La Ascensión del Señor a los cielos

La venida del Espíritu Santo sobre
  los Apóstoles

La Asunción de Nuestra Señora a
  los cielos

La coronación de la Santísima Virgen
  como Reina de cielos y tierra

Praying with the Saints

When we pray with the Saints, we ask them to pray to God for us and to pray with us. The Saints are with Christ. They speak for us when we need help. One of the most popular devotions to Mary is the Rosary.

How to Pray the Rosary

1. Pray the Sign of the Cross and say the Apostles' Creed.

2. Pray the Lord's Prayer, three Hail Marys, and the Glory Be.

3. Say the first mystery; then pray the Lord's Prayer.

4. Pray ten Hail Marys while meditating on the mystery.

5. Pray the Glory Be to the Father.

6. Say the second mystery; then pray the Lord's Prayer.

Repeat steps 4 and 5, and continue with the third, fourth, and fifth mysteries in the same manner.

7. Pray the Hail, Holy Queen.

The Joyful Mysteries

The Annunciation

The Visitation

The Nativity

The Presentation in the Temple

The Finding in the Temple

The Sorrowful Mysteries

The Agony in the Garden

The Scourging at the Pillar

The Crowning with Thorns

The Carrying of the Cross

The Crucifixion and Death

The Luminous Mysteries

The Baptism of Jesus

The Wedding at Cana

The Proclamation of the Kingdom

The Transfiguration

The Institution of the Eucharist

The Glorious Mysteries

The Resurrection

The Ascension

The Descent of the Holy Spirit

The Assumption of Mary

The Coronation of Mary in Heaven

Letanía a San José

Una letanía es una oración con una frase que se repite una y otra vez para que quienes rezan se concentren en la oración misma. En las Letanías de los Santos, le pedimos a los Santos que intercedan por nosotros.

Señor, ten piedad de nosotros.	Señor, ten piedad de nosotros.
Cristo, ten piedad de nosotros.	Cristo, ten piedad de nosotros.
Señor, ten piedad de nosotros.	Señor, ten piedad de nosotros.

Santa María	Ruega por nosotros
San José	Ruega por nosotros.
Noble hijo de la casa de David	Ruega por nosotros…
Esposo de la Madre de Dios	Ruega por nosotros…
Padre adoptivo del Hijo de Dios	Ruega por nosotros.
Fiel guardián de Cristo	Ruega por nosotros.
Cabeza de la Sagrada Familia	Ruega por nosotros…
Modelo de los obreros	Ruega por nosotros.
Ejemplo de los padres	Ruega por nosotros…
Esperanza de los enfermos	Ruega por nosotros.
Patrono de los agonizantes	Ruega por nosotros.
Terror de los espíritus malignos	Ruega por nosotros.
Protector de la santa Iglesia	Ruega por nosotros.

Cordero de Dios, que quitas el pecado del mundo	Perdónanos, Señor.
Cordero de Dios, que quitas el pecado del mundo	Escúchanos, Señor.
Cordero de Dios, que quitas el pecado del mundo	Ten misericordia de nosotros.
Castésimo patriarca del alma mía, cuando llegue mi muerte,	Que tu patrocinio me ampare, el de Jesús, y María.

Litany of St. Joseph

A litany is a prayer with one line that is meant to be repeated over and over again so that those praying are caught up in the prayer itself. In Litanies of the Saints we call to the Saints to intercede for us.

Lord, have mercy.	Lord, have mercy.
Christ, have mercy.	Christ, have mercy.
Lord, have mercy.	Lord, have mercy.

Good Saint Joseph,	pray for us.
Descendant of the House of David,	pray for us.
Husband of Mary,	pray for us.
Foster father of Jesus,	pray for us.
Guardian of Christ,	pray for us.
Support of the holy family,	pray for us.
Model of workers,	pray for us.
Example to parents,	pray for us.
Comfort of the dying,	pray for us.
Provider of food to the hungry,	pray for us.
Companion of the poor,	pray for us.
Protector of the Church,	pray for us.

Merciful God,
grant that we may learn from Saint Joseph
to care for the members of our families
and share what we have with the poor.
We ask this through Christ our Lord.
Amen.

Palabras católicas

A – C

absolución palabras pronunciadas por el sacerdote durante el Sacramento de la Penitencia y de la Reconciliación para otorgar el perdón de los pecados en nombre de Dios (**492**)

alianza una promesa o acuerdo sagrado entre Dios y los seres humanos (**6, 134**)

alma la parte espiritual del ser humano, que vive para siempre (**176**)

año litúrgico las fiestas y tiempos del calendario de la Iglesia que celebran el Misterio Pascual de Cristo (**450**)

arca de la alianza un baúl de madera que contenía las tablas con los Diez Mandamientos. Los israelitas lo llevaban a donde quiera que iban como un recordatorio de que Dios estaba con ellos. (**152**)

arrepentirse apartar nuestra vida del pecado y encaminarla hacia a Dios (**488**)

Ascensión cuando Jesús Resucitado fue llevado al Cielo para estar con Dios Padre para siempre (**450**)

asesinato el matar deliberadamente a otra persona cuando no es en defensa propia (**404**)

avaricia el pecado de desear o ganar bienes terrenales sin límites o más allá de lo que necesitas (**520**)

beatificación el segundo paso en el proceso para convertirse en Santo, en el que la Iglesia reconoce que la persona venerable ha realizado un milagro a través de sus oraciones de intercesión (**332**)

bien común el bien de todos, en especial el de aquellos que sean más vulnerables a ser heridos (**200**)

Bienaventuranzas enseñanzas de Jesús que muestran el camino a la felicidad verdadera y explican cómo vivir en el Reino de Dios ahora y siempre (**244**)

blasfemia el pecado de no respetar el nombre de Dios, Jesucristo, María y los Santos en palabras o acciones (**288**)

canonización un anuncio del Papa que declara Santa a una persona. Los Santos canonizados tienen días festivos especiales o memoriales en el calendario de la Iglesia. (**332**)

caridad la virtud teologal del amor. Nos lleva a amar a Dios por sobre todas las cosas y a nuestro prójimo como a nosotros mismos, por el amor de Dios. (**268**)

castidad una virtud moral y uno de los Frutos del Espíritu Santo que nos ayuda a actuar y a pensar de maneras puras y apropiadas (**384**)

Cielo la felicidad de vivir eternamente en la presencia de Dios (**556**)

conciencia la habilidad dada por Dios que nos ayuda a juzgar si una acción es correcta o incorrecta. Es importante para nosotros saber las leyes de Dios para que nuestra conciencia nos ayude a tomar buenas decisiones. (**220**)

confesión otro nombre para el Sacramento de la Penitencia y de la Reconciliación; un elemento esencial del Sacramento cuando le cuentas tus pecados al sacerdote (**488**)

corresponsabilidad la manera en que valoramos y usamos los dones de Dios, incluidos nuestro tiempo, talentos y tesoros, y los recursos de la creación (**522**)

culto adorar y alabar a Dios, especialmente en la liturgia y en oración (**286**)

D – E

Diez Mandamientos el resumen de la leyes que Dios dio a Moisés en el Monte Sinaí. Estas describen lo que es necesario para amar a Dios y a los demás. **(152)**

dignidad humana el valor que cada persona tiene porque está hecha a imagen de Dios **(176)**

Dones del Espíritu Santo siete dones poderosos que Dios nos da para seguir la guía del Espíritu Santo y vivir la vida cristiana **(556)**

Encarnación el misterio en el que el Hijo de Dios se hizo hombre para salvar a todas las personas **(468)**

envidia el pecado de sentir rencor por lo que otros tienen o entristecernos por querer para nosotros lo que pertenece a otros **(520)**

esperanza la virtud teologal que nos ayuda a confiar en la felicidad verdadera que Dios quiere que tengamos y en las promesas de Jesús de vida eterna, y a contar con la ayuda del Espíritu Santo **(268)**

Eucaristía el Sacramento en el que Jesús se da a sí mismo, y el pan y el vino se convierten en su Cuerpo y su Sangre **(474)**

Evangelio una palabra que significa "Buena Nueva" o "buena noticia". El mensaje del Evangelio es la Buena Nueva del Reino de Dios y su amor salvador. **(536)**

evangelización compartir la Buena Nueva de Jesús a través de palabras y acciones en una manera que invite a las personas a aceptar el Evangelio **(536)**

F – H

fe la virtud teologal que hace posible que nosotros creamos en Dios y todo lo que Él nos ayuda a entender de sí mismo. La fe nos lleva a obedecer a Dios. **(268)**

fiel ser constante y leal con tus promesas y compromisos con Dios y los demás, de la misma manera en que Él es fiel contigo **(134)**

fortaleza la Virtud Cardinal que te ayuda a mostrar valor y ser fuerte para poder sobrellevar momentos difíciles y no rendirte para hacer el bien **(384)**

gracia el don de Dios de su propia vida y ayuda que Él nos da amorosa y libremente a los seres humanos **(218)**

Gran Mandamiento el mandato doble de amar a Dios por sobre todas las cosas y al prójimo como a ti mismo. Resume todas las leyes de Dios. **(264)**

humildad la virtud moral que nos ayuda a entender que Dios es la fuente de todo lo bueno. La humildad nos ayuda a evitar que seamos orgullosos. **(520)**

I – L

idolatría el pecado de adorar un objeto o persona en lugar de Dios. Es permitir que algo o alguien sea más importante que Dios. **(286)**

Infierno estar separado de Dios para siempre por una decisión de apartarse de Él y no buscar perdón **(560)**

Inmaculada Concepción la verdad de que Dios mantuvo a María libre de pecado desde el primer momento de su vida **(338)**

Juicio Final el triunfo final de Dios sobre el mal que ocurrirá al final de los tiempos, cuando Cristo regrese y juzgue a todos los vivos y los muertos **(562)**

Juicio Particular el juicio individual que hace Dios en el momento de la muerte de una persona; cuando Dios decide, después de la muerte de la persona, dónde pasará la eternidad según la fe y las obras de esa persona **(560)**

justicia darle a Dios lo que le es debido. Esta virtud también significa darle a cada persona lo que se merece porque es un hijo de Dios. **(520)**

laicado todas las personas bautizadas de la Iglesia que comparten la misión de Dios pero que no son sacerdotes ni hermanas o hermanos consagrados; a veces se los llama laicos (**316**)

libre albedrío la libertad y habilidad otorgadas por Dios para tomar decisiones. Dios nos creó con libre albedrío para que tuviéramos la libertad de elegir el bien. (**218**)

M – N

Magisterio el oficio educativo de la Iglesia, conformado por todos los obispos en unión con el Papa (**356**)

María la Madre de Jesús, la Madre de Dios. También se la llama "Nuestra Señora" porque es nuestra Madre y la Madre de la Iglesia. (**336**)

mártir una persona que entrega su vida para dar testimonio de la verdad de Cristo y la fe. La palabra mártir significa "testigo". (**422**)

misericordia la bondad y preocupación por aquellos que sufren. Dios tiene misericordia de nosotros aunque seamos pecadores. (**244**)

misión un trabajo o propósito. La misión de la Iglesia es anunciar la Buena Nueva del Reino de Dios (**536**)

Misterio Pascual el misterio del sufrimiento, Muerte, Resurrección y Ascensión de Jesús (**450**)

modestia una virtud moral y uno de los Frutos del Espíritu Santo que nos ayuda a vestirnos, hablar y movernos de manera y apropiada (**384**)

moralidad vivir en una relación correcta con Dios, contigo mismo y con los demás. Es poner en práctica tus creencias. (**200**)

O – P

Obras de Misericordia Corporales actos que muestran que atendemos a las necesidades físicas de los demás (**270**)

Obras de Misericordia Espirituales actos que satisfacen las necesidades del corazón, la mente y el alma (**270**)

paz un estado de calma en el que las cosas están en su orden apropiado y las personas resuelven los problemas con bondad y justicia (**250**)

pecado pensamiento, palabra, acción u omisión deliberados que van en contra de la ley de Dios. Los pecados dañan nuestra relación con Dios y con los demás. (**180**)

pecado mortal un pecado grave que rompe la relación de la persona con Dios (**180**)

Pecado Original el pecado de nuestros primeros padres, Adán y Eva, que llevó a la condición pecadora del género humano desde sus principios (**128**)

pecado venial un pecado que debilita la relación de la persona con Dios, pero que no la destruye (**180**)

penitencia la oración, ofrenda u obra de bien que el sacerdote te da en el Sacramento de la Reconciliación(**492**)

Preceptos de la Iglesia algunos de los requisitos mínimos dados por los líderes de la Iglesia para profundizar nuestra relación con Dios y con la Iglesia (**356**)

providencia el cuidado amoroso de Dios por todas las cosas; la voluntad de Dios y su plan para la creación (**112**)

prudencia la Virtud Cardinal que nos ayuda a ser prácticos y tomar las decisiones correctas sobre lo que es correcto y bueno, con la ayuda del Espíritu Santo y una conciencia bien formada (**424**)

Purgatorio un estado de purificación final después de la muerte y antes de entrar al Cielo (**560**)

Reino de Dios reinado de Dios de paz, justicia y amor que existe en el Cielo, pero que no ha alcanzado su plenitud en la Tierra (**314**)

reparación una acción tomada para arreglar el daño hecho por el pecado (**424**)

Resurrección el acto por el cual Dios Padre, a través del poder del Espíritu Santo, hace que Jesús pase de la Muerte a una nueva vida (**288**)

Revelación Divina la manera en que Dios se nos da a conocer y nos hace conocer su plan para los seres humanos (**114**)

Sacramento de la Penitencia y de la Reconciliación el Sacramento en el que el perdón de Dios por los pecados es administrado a través de la Iglesia (**488**)

Sacramento de la Unción de los Enfermos el Sacramento que trae el toque sanador de Jesús para fortalecer, consolar y perdonar los pecados de aquellos que están gravemente enfermos o a punto de morir (**494**)

Sagrada Escritura otro nombre para la Biblia; la Sagrada Escritura es la Palabra de Dios inspirada por Él y escrita por los seres humanos (**8, 114**)

Sagrada Tradición la Palabra de Dios a la Iglesia, salvaguardada por los Apóstoles y sus sucesores, los obispos, y transmitida verbalmente a las futuras generaciones, en los Credos, Sacramentos y otras enseñanzas (**114**)

sagrado digno de reverencia y devoción (**402**)

salvación la acción amorosa de Dios de perdonar los pecados y de restaurar la amistad con Él, realizada a través de Jesús (**128**)

Santísima Trinidad el misterio de un Dios en tres Personas Divinas: Padre, Hijo y Espíritu Santo (**196**)

Santo una persona a quien la Iglesia declara que ha llevado una vida santa y que disfruta de la vida eterna con Dios en el Cielo (**332**)

Santo patrón un Santo que tiene una relación especial con una causa, lugar, tipo de trabajo o persona. Por ejemplo, si la persona o ciudad tienen el mismo nombre del Santo, ese Santo es un patrón. (**338**)

Siete Sacramentos signos eficaces de la vida de Dios, instituidos por Cristo y entregados a la Iglesia. En la celebración de cada Sacramento, hay signos visibles y acciones Divinas que otorgan gracia y permiten que participemos de la obra de Dios. (**468**)

sigilo sacramental una regla por la que el sacerdote no puede decir nada de lo que escucha durante la confesión (**492**)

T – V

templanza la Virtud Cardinal que nos ayuda a usar la moderación, a ser disciplinados y a tener continencia (**384**)

tentación una atracción hacia el pecado; querer hacer algo que no debemos, o no hacer algo que debemos hacer (**488**)

vida eterna vida para siempre con Dios para todos los que mueren en su amistad (**244**)

Virtudes Cardinales las cuatro virtudes morales principales —prudencia, templanza, justicia y fortaleza— que nos ayudan a vivir como hijos de Dios y de las que fluyen otras virtudes morales. Fortalecemos estos buenos hábitos a través de la gracia de Dios y nuestros propios esfuerzos. (**382**)

Virtudes Teologales las virtudes de fe, esperanza y caridad, que son los dones de Dios que guían nuestra relación con Él (**268**)

vocación el plan de Dios para nuestra vida; el propósito para el que Él nos hizo (**312**)

votos promesas solemnes que se hacen ante Dios o que se le hacen a Dios (**314**)

A

absolution words spoken by the priest during the Sacrament of Penance and Reconciliation to grant forgiveness in God's name **(493)**

ark of the covenant a wooden chest that housed the tablets of the Ten Commandments. The Israelites carried it wherever they went as a reminder that God was with them. **(153)**

Ascension when the Risen Jesus was taken up to Heaven to be with God the Father forever **(451)**

B

beatification the second step in the process of becoming a Saint, in which a venerable person is recognized by the Church as having brought about a miracle through his or her prayers of intercession **(333)**

Beatitudes teachings of Jesus that show the way to true happiness and tell the way to live in God's Kingdom now and always **(245)**

blasphemy the sin of showing disrespect for the name of God, Jesus Christ, Mary, or the Saints in words or action **(289)**

C

canonization a declaration by the Pope naming a person a Saint. Canonized Saints have special feast days or memorials in the Church's calendar. **(333)**

Cardinal Virtues the four principal moral virtues —prudence, temperance, justice, and fortitude—that help us live as children of God and from which the other moral virtues flow. We strengthen these good habits through God's grace and our own efforts. **(383)**

charity the theological virtue of love. It directs us to love God above all things and our neighbor as ourselves, for the love of God **(269)**

chastity a moral virtue and one of the Fruits of the Holy Spirit that helps us to act and think in ways that are appropriate and pure **(385)**

common good the good of everyone, with particular concern for those who might be most vulnerable to harm **(201)**

confession another name for the Sacrament of Penance and Reconciliation; an essential element of the Sacrament when you tell your sins to the priest **(489)**

conscience the God-given ability that helps us judge whether actions are right or wrong. It is important for us to know God's laws so our conscience can help us make good decisions. **(221)**

Corporal Works of Mercy actions that show care for the physical needs of others **(271)**

covenant a sacred promise or agreement between God and humans **(7, 135)**

D – E

Divine Revelation the way God makes himself, and his plan for humans, known to us **(115)**

envy the sin of resenting what others have or being sad from wanting for yourself what belongs to others **(521)**

eternal life life forever with God for all who die in his friendship **(245)**

Eucharist the Sacrament in which Jesus gives himself and the bread and wine become his Body and Blood **(475)**

evangelization sharing the Good News of Jesus through words and actions in a way that invites people to accept the Gospel **(537)**

F

faith the theological virtue that makes it possible for us to believe in God and all that he helps us understand about himself. Faith leads you to obey God. **(269)**

faithful to be constant and loyal in your commitments to God and others, just as he is faithful to you **(135)**

fortitude the Cardinal Virtue that helps you show courage, have strength to get through difficult times, and not give up on doing good **(385)**

free will the God-given freedom and ability to make choices. God created us with free will so we can have the freedom to choose good. **(219)**

G

Gifts of the Holy Spirit seven powerful Gifts God gives us to follow the guidance of the Holy Spirit and live the Christian life **(557)**

Gospel a word that means "Good News." The Gospel message is the Good News of God's Kingdom and his saving love. **(537)**

grace God's free and loving gift to humans of his own life and help **(219)**

Great Commandment the twofold command to love God above all and your neighbor as yourself. It sums up all God's laws. **(265)**

greed the sin of desiring to gain earthly goods without limits or beyond what you need **(521)**

H

Heaven the joy of living eternally in God's presence **(557)**

Hell being separated from God forever because of a choice to turn away from him and not seek forgiveness **(561)**

Holy Trinity the mystery of one God in three Divine Persons: Father, Son, and Holy Spirit **(197)**

hope the theological virtue that helps us trust in the true happiness God wants us to have and in Jesus' promises of eternal life, and to rely on the help of the Holy Spirit **(269)**

human dignity the worth each person has because he or she is made in the image of God **(177)**

humility the moral virtue that helps us to know that God is the source of everything good. Humility helps us to avoid being prideful. **(521)**

I – J

idolatry the sin of worshipping an object or a person instead of God. It is letting anything or anyone become more important than God. **(287)**

Immaculate Conception the truth that God kept Mary free from sin from the first moment of her life **(339)**

Incarnation the mystery that the Son of God became man in order to save all people **(469)**

justice giving God what is due him. This virtue also means giving each person what he or she is due because that person is a child of God. **(521)**

K

Kingdom of God God's rule of peace, justice, and love that exists in Heaven, but has not yet come in its fullness on Earth **(315)**

L

laity all of the baptized people in the Church who share in God's mission but are not priests or consecrated sisters or brothers; sometimes called lay people **(317)**

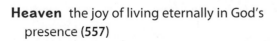

Last Judgment God's final triumph over evil that will occur at the end of time, when Christ returns and judges all the living and the dead (563)

liturgical year the feasts and seasons of the Church calendar that celebrate the Paschal Mystery of Christ (451)

M – N

Magisterium the teaching office of the Church, which is all of the bishops in union with the Pope (357)

martyr a person who gives up his or her life to witness to the truth of Christ and the faith. The word martyr means "witness." (423)

Mary the Mother of Jesus, the Mother of God. She is also called "Our Lady" because she is our mother and the Mother of the Church. (337)

mercy kindness and concern for those who are suffering. God has mercy on us even though we are sinners. (245)

mission a job or purpose. The Church's mission is to announce the Good News of God's Kingdom. (537)

modesty a moral virtue and one of the Fruits of the Holy Spirit that helps us dress, talk, and move in appropriate ways (385)

morality living in right relationship with God, yourself, and others. It is putting your beliefs into action. (201)

mortal sin serious sin that causes a person's relationship with God to be broken (181)

murder the deliberate killing of another person when the killing is not in self-defense (405)

O

Original Sin the sin of our first parents, Adam and Eve, which led to the sinful condition of the human race from its beginning (129)

P

Particular Judgment the individual judgment by God at the time of a person's death; when God decides, after a person's death, where that person will spend eternity according to his or her faith and works (561)

Paschal Mystery the mystery of Jesus' suffering, Death, Resurrection, and Ascension (451)

patron Saint a Saint who has a particular connection to a cause, place, type of work, or person. For example, if a person or city shares the name of a Saint, that Saint is a patron. (339)

peace a state of calm when things are in their proper order and people settle problems with kindness and justice (251)

penance the prayer, offering, or good work the priest gives you in the Sacrament of Penance (493)

Precepts of the Church some of the minimum requirements given by Church leaders for deepening our relationship with God and the Church (357)

providence God's loving care for all things; God's will and plan for creation (113)

prudence the Cardinal Virtue that helps us be practical and make correct decisions on what is right and good, with the help of the Holy Spirit and a well-formed conscience (425)

Purgatory a state of final cleansing after death and before entering Heaven (561)

R

reparation an action taken to repair the damage done from sin (425)

repent to turn our lives away from sin and toward God (489)

Resurrection the event of Jesus being raised from Death to new life by God the Father through the power of the Holy Spirit (289)

Sacrament of Penance and Reconciliation the Sacrament in which God's forgiveness for sin is given through the Church (489)

Sacrament of the Anointing of the Sick the Sacrament that brings Jesus' healing touch to strengthen, comfort, and forgive the sins of those who are seriously ill or close to death (495)

sacramental seal a rule that a priest is not to share anything he hears in confession (493)

sacred worthy of reverence and devotion (403)

Sacred Scripture another name for the Bible; Sacred Scripture is the inspired Word of God written by humans (9)

Sacred Tradition God's Word to the Church, safeguarded by the Apostles and their successors, the bishops, and handed down verbally—in her creeds, Sacraments, and other teachings—to future generations (115)

Saint a person whom the Church declares has led a holy life and is enjoying eternal life with God in Heaven (333)

salvation the loving action of God's forgiveness of sins and the restoration of friendship with him brought by Jesus (129)

Seven Sacraments effective signs of God's life, instituted by Christ and given to the Church. In the celebration of each Sacrament, there are visible signs and Divine actions that give grace and allow us to share in God's work. (469)

sin a deliberate thought, word, deed, or omission contrary to the law of God. Sins hurt our relationship with God and other people. (181)

soul the spiritual part of a human that lives forever (177)

Spiritual Works of Mercy actions that address the needs of the heart, mind, and soul (271)

stewardship the way we appreciate and use God's gifts, including our time, talent, and treasure, and the resources of creation (523)

temperance the Cardinal Virtue that helps us use moderation, be disciplined, and have self-control (385)

temptation an attraction to sin; wanting to do something we should not or not do something we should (489)

Ten Commandments the summary of laws that God gave Moses on Mount Sinai. They tell what is necessary in order to love God and others. (153)

Theological Virtues the virtues of faith, hope, and charity, which are gifts from God that guide our relationship with him (269)

venial sin a sin that weakens a person's relationship with God but does not destroy it (181)

vocation God's plan for our lives; the purpose for which he made us (313)

vows solemn promises that are made to or before God (315)

W

worship to adore and praise God, especially in the liturgy and in prayer (287)

Índice

© Our Sunday Visitor

Índice

Index

Boldfaced numbers refer to pages on which the terms are defined.

Photo Credits:
iv, x © Our Sunday Visitor; **vi, xii** © Colorblind/Photodisc/Getty Images; **vii, xiii** © Our Sunday Visitor; **viii, xiv** © Jeff Greenberg/PhotoEdit; **2, 3** © Joe Klementovich/Getty Images; **4, 5** © Bill & Peggy Wittman; **6, 7** © Rubberball/Corbis; **8, 9** © The Granger Collection, NYC; **10, 11** © Myrleen Pearson/PhotoEdit; **14, 15** (bg) © Image Copyright Joan Kerrigan, 2012 Used under license from Shutterstock.com; **14, 15** (inset) © Our Sunday Visitor; **20, 21** © Hemera/Thinkstock; **26, 27** © Image Copyright Philip Meyer, 2012 Used under license from Shutterstock.com; **28, 29** © Hemera/Thinkstock; **30, 31** (l) © iStockphoto.com/sedmak; **30, 31** (r) © David Davis Photoproductions RF/Alamy Images; **32, 33** (t) © Bill & Peggy Wittman; **32, 33** (b) © Image Copyright Ultimathule, 2012 Used under license from Shutterstock.com; **36, 37** © Image Copyright Philip Meyer, 2012 Used under license from Shutterstock.com; **38, 39** © Image Copyright Philip Meyer, 2012 Used under license from Shutterstock.com; **40, 41** © Bill & Peggy Wittman; **42, 43** © Andersen Ross/Blend Images/Getty Images; **46, 47** © Image Copyright Philip Meyer, 2012 Used under license from Shutterstock.com; **50, 51** © Our Sunday Visitor; **52, 53** © Image Copyright Catalin Petolea, 2012 Used under license from Shutterstock.com; **56, 57** © Image Copyright Philip Meyer, 2012 Used under license from Shutterstock.com; **58, 59** © Image Copyright Philip Meyer, 2012 Used under license from Shutterstock.com; **60, 61** © Image Copyright Catalin Petolea, 2012 Used under license from Shutterstock.com; **62, 63** © AP Photo/Piqua Daily Call, James E. Mahan; **64, 65** © AP Photo/Republican-Herald, Jacqueline Dormer; **66, 67** © Christie's Images Ltd./SuperStock; **68, 69** © Image Copyright Philip Meyer, 2012 Used under license from Shutterstock.com; **70, 71** © Image Copyright Philip Meyer, 2012 Used under license from Shutterstock.com; **72, 73** © AP Photo/Piqua Daily Call, James E. Mahan; **74, 75** © Image Copyright Sergii Figurnyi, 2012 Used under license from Shutterstock.com; **76, 77** © Kim Karpeles/Alamy; **78, 79** © iStockphoto.com/Kali9; **80, 81** © Image Copyright Philip Meyer, 2012 Used under license from Shutterstock.com; **82, 83** © Image Copyright Philip Meyer, 2012 Used under license from Shutterstock.com; **84, 85** © iStockphoto.com/Kali9; **88, 89** © Photoalto/SuperStock; **90, 91** © Image Copyright Philip Meyer, 2012 Used under license from Shutterstock.com; **94, 95** © Photolove/Cultura/Corbis; **96, 97** © Our Sunday Visitor; **98, 99** © Image Copyright Philip Meyer, 2012 Used under license from Shutterstock.com; **100, 101** © Photolove/Cultura/Corbis; **104, 105** (c) © Erin Paul Donovan/SuperStock; **104, 105** (b) © Eddie Gerald/Alamy; **106, 107** © STScI/NASA/Corbis Documentary/Getty Images; **112, 113** © Providence Collection/Licensed From Goodsalt.com; **114, 115** © Valueline/Thinkstock; **116, 117** © Comstock/Thinkstock; **120, 121** (bg) © Image Copyright Joan Kerrigan, 2012 Used under license from Shutterstock.com; **120, 121** (inset) © Amana/Corbis; **122, 123** © Valueline/Thinkstock; **126, 127** © Erik Isakson/Getty Images; **128, 129** © The Crosiers/Gene Plaisted, OSC; **130, 131** © SuperStock/age fotostock; **134, 135** © Our Sunday Visitor; **136, 137** © Rubberball/Corbis; **140, 141** (bg) © Image Copyright Joan Kerrigan, 2012 Used under license from Shutterstock.com; **140, 141** (inset) © Hemera/Thinkstock; **142, 143** © Erik Isakson/Getty Images; **148, 149** (t) © The Crosiers/Gene Plaisted, OSC; **148, 149** (b) © Kidstock/Blend Images/Getty Images; **150, 151** © Moses crossing the Red Sea (colour engraving), French School, (19th century)/Private Collection/Archives Charmet/The Bridgeman Art Library; **152, 153** © God Giving the Ten Commandments to Moses on Mount Sinai, 1923 (screen print), Winter, Milo (1888–1956)/Private Collection/Photo © GraphicaArtis/Bridgeman Images; **160, 161** (bg) © Image Copyright Joan Kerrigan, 2012 Used under license from Shutterstock.com; **160, 161** (inset) © Jurijus Dukina/Alamy; **162, 163** © Kidstock/Blend Images/Getty Images; **172, 173** (c) © Peter Cade/Iconica/Getty Images; **172, 173** (b) © Andy Chadwick/Alamy; **174, 175** © Image Source/Corbis; **176, 177** (l) © iStockphoto/Thinkstock; **176, 177** (r) © Our Sunday Visitor; **182, 183** © Stockbroker/Purestock/SuperStock; **184, 185** (l) © Creatas/Thinkstock; **184, 185** (r) © Image Copyright Yuri Arcurs, 2013 Used under license from Shutterstock.com; **188, 189** (bg) © Image Copyright Joan Kerrigan, 2012 Used under license from Shutterstock.com; **188, 189** (inset) © Ron Bambridge/OJO Images/Getty Images; **190, 191** © Our Sunday Visitor; **194, 195** © Philippe Lissac/Corbis Documentary/Getty Images; **200, 201** © Our Sunday Visitor; **202, 203** (t) © Mark Edward Atkinson/Blend Images/Getty Images; **202, 203** (c) © Larry Mulvehill/Corbis; **202, 203** (b) © Terry Vine/Stone/Getty Images; **204, 205** © iStockphoto/Thinkstock; **208, 209** (bg) © Image Copyright Joan Kerrigan, 2012 Used under license from Shutterstock.com; **208, 209** (inset) © Ben Wyeth/Alamy; **210, 211** © Our Sunday Visitor; **214, 215** © iStockphoto.com/cosmin4000; **216, 217** © iStockphoto/Thinkstock; **220, 221** © Lebrecht/The Image Works; **222, 223** (l) © Neustockimages/Vetta/Getty Images; **222, 223** (r) © Pauline St. Denis/Corbis; **224, 225** © Amos Morgan/Photodisc/Thinkstock; **228, 229** (bg) © Image Copyright Joan Kerrigan, 2012 Used under license from Shutterstock.com; **228, 229** (inset) © iStockphoto.com/cosmin4000; **230, 231** © Neustockimages/Vetta/Getty Images; **240, 241** (c) © KidStock/Blend Images/Getty Images; **240, 241** (b) © iStockphoto/Thinkstock; **244, 245** © Danny Lehman/Corbis Documentary/Getty Images; **248, 249** (l) © age fotostock/SuperStock; **248, 249** (r) © Mondadori/Getty Images; **250, 251** © John Moore/Getty Images; **256, 257** (bg) © Image Copyright Joan Kerrigan, 2012 Used under license from Shutterstock.com; **256, 257** (inset) © PBPA Paul Beard Photo Agency/Alamy Images; **258, 259** © Danny Lehman/Corbis Documentary/Getty Images; **262, 263** © Rick Gomez/Corbis/Getty Images; **266, 267** © Greg Stott/Masterfile; **270, 271** © Gary S Chapman/Photographer's Choice RF/Getty Images; **272, 273** © Ethan Miller/Getty Images; **276, 277** (bg) © Image Copyright Joan Kerrigan, 2012 Used under license from Shutterstock.com; **276, 277** (inset) © Dex Image/Getty Images; **278, 279** © Gary S Chapman/Photographer's Choice RF/Getty Images; **282, 283** © Our Sunday Visitor; **284, 285** (l) © Superstock/Alamy Images; **284, 285** (r) © Hemera/Thinkstock; **286, 287** © Andersen Ross/Iconica/Getty Images; **288, 289** © Our Sunday Visitor; **290, 291** (l) © Our Sunday Visitor; **290, 291** (bl) © iStockphoto/Thinkstock; **290, 291** (br) © Masterfile Royalty Free; **290, 291** (r) © Monkey Business/Thinkstock; **292, 293** © Comstock Images/Thinkstock; **296, 297** (bg) © Image Copyright Joan Kerrigan, 2012 Used under license from Shutterstock.com; **296, 297** (inset) © Image Copyright Zvonimir Atletic, 2012 Used under license from Shutterstock.com; **298, 299** © Our Sunday Visitor; **308, 309** (c) © Syracuse Newspapers/Jim Commentucci/The Image Works; **308, 309** (b) © Our Sunday Visitor; **310, 311** © iStockphoto.com/brytta; **314, 315** (l) © Robert Nicholas/OJO Images/Getty Images; **314, 315** (bl) © Rob Melnychuk/Digital Vision/Getty Images; **314, 315** (br) © love images/Alamy Images; **314, 315** (r) © Visage/Stockbyte/Getty Images; **316, 317** (t) © Our Sunday Visitor; **316, 317** (c) © Our Sunday Visitor; **316, 317** (b) © Exactostock/SuperStock; **318, 319** © Zev Radovan/Bible Land Pictures; **320, 321** (t) © Paul Burns/Digital Vision/Getty Images; **320, 321** (c) © Robert Warren/Taxi/Getty Images; **320, 321** (b) © OJO Images/Getty Images; **324, 325** (bg) © Image Copyright Joan Kerrigan, 2012 Used under license from Shutterstock.com; **324, 325** (inset) © Bildarchiv Monheim GmbH/Alamy; **326, 327** © Exactostock/SuperStock; **330, 331** © Walter Bibikow/Photolibrary/Getty Images; **334, 335** (t) © Image Copyright Neftal, 2013 Used under license from Shutterstock.com; **334, 335** (b) © LJM Photo/age fotostock; **336, 337** © Our Lady Sings Magnificat, illustration from 'The Book of Old English Songs and Ballads', published by Stodder and Houghton, c.1910 (colour litho), Brickdale, Eleanor Fortescue (1871–1945)/Private Collection/The Bridgeman Art Library; **338, 339** © Our Sunday Visitor; **340, 341** © RuberBall/Alamy; **342, 343** (l) © iStockphoto/Thinkstock; **342, 343** (r) © iStockphoto/Thinkstock; **344, 345** (bg) © Image Copyright Joan Kerrigan, 2012 Used under license from Shutterstock.com; **344, 345** (inset) © Photoservice Electa/SuperStock; **350, 351** © Fuse/Thinkstock; **356, 357** © New York Daily News Archive/Contributor/Getty Images; **358, 359** © Colorblind/Photodisc/Getty Images; **360, 361** (bg) © Mike Kemp/Getty Images; **360, 361** (inset) © KidStock/Blend Images/Getty Images; **364, 365** (bg) © Image Copyright Joan Kerrigan, 2012 Used under license from Shutterstock.com; **364, 365** (inset) © Our Sunday Visitor; **366, 367** © New York Daily News Archive/Contributor/Getty Images; **376, 377** (c) © iStockphoto/Thinkstock; **376, 377** (b) © Godong/age fotostock; **378, 379** © Brand X Pictures/Thinkstock; **384, 385** © Richard Wayman/Alamy; **388, 389** © Andersen Ross/age fotostock; **392, 393** (bg) © Image Copyright Joan Kerrigan, 2012 Used under license from Shutterstock.com; **392, 393** (inset) © Jim Arbogast/Digital Vision/Getty Images; **394, 395** © iStockphoto/Thinkstock; **400, 401** (l) © Brian Mitchell/Corbis Documentary/Getty Images; **400, 401** (r) © Allen Donikowski/Flickr/Getty Images; **402, 403** (l) © Stockbyte/Thinkstock; **402, 403** (r) © Monkey Business/Thinkstock; **404, 405** © By Ian Miles-Flashpoint Pictures/Alamy; **410, 411** © Our Sunday Visitor; **412, 413** (bg) © Image Copyright Joan Kerrigan, 2012 Used under license from Shutterstock.com; **412, 413** (inset) © Imagebroker.net/SuperStock; **414, 415** © Brian Mitchell/Corbis; **418, 419** © Sean Justice/Corbis; **420, 421** © PRISMA ARCHIVO/Alamy Images; **422, 423** (t) © Associated Press; **422, 423** (b) © Photo by Leif Skoogfors/Corbis via Getty Images; **424, 425** (l) © Our Sunday Visitor; **424, 425** (r) © Our Sunday Visitor; **428, 429** © Frederic Cirou/age fotostock; **432, 433** (bg) © Image Copyright Joan Kerrigan, 2012 Used under license from Shutterstock.com; **432, 433** (inset) © Masterfile Royalty Free; **434, 435** © Sean Justice/Corbis; **444, 445** (c) © Bill & Peggy Wittman; **444, 445** (b) © Our Sunday Visitor; **448, 449** © Radius Images/Getty Images; **452, 453** © Tetra Images/SuperStock; **454, 455** © Tetra Images/SuperStock; **456, 457** (t) © Masterfile Royalty Free; **456, 457** (b) © Kuttig-People/Alamy; **460, 461** (bg) © Image Copyright Joan Kerrigan, 2012 Used under license from Shutterstock.com; **460, 461** (inset) © Frischknecht Patrick/age fotostock; **466, 467** © Our Sunday Visitor; **468, 469** (l) © Our Sunday Visitor; **468, 469** (c) © Clarence Holmes/age fotostock; **468, 469** (r) © Bill & Peggy Wittman; **470, 471** (cl) © Fuse/Getty Images; **470, 471** (cr) © Bill & Peggy Wittman; **470, 471** (bl) © Bill & Peggy Wittman; **470, 471** (br) © Our Sunday Visitor; **472, 473** © Scala/Art Resource, NY; **474, 475** © Our Sunday Visitor; **476, 477** © Our Sunday Visitor; **478, 479** © Zoonar/I Burckhardt/age fotostock; **480, 481** (bg) © Image Copyright Joan Kerrigan, 2012 Used under license from Shutterstock.com; **480, 481** (inset) © Our Sunday Visitor; **482, 483** © Our Sunday Visitor; **486, 487** © Photo by Brooks Kraft LLC/Corbis via Getty Images; **492, 493** © Our Sunday Visitor; **494, 495** © Our Sunday Visitor; **496, 497** © Tooga/The Image Bank/Getty Images; **500, 501** (bg) © Image Copyright Joan Kerrigan, 2012 Used under license from Shutterstock.com; **500, 501** (inset) © Our Sunday Visitor; **502, 503** © Our Sunday Visitor; **512, 513** (c) © Philippe Lissac/Corbis Documentary/Getty Images; **512, 513** (b) © The Crosiers/Gene Plaisted, OSC; **514, 515** © Marilyn Conway/Photographer's Choice/Getty Images; **520, 521** © Baerbel Schmidt/Stone/Getty Images; **526, 527** © Our Sunday Visitor; **528, 529** (bg) © Image Copyright Joan Kerrigan, 2012 Used under license from Shutterstock.com; **528, 529** (inset) © Suzanne Tucker/age fotostock; **530, 531** © Marilyn Conway/Photographer's Choice/Getty Images; **536, 537** © Alfredo Dagli Orti/The Art Archive at Art Resource, NY; **538, 539** © Friedrich Stark/Alamy; **540, 541** (l) © Paula Bronstein/Getty Images; **540, 541** (r) © Maryknoll Mission Archives; **542, 543** © Fotosearch RM/Age Fotostock; **544, 545** (cl) © Maryknoll Mission Archives; **544, 545** (cr) © Sue Cunningham Photographic/Alamy; **544, 545** (bl) © Myrleen Pearson/PhotoEdit; **546, 547** © Tetra Images/SuperStock; **548, 549** © Image Copyright Joan Kerrigan, 2012 Used under license from Shutterstock.com; **550, 551** © Maryknoll Mission Archives; **554, 555** © Muskopf Photography, LLC/Alamy; **556, 557** © Camille Tokerud/Stone/Getty Images; **560, 561** (l) © Livia Corona/The Image Bank/Getty Images; **560, 561** (r) © Craig Lovell/Eagle Visions Photography/Alamy; **562, 563** © Friedrich Stark/Alamy; **564, 565** © iStockphoto.com/kali9; **568, 569** (bg) © Image Copyright Joan Kerrigan, 2012 Used under license from Shutterstock.com; **568, 569** (inset) © Markus Lange/imagebroker/Corbis; **570, 571** © Craig Lovell/Eagle Visions Photography/Alamy; **580–583** (bg) © Ocean/Corbis; **580, 581** (l) © Monkey Business Images/the Agency Collection/Getty Images; **580, 581** (r) © Image Copyright Karen Roach, 2012 Used under license from Shutterstock.com; **582, 583** (l) © Steve Prezant/Corbis/Getty Images; **582, 583** (r) © Jeff Greenberg/PhotoEdit; **584, 585** (l) © Blend Images/Alamy; **584, 585** (r) © Image Copyright David P. Smith, 2012 Used under license from Shutterstock.com; **586, 587** © Robert Dant/Alamy; **588, 589** © Jim West/Alamy; **590, 591** © iStockphoto.com/kristian sekulic; **592, 593** © Alison Wright/Corbis Documentary/Getty Images; **594, 595** © Our Sunday Visitor; **596, 597** (l) © SuperStock/Glowimages; **596, 597** (c) © Jeff Greenberg/PhotoEdit; **596, 597** (r) © iStockphoto.com/Sean Locke; **598, 599** (l) © Image Copyright James Peragine, 2012 Used under license from Shutterstock.com; **598, 599** (r) © iStockphoto.com/Syolacan; **600–603** © Denis Doyle/Stringer/Getty Images; **604–607** (bg) © Fancy/Alamy; **606, 607** (inset) © Chuck Franklin/Alamy; **610, 611** (l) © Peter J. Hatcher/Alamy; **610, 611** (c) © Philippe Lissac/Photononstop/Getty Images; **610, 611** (r) © SuperStock /Alamy Stock Photo; **612, 613** © Our Sunday Visitor; **616, 617** © iStockphoto.com/Kathy Konkle; **620, 621** © iStockphoto.com/piola666; **624, 625** (cl) © iStockphoto.com/sterlsev; **624, 625** (cr) © Our Sunday Visitor; **624, 625** (b) © Image Copyright STILLFX, 2012 Used under license from Shutterstock.com; **626, 627** © Linda Kennedy/Alamy; **628, 629** © Andy Medina/Alamy; **636, 637** © Our Sunday Visitor; **644, 645** © Photo by VCG Wilson/Corbis via Getty Images; **652, 653** © Image Copyright Elzbieta Sekowska, 2012 Used under license from Shutterstock.com

Acknowledgements
Los pasajes de la traducción española del *Catecismo Católico de los Estados Unidos para Adultos* © 2007 Libreria Editrice Vaticana. Todos los derechos reservados. El licenciatario exclusive en los Estados Unidos es la Conferencia de Obispos Católicos de los Estados Unidos, Washington, D.C. y todas las solicitudes del *Catecismo Católico de los Estados Unidos para Adultos* deben ser dirigidas a la Conferencia de Obispos Católicos de los Estados Unidos.

Quotations from papal and other Vatican-generated documents are available on vatican.va and copyright © Libreria Editrice Vaticana. Las citas de los documentos papales y otros generados por el Vaticano son disponibles en vatican.va y copyright © Libreria Editrice Vaticana.

Music selections copyright John Burland, used with permission, and produced in partnership with Ovation Music Services, P.O. Box 402 Earlwood NSW 2206, Australia. Please refer to songs for specific copyright dates and information.

Music selections copyrighted or administered by OCP Publications are used with permission of OCP Publications, 5536 NE Hassalo, Portland, OR 97213. Please refer to songs for specific copyright dates and information.

Allelu! Growing and Celebrating with Jesus ® Music CD © Our Sunday Visitor, Inc. Music written and produced by Sweetwater Productions. All rights of the owners of these works are reserved.

Letanía a San José y Oración de la mañana de *Oraciones Católicas del Pueblo de Dios* © 2003 de Arquidiócesis de Chicago: Liturgy Training Publications.

Oración de la noche del *Libro católico de oraciones* © 1984, de Catholic Book Publishing Corp.

Twenty-Third Publications, A Division of Bayard: "Grail Prayer" from *500 Prayers for Catholic Schools and Parish Youth Groups* by Filomena Tassi and Peter Tassi. Text copyright © Filomena Tassi and Peter Tassi.